HRVATSKI PRAVOPIS

Urednica
DINKA JURIČIĆ

Recenzenti
RADOSLAV KATIČIĆ
STJEPKO TEŽAK

Grafički urednik
ŽELJKO BRNETIĆ

Naslovna stranica
DUBRAVKA ZGLAVNIK

Korektorice
BOŽENA PAVIČIĆ
MIRJANA ŠAH

Računalna obrada teksta
Grafičko-likovno uredništvo Školske knjige

Ministarstvo kulture i prosvjete Republike Hrvatske odobrilo je uporabu ove knjige u osnovnim i srednjim školama Republike Hrvatske rješenjem broj 523-02-01/5-94-01 od 18. travnja 1994. godine

CIP - Katalogizacija u publikaciji
Nacionalna i sveučilišna biblioteka, Zagreb

UDK 808.62-1

BABIĆ, Stjepan
    Hrvatski pravopis / Stjepan Babić,
Božidar Finka, Milan Moguš. - 3. izd.
- Zagreb : Školska knjiga, 1995. - 488
str. ; 20 cm

ISBN 953-0-40005-5

1. Finka, Božidar 2. Moguš, Milan

950118062

ISBN 953-0-40005-5
Prije objavljeno kao:
ISBN 86-03-00121-9

Tisak: TISKARSKO – IZDAVAČKI ZAVOD ZRINSKI d. d., Čakovec

STJEPAN BABIĆ – BOŽIDAR FINKA – MILAN MOGUŠ

HRVATSKI PRAVOPIS

3. izdanje

ŠKOLSKA KNJIGA, ZAGREB, 1995.

Predgovor

Objavljujući 1990. godine pretisak *Hrvatskoga pravopisa*, u pogovoru smo naveli da ćemo ga doraditi, kao što je bilo zamišljeno i kao što se to redovito čini u novim izdanjima, jer nam od prvoga izdanja 1971. godine do pretiska, zbog poznatih razloga, to nije bilo omogućeno. Ovo je treće izdanje neznatno dotjerano prema drugom izdanju, jer se dva londonska izdanja i pretisak ne mogu zbog posebnih okolnosti smatrati normalnim izdanjima kakva bi bila da je *Hrvatski pravopis* izlazio u sređenim prilikama.

Pristupajući pripremi drugoga izdanja, autori su najprije ispitali javno mnijenje u kojem smjeru želi da se hrvatski pravopis usavršava. Budući da su znanstvene i kulturne ustanove pokazale da ne žele bitnijih promjena, držali smo se načela da ne treba mijenjati ona pravopisna rješenja koja su se u nas uobičajila i dobro funkcioniraju. Time se ispunjava jedan od važnih zahtjeva što se postavljaju dobru pravopisu, a to je stabilnost pravopisne norme i izbjegavanje svega onoga što bi moglo pokolebati i zbunjivati kulturnu sredinu i time smanjivati razinu njezine pismenosti. Poštivajući stoga načelo stabilnosti, uzimali smo u obzir i novija pravopisna rješenja do kojih smo sami dolazili, odnosno ona koja su se pojavila u dosadašnjim raspravama o našoj pravopisnoj problematici. S koliko smo uspjeha spomenuta načela uspjeli oživotvoriti, prosudit će praksa.

Autori su podijelili posao tako da je Stjepan Babić izradio poglavlja: *Pismo, Glas č, Glas ć, Glas dž, Glas đ, Pisanje dvoglasnika ie, Rečenični znakovi*, a u *Pravopisnom rječniku* slova *D - G* i *P - srnče;* Božidar Finka poglavlja: *Velika i mala slova, Pisanje riječi iz drugih jezika, Pravopisni znakovi, Kratice*, a u *Pravopisnom rječniku* slova *A - Ć* i *srndać - Ž;* Milan Moguš poglavlja *Glas h, Glas j, Jednačenje glasova, Sastavljeno i rastavljeno pisanje riječi, Rastavljanje riječi na kraju retka*, a u *Pravopisnom rječniku* slova *H - O*. Osim toga svaki je autor pregledao i ostale dijelove.

Nadamo se da je ovim pravopisom postavljena čvrsta osnovica hrvatske pravopisne norme, koja se u bitnome više ne će mijenjati. To će svima kojima je hrvatski materinski jezik ili ga prihvaćaju kao svoj književni jezik omogućiti da odsad imamo ustaljeni pravopis.

Zahvaljujemo recenzentima prof. dr. Radoslavu Katičiću i prof. dr. Stjepku Težaku na veoma korisnim savjetima. Zahvaljujemo također prof. dr. Daliboru Brozoviću koji je pregledao jedan dio pravopisnih pravila.

U Zagrebu, 9. prosinca 1994.

Autori

UVOD

Kao što smo u predgovoru spomenuli, u ovom su izdanju *Hrvatskoga pravopisa* preinačena neka pravopisna pravila. Glavne su dorade sljedeće:

U pisanju dvoglasnika *je* nema promjena, on se piše sa *ije*, ali kad na njegovu mjestu iza stalne suglasničke skupine u kojoj je posljednji glas *r* dolazi kratak slog, tada se po dosadašnjem pravilu na tome mjestu pisao samo glas *e*, npr. *strijela > strelica, vrijedan > vredniji, bez grijeha > bezgrešan, povrijediti > povređivati*. Budući da se praksa tomu pravilu stalno opirala jer nije odražavalo normalne težnje hrvatskoga književnoga jezika, dopušten je na tima mjestima i glasovni skup *je*, osim tamo gdje je *e* potpuno prihvaćeno kao što je npr. u *vrijeme > vremena, privrijediti > privreda, upotrijebiti > upotreba*.

Kod sastavljenoga i rastavljenoga pisanja riječi nastojali smo ukloniti pretjerivanja u sastavljenom pisanju, prvenstveno u pisanju prijedloga i imenica. Držali smo se osnovnoga pravila: ako se isto značenje može iskazati kombinacijom jedinica koje već postoje u jeziku, nije potrebno uvoditi nove jedinice.

Višečlana imena naseljenih mjesta, domaća i strana, pišu se rastavljeno, npr. Ivanić Grad, Spišić Bukovica i San Marino.

Od fonološkoga se pisanja može odstupiti tamo gdje bi pisanje po njemu postalo nerazgovijetno. Razumljivost napisanoga bila nam je važno mjerilo.

Naslov *Tuđice* promijenjen je u *Pisanje riječi iz drugih jezika*. To je učinjeno zato što to poglavlje ne obuhvaća svu širinu koju je imalo u dosadašnjim pravopisima. Napušteno je preuzimanje stranih riječi kao izrazito nepravopisno područje, jer su za to potrebni drugi priručnici. To isto vrijedi i za izgovor imena iz jezika koji se služe latinicom. Teža je problematika pisanja imena iz jezika koji se služe drugim pismima. Tu je uvedeno načelo da se pišu onako kako je određeno da se pišu latinicom za međunarodne potrebe u jeziku kojemu pripadaju. Jedino je potanje prikazano pisanje imena iz slavenskih jezika koji se služe ćirilicom. Zbog svega je toga u ovom poglavlju samo naznačeno što znači preuzimanje riječi, a težište je stavljeno na pisanje stranih riječi iz jezika koji se služe latinicom, tj. kad se pišu izvorno, a kad po izgovoru, i pravopisne probleme u vezi sa sklanjanjem stranih imena.

Izostavili smo poglavlja *Promjena l* u *o* i *Zamjenjivanje k, g, h* sa *c, z, s* jer to ni u širem značenju pravopisa nije pravopisna problematika.

U rečeničnim znakovima nema bitnih promjena osim što su provedena manja usavršavanja. Jedino su u pisanju zareza uvedene dvije značajnije promjene radi preciznijega izražavanja. Prvo, odsad se piše zarez ispred odnosne rečenice ako je naknadno dodana, tj. ako znači objašnjavanje, a ne piše se ako znači određivanje pojma na koji se odnosi.

Drugo, iza umetnute zavisne rečenice u glavnu zarez se uvijek piše po istom pravilu po kojem se piše i iza zavisne kad je ispred glavne.

Kad se kao primjeri navode rečenice, one su većinom uzimane iz djela hrvatskih pisaca, ali se ne navode nikakvi podaci o tome, osim kad je to potrebno s kojih posebnih razloga.

Dopušteno je da se točka kao pravopisni znak ne mora stavljati kad slijedi koji drugi pravopisni znak, ali samo onda ako je jasnoća potpuna, a gospodarstvenost izrazito veća.

U prikazu kratica uvedeni su dodatni znakovi za mjerne i srodne jedinice, pri čemu se određuje i način njihova pisanja, prihvaćen u međunarodnoj stručnoj praksi.

Nastojali smo usavršiti i pravopisno nazivlje i uskladiti ga s najnovijim znanstvenim spoznajama i upotrebom u drugim hrvatskim jezičnim priručnicima jer nazivlje u pravopisu svojom glavninom nije samo pravopisno. Tako smo naziv *crta* ostavili za značenje 'linija', a u pravopisu zamijenili sa *crtica*, dosadašnji naziv *crtica* sa *spojnica, kosa crta* sa *kosa crtica, dvotočka* sa *dvotočje, tri točke* sa *trotočje, točka* u značenju 'odlomak' sa *paragraf* i dr.

* * *

Da bi se bolje razumjela svrha pravopisnoga priručnika, potrebno je objasniti njegovu ulogu u ostvarivanju jezika. Jezik se ostvaruje na dva načina: govorom i pismom. Kad se ostvaruje pismom, služimo se slovima, rečeničnim znakovima i pravopisnim znakovima.

Za svaki se jezik određuje broj i oblik slova, odnosno njegovo pismo.

Cjelina slova po svojim osnovnim obilježjima naziva se pismo. Po tim obilježjima razlikujemo latinično, ćirilično, glagoljsko, gotičko, arapsko i druga pisma, odnosno jednostavnije: latinicu, ćirilicu, glagoljicu, goticu, arabicu. Skup znakova kojima bilježimo pojedine glasove naziva se grafija.

Hrvati su u prošlosti za bilježenje svoga jezika stoljećima upotrebljavali različita pisma, u prvom redu glagoljicu, ćirilicu i latinicu dok nisu potpuno usvojili latinicu. Međutim pojedine glasove latinicom nisu pisali uvijek na isti način. Do reforme Ljudevita Gaja Hrvati su se služili različitim grafijama. Na jugu su se ugledali uglavnom na talijanski način pisanja, a na sjeveru na madžarski, ali su pomoću dijakritičkih znakova nalazili i vlastita rješenja.

U zanosu hrvatskoga narodnoga preporoda ilircima je uspjelo ujediniti sve Hrvate u grafiji kako ju je oblikovao Ljudevit Gaj, uz neznatne kasnije preinake, i zato se hrvatska latinica naziva gajicom.

Pravopis ima šire značenje od grafije. To je skup pravila o upotrebi cjelokupnoga znakovnoga inventara koji ima jedno pismo, a to osim pisanja glasova obuhvaća i upotrebu velikoga i maloga slova, sastavljenoga i rastavljenoga pisanja riječi, rečeničnih znakova i dr. Međutim osnovno obilježje pojedinom pravopisu daje način na koji se pišu pojedine riječi, njihovi oblici i skupovi.

Glasovi se mogu bilježiti na više načina od kojih su osnovna dva. Jedan poštuje uobičajen način od davnine pa se piše kao što se nekada pisalo bez obzira što se kasnije izgovor promijenio. Takav se način naziva historijski ili tradicionalni pravopis. Kako pri tome obično odlučuje korijen riječi, takav se pravopis naziva korijenski ili etimološki.

Drugi je način fonetski. Po njemu se glasovi pišu kako se izgovaraju, tj. isti se glas piše istim slovom.

Kako ti nazivi nisu precizni, u novije se vrijeme uvode dva nova naziva u skladu sa suvremenim spoznajama o naravi glasova.

Glas koji služi za razlikovanje značenja naziva se fonem, a znanost koja se bavi fonemima naziva fonologijom. Po tome pravopis koji isti fonem piše uvijek istim znakom, naziva se fonološkim pravopisom. Takvo je npr. pisanje *rob, ropski, podbaciti, potkresati, stan, stambeni, kazališni ...*

Najmanja jezična jedinica koja ima neko značenje, naziva se morfemom, a znanost koja se bavi morfemima, naziva se morfonologijom. Pravopis koji pri pisanju pazi na morfeme tako da se isti morfem uvijek piše istim slovima, naziva se morfonološkim pravopisom, a to u navedenim primjerima znači: *rob, robski, podbaciti, podkresati, stan, stanbeni, kazalištni,* premda se izgovara kako je navedeno u prethodnom odlomku.

Budući da Hrvati do preporoda nisu imali ustaljen pravopis, a ilirski, morfonološki pravopis trajao je samo pedesetak godina, od kraja prošloga stoljeća ustalio se pravopis koji je po svojoj naravi fonološko-morfonološki. U okviru jedne riječi pišemo pretežno fonološki, a veze među riječima morfonološki, tj. glasovne promjene koje nastaju među riječima u govornome nizu ne odražavaju se u pismu jer tada riječi bilježimo kao da tih promjena i nema u govoru. Tako pišemo *kod kuće, bez puške, niz krov, s bratom, s đakom, s ćelavim, govorit ću, past će* iako govorimo *kotkuće, bespuške, niskrov, zbratom, žđakom, šćelavim, govoriću, pašće.*

Takav način pisanja ustaljen je u Hrvatskoj od *Hrvatskoga pravopisa* Ivana Broza iz 1892. godine, uz djelomičan prekid od 1942. do 1945. godine, te današnji način pisanja ima u Hrvatskoj dugu, sad već stoljetnu tradiciju. To za normizaciju i afirmaciju hrvatskoga književnoga jezika ima veliko značenje jer se pravopisne navike ne napuštaju lako i zato se pravopis ne mijenja bez velikoga i teškoga razloga.

Današnjim se pravopisom služe ne samo Hrvati nego i pripadnici drugih naroda u našoj zemlji i u svijetu koji se služe hrvatskim jezikom. U duhu toga i takva književnoga jezika pojmom se *Hrvatski pravopis* kao i nekada tako i danas obilježava dvoje: prvo, da je to pravopis za Hrvate (hrvatski pravopis = pravopis Hrvatâ), drugo, da je to pravopis svih hrvatskih žitelja (hrvatski pravopis = pravopis Hrvatske). *Hrvatski pravopis* je dakle pravopisni priručnik hrvatskoga književnoga jezika, jednako namijenjen korisnicima u Hrvatskoj kao i svim onim pojedincima ili skupinama korisnika bilo gdje u svijetu koji se tim jezikom služe.

KRATICE

UPOTRIJEBLJENE U OVOME PRAVOPISU

A – akuzativ
anat. – anatomski
aor. – aorist
ar. – arapski
arheol. – arheološki
arhit. – arhitekturni
astr. – astronomski
aut. – automobilistički
bank. – bankarski
bot. – botanički
brod. – brodski
bug. – bugarski
crkv. – crkveni
čak. – čakavski
čit. – čitaj(te)
D – dativ
DL – dativ i lokativ
DLI – dativ, lokativ i instrumental
eks. – ekspresivno
el. – elektrotehnički
engl. – engleski
etn. – etnik
etnol. – etnološki
fil. – filozofski
film. – filmski
fiz. – fizikalni
folk. – folklorni
fr. – francuski
G – genitiv
geol. – geološki
geom. – geometrijski
glag. – glagolski
glaz. – glazbeni
grč. – grčki
hip. – hipokoristik
hrv. – hrvatski
I – instrumental
im. – imenica

ir. – ironično
izg. – izgovor(no)
jap. – japanski
jd. – jednina
kajk. – kajkavski
kart. – kartaški
kat. – katolički
kem. – kemijski
komp. – komparativ
krat. – kratica
l. – lice
L – lokativ
lat. – latinski
lingv. – lingvistički
mađ. – mađarski
mak. – makedonski
mat. – matematski
med. – medicinski
meteo. – meteorološki
mit. – mitološki
mj. – (u)mjesto
mn. – množina
m. r. – muški rod
musl. – muslimanski
nar. – narodski
neprom. – nepromjenjiv(o)
nij. – niječni
nov. – novinarski
ns. – nesvršeni glagol
njem. – njemački
odr. – određeni
pčel. – pčelarski
pej. – pejorativ
perz. – perzijski
pjes. – pjesnički
pogr. – pogrdno
pokr. – pokrajinski
polinez. – polinezijski

pom. – pomorski
port. – portugalski
pov. – povijesni
p. pf. – particip perfekta
p. prez. – particip prezenta
prav. – pravni
pren. – preneseno
prid. – pridjev
prij. – prijedlog
pril. – prilog
publ. – publicistički
r. – rod
razg. – razgovorno
rj. – rjeđe
rus. – ruski
s. r. – srednji rod
str. – strana
sup. – superlativ
svr. – svršeni glagol
šp. – španjolski
štok. – štokavski

tal. – talijanski
teh. – tehnički
tisk. – tiskarski
trg. – trgovački
tur. – turski
um. – umanjenica
usp. – usporedi
uv. – uvećanica
v. – vidi(te)
V – vokativ
vez. – veznik
vjer. – vjerski
voj. – vojnički
zast. – zastarjelo
zb. – zbirno
zem. – zemljopisni
zool. – zoološki
zrak. – zrakoplovni
žarg. – žargonski
ž. r. – ženski rod

Objasnidba znakova nalazi se u poglavljima Rečenični znakovi i Pravopisni znakovi, a zvjezdice i znaka podrijetla i u Napomenama ovomu rječniku.

PRAVOPISNA
PRAVILA

PISMO

1 Jezik se bilježi slovima. Slovo je pismeni znak za jezični glas. Hrvatski književni jezik ima 32 glasa kad su glasovi određeni po razlikovnoj službi u jeziku, tj. kad se glasom smatra jezični zvuk koji služi za razlikovanje značenja, npr. *ban-dan, brak-mrak, biti-piti ...* U fonologiji se tako određeni glasovi nazivaju fonemi. U stručnim se djelima oni pišu u kosim zagradama.

Od ta 32 glasa šest je otvornika:

/a/, /e/, /i/, /o/, /u/ i dvoglasnik /i̯e/.

Slovo *i* s lukom ispod označuje neslogotvorno i, a zajedno s *e* označuje dvoglasnik *i̯e* koji se piše sa *ije*, npr. bijel, lijep, snijeg.

2 Ostali su glasovi zatvornici, jer se pri njihovu izgovaranju govorni organi tako približuju ili dodiruju da zračnoj struji tvore jači ili slabiji zatvor. To su ovi glasovi:

/b/, /c/, /č/, /ć/, /d/, /ǯ/ (u pismu dž), /ʒ́/ (u pismu đ), /f/, /g/, /h/, /j/, /k/, /l/, /ļ/ (u pismu lj), /m/, /n/, /ń/ (u pismu nj), /p/, /r/, /s/, /š/, /t/, /v/, /z/, /ž/.

Od njih jedan može biti i samoglasnik, nosilac sloga, kao što pokazuju riječi *prst, smrt, brstiti ...* i u opreci je sa suglasničkim *r* jer tvori minimalni par u primjeru *Istro* (vok. od Istra) – *istr̥o* (glag. pridjev prošli od istrti). To samoglasničko r piše se u stručnim djelima kao poseban glas s kružićem ispod r /r̥/.

Većina se glasova bilježi jedinstvenim slovima, a neki dvoslovima.

3 Hrvatski se književni jezik danas služi latinicom. Slova su preuzeta iz latinskog pisma, ali kako za sve naše glasove u njemu nema posebnih znakova, do polovice 19. stoljeća neki su se glasovi pisali na razne načine sve dok nije Ljudevit Gaj predložio posebne znakove koji su svojom glavninom i prihvaćeni i zato se hrvatska latinična slova kao cjelina nazivaju i gajica.

4   Latinična slova prilagođena su hrvatskomu jeziku tako što su za nepča-
nike, kojih nema u latinskome jeziku, načinjena nova slova na dva načina:

1. uz pomoć dijakritičkih znakova: č, ć, š, ž, đ;

2. spajanjem po dva slova za jedan glas u tzv. dvoslov (digraf ili digram):
dž, lj, nj.

Tako se od 30 slova u hrvatskome jeziku 27 pišu posebnim slovima,
jednoslovima, tri dvoslovima (*dž, lj, nj*).

Teškoća u čitanju nema jer u pismu nema skupine lj koju bi trebalo čitati
l-j, a n-j i d-ž nalaze se samo na sastavu složenica, i to n-j u složenicama kojih
prvi dio završava na n, a drugi dio počinje sa j: *izvanjezični* (čit. izvan-jezični),
a d-ž u složenicama kojih prvi dio završava na d, a drugi počinje sa ž: *nadžeti,
nadživjeti, podžupan, predživot...* (čit. nad-žeti, nad-živjeti, pod-župan,
pred-život...), inače se uvijek čitaju kao jedan glas.

5   Dva glasa nemaju posebnih znakova, dvoglasnik /ie/ piše se s tri slova,
sa *ije*. Zbog posebnosti u pisanju toga glasa i njegova smjenjivanja s kratkim
i dugim *je, e, i*, to je potanko prikazano u posebnim pravilima.

Samoglasničko se r piše jednako kao i suglasničko je r u riječima uvijek
jasno koje je koje r, budući da je opreka Istro-istṛo jedina minimalna opreka
u hrvatskome književnom jeziku.

6   U znanstvenim djelima, u kojima ima i drugih potreba, za neke se od tih
glasova upotrebljavaju i posebni znakovi: ļ za lj, ń za nj, ǯ za dž, ǵ za đ, a u
izdanjima HAZU i ǵ za dž.

Danas računala i moderni tiskarski strojevi mogu ostvariti svako slovo
pa nije potrebno slovo đ pisati drugim znakovima. Na starijim strojevima koji
nisu imali đ, to se slovo pisalo sa dj.

7   Latinična se slova razlikuju u pisanju i tiskanju, a u jednom i drugom
tipu postoje velika i mala slova. Obično se navode ustaljenim redom, a taj se
red po prvim slovima (a, be, ce, de) naziva abeceda. Kako se abeceda ponešto
razlikuje u pojedinim jezicima, možemo govoriti o latinskoj, njemačkoj,
poljskoj, češkoj, hrvatskoj abecedi. Hrvatska abeceda, gajica, ima ovaj red:

Tiskana slova:

1. A a	11. G g	21. O o
2. B b	12. H h	22. P p
3. C c	13. I i	23. R r
4. Č č	14. J j	24. S s
5. Ć ć	15. K k	25. Š š
6. D d	16. L l	26. T t
7. Dž dž	17. Lj lj	27. U u
8. Đ đ	18. M m	28. V v
9. E e	19. N n	29. Z z
10. F f	20. Nj nj	30. Ž ž

Pisana slova:

1. A a	11. G g	21. O o
2. B b	12. H h	22. P p
3. C c	13. I i	23. R r
4. Č č	14. J j	24. S s
5. Ć ć	15. K k	25. Š š
6. D d	16. L l	26. T t
7. Dž dž	17. Lj lj	27. U u
8. Đ đ	18. M m	28. V v
9. E e	19. N n	29. Z z
10. F f	20. Nj nj	30. Ž ž

8 Njihovi su nazivi:

a, be, ce, če, će, de, dže, đe, e, ef, ge, ha, i, je, ka, el, elj, em, en, enj, o, pe, er, es, eš, te, u, ve, ze, že.

Tako se obično ta slova i izgovaraju. Pojedinačno se zatvornici (suglasnici) mogu izgovarati i sami, bez samoglasnika, zapravo s dodavanjem poluglasa, dakle b', c', č', d'... (apostrof tu označuje poluglas).

9 U pisanju stranih imena i riječi, a i u pojedinim granama znanosti upotrebljavaju se slova q Q (kve), w W (dvostruko ve), x X (iks) i y Y (ipsilon). U abecednom redu q dolazi iza p, a slova w, x, y iza v redom kao što su ovdje navedena.

Dakako, u stranim se riječima i u pojedinim strukama upotrebljavaju i druga slova (ä, ö, ü, ç, ř, å, ě ...), ali se ona tumače u priručnicima jezika i struka kojima pripadaju. U abecedi pojedinih jezika nalaze se na mjestu na kojem bi se nalazila da su bez dijakritičkoga znaka.

10 U znakovima mjernih jedinica, u nekim strukama upotrebljavaju se i grčka slova. To međutim pripada uskostručnom području. Jedino se u nekim fizikalnim izrazima i mjernim jedinicama, koje pripadaju i općoj upotrebi, upotrebljavaju grčka slova α (alfa), ß (beta), Ω (omega) i μ (mi), npr. α-zrake, β-zrake; Ω je znak za om (jedinicu električnoga otpora), a μ znak za predmetak mikro-. U abecedi im je mjesto na kraju istih slova pisanih latinicom.

Kad se slova upotrebljavaju umjesto rednih brojeva, tada se upotrebljavaju samo jednoslovi bez dijakritičkih znakova: a), b), c), d), e) ili a., b., c., d., e.

11 Ćirilica ima poseban red koji se naziva azbuka (po nazivu prvih dvaju slova u glagoljici i staroj ćirilici: az, buky). Prikaz ćirilice predmet je priručnika namijenjenih za njezino učenje.

VELIKA I MALA SLOVA

12 Velikim se početnim slovom pišu:
1. vlastita imena
2. prva riječ u rečenici
3. riječ iz počasti.
Sve se ostale riječi, same ili u rečenici, pišu malim početnim slovom.
Za izuzetke se upućuje na §85. i 86.

VLASTITA IMENA

13 Vlastita se imena pišu velikim početnim slovom. To pravilo vrijedi za jednočlana i višečlana vlastita imena.

14 Za pisanje višečlanih vlastitih imena vrijede još ova opća pravila:
1) Osim prvoga člana velikim se početnim slovom pišu i svi drugi članovi vlastitih imena (osim veznika i prijedloga):
a) naseljenih mjesta
b) država
c) kontinenata.

15 2) U ostalih se višečlanih vlastitih imena velikim početnim slovom piše samo prvi član, a od ostalih članova samo oni koji bi se i izvan višečlanog imena pisali velikim slovom.

16 U primjeni navedenih pravila često ima kolebanja, jer nije uvijek lako odrediti koje su sve riječi (ili skupovi riječi) vlastita imena, pogotovu što katkad ista riječ može u jednoj prigodi biti vlastito ime, a u drugoj opća imenica ili čak može pripadati kojoj drugoj vrsti riječi. Zbog toga se potanje opisuju svi tipovi vlastitih imena i upozorava na razliku u uporabi i pisanju riječi kao vlastitih imena i riječi koje to nisu. Što je pak vlastito ime ne određuje pravopis, nego struka kojoj ime pripada pa se ovdje daju samo smjernice.

17 1. Vlastita su imena i pišu se velikim početnim slovom osobna imena, prezimena i nadimci:

18 a) muška i ženska osobna imena: *Antun, Boris, Ćamil, Dalibor, Džemal, Ivan, Josip, Krunoslav, Ljudevit, Milan, Mirko, Nikola, Petar, Radovan, Stjepan, Tomislav, Vladimir, Živko; Ana, Biserka, Emina, Eva, Grozdana, Jasminka, Jasna, Katarina, Ljiljana, Marija, Mihaela, Nada, Olga, Ruža, Vesna, Zrinka …*

19 b) svi oblici umanjenica i odmilica osobnih imena: *Ante, Božo, Ivica, Mijo, Miko, Pero, Stjepo, Toni, Vice, Vlado; Ankica, Kata, Katica, Ljilja, Maja, Olgica, Tončica, Tonka …*

20 c) svi ustaljeni osobni nadimci: *Braco, Koko, Švrćo, Žućo, Stari, Dugački; Beba, Cica, Koka, Seka, Stara …*

21 d) sva prezimena odnosno sve ono što služi kao prezime: *Barac, Broz, Desnica, Držić, Đerzelez, Frankopan, Gubec, Gundulić, Ivšić, Jagić, Jelačić, Kramberger, Kranjčević, Nazor, Novak, Požar, Pupačić, Radić, Šubić, Tesla, Tomašević, Volta, Zrinski …*

22 e) atributi i nadimci tako srasli s osobnim imenom ili prezimenom da su postali njihov sastavni dio, pa se često mogu i sami upotrebljavati mjesto imena ili prezimena: *Hrvoje Vukčić Hrvatinić, Ljudevit Posavski, Krešimir Četvrti, Nikola Šubić Zrinski, Aleksandar Veliki.*

23 U službi vlastitog imena služe katkad i opće imenice: *Dumas Otac, Dumas Sin …*

24 Kad atribut ili opća imenica služi samo za točnije određivanje vlastitog imena, piše se malim početnim slovom: *Radić djed …*

25 Malim se početnim slovom pišu i opće imenice koje uz osobno ime znače zanimanje, položaj, titulu i sl.: *knez Branimir, kralj Tomislav, majstor Luka, hadži Toma, Smail-aga Čengić, Omer-paša, Husein-beg, beg Husein, sveti Petar …*

26 Kad se piše zajedno ime i prezime, prvo se napiše ime, pa onda prezime: *Matija Gubec, Vladimir Nazor, Hrvoje Požar, Stjepan Tomašević.*

27 U abecednim popisima prezime se može napisati ispred imena, ali se onda iza prezimena stavlja zarez:

Broz, Ivan

Gubec, Matija

Nazor, Vladimir

Požar, Hrvoje

Tomašević, Stjepan ...

28 2. Osobna imena u službi općih imenica pišu se malim početnim slovom: *amper* (mjera) prema *Ampère* (ime), *bojkot* (protestno suzdržavanje od koje akcije) prema *Boycot* (ime), *kulon* (mjera) prema *Coulomb* (ime), *makadam* (cesta posuta tucanikom) prema *Mac Adam* (ime), *ford* (automobil) prema *Ford* (ime), *mercedes* (automobil) prema *Mercedes* (ime), *nestor* (najstariji i najugledniji pripadnik, član) prema *Nestor* (ime), *škoda* (automobil) prema *Škoda* (ime), *volt* (mjera) prema *Volta* (ime), *žilet* (britvica) prema *Gillette* (ime) ...

29 3. Vlastita su imena i pišu se velikim početnim slovom osobna imena božanstava i drugih mitoloških bića: *Jupiter, Mars, Moloh, Perun, Svetovit, Afrodita, Artemida, Hera, Vesna, Pegaz, Hidra, Kerber* i *Cerber* ...

30 Kao opće imenice *bog, boginja, božica* pišu se malim početnim slovom: *bog Perun, boginja Hera, božica Vesna*. Kad se imenicom *bog* označuje osobno ime božanstva, tada je ta imenica vlastito ime i piše se velikim početnim slovom. U toj se službi velikim početnim slovom pišu i nazivi koji zamjenjuju vlastito (osobno) ime *Bog: Alah, Gospodin, Sabaot, Svemogući, Svevišnji* i dr.

31 Velikim se početnim slovom pišu i zamjene za ime *Isus,* druge božanske osobe u kršćanstvu, jer su tada u službi osobnog imena: *Krist, Spasitelj, Otkupitelj, Mesija, Učitelj* ...

32 Kad uz navedene nazive dolazi *Bog* kao vlastito ime, tada se ti nazivi pišu malim početnim slovom: *gospodin Bog, Bog sabaot, svemogući Bog, svevišnji Bog.*

33 Vlastita su imena i pišu se velikim početnim slovom i nazivi drugih zamišljenih i nadnaravnih bića kao: *Belzebub, Lucifer, Mefisto, Mihael* (arkanđel/arkanđeo), *Sotona*. Neka su od tih imena, u tom ili izmijenjenom obliku, dobila značenje općih pojmova, pa se kao opće imenice pišu malim početnim slovom: *sotona, šejtan* (isto onako kao *đavao, vrag* i sl.) ...

34   Kao opće imenice malim se početnim slovom pišu: *djevica, bogorodica, gospa,* ali kad se te imenice (i njima slične) nalaze u službi vlastitog imena, zamjenjujući u kršćanstvu ime Isusove majke Marije, tada se pišu velikim početnim slovom: *Djevica, Bogorodica, Gospa* ...

35   Po istom se načelu piše i: *Blažena Djevica Marija, Majka Božja Bistrička, Gospa Lurdska, Gospa Međugorska; Presveto/Sveto Trojstvo, Jaganjac Božji.* Usp. i zaziv: *U ime Oca i Sina i Duha Svetoga.*

36   Katkad, osobito u književnoumjetničkim djelima, i neke druge imenice, pa i riječi druge vrsti, poosobljuju mislene pojmove i tako služe kao vlastita imena, pa se i one pišu velikim početnim slovom: *Briga (gospođa Briga), Dobro, Dobrota, Nada, Sreća, Strah, Zlo, Zloba; Čovjek, Mučenik, Riječ* (u početku bijaše Riječ) ...

37   4. Velikim se početnim slovom pišu imena koja se daju domaćim ili pripitomljenim životinjama i vlastita imena životinja u književnim djelima: *Bucefal* ili *Bukefal* (konj Aleksandra Velikoga), *medvjed Brundo* (u životinjskom epu), *Miki* (ime papigice), *Šarko* (pas) ...

38   Nazivi životinja koji se daju po kojoj karakterističnoj osobini (najviše po boji) nisu vlastita imena i pišu se malim početnim slovom: *bijelonja* i *bjelonja, bjelava, dorat, đogat, garov, mrkonja, sivonja, šarac, šarov, šarulja, zekan, zekonja* ...

39   Kad se koji od tih općih naziva za životinje upotrijebi u službi vlastitog imena, piše se velikim početnim slovom; usp. *Šarko.*

40   Malim se početnim slovom pišu nazivi životinjskih pasmina: *bernardinac* (pas), *turopoljac* (svinja), *angora* (angora mačka, angora kunić). Tako se pišu i opće imenice za životinje i bilje: *konj, krava, lav, mačka, ovca, pas, ptica, zec; bor, hrast, ivančica, jablan, ljubica, perunika, tratinčica, višnja* ...

41   U znanosti je uobičajeno da se prva riječ njihova stručnog latinskog naziva piše velikim početnim slovom: *Felis leo* (lav), *Viola odorata* (ljubica) ...

42   5. Vlastita su imena i pišu se velikim početnim slovom imena naroda i pojedinih njihovih pripadnika: *Albanac* i *Albanka; Bugarin* i *Bugarka; Crnogorac* i *Crnogorka; Čeh* i *Čehinja; Grk* i *Grkinja; Hrvat* i *Hrvatica; Mađar/Mađar* i *Mađarica/Mađarica; Makedonac* i *Makedonka; Musliman* i *Muslimanka* (etnički); *Nijemac* i *Njemica; Rom* i *Romica; Rumunj* i *Rumunjka; Rus* i *Ruskinja; Rusin* i *Rusinka; Slovak* i *Slovakinja; Slovenac* i *Slovenka; Srbin* i *Srpkinja; Talijan* i *Talijanka; Židov* i *Židovka* ...

43 Spojena s negacijom *ne* gube svojstvo vlastitih imena, pa se tako nastale sraslice pišu malim početnim slovom *n: nehrvat* i *nehrvatica, nesrbin* i *nesrpkinja* ...

Isto se tako malim početnim slovom pišu i sraslice kao *velikohrvat, velikosrbin* ...

44 Velikim se početnim slovom (i po izgovoru) pišu pripadnici država i kontinenata: *Australac* i *Australka; Amerikanac* i *Amerikanka; Brazilac* i *Brazilka; Čileanac* i *Čileanka; Indijac* i *Indijka; Južnoamerikanac* i *Južnoamerikanka; Švicarac* i *Švicarka.*

45 6. Velikim se početnim slovom pišu posvojni pridjevi na *-ev, -ov, -in* izvedeni:

46 a) od osobnih imena, prezimena i nadimaka: *Antunov, Jagićev, Mikijev, Šarčev, Šubićev; Bracin, Nikolin, Vicin; Ankičin, Katin.* Prema *Bog* piše se *Božji,* a prema *bog božji.*

Pridjevi koji se tvore dodavanjem nastavka *-ski* posvojnim pridjevima na *-ev, -ov, -in* izvedenim od vlastitih imena označuju opću osobinu, pa se pišu malim početnim slovom: *krležinska satira, matoševski stil, tadijanovićevski stih* ...

47 b) od imena pripadnika naroda i država: *Hrvatov, Hrvatičin; Makedončev, Makedonkin; Slovenčev, Slovenkin; Amerikančev, Amerikankin; Švicarčev, Švicarkin.*

48 7. Po prvom se općem pravilu velikim početnim slovom pišu:

a) svi članovi imena država i zemalja (osim veznika): *Bosna i Hercegovina / Republika Bosna i Hercegovina, Hrvatska / Republika Hrvatska, Makedonija / Republika Makedonija, Slovenija / Republika Slovenija; Amerika / Sjedinjene Američke Države* ...

49 b) svi članovi imena gradova, sela i zaselaka (osim veznika i prijedloga): *Dubrovnik, Ljubljana, Novi Sad, Priština, Sarajevo, Skopje, Vukovar, Zagreb; Babina Greda* (selo), *Babin Potok* (selo), *Batina Gornja, Bosanska Dubica, Brod na Kupi, Draga Baška, Dugo Selo, Hrvatska Kostajnica, Ivanić Grad, Osijek, Rijeka, Starigrad* (mjesto pod Velebitom), *Stari Grad* (mjesto na Hvaru), *Sveti Juraj* (mjesto nedaleko Senja), *Sveti Martin pod Okićem, Krapinske Toplice* (mjesto), za razliku od *Krapinske toplice* (toplice) ...

50 c) svi članovi imena kontinenata: *Afrika, Australija, Azija, Europa (Evropa), Južna Amerika, Sjeverna Amerika* i *Antarktik.*
Arktik se kao sjeverno polarno područje ne ubraja u kontinente.

51 8. Po drugom se općem pravilu u ostalih zemljopisnih imena velikim početnim slovom piše samo prvi član, a od ostalih članova samo oni koji su sami po sebi vlastita imena.

52 Takva su zemljopisna imena:
a) imena pokrajina, područja i krajeva: *Arktik, Banija, Baranja, Dalmacija, Hercegovina, Istra, Kordun, Lika, Međimurje, Podravina, Posavina, Pounje, Slavonija; Gorski kotar, Hrvatsko primorje, Hrvatsko zagorje, Imotska krajina, Ravni kotari* ...

53 U skladu je s tim pravilom pisanje: *Bliski istok, Srednji istok, Daleki istok,* jer su ti nazivi ustaljena zemljopisna imena. Nasuprot tomu piše se: *jugoistočna Europa (Evropa), istočna Slavonija, južna Hrvatska, zapadna Bosna,* jer navedeni atributi samo pokazuju položaj, a nisu sastavni dio imena.

54 Strane se svijeta pišu malim početnim slovom: *istok, jug, sjever, zapad,* ali kad strane svijeta označavaju narode, zemlje, države, kulturne zajednice i sl. u službi su vlastitih imena i pišu se velikim početnim slovom: *Zapad* (zapadni narodi), *Istok* (istočni narodi), *Jugoistok* (europski Jugoistok). U etničkom i političkom smislu mogu se pisati velikim početnim slovom i primjeri kao: *Istočna Europa (Evropa), Zapadna Europa (Evropa),* za razliku od zemljopisnih pojmova: *istočna Europa (Evropa)* (istočni dio Europe/Evrope), *zapadna Europa (Evropa)* (zapadni dio Europe/Evrope) ...

55 b) imena raznih veličina i oblika zemljišnih površina (imena otoka, poluotoka, brda, planina, pustinja, vulkana, prirodnih udubljenja i jama, dolina, polja) i posebna imena zemljišnih čestica (imena skupnih ili pojedinačnih posjeda, pašnjaka, šuma, njiva, livada, oranica, krčevina): *Dugonjiva, Gladuša* (krčevina), *Iž* (otok), *Sahara* (pustinja), *Velebit, Vezuv* (brdo i vulkan); *Dugi otok, Grapčeva špilja, Kornatsko otočje, Lonjsko polje, Mali dol* (dol), *Moslavačka gora, Tusta glavica* (brdašce), *Vela glava* (brdo), *Veliki (Mali) Drvenik* (otok), *Zagrebačka gora (Medvednica), Zala draga* ...

56 c) imena voda ili hidronimi (imena oceana, mora, zaljeva, kanala, morskih prolaza, vrata i tjesnaca, plićaka, uvala, rukava, fjordova; rijeka, potoka, slapova, vrela, jezera, močvara, bara, ledenjaka): *Drava, Korana, Rječina* (ime rijeke), *Sava; Atlantski ocean, Babin potok* (potok), *Boka kotorska* (fjord), *Hvarski kanal, Jadransko more, Kraljičin zdenac* (u Zagrebačkoj gori), *Kvarnerski zaljev, Nadinsko blato* (ili: *Nadinsko jezero*), *Novigradsko more, Otrantska vrata, Skradinski buk, Vransko jezero* ...

57 Ako nije sigurno je li koji dio višečlanih toponima vlastito ime, bolje je pisati te dijelove, osim na početku zemljopisnog imena, malim nego velikim početnim slovom, npr. *Mali (Veli) ždrelac* (prolaz).

58 Opće imenice za oznaku zemljopisnih pojmova pišu se malim početnim slovom: *drȁga, gora, polje, otok; jezero, kanal, more, potok, rijeka, voda, zaljev* ...

59 Opće su imenice i pišu se malim slovom i razni metaforički nazivi zemljopisnih pojmova: *čelo, glava, glavica, kuk, vrata* ...

U službi vlastitih imena i ti se nazivi pišu velikim početnim slovom: *Boka* (mjesto: *Boka kotorska*), *Vratnik, Dolac, Glavica, Poljica*.

60 9. Vlastita su imena i pišu se velikim početnim slovom imena stanovnika (etnici, muški i ženski) izvedena od zemljopisnih imena:

61 a) od naseljenih mjesta: *Babogredac* i *Babogretka* (prema *Babina Greda*), *Banjalučanin* i *Banjalučanka, Banjolučanin* i *Banjolučanka, Splićanin* i *Splićanka, Varaždinac* i *Varaždinka, Vukovarac/Vukovarčanin* i *Vukovarka/Vukovarčanka, Zagrepčanin* i *Zagrepčanka* ...

62 b) od drugih zemljopisnih imena (toponima) koja označuju područja na kojima se nalaze naseljena mjesta (kontinenti, otoci, poluotoci, šira područja): *Afrikanac* i *Afrikanka, Australac* i *Australka, Dugootočanin* i *Dugootočanka, Hercegovac* i *Hercegovka, Ličanin* i *Ličanka, Posavac* i *Posavka, Sicilijanac* i *Sicilijanka, Zagorac* i *Zagorka* ...

63 10. Velikim početnim slovom pišu se posvojni pridjevi na -*ev*, -*ov*, -*in* od imena stanovnika izvedenih od zemljopisnih imena: *Babogrečev/Babogredčev* i *Babogretkin, Banjalučaninov* i *Banjalučankin, Banjolučaninov* i *Banjolučankin, Hercegovčev* i *Hercegovkin, Sicilijančev* i *Sicilijankin, Splićaninov* i *Splićankin, Varaždinčev* i *Varaždinkin, Vukovarčev* i *Vukovarkin, Zagorčev* i *Zagorkin* ...

64 Posvojni pridjevi na -*ski* (-*čki*, -*ćki*, -*ški*) izvedeni od zemljopisnih imena i od imena stanovnika pišu se malim početnim slovom: *hrvatski, dugootočki, gospićki, paški* ...

65 11. Velikim početnim slovom pišu se imena ulica, trgova i gradskih naselja: *Ilica* (ulica u Zagrebu), *Novi Zagreb, Trešnjevka* (dio Zagreba),

Manuš (dio Splita), *Zrinjevac* (razg., trg u Zagrebu), *Kantrida* (predio u Rijeci), *Stradun* (ulica u Dubrovniku) ...

Ako su složena, po drugom se općem pravilu piše samo prva riječ velikim početnim slovom, a od ostalih riječi samo one koje su same po sebi vlastita imenica: *Becićeve stube, Dugi dol* (gradsko naselje), *Gornji grad* (dio grada), *Pod zidom* (ulica u Zagrebu), *Preradovićeva ulica, Radnička cesta, Trg bana Josipa Jelačića, Zvonimirova ulica* ...

66 12. Velikim početnim slovom piše se prvi (ili jedini) član imena nebeskih (astronomskih) tijela: *Danica, Mjesec, Saturn, Sunce, Venera, Vlašići, Zemlja; Kumova slama, Mala kola, Mliječna staza, Veliki medvjed* ...

Kao opće imenice *mjesec, sunce* i *zemlja* pišu se malim početnim slovom.

67 13. Imena su blagdana također vlastita imena i pišu se velikim početnim slovom. Ako su višečlana, po drugom se općem pravilu samo prvi član piše velikim početnim slovom, a ostali samo onda ako su i oni vlastita imena. Takva su imena:

68 a) imena vjerskih blagdana: *Badnjak, Bajram* (ali *Kurban bajram*), *Božić, Duhovi, Pavlovo, Petrovo, Ramazan, Sveta tri kralja* ili *Tri kralja, Sveti Petar i Pavao, Svi sveti, Tijelovo.*

69 b) imena državnih blagdana i spomendana: *Dan državnosti RH* ili *Dan hrvatske državnosti, Dan planeta Zemlja/Zemlje, Majčin dan, Nova godina, Praznik rada, Dan antifašističke borbe.*

70 Pridjevi od imena blagdana i spomendana pišu se malim početnim slovom: *božićni običaji, ramazanski post, tijelovska procesija, novogodišnji poklon, prvosvibanjska povorka* ...

71 14. Velikim početnim slovom piše se prva riječ imena organizacija, društava, ustanova, tvornica i poduzeća i javnih skupova (kongresa, konferencija, sjednica, simpozija i sl.), a od ostalih riječi tih imena samo one koje su same po sebi vlastito ime: *Atlantska plovidba* (u Dubrovniku), *Crveni križ, Društvo hrvatskih književnika, Filozofski fakultet u Zadru, Gimnazija Silvija Strahimira Kranjčevića, Hrvatsko filološko društvo, Hrvatsko narodno kazalište, Zavod za hrvatski jezik* (u Zagrebu), *Hrvatska akademija znanosti i umjetnosti, Katolička crkva u Hrvata, Matica hrvatska, Drugi vatikanski koncil, Hrvatska biskupska konferencija, Mjesna zajednica u Božavi, Okružni sud u Splitu, Organskokemijska industrija* (u Zagrebu), *Osnovna škola Petra Preradovića, Školska knjiga* (nakladno poduzeće), *Tvornica čokolade, bom-*

bona i keksa »Kraš« (u Zagrebu), *Tvornica parnih kotlova, Tvornica ribljih konzervi »Mardešić«* (u Salima, Dugi otok), *Zagrebački lingvistički krug, Zemaljsko antifašističko vijeće narodnog oslobođenja Hrvatske* (pov.) ...

72 Pisanje velikog slova ne ovisi o tome piše li se koji od navedenih i sličnih pojmova među navodnicima ili ne; navodnici nisu odlučni, dakle ni potrebni, da se pojam obilježi kao vlastito ime. Navodnici se dakle stavljaju zbog drugih razloga (v. §-e 436. do 438.).

73 Ako se mjesto čitava naziva upotrijebi samo najvažniji član (imenica ili od nje izveden posvojni pridjev na *-ev, -ov, -in*), tada se i taj član piše velikim početnim slovom: *član Akademije u Zagrebu* (tj. *član Hrvatske akademije znanosti i umjetnosti u Zagrebu*), *Crkva u Hrvata* (tj. *Katolička crkva u Hrvata*), *Fakultet u Zadru* (tj. *Filozofski fakultet u Zadru*), *Matičina izdanja* (tj. *izdanja Matice hrvatske*), *Zavnohovi proglasi* (tj. *proglasi Zemaljskog antifašističkog vijeća narodnog oslobođenja Hrvatske*), *»Mardešićeve« konzerve* (tj. *konzerve Tvornice ribljih konzervi »Mardešić«* u Salima).

74 Kad se uz ta skraćena vlastita imena nađu riječi koje ih određuju kao opće pojmove, onda se pišu malim početnim slovom, jer gube svojstva vlastitih imena: *naš institut, ovaj fakultet, vaša tvornica, naša gimnazija, ova škola, navedeno povjerenstvo, vaš odbor* ...

75 U imenima koja počinju rednim brojem, ne piše se prva riječ iza rednog broja velikim početnim slovom (ako sama nije vlastito ime) jer prvu riječ zamjenjuje brojka: *8. međunarodni kongres slavista*.

76 Opći nazivi administrativnih jedinica pišu se malim početnim slovom: *bjelovarska županija* (pov.), *ivanićgradska općina, matični ured, mjesna zajednica, radna zajednica, splitska metropolija, zadarska nadbiskupija, znanstveno vijeće* ...

77 Kad se ti i takvi nazivi upotrebljavaju u značenju određenih ustanova, vlastita su imena i prva se njihova riječ piše velikim početnim slovom, a od drugih riječi one koje su same po sebi vlastita imena: *potvrda Matičnog ureda u Brinju, odluka Mjesne zajednice u Privlaci, uredba Ministarstva znanosti i tehnologije, dekret Nadbiskupskoga duhovnog stola u Zagrebu, rezolucija Vijeća sigurnosti OUN* ...

Ti se i takvi primjeri pišu velikim početnim slovom i kad su bez dodatka ako se misli na određeno vlastito ime, dakle *Matični ured* kao vlastito ime.

78 Ne treba ipak misliti da se pojmovi obuhvaćeni u navedenim i sličnim imenima moraju u svakoj prilici shvaćati kao vlastita imena i pisati velikim početnim slovom. Može se npr. o *matičnom uredu*, o *društvu hrvatskih književnika*, o *filozofskom fakultetu*, o *ministarstvu* ovom ili onom itd. govoriti i kao o općim pojmovima, a tada se, dakako, pišu malim početnim slovom (usp. § 76.).

79   U značenju ustanova velikim se početnim slovom pišu imena svih novooblikovanih županija u Republici Hrvatskoj, npr. *Zagrebačka županija, Zadarsko-kninska županija, Brodsko-posavska županija* ...

80   Posebna, tj. vlastita imena mogu imati i razni predmeti, stvari i objekti (npr. brodovi, vlakovi i druga prometala, crkve, hoteli i drugi objekti). Najčešće se ta imena daju po imenima znamenitih ljudi, po zemljopisnim imenima i po nazivima nekih životinja, ponekad i po kojem drugom uzoru. Sva se pišu velikim početnim slovom, pa i onda kad je izvorni naziv opća imenica ili koja druga riječ: *Barbara* (hotel u Zadru), *Autocesta Zagreb – Split, Berlinski zid* (građevina), *Dagnja* (brod), *International* (hotel), *Kineski zid* (građevina), *Kornatekspres* (vlak), *Marjanekspres* (vlak), *Orao* (brod), *Skuša* (brod), *Zagrebekspres* (vlak), *Tunel »Učka«, Žumberak* (brod), *Krvavi most* (most), *Danas* (novine), *Šport* (novine), *Napredak* (društvo), *Znanost* (knjižara), *Sveta Marija* (ime određene crkve) za razliku od *sv./ sveta Marija* (ime svetice s atributom). Tako je i: *Sveti Petar, Sveti Kralj, Sveti Rok*(*o*), sve imena crkava po istoimenim svecima. Na isti se način postupa kad se ime sveca uzima kao oznaka dana, npr. *na Nikolinje/na Svetog Nikolu dijele se djeci darovi, od Svetog Josipa do Svete Katarine ne pada snijeg*, jer su to upravo spomendani (blagdani) tih svetaca.

81   Velikim se početnim slovom pišu i zaštićena imena (marke) nekih ljekarničkih i drugih gospodarskih proizvoda, domaćih i stranih, bez obzira jesu li dobili ime po osobnom imenu ili po nazivu koji označuje opći pojam: *Gillette* (ime britvice), *Libertas* (ime cigarete), *Nila* (ime detergenta), *Phenalgol* (ime lijeka), *Plavi radion* (ime detergenta), *Plivadon* (ime lijeka), *Remington* (ime aparata), *Silver* (ime britvice), *Singer* (ime stroja), *Žilavka* (ime vina) ...

82   Kao pojedinačni proizvodi pišu se dvojako:

a) malim se početnim slovom pišu kad dobiju značenje općih pojmova i kad se glasovno i tvorbeno prilagode tipu općih imenica, pa i onda kad njihovi nazivi potječu od vlastitih imena: *acisal* (lijek), *aspirin* (lijek), *fenalgol* (lijek), *kalodont* (zubna pasta), *kinin* (lijek), *meprobamat* (lijek), *miksal* (detergent), *navisan* (lijek), *nivea* (krema), *plivadon* (lijek), *rotal* (detergent), *singerica* (šivaći stroj), *žilet* (britvica) ...

83 b) velikim se početnim slovom pišu kad potječu od vlastitih imena, a ta vlastita imena nisu nikako dobila značenje općih pojmova: *Bijeli Zagreb* (detergent), *Opatija* (cigarete), *Philips* (radio), *Tomislav* (pivo), *Trenk* (vinjak), *Zrinski* (vinjak).

84 15. Velikim se početnim slovom piše prva riječ naslova knjiga, časopisa, novina, rasprava, članaka, pjesama, propisa, zakona, filmova i sl., a od ostalih riječi samo one koje su i same vlastita imena: *Zlatarovo zlato* (roman), *Planine* (književno djelo), *Sveto pismo* (knjiga), *Zadnji Adam* (pjesma), *Ustav Republike Hrvatske, Večernji list* (dnevnik), *Jezik* (časopis), *Tko pjeva, zlo ne misli* (film), *Vjernost pjesnikovoj riječi* (članak), *Sibilarizacija u stranim riječima* (jezična rasprava), *Skupljena baština* (antologija), *Knjiga bdjenja* (pjesnička zbirka), *Zlatna knjiga hrvatskog pjesništva* (naslov knjige), *Hrvatske kajkavske pjesmarice* (naslov rasprave), *Čovjek na raskrižju* (naslov članka), *Hrvatski dijalektološki zbornik* (naslov časopisa), *Hrvatska revija* (naslov revije) ...

85 Naslov se i sav može napisati velikim slovima, tj. verzalom.

Iz estetskih, reklamnih, propagandnih i drugih razloga mogu se, kao orijentir u tekstu, i sva slova svih riječi naslova napisati velikim slovima kao npr. ime ove knjige HRVATSKI PRAVOPIS i svi naslovi poglavlja, usp. VELIKA I MALA SLOVA, GLASOVI I GLASOVNI SKUPOVI, SASTAVLJENO I RASTAVLJENO PISANJE RIJEČI, REČENIČNI ZNAKOVI ...

86 U osobitim se namjenama pisane riječi može velikim slovima napisati čitav tekst, dio teksta ili gdjekoje riječi u tekstu.

Iznimno se, iz likovnih i pjesničkih razloga, mogu sve riječi dijela teksta napisati ili samo velikim ili samo malim početnim slovom (naslovi, plakati), npr. *Poziv Na Degustaciju Hrvatskih Vina* (obavijest na plakatu). Takav se način pisanja ne preporučuje jer nije u skladu s pravilima o pisanju velikoga slova.

87 16. Nazivi su društvenih pokreta, povijesnih događaja i razdoblja opći pojmovi, pa se pišu malim početnim slovom (osim onih dijelova koji su vlastita imena): *dvadeseto stoljeće, hrvatski narodni preporod* (drugo je: *Hrvatski narodni preporod*, ime Bukovčeve slike), *humanizam, ilirizam, ilirski pokret, moderna, reformacija, renesansa, seljačka buna, srednji vijek* ...

Ako međutim određeni društveni pokreti obilježavaju jasno određene povijesne događaje, tada su njihovi jezični izrazi u funkciji vlastitog imena i pišu se velikim početnim slovom: *Bitka kod Siska, Francuska revolucija, Krbavska bitka, Prvi svjetski rat, Rakovička buna* ...

88 Opće su imenice i pišu se malim početnim slovom:

a) nazivi pripadnika ideoloških i političkih pokreta, smjerova u znanosti, struja u društvenim i kulturnim zbivanjima, nazivi članova raznih organizacija i sl., pa i onda kad su izvedeni od vlastitih imena: *aristotelovac, ateist, benediktinac, brahmanac, franjevac, haesesovac* (prema HSS), *ilirac, isusovac, klarisa, marksist, teist* ...

b) nazivi vjerskih zajednica, sljedba i sl.: *kršćanstvo, katolištvo/katoličanstvo* i *katolicizam, pravoslavlje, protestantizam, bogumilstvo, budizam, islam, kalvinizam, luteranstvo* ...

c) nazivi koji označavaju svojstvo pripadnika pojedinih naroda ili njihovih skupina: *hrvatstvo, slavenstvo,* ali: *Hrvatstvo* (svi Hrvati, tj. hrvatski narod), *Slavenstvo* (svi Slaveni, tj. pripadnici svih slavenskih naroda).

89 Malim se početnim slovom pišu i sve druge opće imenice, kao i sve druge riječi, osim slučajeva predviđenih u pravilima o pisanju velikog slova.

Napomena: Dodatne obavijesti o pisanju velikoga i maloga slova nalaze se u poglavlju *Kratice.*

90 Valja razlikovati:

Anglo-Amerikanci (*Englezi i Amerikanci*)

Atika (*pov.*)

Atlas (*gorje*)

Babin Potok (*mjesto*)

Beba (*osobni nadimak*)

Benjamin (*ime*)

Bog (*osobno ime božanstva*)

Božji (*prema* Bog)

Braco (*osobni nadimak*)

Cica (*osobni nadimak*)

Coulomb (*ime*)

Crkva (*organizacija Božjeg naroda*)

Angloamerikanci (*Amerikanci engleskoga podrijetla*)

atika (*arhit., stil*)

atlas (*1. zbirka zemljovida, 2. vrst tkanine*)

Babin potok (*potok*)

beba (*lutka*)

benjamin (*najmlađi član*)

bog (*opći pojam*)

božji (*prema* bog)

braco (*hip. prema* brat)

cica (*mačka*)

kulon (*mjera*)

crkva (*zgrada za bogoslužje*)

Crna gora (*planina*)	Crna Gora (*država*)
Crveni križ (*ime organizacije*)	crveni križ (*križ obojen crveno*)
Dolac (*ime polja, mjesta*)	dolac (*opći pojam*)
Đurđica (*ime*)	đurđica (*biljka*)
Fakultet (*skraćeno ime određenoga fakulteta*)	fakultet (*opći pojam*)
Ford (*ime*)	ford (*automobil*)
Francuz (*pripadnik francuskog naroda*)	francuz (*vrst ključa u mehanici*)
Gillette (*ime*)	žilet (*britvica*)
Gospodin (*zamjena za* Bog)	gospodin (*opći pojam*)
Institut (*skraćeno ime određenog instituta*)	institut (*opći pojam*)
Istok (*istočni narodi*)	istok (*strana svijeta*)
Jagoda (*ime*)	jagoda (*plod, biljka*)
Krapinske Toplice (*mjesto*)	Krapinske toplice (*toplice*)
Labud (*ime konja, prometala i sl.*)	labud (*ptica*)
Lijeva (*poosobljeno ime za lijevu ruku*)	lijeva (*prid. u ž. r. jd.*)
Ljubica (*ime*)	ljubica (*cvijet*)
Matica (*skraćeno ime Matice hrvatske*)	matica (*matična pčela i dr.*)
Mercedes (*ime*)	mercedes (*automobil*)
Mjesec (*ime nebeskoga tijela*)	mjesec (*vremensko razdoblje i dr.*)
Musliman (*pripadnik naroda*)	musliman (*vjerski pripadnik*)
Nada (*ime*)	nada (*opći pojam*)
Nestor (*pov., ime*)	nestor (*najčasniji i najugledniji predstavnik u kojoj struci*)
Nijemac (*pripadnik njemačkog naroda*)	nijemac (*nijem čovjek*)
Njemica (*pripadnica njemačkog naroda*)	njemica (*nijema žena*)

Planine (*književno djelo*)	planine (*zemljopisni pojam*)
Poljica (*mjesto*)	poljica (*opći pojam, mn.*)
Prsten (*naslov zbirke pjesama*)	prsten (*opći pojam*)
Rijeka (*grad*)	rijeka (*opći pojam za vodu koja teče*)
Rječina (*ime rijeke*)	rječina (*velika rijeka*)
Ruža (*ime*)	ruža (*cvijet*)
Stari Grad (*mjesto*)	Stari grad (*dio grada*); stari grad (*opći pojam*)
Sunce (*ime nebeskoga tijela*)	sunce (*sunčana svjetlost*)
Šarko (*ime konja*)	šarko (*šaren konj*)
Škoda (*ime*)	škoda (*automobil*)
Trgovište (*mjesto*)	trgovište (*opći pojam*)
Trijeska (*zem.*)	trijeska (*drvce*)
Turopoljac (*čovjek iz Turopolja*)	turopoljac (*pasmina turopoljskih svinja*)
Utopija (*ime zamišljene zemlje u romanu T. Morusa*)	utopija (*nedostiživ ideal, nešto neostvarljivo*)
Veliki medvjed (*zviježđe*)	veliki medvjed (*velika zvijer medvjed*)
Višnja (*ime*)	višnja (*voćka*)
Zapad (*zapadni narodi i zemlje*)	zapad (*strana svijeta*)
Zemlja (*nebesko tijelo*)	zemlja (*opći pojam*)
Zora (*ime*)	zora (*opći pojam*)

Navedeni su samo neki primjeri koji se kao vlastita imena pišu velikim početnim slovom, a kao opće imenice malim početnim slovom. Više je takvih primjera zabilježeno u Pravopisnom rječniku, a ostale treba pisati po pravilima.

PRVA RIJEČ U REČENICI

91 1. Velikim se početnim slovom piše prva riječ u rečeničnoj cjelini. U tekstu koji se nastavlja i koji ima više rečeničnih cjelina svaka se nova rečenica počinje pisati velikim početnim slovom, iza svih rečeničnih znakova koji obilježavaju kraj prethodne rečenice:

Maestro je govorio brzo i zbunjeno. Želio je prikriti pred Melkiorom da su ga naglavce izbacili iz kavane, pa je sad izmislio to »protestno ležanje«.

— Ali tu vam je modrica na glavi?

— Neka, nije to modrica, to kapa pušta boju, plavu …

— A ima i blata. Operite to. I nos.

92   Ako se iza uskličnika ili upitnika rečenica nastavlja, prva se riječ iza uskličnika ili upitnika piše malim početnim slovom:

— Eto ti ga tu, eto ti ga tu! … oglasiše se neočekivano podrugljivi, kriješteći dječji glasovi.

— Zašto si udarila dječaka? upita je Lijeva [ruka].

93   2. Velikim se početnim slovom piše i prva riječ iza dvotočja (:) u upravnom govoru (koji se stavlja među navodnike):

Stendhal uvjerava: »Jer sve što pričam, vidjeh; a ako se mogah prevariti, gledajući, odista vas ne obmanjujem pričajući.«

94   Kad se u upravni govor umetnu dodaci koji mu ne pripadaju, pa se upravni govor opet nastavi, prva se riječ toga nastavka piše malim početnim slovom:

»Bio bih se i dalje«, kaže Veber, »bavio novelistikom, da me drugi, važniji poslovi nisu vukli drugamo.«

95   Ako se upravni govor sastoji od više rečenica, i tada se svaka nova rečenica počinje pisati velikim početnim slovom:

Objašnjavajući svoj negativni sud o Nehajevljevu romanu Bijeg, Matoš je to opravdao razlozima jezične čistoće:

»Jezik, čist materinji jezik poznavati je prva i najvažnija dužnost svakog pisca. Tko ga ne poznaje, može biti uman, odličan, zanimljiv čovjek, ali dobar, uspješan pisac nikada. Pokažite mi na jednog jedinog većeg pisca u stranom svijetu što griješi proti pravilima svog jezika.«

96   3. Velikim se slovom počinje pisati prva riječ iza riječi koje se osobito ističu, pa se zato iza njih stavlja uskličnik:

Sunce, sunce! Klikće genij te po onoj klavijaturi zavora i pipaca prebire melodiju fantastične brzine.

97 Ako se takve riječi manje ističu, u pisanju se odvajaju zarezom, a iduća
se riječ počinje pisati malim slovom (ako nije vlastito ime):

Dakle, gospodo vozači, pazite na treptavo svjetlo!

98 U pjesničkim tekstovima pisac piše uskličnik ili zarez i veliko ili malo
slovo prema intuitivnom doživljavanju njihovih stilematskih i izražajnih
vrijednosti:

O, majko žalosna! kaži, šta to sja
U tvojim očima.

99 4. U dopisivanju se prva riječ iza naslova piše velikim početnim slovom
ako je iza naslova uskličnik:

Draga Katice!

Tebi, Tvojemu suprugu i vašoj kćeri lijepo se zahvaljujem na srdačnoj
čestitci.

Dragi doktore!

Oprostite što istom danas javljam da sam primio nastavak Vaše
rasprave.

100 Stavi li se iza naslova zarez, nastavak se može početi pisati malim
slovom, bez obzira nastavlja li se pisanje u istom ili u novom retku:

Ivane, poruku za mene ostavi kod susjeda.

Ivane,

poruku za mene ostavi kod susjeda.

101 5. Prve riječi stihova mogu se sve pisati velikim početnim slovom:

Dugo u noć, u zimsku gluhu noć
Moja mati bijelo platno tka.

Njen pognut lik i prosjede njene kose
Odavna je već zališe suzama.

102 Dosta je obično da se i u stihovima piše veliko slovo samo na početku
rečenice:

Teško promiču ceste, noć je trudna.
Noć je vatra i srebro pojasa tvoga.

Brda se crna ziblju, goveda budna,
raste šuma kao sudbina nijema i stroga.

Tamo je zapad, žut, ti ideš zanesen;
nespokojno te neko krilo zove.
Kamenita je zemlja, put rastresen.
Reci mi, zašto voliš neba i galebove?

103 Služeći se pjesničkom slobodom, pjesnici mogu pisati veliko i malo slovo i interpunkciju i drukčije. Tako je katkad ušlo u običaj da neki pjesnici nikako ne pišu veliko slovo:

bez tebe, pjesmo, ne bih se mogao uputiti
kroz vatre što ubijaju i zasjenjene močvare
kamoli u beskraju pustom podignuti gradinu
kamenu sam povjerio zadnje namjere:
svakom riječju dublje zemlji pripadam

RIJEČI IZ POČASTI

104 Iz počasti se pišu velikim početnim slovom:
1. lične i posvojne zamjenice za 2. lice jednine i za 2. lice množine u izravnom obraćanju: *Ti, Tvoj; Vi, Vaš.*

Ne piše se *Ti, Tvoj, Vi, Vaš* u dijalozima romana i drugih pripovjednih proza, nego samo u pismima kojima se pojedinac pojedincu obraća.

105 Ako se u 2. licu množine pismeno obraćamo većem broju osoba, tada se isključivo piše malim slovom: *vi, vaš.*

Prema tome, nije dobra praksa po kojoj se u fikcijskoj prozi svaki izraz za 2. lice množine osobnih i posvojnih zamjenica u razgovoru označava velikim početnim slovom (*Vi, Vaš*).

106 Ne preporučuje se pisanje velikim slovom ličnih i posvojnih zamjenica za 3. lice jednine i množine (*On, Njegov; Ona, Njezin; Oni, Njihov; One, Njihov*) jer te zamjenice ne služe za izravno obraćanje.

Iznimno se u molitvama i crkvenim pjesmama mogu velikim početnim slovom pisati i zamjenice 3. lica kao *On, Njega, Njegov* pa i povratne zamjenice *Sebe* i *Svoj* kad zamjenjuju ili se odnose na osobno ime *Bog.*

107 2. nazivi poglavara država i zemalja kad se pišu bez imena: *Predsjednik, Kralj, Sultan, Šah, Papa, Emir, Šeik; govor Predsjednika Republike Hrvatske, u Vatikanu je Papa primio hrvatske hodočasnike, bili su nazočni Kralj i Kraljica.*

108 Kad se pišu uz ime, ti nazivi gube svojstva vlastitih imena i pišu se malim početnim slovom: *papa Ivan Pavao II., kralj Tomislav …*

Ako se upotrijebe bez imena, velikim se početnim slovom pišu i posvojni pridjevi naziva točno određenih državnih i zemaljskih poglavara: *Predsjednikov, Kraljev, Sultanov, Šahov, Papin; slušali smo Predsjednikov govor, Dobili su Papin blagoslov, ukrašena je Kraljeva kruna …*

109 3. nazivi kojima se, najčešće u izravnom obraćanju, tituliraju visoki dužnosnici, npr. *Veličanstvo, Ekscelencija, Svetost* (samo za Papu), *Uzoritost* (samo za kardinale/stožernike), npr.

Vaše Veličanstvo

Vaša Visost

Vaša Ekscelencija

Vaša Svetost

Vaša Uzoritost

Vaša Milost (pov. – općenito za visoke dužnosnike).

Iznimno se piše:

Njegovo Veličanstvo, Njezino Veličanstvo

Njegova Visost, Njezina Visost

Njegova Ekscelencija, Njezina Ekscelencija.

110 Nazivi predsjednika i drugih visokih dužnosnika upravnih, administra-
tivnih, političkih, ideoloških, crkveno-vjerskih i drugih tijela pišu se malim
početnim slovom. Malim se početnim slovom pišu i sve druge titule: *ministar,*
savjetnik, načelnik, maršal, general, admiral, profesor, akademik, kardinal,
patrijarh, rektor, dekan, provincijal, opat, biskup, zastupnik, poslanik,
vijećnik.

Gdjekad, poglavito u beletristici, i koja od tih titula može biti upotrije-
bljena u funkciji odnosno mjesto vlastitog imena i tada se piše velikim
početnim slovom, npr. *Profesor, Admiral* (vrlo omiljeli i vrlo istaknuti).

GLASOVI I GLASOVNI SKUPOVI

111 U ovom se poglavlju ne govori o pisanju svih glasova, nego samo onih koji govornicima hrvatskoga jezika zadaju određene teškoće u pisanju književnoga jezika zbog njihove različite dijalekatne osnovice ili zbog razlika između govora i pisanja u samome književnom jeziku ili zbog različitih mogućnosti pisanja s obzirom na fonološko ili morfonološko načelo.

GLAS Č

112 Upotreba glasova *č* i *ć* ne zadaje gotovo nikakvih teškoća onima koji ih dobro razlikuju u govoru. Onima koji oba glasa jednako izgovaraju ili izgovor miješaju, valja znati u kojima riječima dolazi koji glas.

1. Glas se *č* nalazi u riječima kojima postanak nije vidljiv:

Bačka, bačva, Beč, bič, Brač, brčkati, čabar, čađa, čaša, dapače, drač, grč, hlače, ječam, jučer, ključ, lopoč, luč, mačka, pčela, račun, točan, točka, večer, vrč, žuč ...

Sve takve riječi popisane su u Pravopisnome rječniku.

113 2. Zatim se *č* nalazi u oblicima i izvedenicama prema osnovnom *k, c.*

Osnovno *k* smjenjuje se sa *č*:

junak: *junače, junački, junačan, junačina, junačiti se, junačić ...*

jači : jak	*značiti : znak*
obličje : oblik	*vičem : vikati*
ručni : ruka	*pečem, pečen : peku, pekao ...*

Izuzetak su od toga jedino imenice *liješće* i *triješće* prema *lijeska* i *trijeska*, i glagolski oblici *plješćem, pritišćem* i *stišćem* prema *pljeskati, pritiskati* i *stiskati* (uz *pljeskam, pritiskam* i *stiskam*).

114 I osnovno *c* smjenjuje se sa *č*:

zec: *zeče, zečevi, zečić, zečica, zečji, zečinjak ...*

pticar : *ptica*   *mičem* : *micati*

stričev : *stric*   *dječurlija* : *djeca*

srčan : *srce*   *zupčanik* : *zubac ...*

115 3. Suglasnik se *č* nalazi u riječima s češćim i manje čestim sufiksima.

Česti su ovi imenički sufiksi:

-ač, -ača, -jača, -ičar

-čić, -čica, -čina, -če.

-ač: berač, brijač, kopač, orač, ogrtač, opasač, pokrivač ...

-ača: brezovača, jabukovača, večernjača, savijača, udavača ...

-jača: kremenjača, parnjača, sjevernjača, slamnjača ...

-ičar: antologičar, alkoholičar, elegičar, evidentičar ...

-čić: kamenčić, ključčić, korjenčić, obraščić ...

-čica: grančica, stvarčica, cjevčica ...

-čina: ključčina, lažovčina, šamarčina, cjevčina ...

-če: Cigance, kumče, pastirče, pašče, ropče ...

U *botaničar, fizičar, matematičar ...* sufiks je samo *-jar*, a *č* je prema *k* u *botanika, fizika, matematika ...*

116 U hrvatskom se književnom jeziku sufiksom *-če* ne tvore umanjenice od imenica koje znače što neživo (one se tvore sufiksom *-ić, -čić, -ica* !), zato u pravopisnom rječniku nema riječi kao što su *čuturče, ćilimče, jorgance, ormarče, podrumče, stolče, šalče ...*

Rjeđi su sufiksi:

-ečak: grmečak, grumečak, kamečak, kremečak, plamečak ...

-ičak: grmičak, grumičak, ječmičak, kamičak, konjičak, krajičak, kremičak, plamičak, pramičak, ugljičak ...

Oba su sufiksa neplodna i riječi s njima osjećajno su jače obilježene nego riječi od istih osnova s običnijim sufiksima: *grumenčić, kamenčić, grmić* ... Neke imenice mogu završavati i na *-ićak* ako na *-ić* dođe još *-ak*, npr. *hrastićak, lončićak,* a prema tome i *grmićak, konjićak* ...

117   Sufiks *-ič* danas je neplodan. Od nekadašnjih riječi običnije su samo *branič, gonič, (pro)vodič, ribič.* (Sve znače vršitelje radnje!) Nekada je bio u tvorbi osobnog imena: *Jurič, Matič, Milič, Radič,* za razliku od prezimena: *Jurić, Matić, Milić, Radić.* Zato prezimena tih osnova mogu imati *-ičević,* i *-ićević: Juričević* i *Jurićević, Miličević* i *Milićević* ... (Upotrebljavaju se s onim glasovima s kojima ih upotrebljavaju njihovi nositelji!)

Kad znamo da na *-ič* završavaju ove proste riječi: *bič, grič, kič, nalič, ćerpič, sendvič,* izvedenice *krič* i *poklič,* tada ćemo *-ič* dobro razlikovati od veoma plodnog sufiksa *-ić,* v. §125.

118   Ostali su rjeđi imenički sufiksi sa *č*:

-čaga: samo u *rupčaga*

-ičina: *dobričina*

-ična: *bratična, sestrična, tetična, gospodična* ...

119   Običniji pridjevni sufiksi s glasom *č*:

-ačak: *ludačak, punačak, slabačak, dugačak* ...

-ičan: *energičan, harmoničan, ironičan, simpatičan* ...

-ički: *budistički, kapitalistički, humanistički, urbanistički* ...

Rjeđi su:

-ačan: samo u *ubitačan (probitačan* je od *probitak)*

-ački: *dubrovački, đakovački, valpovački, zagrebački* ...

-čiv: samo u *priljepčiv* (priljepljiv, zarazan), *prijemčiv* (osjetljiv);

-ičast: samo u rijetkih pridjeva kao *bjeličast, modričast, plavičast* jer je u *bobičast, igličast, jagodičast* osnova *bobica, iglica, jagodica.*

U pridjeva kao *karlovački, vinkovački* ... osnova je *Karlovac, Vinkovci* ... pa tu nemamo sufiks *-ački,* nego *-ski.*

120   4. Budući da kajkavci pretežno imaju jedno srednje *č*, ono su u vlastitim imenima u književni jezik prenosi prema tome bi li u njemu bio *č* ili *ć*, kako se uobičajilo od hrvatskoga narodnoga preporoda.

Tako se piše *č* u riječima kao:

Bedekovčina, Čakovec, Zdenčina, Kupčina, Pantovčak, Štrigovčak, Čret, Začretje, Globočec, Črnomerec, Črnec, Črnčevec, Črešnjevo ... Kad se u kajkavskim imenima piše *ć*, a kad *č* v. § 130.

121 5. Suglasnik *č* dolazi u slavenskim prezimenima, i to u bugarskim: *Miletič*, češkim: *Bělič*, ruskim: *Ivan Sergejevič Turgenjev, Lav Nikolajevič Tolstoj, Nikolaj Vasiljevič Gogolj*, slovačkim: *Palkovič, Jurkovič*, slovenskim: *Gregorčič, Janežič, Jurčič, Miklošič, Župančič ...*

122 Sasvim je razumljivo da se *č* nalazi i u oblicima i izvedenicama koje u osnovi imaju riječ po pravilima od 1 do 5, npr.

1: *ključ – ključa, ključevi, ključanica, ključar, ključarica, ključarski, ključić, ključni, ključnjača, ključati, ključanje, zaključati, otključati, zaključavati, otključavati, priključiti, otključiti, priključak, priključenje ...*

2: *igrač – igračica, igračnica, igračka : igrač, udavačin : udavača, Cigančad : Cigančе, kumčad : kumče, energičnost : energičan, kemičarski : kemičar ...*

3: *junačenje : junačiti se, junačnost : junačan*

4: *čakovečki, črnomerečki ...*

5: *Gregorčičev, Miklošičev, Miletičev ...*

Takvi primjeri jasno pokazuju kako se velika korist stekne kada se nauče pravila i osnovne riječi: tada se broj posezanja za pravopisnim rječnikom smanjuje u velikoj mjeri.

O riječima sa *č* i *ć* v. § 133.

GLAS Ć

123 Zbog razloga rečenih kod suglasnika *č* (§112.) valja znati i riječi u kojima dolazi *ć*.

1. Suglasnik *ć* dolazi u riječima u kojima postanak nije vidljiv: *bećar, ćelav, ćud, dućan, gaće, kći, kuća, moć, noć, pleća, već ...*

Sve takve riječi popisane su u Pravopisnome rječniku.

Neknjiževne riječi kao *šeker*, uz književnu *šećer*, pokazuju da je *ć* u stranim riječima (većinom grčkoga i orijentalnoga podrijetla) postalo od *k*, npr. *Ćiril* (od grč. *Kyrillos*), *ćelija* (od grč. *kellion*), *Ćamil* (ar. *Kamil*), *ćilim* (perz. *kilim*).

124 2. Suglasnik *ć* dolazi u riječima i izvedenicama prema osnovnom *t*:

smrću : smrt   krećem : kretati
radošću : radost   braća : brat
ljući : ljut   pamćenje : pamtiti ...

125 3. Malo je sufiksa sa suglasnikom *ć*. Od običnijih je samo

imenski *-ić* i *-oća*

pridjevni *-aći*

i glagolski završetak *-ći*.

-ić : *crvić, gradić, komadić, bratić, sestrić, tetkić, Anić, Begić, Katić, Mirković, Pavlović, Petrović, Blažević, Knežević, Kovačević* ...

Za slavenska prezimena v. §121.

-oća u *čistoća, gluhoća, hladnoća, bjesnoća, sljepoća* ...

-aći u pridjeva: *domaći, brijaći, crtaći, igraći, jahaći, pisaći, šivaći* ...

126 *-ći* dolazi:

a) u participu sadašnjem: *pekući, idući, tekući, pitajući, noseći, sjedeći, pišući* ...

b) u infinitivu glagola koji nemaju *-ti: doći, ići, moći, peći, reći, sjeći, tući*

Neki od tih glagola u tvorbi ostalih oblika imaju *č* prema osnovnom *k*:

pečem, pečeš ..., *pečen : peku, pekao; reče, izrečen : rekoh, izrekla; siječem, siječeš, sječen : sijeku; tučem, tučeš, tučen : tuku, tukao* ...

127 Rjeđi su sufiksi:

imenički:

-ać, -dać i *-bać* nalaze se u riječima: *gluhać, golać, puhać; crndać, crvendać, srndać; zelembać.*

Ako znamo da na *-ać* završava i *Bihać*, lako ćemo razlikovati imenice sa *-ać* i *-ač*.

-aća samo u *mokraća*.

Ako znamo da na *-aća* završava još *daća, nedaća* i *zadaća*, znat ćemo da sve ostale, bio im postanak jasan, kao u *kuhača, makovača* ... , ili nejasan kao u *pregača, veljača* ... , imaju *-ača*.

128 Rijedak je i pridjevni sufiks *-eći* jer dolazi samo u nekoliko riječi: *srneći* (srnin), *ovneći* (ovnovski, ovnujski) ...

Inače pridjevni završetak *-eći* znatno je češći: *teleći* prema *tele, teleta, pileći* prema *pile, pileta* ... Analogijom prema tome završetku nastao je i sufiks *-eći*.

129 4. Gdje bi se osnovno *đ* našlo pred bezvučnim suglasnikom, mjesto njega dolazi *ć* (u nekoliko riječi): *omeđak – omećka, žeđa – žećca, riđ – rićka, Rođo – Roćko, na leđa – nalećke, smeđ – smećkast* (uz *smeđast*).

Ali u takvim se riječima može pisati i *đ*: *omeđka, žeđca, riđka, Rođko, naleđke, smeđkast*.

130 5. Glas *ć* se piše u kajkavskim imenima gdje bi bio i u književnom, a to su u prvom redu prezimena i zemljopisna imena na *-ić* : *Drašković, Habdelić, Iveković, Jambrešić, Mihanović, Oršić, Vukotinović* ..., *Desinić, Draganić, Okić, Zaprešić* ...

Zatim u imenima gdje je jasno da bi u književnom došao *ć* ili je tako uobičajeno, a to je u prvom redu na mjestu kajkavskoga *šč*:

Budinšćak, Kunišćak, Medvešćak, Pešćenica, Grmošćica, Budinšćina, Pušća Bistra, Lašćina, Trakošćan, Šćitarjevo ..., *Dvorišće, Lanišće, Nedelišće, Veliko Trgovišće* ...

Zatim u *Črećan* prema *Čret* i sl.

Ona imena mjesta u kojima je u književnom jeziku već usvojeno *č* ili je veoma prošireno zbog prošle norme, mogu se pisati i sa *č*: *Medveščak, Peščenica, Konjščina* ...

Prezimena se pišu kako je usvojeno, pa uz kajkavska prezimena: *Brezinšćak, Budišćak, Budišćak, Palešćak, Polanšćak* ..., postoje ista takva i sa *č*: *Brezinščak, Budiščak* ...

131 Sasvim je razumljivo da glas *ć* dolazi u oblicima i izvedenicama od riječi i po pravilima od 1 do 4, npr.

1: *noć: noći, noću, noćima, nocca, noćni, noćas, noćašnji, noćiti, noćivati, noćenje, noćište, prenoćiti, zanoćiti, noćnik, noćobdija* ...

2: *osjećajan, osjećajni : osjećaj, osjećanje : osjećati, osjećajnost : osjećajan* ...

3: *golaćev, crvendaćev, čistoću, sljepoću, Begićev, Kovačićev,*

4: *Roćkov, žećcu* ..., uz *Rođkov, žeđcu* ...

5: *Draškovićev, Budinšćakov, desinićki, okićki* ...

Napomena uz glasove *č* i *ć*

132   U primjeni pravila o glasovima *č* i *ć* valja paziti na stvarne jezične odnose jer inače može doći do krivih zaključaka, npr.

– *č* u *pribadača, siroče, koščica, maščina, Sigečica* nije prema *t* u *pribadati, sirota, kost, mast,* nego su te riječi nastale od *pribad+ača; sirot+če, kost+čica, mast+čina, Siget+čica;*

– imenica *telećak* nema sufiks *-ečak,* nego je sufiks *-ak* došao na osnovu pridjeva *teleći*

– nije *pećem* prema *peći,* nego je *pečem* prema *peku* (v. §126.)

– *bašča* nije od *t* u *bašta,* nego je ta riječ perzijskog podrijetla (hrv. *vrt*); *palača* je od lat. *palatium* koje se čita *palacium* ...

133   Neke se riječi govore i pišu sa *č* i *ć* jer se mogu objasniti dvjema osnovama ili dvama sufiksima.

To su riječi: *kraćina, plićina* i *kračina, pličina* jer te imenice mogu podjednako biti izvedene od komparativa *kraći, plići* i od osnova pridjeva *kratak, plitak* (*kratk+ina > kratčina > kračina, plitk+ina > plitčina > pličina*).

Sa *č* i *ć* javljaju se imenice *boleščurina, koščurina, maščurina* i *boleščurina, koščurina, maščurina* i pridjev *košćat, koščat* pa se mogu smatrati izvednicama sufiksima *-jurina* i *-čurina, -jat* i *-čat.* Isto se tako govori i piše *jednoč* i *jednoć, nekoč* i *nekoć, ljutič* i *ljutić* (biljka), *teklič* i *teklić, teferič* i *teferić,* ali u novije vrijeme prevladavaju likovi sa *ć.*

GLAS *DŽ*

134   Glas koji se bilježi dvoslovom *dž* nije skup *d-ž,* nego je sliveni glas, zvučni parnjak glasa *č.* Zbog istih teškoća kao i s glasom *č* valja znati riječi u kojima se nalazi *dž.*

On se nalazi:

1. u riječima bez vidljivog postanka, uglavnom u tuđicama: *budžet* (proračun) *džamija, džem, džep, džip, džez, džezva, feredža, fildžan, hodža, maharadža, Mandžurija, patlidžan, pidžama, Sandžak, srdžba* ...

Sve takve riječi popisane su u Pravopisnome rječniku.

135 2. ispred *b* prema osnovnom *č*, jer zbog razlike u zvučnosti *č* u tom položaju ne dolazi:

jednadžba : jednačiti   *svjedodžba* : svjedočiti

narudžba : naručiti   *udžbenik* : učiti

predodžba : predočiti   *urudžba* : uručiti ...

136 3. u sufiksu *-džija*, koji nam je došao iz turskoga jezika s riječima orijentalnoga podrijetla:

bostandžija, buregdžija, ćevabdžija, šeširdžija ...

Ako osnova nije toga podrijetla, onda riječ izvedena sufiksom *-džija* stilski je obilježena:

bundžija, galamdžija, govordžija, račundžija, šaljivdžija ...

137 Razumljivo je da *dž* dolazi u oblicima i izvedenicama od tih riječi:

džep – džepa, džepu, džepić, džepni, džepar, džeparac, džepovina;

predodžbeni, udžbenički, bostandžijski, ćevabdžinica ...

138 U hrvatskoj književnoj tradiciji običnije je *Madžar*, ali se u novije doba širi i *Mađar*, toliko prije što u kajkavskom i čakavskome narječju nema glasa *dž*. Prezimena se pišu kako ih pišu njihovi nositelji: *Madžarac* i *Mađarac, Madžarević* i *Mađarević, Madžarić* i *Mađarić* ...

Kad *dž* obilježava suglasnički skup *d–ž*, rečeno je u § 4.

GLAS Đ

139 Glas *đ* zvučni je parnjak bezvučnoga *ć*. Nalazi se:

1. u riječima u kojima postanak nije vidljiv i u izvedenicama od njih:

anđeo, čađa, đak, đavao, Đuro, đurđica, evanđelje, hrđa, lađa, leđa, mađioničar, međa, oruđe, riđ, smeđ, smuđ, vjeđa ...

Sve takve riječi popisane su u Pravopisnome rječniku.

140 2. u oblicima i izvedenicama na mjestu osnovnoga *d*:

glađu : glad   *grožđe* : grozd

mlađi : mlad   *događati se* : dogoditi se,

viđen : *vidjeti*   *oslobađati* : *osloboditi*
glođem : *glodati*   *obrađivati* : *obraditi*
građa : *graditi*   *obrađen* : *obraditi*

Jasno je da glas *đ* dolazi u oblicima i izvedenicama od tih riječi: *čađa – čađav, čađavac, čađavica, čađavički, čađaviti, čađavost, čađenje, čađiti, začađiti* ..., *grožđani, događaj, obrađenost, oslobođenik* ...

GLAS *H*

141 Budući da se uporaba glasa *h* stabilizirala u književnom jeziku, njegovo pisanje ne bi trebalo izazivati teškoća. Unatoč tome postoji kolebanje kad se glas *h* piše, a kada ne piše. Zato ćemo iznijeti ova pravila:

142 Glas se *h* nalazi u riječima u kojima postanak nije vidljiv i u izvedenima od njih kao

hajduk, hiniti, hlače, hlad, hodža, hren, hrpa, htjeti, hajdučica; čehulja, drhtati, mahovina, ohladiti, ohol, njihati, prhak, svrha; grah, mijeh, orah, orahnjača, prah, smijeh, stih, strah, suh, trbuh, uspjeh, vrh.

U stilističke se svrhe može *h* izostaviti, ali se tada na njegovu mjestu stavlja izostavnik:

Ti'o, ti'o, ti'o prede pauk nit (Nazor).

143 Glas se *h* piše također:

a) u skupu *hv* kao *hvala, Hvar, hvat, hvatati, hvoja, uhvatiti;*

b) za oznaku razmišljanja kao nesustavni suglasnik: *hm* (prema čemu je stvoren i glagol *hmkati*, prez. *hmčem*).

Ostale pojedine riječi sa zatvornikom *h* mogu se vidjeti u rječniku.

144 Glas *h* dolazi kao nastavak ili kao završni dio nastavka:

a) u 1. licu jednine aorista i imperfekta: *rekoh, ispekoh, čuh, pogiboh, vidjeh; čuvah, moljah, promatrah, vođah, htijah;*

b) u 1. licu jednine kondicionala: *bih* (npr. *ja bih želio* ili *želio bih, ja bih htio* ili *htio bih*, ali *on bi želio* ili *želio bi, on bi htio* ili *htio bi, ona bi željela* ili *željela bi, ona bi htjela* ili *htjela bi*);

c) u genitivu množine pridjeva, zamjenica i promjenljivih brojeva: *bjelkastih, čvrstih, dobrih, lijepih, rijetkih, ljepših, rjeđih, čijih, nečijih, svih, drugih, četvrtih, šezdesetih, tisućih.*

145 U hrvatskom je književnom jeziku pravilan izgovor: *buha, duhan, gluh, huckati, kihati, kuhati, lijeha, muha, natruha, otprhnuti, protuha, snaha, streha, suh, uho, zaduha*, pa samo tako i treba pisati.

Prema imenici *muha* analogijom je stvoren oblik *muhati se*, pa se može tako i pisati.

146 Zbog dvojake upotrebe u hrvatskoj književnosti i u narodnim govorima dopušteno je uz *hrđa, hrđav, hrđati, ishrđalost, zahrđalost, hrvati se, hrvanje, hrvač, hrvački, hrzati* pisati i *rđa, rđav, rđati, izrđati, zarđati, rvati se, rvanje, rvač, rvački, rzati.*

147 U nekim je riječima glas *h* odavno zamijenjen sa *v* ili *j*, pa danas više nema jezičnoga osjećaja da je na tome mjestu bio. Međutim, u starijim se tekstovima nalazi *h*, pa se takve riječi, kao arhaične, mogu napisati sa *h*. Zato se pored uobičajenih oblika *aždaja, buzdovan, proja, marva* dopuštaju i oblici *aždaha, buzdohan, proha, marha* (riječ *marha* nalazi se npr. u tekstu hrvatske himne).

148 Glas se *h* pojavljuje u dijalekatskim riječima u kojima ga nije bilo ili u kojima je izostavljen iako je prije bio, pa dolazi do kolebanja, npr.: *lako* (i *lahko*), *olakotan* (i *olahkotan*), *meko* (i *mehko*), *melem* (i *mehlem*), *nauditi* (i *nahuditi*), *trunuti* (i *truhnuti*), *ambar* (i *hambar*), *ametice* (i *hametice*), *at* (i *hat*), *marama* (i *mahrama*).

GLAS *J*

149 Glas se *j* ne ostvaruje jednako u svim položajima govorne riječi. Najizrazitije u riječima što počinju sa *ju-* kao *jug* (strana svijeta), *jugo* (vjetar), *Juraj* (ime), *juriš, juta, jutarnji, jutro*. U drugim se slučajevima, poglavito između dva otvornika, ostvaruje oslabljeno, najčešće kao poluotvornik *i̯*, ali i tada ne jednako slabo između svih otvornika. Zbog toga je poluotvornik *i̯* povezan u našoj svijesti nejednako: u jednim slučajevima kao zatvornik *j*, a u drugima kao njegova slaba prisutnost ili čak odsutnost. Zato nije uvijek jasno kad ga treba pisati, a kad ne treba. S tim u svezi mogu se odrediti ova pravila:

150   1. Glas se *j* piše na početku riječi ispred svih otvornika ispred kojih se može ostvariti: *jačina, jakost, ječam, jedan, još, jotacija, jučer, junački*. Kad takve riječi postanu složene s prefiksom koji završava na otvornik, zadržavaju *j*: *nejakost, prejak, dvojezičan, prajezik, nejednakost, međujelo, prijordanski* (prema *jordanski*), *prejotacija, nejunački, kvazijunak, protujuriš*. Općenito se može reći da riječi koje imaju *j* u osnovi, ne gube ga u tvorenicama i složenicama.

151   2. Glas se *j* piše redovito u nesloženim riječima između dva otvornika, i to *i-a, i-e, i-i, i-u, u-i, u-u*, kao:

a) *i-a: kutija, rakija, Azija, Ilija, Marija, financija, investicija, varijacija, gladijator, salmijak, socijalist, materijalizam, oficijalan;* u G jd. imenica na *-i, -ij, -ije, -io* kao *žirija* (prema *žiri*), *krokija* (prema *kroki*), *Verdija, Leopardija, radija* (prema *radij* i *radio*), *studija* (prema *studij* i *studio*), *kolegija* (prema *kolegij*), *Plinija* (prema *Plinije*), *Poncija* (prema *Poncije*), *Marija* (prema *Mario*), *Tokija* (prema *Tokio*);

b) *i-e: dijeta, higijena, hijeroglif, orijent, pijetet, principijelan;* u G jd. imenica ženskoga roda na *-ija* i u oblicima jednakima tom padežu kao *kutije, rakije, Azije, Marije, financije;* u I jd. imenica na *-i, -ij, -ije, -io* kao *žirijem* (prema *žiri*), *krokijem* (prema *kroki*), *Verdijem, Leopardijem, radijem* (prema *radij* i *radio*), *studijem* (prema *studij* i *studio*), *kolegijem* (prema *kolegij*), *Plinijem* (prema *Plinije*), *Poncijem* (prema *Poncije*), *Marijem* (prema *Mario*), *Tokijem* (prema *Tokio*);

c) *i-i: čiji, svačiji, drukčiji;* u DL jd. imenica na *-ija* kao *kutiji, Aziji, Iliji;* u N mn. imenica na *-i, -ij, -io* kao *žiriji* (prema *žiri*), *krokiji* (prema *kroki*), *radiji* (prema *radij* i *radio*), *studiji* (prema *studij* i *studio*), *kolegiji* (prema *kolegij*);* komparativi: *glasniji, ljubezniji, savitljiviji, vredniji, miliji;*

d) *i-u: milijun, pijuk, špijun, trijumf, trijumvirat, radijus;* u DL jd. imenica na *-i, -ij, -ije, -io* kao *žiriju* (prema *žiri*), *krokiju* (prema *kroki*), *Verdiju, Leopardiju, radiju* (prema *radij* i *radio*), *studiju* (prema *studij* i *studio*), *kolegiju* (prema *kolegij*), *Pliniju* (prema *Plinije*), *Ponciju* (prema *Poncije*), *Mariju* (prema *Mario*), *Tokiju* (prema *Tokio*);* u oblicima prezenta kao *umiju, smiju;*

e) *u-i:* u oblicima prezenta kao *bruji, zuji;*

f) *u-u:* u oblicima prezenta kao *kuju, snuju, pljuju.*

152   3. U pridjeva od imenica na *-ija* koje u tvorbi zadržavaju tu osnovu, piše se *j* ispred sufiksa

a) *-in: rakijin, Andrijin, Ilijin, Marijin;*

b) *-ski: gimnazijski, županijski, azijski, financijski, investicijski, varija-cijski.*

153 4. Jednako se tako vladaju i pridjevi od imenica na završno *-i, -ij, -ije, -io* kad ih tvore na

a) *-ski: aluminijski* (prema *aluminij*), *radijski* (prema *radij*), *studijski* (prema *studij*), *tokijski* (prema *Tokio*);

b) *-ev: barijev, kalijev, natrijev, uranijev* (ukoliko se ne upotrijebi sufiks *-ski*, npr. *natrijski*), *Celzijev, Marijev* (prema *Mario*), *Verdijev* (prema *Verdi*).

154 5. Glas se *j* piše također:

a) u riječima s dvoglasnikom *ie* kao *bijel, bijes, riječ, riješiti, mrijeti, sijecimo* i tvorenice s kratkim slogom kao *bjelina, bješnji, grješnik, rješenje, odrješenje, pogrješka, rječnik, sjeći, strjelica, živjeti* i dr. (Potanje o pisanju dvoglasnika *ie* u § 159.)

b) u oblicima svih riječi kojima osnova svršava na *otvornik +j* bez obzira na sljedeći otvornik u nastavku, kao

koja, koje, koji, koju, čija, čiji, čije, čiju, brojiti, krojiti, rojiti se, znojiti se, čujem, pijem, stojim, pojem, dajem;

c) u imperativu kao: *lij, lijmo, lijte, pij, pijmo, pijte, smij se, smijmo se, smijte se, ne ubij, ne ubijmo, ne ubijte;*

d) između *e-a* na kraju preuzetih stranih riječi kao

epopeja, ideja, Koreja, livreja, matineja, orhideja, Medeja, turneja; odnosno u sredini u *plejada* (prema grčkom imenu *Plejade*);

e) u stranim riječima sa *dija-* (u značenju *kroz, u, na, za, iza*) kao *dijabetičar, dijafragma, dijagonala, dijalekt, dijaliza, dijametar, dijaskop, dijaspora* i sl. (za pisanje *dia-* vidi § 158, 2a).

155 Ne dodaje se *j*, pa se i ne piše (iako se u govornoj riječi ostvaruje poluotvornik *i* između dva otvornika):

1. između otvornika *i-o:*

a) gdje se *o* smjenjuje sa *l: bio* (ali *bila*), *činio, dio, mio, dioba, mislioca* (ali *mislilac*);

b) u posuđenicama: *sociologija, patriot, violina, kamion;*

156 2. u složenicama kojih prefiks završava na *i*, a drugi dio počinje otvornikom kao:

a) *i-a: antialkoholičar, poliandrija*, u stranim složenicama sa *di-* kad znači „dva" kao *diamin, diarhija* (dvovlast),

b) *i-e: arhiepiskop, kvaziepohalan,*

c) *i-i: antiimperijalistički, nadriizvođač,*

d) *i-o: iole, priopćiti, niotkud, priobalni,*

e) *i-u: priučiti, nadriumjetnički, niukoliko;*

157   3. između bilo koja dva otvornika (izuzevši 5. pravilo u prethodnom paragrafu), ako prvi otvornik nije *i* bez obzira je li riječ domaća ili strana, nesložena ili složena:

a) *a-a: kontraadmiral,* G jd. *kakaa* (prema *kakao*), *Billbaa* (prema *Billbao*),

b) *a-e: dvanaest, maestral, aerodinamičan, Izrael, Mihael,*

c) *a-i: arhaizam, naime, zaista, naivan, naizust, kokain,*

d) *a-o: aorist, naočit, naoko, praotac, zaobliti, zaova, kakao, izaoltarski,*

e) *a-u: autentičan, autocesta, jaukati, naučiti, paučina,*

f) *e-a: idealan, kreacija, realizam, ocean,* G jd. *kombinea,* (prema N jd. *kombine*), *rezimea, Bornea* (prema *Borneo*), *Jonkea* (prezime, prema *Jonke*), *Molièrea, Shakespearea,*

g) *e-e: deetatizacija, neegoističan,* A mn. *kombinee, dekoltee* (prema N jd. *dekolte*),

h) *e-i: ateist, tein, kaleidoskop, veleizdaja, neizlječiv, neistina,* mn. *kombinei, rezimei,*

i) *e-o: anđeo, seoce, teologija, teorija, neobjektivan, preosjetljiv,*

j) *e-u: euharistija, eunuh, neuvjerljiv, sveučilište,* DL jd. *dekolteu,*

k) *o-a: kroatist, oaza, memoari, trotoar, psihoanaliza, Noa, oboa,* G jd. *rokokoa* (prema *rokoko*), *Hugoa* (prema *Hugo*),

l) *o-e: poezija, srednjoeuropski,* G jd. *oboe* (prema *oboa*), A mn. *lavaboe* (prema *lavabo*), *depoe,*

m) *o-i: doista, doimati se, heroizam, poistovjetiti, sjeveroistok,* mn. *nivoi, rešoi,*

n) *o-o: crnook, poočim, poodavna, tihooceanski, srednjootočki,*

o) *o-u: bjelouška, proučavati, prouzročiti,* DL jd. *rokokou, depou,*

p) *u-a: akcentuacija, aktualan, peruanski, protuavionski, protuakcija,* G jd. *ragua* (prema *ragu*), *tabua,*

r) *u-e: Suez, pirueta, influencija, protueuropski,* A mn. *kakadue* (prema *kakadu*),

s) *u-i: obuimati, uime, poluidiot, međuigra, opstruirati, beduin, etui,* mn.
intervjui, tabui, kakadui,

t) *u-o: poluotok, protuobrana, protuotrov, suočiti, uopćavati,*

u) *u-u: međuusjev, protuudar, protuusluga, suučenik, suurednik,* DL jd.
raguu, kakaduu.

158 I ovdje se općenito može reći da riječi koje ne počinju sa *j-* ili im osnova
ne završava na *-i* i *-j*, ne dodaju *j* između dva otvornika u sklonidbi i tvorbi.

DVOGLASNIK *ie*

159 Kao što je rečeno u §1., u hrvatskom književnom jeziku postoji dvoglas-
nik *ie* koji se nekad pisao *ie*, a posljednjih se stotinu godina piše *ije*, izuzevši
djelomičan prekid za NDH.

Pravilo je za pisanje toga dvoglasnika u načelu jednostavno: gdje se
dvoglasnik izgovara, tu se piše *ije*.

On je uvijek dug: *bijel /bi̯êl /* i veoma se lako razlikuje od kratkoga
glasovnog skupa *je*, koji se piše sa *je* : *bjelina /bjelìna /*. Stoga se veoma lako
razlikuju parovi ovakvih riječi:

Naša susjeda sve više sjedi.

Naša susjeda sve više sijedi.

Duhovno ga je ujedinila u velikom djelu naše zemlje.

Duhovno ga je ujedinila u velikom dijelu naše zemlje.

Radio je u novom odjelu.

Radio je u novom odijelu.

Neke žene uspjevaju svojom ljepotom.

Neke žene uspijevaju svojom ljepotom.

Pretposljednja rečenica znači da je ljepota nekih žena pjesma, a posljed-
nja, uzeta iz jednoga filma, znači da neke žene svojom ljepotom postižu
uspjehe.

160 Tako se razlikuju i ove riječi:

ljevak 'ljevoruk čovjek' – *lijevak* 'naprava za lijevanje'

sjelo s. r. : 'sjeo' – *sijelo* 'posijelo'

sjena 'zatamnjeni dio' – *sijena*, G jd. od *sijeno*

161 Razlika je između dvoglasnika *i̯e* i skupa *je* na njegovu mjestu i u tome što u književnom izgovoru ispred dvoglasnika glasovi *l*, *n* ostaju bez promjene pa se *lijep*, *lijevak*, *slijep*, *gnijezdo*, *snijeg*, *snijet* izgovara /li̯êp /, /li̯évak /, /sli̯êp /, gni̯ézdo /, /sni̯êg /, /sni̯êt /, a kad na to mjesto dolazi kratko *je*, ti se glasovi sa *j* u *je* zamjenjuju sa *lj*, *nj* /ļ, ń / pa se *ljepota*, *ljevčić*, *sljepoća*, *gnjezdašce*, *snježan*, *snjetljiv* izgovaraju /ļepòta/, /ļèvčić/, /sļepòća/, /gńezdàšce/, /sńêžan/, /sńètljiv/.

162 Dvoglasnik se teže razlikuje od dugoga *je* koji se nalazi u nekim riječima, npr.

djêlā, G mn. od djêlo – *dijéla*, G jd. od *dio*

sjênā, G mn. od sjêna – *sijêna*, G jd. od *sijéno*

záhtjēvā, G mn. od zahtjev – *zàhtijēvā*, 3. l. prez. od *zahtijevati*.

Tako i u riječima kao *djédo, djéva, djélce, zamjérati, namjéštati, zasjédati* ...

To je potanje navedeno u §167.–176., kao pojedine riječi nalaze se u Pravopisnome rječniku na određenome abecednome mjestu.

Ima mišljenja da je i tu dvoglasnik i da bi trebalo pisati *ije*, ali je neprekinutom tradicijom ustaljeno pisanje *je*.

163 Određena je teškoća u tome što ima riječi u kojima je troglasovna skupina *ije*, a nije dvoglasnik: *grȉjē, smȉjēm, smȉjēm se, nijèdan, kùtijē, hijéna, higijéna*. No taj se skup u govoru jasno razlikuje od dvoglasnika jer je dvoglasnik jednosložan, a taj skup *ije* dvosložan.

164 Na mjestu dvoglasnika u književnom se jeziku može izgovarati i troglasovni slijed *ije*, ali to je rijetko i stilski obilježeno jer dolazi samo u pjesništvu radi stiha.

165 Teškoća je u pisanju dvoglasnika *i̯e* još i u tome što neke riječi iste osnove i pojedini oblici iste riječi imaju na istom mjestu različite glasove: dvoglasnik *i̯e*, glasovni skup *je* ili glasove *e*, *i*, npr. *dio-dijela-djelić, crijep-crjepić-crepić* ...

166 Snalaženje u tim promjenama olakšano je time što te promjene nisu nepredvidljive, nego tvore određeni sustav. Kad se shvati sustav po kojem se ti glasovi smjenjuju i znaju kategorije u kojim dolaze, bit će znatno olakšano i pisanje tih glasova i bez pojedinačnoga zagledanja u pravopisni rječnik.

Ako se kao polazište uzme osnovna riječ (nominativ, infinitiv, pozitiv) pa se promatra kad se ti glasovi smjenjuju i kako se smjenjuju, sustav se može prikazati u dva osnovna pravila i nekoliko dodatnih.

I. Duljenje sloga s kratkim je

167   Ako se slog s kratkim *je* dulji, u jednim tipovima i riječima na njegovo mjesto dolazi dvoglasnik, a u drugima samo produženo *je*.

Duljenje kratkoga *je* daje dvoglasnik u nesvršenim glagolima i glagolskim imenicama ako u svršenom obliku nije u osnovi riječ *mjera, mjesto* i *sjesti*:

dòspjeti : *dospijévati, dospijévānje*

nàdjeti : *nadijévati, nadijévānje*

odòljeti : *odolijévati, odolijévānje*

pòdsjeći : *podsijécati, podsijécānje*

razùmjeti : *razumijévati, razumijévānje*

sagòrjeti : *sagorijévati, sagorijévānje*

zapòvjediti : *zapovijédati, zapovijédānje*

zàstarjeti : *zastarijévati, zastarijévānje* ...

Ako je u osnovi glagola i glagolske imenice riječ *mjera, mjesto* i *sjesti*, tada je samo dugo *je*, v. § 174.

168   Na mjestu osnovnoga *e*, *i* u *letjeti, leći, liti*, njihovih složenica i složenica sa -*zreti* u položajima u kojima se taj slog dulji, dolazi dvoglasnik:

lètjeti : *lijétati, lijétānje*

dolètjeti : *dolijétati, dolijétānje*

polètjeti : *polijétati, polijétānje* ...

lèći : *lijégati, lijégānje*

pòdleći : *podlijégati, podlijégānje*

zàleći : *zalijégati, zalijégānje* ...

dòzreti : *dozrijévati, dozrijévānje*

nàzreti : *nazrijévati, nazrijévānje*

sàzreti : *sazrijévati, sazrijévānje*

lȉti : *lijévati, lijévānje*

nàliti : *nalijévati, nalijévānje*

pròliti : *prolijévati, prolijévānje* ...

Prema *liti* i njegovim složenicama upotrebljava se i *lívati, lívānje, nalívati, nalívānje, prolívati, prolívānje* ..., ali one u hrvatskome jeziku nisu tako obične i već su jednim dijelom zastarjelice.

169 U tvorbi imenica od glagola s predmetkom *pre-* u jednih se imenica to *pre-* dulji pa u *prije-* imamo dvoglasnik:

prijékor	prema	*prekòriti*
prijélaz	prema	*prèlaziti*
prijédlog	prema	*prèdložiti*
prijélom	prema	*prelòmiti*
prijénos	prema	*prenòsiti*
prijépis	prema	*prepísati*
prijévod	prema	*prevòditi*
prijévoz	prema	*prevòziti ...*

u drugih ostaje dugo *pre-* : *prégib, prégled, prékid, prélet, prémaz, prépad, prépjev, préplet, prérez, présjek, préskok ...*

To je zato što se neke takve imenice govore i s kratkim naglascima na *pre-*, npr. *prèvrat, prèbjeg, prècrt* (i *précrt*), *prèdah, prètek ...* pa se onda taj *pre-* samo produljio, a nije se zamijenio dvoglasnikom.

Sve takve običnije riječi popisane su u Pravopisnom rječniku. U kolebanju između likova sa *pre-* i *prije-* bolje je upotrijebiti likove sa *prije-*.

170 Dvoglasnik imaju glagolske imenice *umijéće, dospijéće* i *prispijéće*.

Glagol *sjeći* i njegove složenice imaju u jednim oblicima *je*, a u drugima dvoglasnik:

sjèći, sijéčēm, sijéčēš ..., sijéci, sijékūći, sijécijāh, sjèkao, sjèkla, sjèčen;

òdsjeći, odsijéčēm, odsijéčēš ..., odsijéci, òdsjekoh, ȍdsijēče, ȍdsjeko- smo, òdsjekāvši, òdsjekao, òdsjekla, odsjèčen.

Tako je i u glagola *ìsjeći, nàsjeći, òpsjeći, pòdsjeći, pòsjeći, prèsjeći, pròsjeći, ràsjeći, sàsjeći, ùsjeći, zàsjeći.*

171 Dvoglasnik imamo u pojedinačnim riječima:

htijénje (uz *htjénje*) prema *htjĕti; mnijénje* prema *mnȉti, mnîm; pijévnica, pijévac, pijétao* prema *pjĕvati; odijélo, opijélo* i *sijélo* prema *òdjeti, òpjevati* i *sjèsti.*

172 2. U ostalim tipovima i riječima, koje su u pretežnoj većini, duljenjem ne postaje *dvoglasnik*, nego samo dugo *je*. To se zbiva:

a) u genitivu množine:

mjèsto – mjêstā, djèlo – djêlā, vjèra – vjêrā, mèdvjed – mèdvjēdā ...

b) ispred dva suglasnika od kojih je prvi *l, lj, n, r, v*:

djȅlo – djélce, ponèdjeljak – ponèdjēljka, nèdjelja – nèdjēljnī, zàsjenak –zàsjēnka, smjȅr –smjȇrna –smjȇrno –smjérnica –smjérnōst, vjȅra – vjȇrna – vjȇrnīk – vjérnōst, vȉdjeti – vȉdjēvši, prȍbdjeti – prȍbdjēvši ...

U pridjeva *vjȅran, smjȅran* dugo *je* postalo je analogijom prema *smjȇrna, vjȇrna.*

173   c) u složenicama tipa *kȕtomjēr, pȍlumjēr, tȍplomjēr ...*

d) u imenica od milja i izvedenica od njih:

djȅvōjka: *djéva, djévin, djévac;*

djȅd: *djédo, djédin;*

Stjȅpān: *Stjépo, Stjépin, Stjépov ...*

Stjépo se govori i s dvoglasnikom pa se može pisati i *Stijépo.*

174   e) u nesvršenih glagola i izvedenica od njih ako su im u osnovi riječi *mjera, mjesto* i *sjesti*:

zàmjeriti: *zamjérati, zamjérānje, zamjéralo;* nàmjestiti: *namjéštati, namjéštānje, namjéštalo;* zàsjesti: *zasjédati, zasjédānje ...*

uz rjeđe: *zàmjerati, zàmjerānje, nàmještati, nàmještānje, zàsjedati, zàs-jedānje ...*

Ako u osnovi glagola nisu riječi *mjera, mjesto* i *sjesti,* tada mjesto dugoga *je* dolazi dvoglasnik, v. § 167.

175   f) u imenica izvedenih sa *-je* : *bèzvjerac – bȅzvjērje, krivòvjerac – krȉvovjērje, licèmjer – licèmjērje, protùrječiti – prȍturjēčje, sredòvjek – sredòvjēčje ...*

Dugo je *je* u takvu položaju i u trosložnih izvedenica s dvoglasnikom u osnovi: *izvijéstiti – izvjȅšće, òbrjēžje, òbrēžje, pòdbrjēžje, pòdbrēžje, pòdbrēžje,* uz kolebanje jer je *naslijéditi – nàslijēđe* i *nàsljēđe (nàsljēđe),* ali samo *kòrijēnje, òcvijéće, pòrijēčje ...*

g) i u ovih riječi:

mjérōv prema *mjȅra; vjȅštac, vjȅščev* prema *vjȅšt; vještica ; pjȅv* prema *pjȅvati; bdjénje* prema *bdjȅti; htjénje* (uz *htijénje*) prema *htjȅti.*

176   Normalni lik zanijekanoga prezenta glagola *biti* glasi *nisam, nisi, nije, nismo, niste, nisu,* ali se javljaju i stilski obilježeni oblici *nijesam, nijesi, nijesmo, nijeste, nijesu,* koji se mogu izgovarati s dvoglasnikom /ni̯ésam, ni̯ési, ni̯ésmo, ni̯éste, ni̯ésu* ili troglasovno /nijésam, nijési .../.* Treće lice jednine ima samo troglasovno ije: *nije.*

*

177   Iako se troglasovni slijed *ije* jasno razlikuje od dvoglasnika, ipak će biti dobro spomenuti u kojim se kategorijama i riječima javlja.

Dolazi u prezentu glagola tipa *biti, liti, piti, šiti, umjeti* i njegovih složenica, složenica sa *-htjeti* i *-spjeti* i *smjeti, brijati* i sl.:

lȉti – lȋjēm	*smjȅti – smȉjēm*
pȉti – pȉjēm	*pròhtjeti – pròhtijēm*
šȉti – šȉjēm	*ùshtjeti – ùshtijēm*
ùmjeti – ùmijēm	*dòspjeti – dòspijēm*
izùmjeti – izùmijēm	*prìspjeti – prìspijēm*
razùmjeti – razùmijēm	*ùspjeti – ùspijēm ...*
sporazùmjeti – sporazùmijēm	*brȉjati – brȉjēm ...*

178   Glagoli *bdjȅti, vrȅti* i njihove složenice uz prezent *bdîm, bdîš ..., pròbdīm, pròbdīš ..., vrîm, vrîš, pròvrīm, pròvrīš ...,* imaju i troglasovni slijed *ije: bdȉjēm, bdȉjēš ..., pròbdijēm, pròbdijēš ..., vrȉjēm, vrȉjēš ..., pròvrijēm, pròvrijēš ...*

Glagol *zrȅti* u značenju *gledati,* običan u složenici *nàzreti, obàzreti, pròzreti* ima prezent *nȁzrēm, nȁzrēš ..., òbazrēm, prȍzrēm ...,* a *zreti* u značenju 'sazrijevati': uz *zrêm* i *zrîm, sàzrēm, sàzrīm* ima i likove s troglasovnim slijedom: *zrȉjēm sàzrijēm ...*

Troglasovni slijed imaju pridjevi s morfemnom granicom u padežnim oblicima: *nȉčijēga, nòvijēga* ili G jd. imenica na *-ija* kao *kùtijē, ràkijē ...,* prilog *prȉje* i ž. lik broja dva – *dvȉje.* Posljednja se riječ izgovara i s dvoglasnikom /dvi̯ê/.

Taj slijed imaju i zamjenički i pridjevni likovi na *-ijeh, -ijem(a),* npr. *tijeh, dragijeh, tijem, dragijem(a) ...,* ali to su danas zastarjeli oblici i mogu se upotrijebiti samo s posebnom stilskom obilježenosti. Stilski su neutralni oblici na *-ih, -im(a).*

S tim slijedom ima i više posuđenica kao što su *dijéta, garderobijéra, garsonijéra, higijéna, hijéna, òrijent, ȍrijentalan , orijentálac, orijentírati se* i dr.

II. Kraćenje sloga s dvoglasnikom

179 Ako na mjestu dvoglasnika dolazi kratak slog, tada se on smjenjuje s kratkim *je*. Pri tome se glasovi *l, n* smjenuju sa *lj, nj*:

bijêl – bjelìna, cijéna – cjènīk, mlijéko – mljèkār, smijéšan – smjèšnijī, ocijéniti – ocjenjívati, vijêk – vjekòvati, ždrijêbe – ždrjȅbeta – ždrjebénce, vrijédan – vrjèdnijī – vrjednòta, brijêg – brježúljak – brjegòvit, rijéšiti – rješávati – rješénje, odrijéšiti – odrješénje – odrješávati, razrijéditi – razrjeđívati, otrijézniti – otrježnjávati ...

180 Kad se kratko *je* nađe iza stalne suglasničke skupine, u kojoj je posljednji suglasnik *r*, tzv. pokriveno r, može se izgubiti i *j*: *ždrebeta, ždrebence, vredniji...*

Iako je dosadašnja novija norma priznavala samo likove bez *j*, ipak su se i u posebno pažljivo pisanim tekstovima javljali likovi i sa *j* jer se tako često govori, a kako je to opravdano, to se tako može i pisati. Ipak, neki su se likovi sasvim uobičajili bez *j*:

– zbog velike učestalosti nekih riječi, a snažne dosadašnje norme

– u riječima u kojima nije očita veza s riječju s dvoglasnikom ili nije neposredna

– u njihovim oblicima i izvedenicama.

To su oblici riječi *vrijéme, naprijed, srijeda, trebati* (usp. *upotrijebiti*), *tetrijeb, trezven* (usp. *trijezan*), *ždrijeb : vrȅmena – vrȅmenu – vremèna – nȅvremena – pòluvremena – vremènit ..., napredan, neposredan, potreba, potrebit ...*, a samo se iznimno javlja *vrjemena, vrjemenu ..., naprjedan, neposrjedan, usrjed, potrjebit, potrjeban, trjezven, tetrjebica, ždrjebati ...* Dok se norma i u tim likovima ne ustali, ne može se smatrati pogrešnim ako tko i tako napiše.

U drugim takvim položajima može se govoriti i pisati *je* i *e*. Svi likovi riječi u kojima je normalno dvojstvo, navedene su u Pravopisnome rječniku.

181 Budući da se dvoglasnik svojom dužinom jasno razlikuje od kratkih slogova, II. pravilo ne treba potanje obrazlagati. Potrebno je samo uvježbati svjesno uočavanje te razlike. Ipak, kako potpunoj sigurnosti mnogo pomaže kad se zna u kojim se to sve kategorijama zbiva, bit će korisno da se navedu.

To se zbiva u ovim kategorijama i riječima:

182 1. u svim slogovima ispred naglaska jer u hrvatskom književnom jeziku ne može ispred naglaska biti dugi slog, a prema tome ni dvoglasnik:

a) u izvedenicama koje imaju naglasak na sufiksu, a to su imenice na
-*òta*, -*òća*, -*ùrina*, -*ance*, -*ence*, -*ašce*, -*ešce*, neke na -*ina* i pridjevi na -*ovit*,
-*evit*:

*lijêp – ljepòta, grijêh – grjehòta, slijêp – sljepòća, trijézan – trjeznòća,
smijêh – smjehùrina, zvijézda – zvjezdùrina, bijêl – bjelánce, dijéte – djeténce,
gnijézdo – gnjezdàšce, tijêlo – tjelèšce, bijêl – bjelìna, cijêl – cjelìna, lijêk –
ljekòvit, brijêg – brjegòvit, strijéla – strjelòvit, mijéšati – mješòvit.*

Imenice na -*ance*, -*ence*, -*ašce* i -*ešce* mogu imati i drugačiji naglasak,
ali uvijek imaju samo *je*: *djètēšce* ...

Ni jedna izvedenica sa -*ina* nema dvoglasnik, samo što neke imaju
naglasak ispred sufiksa, v. § 189.

183 b) u imenicama naglasnoga tipa *kòvāč – kováča*, a to su imenice na -*ač*,
-*ar*, -*aš* i mnoge na -*ik*:

*mijénjati – mjènjāč, mlijéko – mljèkār, cvijéće – cvjèćār, cijêv – cjèvāš,
zvijézda – zvjèzdāš, cijéna – cjènīk, sijêno – sjènīk, grijêh – grjèšnīk* ...

c) u svim imenicama ž. r. izvedenim od imenica m. r. pod b):

*cjepàčica, pripovjedàčica, cvjećàrica, mljekàrica, svjećàrica, grjèšnica,
sljepàrija* ...

d) u prvom dijelu složenica ispred naglaska:

bjelòuška, bjelogòrica, sjenòkoša, zvjeròkradica, cjelovèčērnjī ...

184 e) u svim nesvršenim glagolima na -*ívati*, -*ávati* izvedenim od svršenih
s dvoglasnikom:

*dodijéliti – dodjeljívati, ocijéniti – ocjenjívati, pobijédíti – pobjeđívati,
zamijéniti – zamjenjívati, osvijétliti – osvjetljávati, obavijéstiti – obavještá-
vati, iskorijéniti – iskorjenjívati, rijéšiti – rješávati, istrijébiti – istrjebljívati,
povrijédíti – povrjeđívati, otrijézniti – otrježnjávati, sprijéčiti – sprječáva-
ti* ...

Valja imati na umu da i svi oblici svršenih glagola imaju dvoglasnik, a
nesvršenih *je* premda se naglasak mijenja:

ocijéniti: *òcijēnīm, òcijēnīš* ..., *ocijéni!, ocijénīvši, ocijénio* ...

ocjenjívati : *ocjènjujēm, ocjènjujēš, ocjènjūj!, ocjènjujūći, ocjenjívao* ...

185 Posebno valja imati na umu da glagolski pridjev trpni svršenih glagola
ima dvoglasnik: *dòdijēljen, iskòrijēnjen, òcijēnjen, òsvijētljen, pòbijēđen,
òtrijēžnjen, unàprijēđen, upòtrijēbljen* ...

I izvedenice na -*ost* od tih glagolskih pridjeva imaju dvoglasnik, kao i osnovne riječi: *iskòrijēnjenōst, obàvijēštenōst, pòvrijēđenōst, ùvrijēženōst, zàslijēpljenōst* ...

f) u ostalih riječi:

tijêlo – tjelèsa – tjelèsina – tjelêšce – utjelòviti, dijéte – djeténce, djetićak, bijêl – bjelàsati se – objelodániti, bijêg – bjegúnac – bjegúnstvo – bjegùnica, lijên – ljenčáriti, vijêk – vjekòvati, svijétliti – svjetlùcati se ...

186 2. kad bi se dvoglasnik našao na mjestu gdje je slog kratak, i to:

a) u nejednakosložnih imenica sr. r.:

dijéte – djèteta, zvijére – zvjèreta, ždrijêbe – ždrjèbeta, vrijéme – vrèmena, nèvrijēme – nèvremena, pòluvrijēme – pòluvremena ...

b) u dugoj množini koje u jednini imaju postojan naglasak:

bijêg – bijêga – bjȅgovi, bijês – bijêsa – bjȅsovi, snijêg – snijêga – snjȅgovi, svijêt – svijêta – svjȅtovi, vijêk – vijêka – vjȅkovi, lijévak – lijévka – ljȅvkovi, kòrijēn – kòrijēna – kòrjenovi ...

187 Ako je naglasak u jednini nepostojan, u dugoj množini dvoglasnik ostaje:

lijêk – lijéka – lijékovi, dȉo – dijéla – dijélovi, tijêk – tijéka – tijékovi, brijêst – brijésta – brijéstovi.

Kratka množina svih imenica ima dvoglasnik: *bijêzi, brijêzi, snijêzi, kòrijēni* ...

188 c) u komparativu i superlativu svih pridjeva i priloga:

blijêd – bljȅđī – nâjbljeđī, bijédan – bjȅdnijī – nâjbjednijī, lijêp – ljȅpšī – nâjljepšī, rȁzgovijētan – razgovjȅtnijī – najrazgovjȅtnijī, prijêk – prjȅčī – nâjprječī, smijéšan – smjȅšnijī – nâjsmješnijī, vrijédan – vrjȅdnijī – nâjvrjednijī, trijézan – trjȅznijī – nâjtrjeznijī ...

d) u svim pridjevima naglasnoga tipa *gològlav*, bez obzira nalazio se slog sa *je* ispred naglaska ili iza njega:

bjelòkos, sjedòkos, ljepòok, ljevòruk, dragòcjen, skupòcjen, kratkòvjek, dvòstjen, debelòstjen ...

e) u prvom slogu složenih imenica tipa nȍgomēt:

bjȅlokōst, cjȅvovōd ... ,

ali *kòlosijēk* ... (za razliku od pridjeva kao *drvòsjek*...)

189 f) u izvedenicama koje imaju kratke naglaske, a to su imenice sa sufiksima:

-ić, -čić, -telj,

-čica, -ara, -ina, -iljka,

-ulja, -uša, -ba, -ište

i pridjevi sa sufiksima

-an, -ahan, -ost, -kost,

-cat, -it, -iv, -ljiv:

cvjètić, brjèstić, bjèščić, korjènčić, izvjèstitelj, iskorjènitelj, uvrjèditelj, cjèvčica, mljèkara, cvjètina, svjètina, crjèpina, cjèdīljka, mljèkulja, cvjètuša, pljènidba, prìmjedba, sljèdba, ljèčilīšte, mrjèstilīšte, strjèlīšte…, pjèščan, zvjèzdan, bljèđahan, zvjèzdast, strjèlast, bjèlkast, bjèlcat, cjèlcat, rjèčit, vjèčit, korjènit, neizbjèživ, neprocjènjiv, uvrjèdljiv…

190   g) U genitivu množine imenica ž. roda na -ijēvka kad dolazi nepostojano a:

dvòcijēvka, dvòcijēvkē, – dvòcjevākā,

jednòcijēvka, jednòcijēvkē, – jednòcjevākā

pòpijēvka, pòpijēvkē, – pòpjevākā…

Od kòlijēvka je kòlijēvākā i kòljevākā.

Kad nema nepostojanog a, ostaje dvoglasnik: dvòcijēvkī, jednòcijēvkī, pòpijēvkī, kòlijēvkī…

191   Imenske izvedenice sa sufiksima -a, -ac, -ak, -anin, -čina, -ica, -ik, -je, -ka, -ko, -lo, -nica, -onja,- stvo i pridjevne sa -(a)n, -ni, -ov, -ski imaju različite naglaske pa prema tome jedne izvedenice zadržavaju dvoglasnik, a druge na njegovu mjestu imaju kratko je. (Sve takve riječi navedene su u Pravopisnom rječniku.)

III. Ostala pravila

192   1. Ispred o umjesto dvoglasnika dolazi samo i:

cijel – cio; dijela – dio; živjeti, živjela, živjelo – živio; donijeti, donijela – donio …

To vrijedi i za kratko je u glagola na -jeti: vidjeti, vidjela, vidjelo, ali vidio, htjeti, htjela, htjelo, ali htio, i u glagola koji u infinitivu završavaju na -ljeti, -njeti, a prezent imaju -lim, -nim: željeti, želim, željela, ali želio, kopnjeti, kopnim, kopnjela, kopnjelo, ali kopnio …

Jedino je sjèo, òdsjeo, zapòdjeo i vrèo, zrèo uz vrìo, zrìo. Pridjevi su samo vrèo i zrèo.

193   2. Načelo da se vlastite imenice (prezimena, zemljopisni nazivi) upotrebljavaju prema izgovoru kraja iz kojega potječu, vrijedi i za imenice s dvoglasnikom i s glasovima koji se s njime smjenjuju pa ima prezimena: *Bijelić, Bilić, Belić, Nijemčević, Nimčević, Nemčević, Njemčić, Nemčić, Bjelobrk, Bilobrk, Belobrk, Cvjetković, Cvitković, Cvetković, Medvednica* (uz *medvjed*), *Drinovci, Drenovci, Lički Osik, Tisno* … .

Dakako, ako u književnom jeziku nije usvojeno drugačije, npr. *Osijek, Rijeka.*

Prezimena koja se tradicijom pišu sa *ie*, ne treba pisati sa *ije*: *Bielić, Niemčević* …

Napomena uz pisanje dvoglasnika *ie* i njegovih zamjena

194   Poznavanje tih pravila omogućuje da bez čestih posezanja za pravopisom s velikom sigurnosti upotrebljavamo pravilne oblike. Tada možemo poći od normalnoga izgovora dvoglasnika bez obzira činilo nam se da ne razlikujemo njegov izgovor od dugoga *je* pa znati da se svaki dug izgovor piše sa *ije*, osim tipova navedenih i pravilu I.2. (172. – 176.), pa ono što nam se čini da izgovaramo npr. *cvjêt, mjêh, l'jêk, l'jékovi, ml'jêko, svjéća, sn'jêg, zvjézda, djéliti, djélak, primjéniti, prìmjēnjen, kukurjékati* … treba pisati sa *ije: cvijet, mijeh, lijek, lijekovi, mlijeko, svijeća, snijeg, zvijezda, dijeliti, dijelak, primijeniti, primijenjen, kukurijekati.* Zbog toga i nije potreban popis osnovnih riječi s dvoglasnikom, kao što je npr. potreban kod glasova *č, ć, dž, đ.*

USPOREDBA S IKAVSKIM
I EKAVSKIM GOVOROM

195   Dosad je bio običaj u pravilima o dvoglasniku *je* i glasovima s kojima se smjenjuju uspoređivati jekavski izgovor s ikavskim i ekavskim pa se reklo: kad je u ikavskom dugo *i*, a u ekavskom dugo *e*, tada je u ijekavskom *ije*, kad je u ikavskom kratko *i*, u ekavskome kratko *e*, tada je u ijekavskom kratko *je*. Ta usporedba dosta pomaže, ali ne u potpunosti jer, prvo, glavnina Hrvata nisu ekavci, a danas ih nema mnogo koji su čisti ikavci, a drugo, što u odnosu između ikavskoga i ekavskoga s jedne strane i jekavskoga s druge nema potpune podudarnosti. Ima u književnom jeziku likova koji imaju *e* iako je u ikavskom *i*, npr. mreža, repa, rezati, sreća, vreća, ikavskom dugih *i*, u ekavskom dugih *e* gdje ijekavskome nije dvoglasnik, nego dugo *je* (*dído –* *djédo*), a uz to ikavski i ekavski i nemaju nekih riječi koje ima jekavski. Zbog toga su pravila u ovom priručniku prikazana iz samoga književnoga sustava, bez usporedbe s ikavskim i ekavskim.

U jednom dijelu ta usporedba može pokazati veću razlikovnost jekavštine u usporedbi s ikavštinom i ekavštinom, a s druge je strane i potrebna jer se u jekavskome upotrebljavaju ikavski likovi i onda kad se neutraliziraju značenja, što za književni jezik nije dobro.

196   Tako valja znati da prema osnovnom *teći* glagoli i izvedenice imaju *-tjecati*, a prema *taći, taknuti, -ticati*:

dotjecati : doteći	doticati : dotaći
istjecati : isteći	isticati : istaći
natjecati : nateći	naticati : nataći
optjecati : opteći	opticati : optaći
potjecati : poteći	poticati : potaći
pritjecati : priteći	priticati : pritaći
stjecati : steći	sticati : staći
utjecati : uteći	uticati : utaći
zatjecati : zateći	zaticati : zataći
protjecati : proteći	proticati : protaći

Prema tome se razlikuju i imenice: *natjecanje, stjecanje, utjecanje …*, od imenica: *naticanje, sticanje, uticanje …*

197 Valja razlikovati:

Dobar se učenik ističe, a rok istječe;
Petra potičemo na rad, a Luka potječe iz dobre obitelji.
Vrbas utječe u Savu, a štap se u zemlju utiče;
natjecatelji se natječu, a papuče se na noge natiču ...

Katkada bi bilo veoma neprilično kad ne bismo pazili na tu razliku, npr. u rečenici:

U Zagrebu bi se natjecali recitatori amateri iz čitave zemlje.

198 Neki glagoli od iste osnove imaju *-jeti* s jednim značenjem, a *-iti* s drugim:

bijeljeti – postajati bijel	*bijeliti* – činiti što bijelim
crnjeti – postajati crn	*crniti* – činiti što crnim
modrjeti – postajati modar	*modriti* – činiti što modrim
omiljeti – postajati mio	*omiliti* – učiniti milim
opustjeti – postajati pust	*opustiti* – učiniti pustim
oslijepjeti – postajati slijep	*oslijepiti* – učiniti slijepim
oživjeti – postajati živ	*oživiti* – učiniti živim ...

199 Tako se u književnome jeziku razlikuju i riječi ili oblici koje se u ikavskom pisanom liku ne bi razlikovale bez naglaska, a katkada ni s naglaskom:

pîsāmā – G mn. od pismo	*sijêna* – G jd. od sijêno
pjèsāmā – G mn. od pjèsma	*sjena* – 'zatamnjeni dio'
sȉla – snaga, silina	*vínca* – G od vínce
sijéla – N mn. od sijélo	*vijénca* – G od vijenac.
sîra – G jd. od sîn,	

Zanimljive su ovakve opreke koje su u ikavskome dvoznačne:

Stara je gorjela.
Stara je gorila.

200 Današnji je hrvatski književni jezik utemeljen na jekavskom govoru i na njemu je izgradio svoj sustav vrijednosti pa bi za Hrvate bilo velikih teškoća i šteta kad bi mijenjali svoj tip književnog jezika. Valja to reći stoga što ima Hrvata koji pomišljaju da bi u sadašnjim prilikama valjalo prijeći na ikavicu. Tek u izrazito promijenjenim prilikama trebalo bi ozbiljno procijeniti dobitak i gubitak.

***

201 Jekavski je govor i u pisanom liku razlikovniji i u usporedbi s ekavskim.
Osim primjera navedenih u § 159. i 160. u jekavskom se lako razlikuju oblici
i bez naglaska riječi:

beg – turski plemić

besan – bez sna

deci – decilitar

deva – pustinjska životinja

izrekom – I od *izreka*

korenje – gl. im. od *koriti*

leta, letu letom : let

med – pčelinji proizvod

meden – od *meda, sladak*

mesni : meso

nema – 3. l. od *nemati*

otesan – istesan

preko – prij. (prekò kuće)

privesci – N mn. od *privezak*

razrediti – rasporediti

razređivati – razvrstavati u
razrede, vrste

razređivanje – raspoređivanje

redak – um. od *red*

rediti – praviti red

ređenje – zaređivanje

selo – naselje

sjena, sjenom: sjena

sir – mliječni proizvod

svet – 'bez grijeha'

bijeg – bježanje

bijesan – veoma srdit

djeci – D od *djeca*

djeva – djevica

izrijekom – pril. eksplicite

korijenje – zb. im. od *korijen*

ljeta, ljetu, ljetom : ljeto

mjed – 'mesing'

mjeden – od *mjedi*

mjesni : mjesto

nijema – ž. r. od *nijem*

otijesan – malo tijesan

prijeko – pril. (on je prijeko)

privjesci – N mn. od *privjesak*

razrijediti – učiniti što rijet-
kim

razrjeđivati – činiti rjeđim

razrjeđivanje – činjenje
rjeđim

rijedak – koji nije čest

rijediti – činiti što rijetkim

rijeđenje – učiniti što rijetkim

sjelo – s. r.: sjeo – sijelo – po-
sijelo

sijena, sijenom: sijeno

sijer – siv

svijet – ljudi, zemlja

telešce – malo tele	*tjelešce* – malo tijelo
treska – buka	*trijeska* – otpadak drveta
umre – 3. l. prez. od *umrijeti*	*umrije* – 3. l aorista od *umrijeti*
uspe – 3. l. prez. od *usuti* .	*uspije* – 3. l. prez. od *uspjeti*

Ni ekavski nema takve razlikovne mogućnosti pa u njima i nema nekih riječi koje se nalaze u hrvatskome književnom jeziku.

202   Većina je tih jekavskih likova općenito usvojena, ali se u nekima griješi. Valja imati na umu da je u hrvatskom književnom jeziku pogrešno upotrebljavati ekavske likove *prevejan, prevejanac, provejavati* ..., treba: *previjan* (bolje: *prepreden, lukav*), *previjanac* (bolje: *prepredenjak, lukavac*), *provijavati* (*prožimati*) ...

JEDNAČENJE GLASOVA

203   U hrvatskom se jeziku jednače šumni zatvornici kad se nađu u skupu između dva otvornika. Jednačenje šumnika može biti različito, i to: po zvučnosti, po izgovornome mjestu, ispadanjem i stapanjem. To je posljedica prilagodbi zbog izgovorne štednje. Većinu spomenutih jednačenja što se događaju unutar jedne riječi, pravopis bilježi. U želji pak da napisana poruka bude sasvim jasna, ne bilježe se, čak ni unutar jedne napisane riječi (slova između dviju bjelina), sve preinake što se ostvaruju u govornom pokretu jer nisu prisutne u jezičnoj svijesti. Ta se problematika prikazuje u sljedećim poglavljima.

JEDNAČENJE GLASOVA PO ZVUČNOSTI

204   Po zvučnosti se jednače samo šumnici. Šumnici se dijele po zvučnosti na zvučne i bezvučne. Svaki zvučni šumnik ima svoj bezvučni parnjak. Njihova se podjela može vidjeti u tabeli:

	zapornici	slivenici	tjesnačnici
zvučni	*b d g*	*đ dž ʒ*	*z ž γ F*
bezvučni	*p t k*	*ć č c*	*s š h f*

Iz gornje se tabele vidi da bezvučni šumnici *c, h* i *f* imaju svoje parnjake u zvučnim glasovima /ʒ/, /γ/, /F/. Ti se glasovi ostvaruju na sastavima dviju riječi (*otac bi* = *otaʒbi, kruh bi* = *kruγbi, grof ga* = *groFga*) i ne pripadaju fonološkom nego fonetskom sustavu hrvatskoga jezika. Budući da se u općoj pravopisnoj uporabi bilježe samo jedinice fonološkoga sustava, spomenuti se šumnici pišu samo u stručnim raspravama.

205   Šumnici različiti po zvučnosti jednače se u skupovima između dva otvornika tako da se prilagođuju posljednjem šumniku. Te se promjene bilježe po ovim pravilima:

Zvučni se šumnik mijenja ispred bezvučnoga u svoj bezvučni parnjak. Zato valja pisati primjerice

vrabac – G jd. *vrapca* (ne *vrabca*), *vrapčić*

sladak – ž. r. *slatka* (ne *sladka*), *slatkoća*

bogac – N mn. *bokci* (ne *bogci*), *bokčija*

dolazak – N mn. *dolasci* (ne *dolazci*), *rascijepati*

težak – ž. r. *teška* (ne *težka*), *teškoća*

omeđak – G jd. *omećka, nalećke, smećkast* (pored *omeđka, naleđke, smeđkast* v. § 129.)

svjedočiti – ali *svjedodžba* (ne *svjedočba*).

Jednako je tako u složenicama kod kojih je prvi dio prijedlog. Zato se piše:

iskopati (ne *izkopati*), *iscijediti, natpolovičan, opkopati, othraniti, otkriti, potkopati, pretposljednji, raskinuti, rasfarbati, usprkos*.

206   Od tog se općeg pravila izuzima zvučni šumnik *d* koji u pismu ostaje nepromijenjen:

a) u složenicama ispred bezvučnih šumnika *c, č, ć, s, š*, kao npr.:

nadcestar, odcijepiti, odcjepljenje, odcuriti, odcvrkutati, podcijeniti; nadčovječan, odčepiti, podčiniti; nadćutan, odćušnuti; predsjednik, predstava, odseliti, odsjeći, odsjek, odstupnica, odsvirati; podšiti, odšetati, odškrinuti, odšuljati se, odšutjeti, ispodsljememski;

b) u složenicama s prijedlozima *ispod* i *iznad*, kao *ispodprosječan, ispodpletati, iznadprosječan;*

c) i u drugim složenicama zbog jasnoće:

naddržavni, naddruštven, poddijalekt, podđakon, podtajnik, podtekst, podtip, predturski, podtutor, oddeklamirati, odtok (drugo je *otok*), *odtući* (drugo je *otući*), *odtunjkati, nadtrčati* (drugo je *natrčati*), *odzdraviti* (drugo je *ozdraviti*), *odčitati* (drugo je *očitati*).

207   Bezvučni se šumnik mijenja ispred zvučnoga u svoj zvučni parnjak. Zato se i piše primjerice:

narudžba (ne *naručba*) prema *naručiti*

primjedba (ne *primjetba*) prema *primijetiti*

tobdžija (ne *topdžija*) prema *top+ džija*

svagda (ne *svakda*) prema *svak+ da(n)*

združiti (ne *sdružiti*) prema *s+ družiti*

208 Valja pritom paziti na dodatna dva pravila, i to:

1. Zvučni šumnik dobiven od bezvučnog ostaje nepromijenjen u čitavoj paradigmi. Zato se u genitivu množine piše:

G mn. *svjedodžaba* prema N jd. *svjedodžba*

G mn. *narudžaba* prema N jd. *narudžba*

G mn. *primjedaba* prema N jd. *primjedba*

G mn. *ženidaba* prema N jd. *ženidba*.

2. Obrnuto, bezvučni šumnik dobiven jednačenjem od zvučnog mijenja se u genitivu množine u zvučni:

G mn. *nebaca* prema N jd. *nepce*

G mn. *bilježaka* prema N jd. *bilješka*

G mn. *domorodaka* prema N jd. *domorotka*.

209 Kad se bezvučni šumnički skupovi *st* i *št* nađu ispred zvučnih šumnika, također se jednače pošto im prethodno ispadne *t*. Zato se piše *gozba* (mjesto *gosba* od *gostba*), *vježba* (mjesto *vješba* od *vještba*), *izvlazben* (mjesto *izvlasben* od *izvlastben*). Od toga odstupaju složenice s brojevima na *-st* kao *šestgodišnji* (v. § 210 d).

210 U pismu se ne mora bilježiti jednačenje šumnika kad to zahtijeva jasnoća, odnosno zbog izrazitijeg isticanja osnove riječi ili osnovne riječi, pa se uz dosadašnju praksu dopušta naporedni način bilježenja:

a) u oblicima imenica na *-dac, -dak, -tac, -tak* koji se neutraliziraju ili u kojima je teško raspoznati njihovo značenje, kao

mn. *ledci* i *leci* i G jd. *ledca* prema *ledac,*

mn. *letci* i *leci* prema *letak,*

mn. *mladci* i *mlaci* i G jd. *mladca* prema *mladac,*

mn. *mlatci* i *mlaci* i G jd. *mlatca* prema *mlatac,*

mn. *medci* i *meci* prema *medak,*

mn. *metci* i *meci* prema *metak,*

mn. *začedci* i *začeci* prema *začedak,*

mn. *začetci* i *začeci* prema *začetak,*

mn. *zadci* i *zaci* prema *zadak,*

mn. *zatci* i *zaci* prema *zatak,*

mn. *bradci* i *braci* i G jd. *bradca* prema *bradac,*

mn. *bratci* i *braci* i G jd. *bratca* prema *bratac,*

mn. *bodci* i *boci* i G jd. *bodca* prema *bodac,*

mn. *budci* i *buci* i G jd. *budca* prema *budac,*

mn. *gudci* i *guci* i G jd. *gudca* prema *gudac,*

mn. *jadci* i *jaci* i G jd. *jadca* prema *jadac,*

mn. *kradci* i *kraci* i G jd. *kradca* prema *kradac,*

mn. *mrdci* i *mrci* i G jd. *mrdca* prema *mrdac,*

mn. *rodci* i *roci* i G jd. *rodca* prema *rodac,*

mn. *otkidci* i *otkici* prema *otkidak,*

mn. *razgodci* i *razgoci* prema *razgodak,*

mn. *sadci* i *saci* prema *sadak,*

mn. *štitci* i *štici* prema *štitak,*

mn. *paštitci* i *paštici* prema *paštitak,*

mn. *kokotci* i *kokoci* i G jd. *kototca* prema *kokotac,*

mn. *kopitci* i *kopici* i G jd. *kopitca* prema *kopitac,*

mn. *žutci* i *žuci* i G jd. *žutca* prema *žutac,*

mn. *bitci* i *bici* prema *bitak,*

mn. *devetci* i *deveci* prema *devetak,*

mn. *patci* i *paci* prema *patak;*

b) u pridjevima od imenica navednima pod a) kad je potrebno radi jasnoće kao *mladčev* (i *mlačev*), *mlatčev* (i *mlačev*), *bodčev* (i *bočev*), *bratčev* (i *bračev*), *gudčev* (i *gučev*), *zadčan* (i *začan*);

c) isto tako u tvorenicama na -*dce* i -*dče* kao

očigledce i *očiglece*, *naočigledce* i *naočiglece*, *mimogredce* i *mimogrece*, odnosno *gadče* i *gače*, *golobradče* i *golobrače*, *dvogodče* i *dvogoče*, *gospodče* i *gospoče* (gospodsko dijete).

d) Jednako se tako mogu pisati naporedni oblici složenica (sa spojnikom -*o*- i bez njega), kao:

petogodišnji (pored *petgodišnji*, ne *pedgodišnji*),

šestogodišnji (pored *šestgodišnji*, ne *šezgodišnji*),

devetogodišnji (pored *devetgodišnji*, ne *devedgodišnji*),

četrnaestogodišnji (pored *četrnaestgodišnji,* ne *četrnaezgodišnji*),
dvadesetodvogodišnji (pored *dvadesetdvogodišnji,* ne
dvadesedvogodišnji),
dvadesetdevetogodišnji (pored *dvadesetdevetgodišnji,* ne
dvadesedevedgodišnji),
devedesetogodišnji (pored *devedesetgodišnji,* ne *devedesedgodišnji*).

211 Jednačenje se u pismu ne provodi

a) u novijim složenicama na kraju prvog dijela i na početku drugog: *adhezija, jurisdikcija, postdiplomski, postgalenski, subpapilaran, subpolaran, Zagrebtekstil* (ime tvrtki), *Zagrebfilm*;

b) u pojedinačnim slučajevima kao što su umanjenica *žeđca* (od *žeđ*), složenica *ivanićgradski* (ne *ivaniđgradski*);

c) u nekih imenica stranoga podrijetla i u njihovim izvedenicama: *gangster, gangsterski, gangsteraj, plebs, Habsburgovci, habsburški, vašingtonski*;

d) u pojedinačnim vlastitim imenima ljudi i mjesta, kao:

Kadčić (za razliku od prezimena *Kačić*), *Dabčević, Fabković, Legčević, Zubčević, Edhem, Midhat, Subhija, Brgudac* – G jd. *Brgudca, Zabrdac* – G jd. *Zabrdca, Gradac* – G jd. *Gradca, Josipdol, Legci, Podturen* jer se tako bilježe od davnine.

JEDNAČENJE GLASOVA
PO IZGOVORNOME MJESTU

212 Po izgovornome se mjestu jednače glasovi koji pripadaju trima skupinama. U prvoj su skupini šumnici *s* i *z*, u drugoj šumnik *h*, a u trećoj zvonačnik *n*.

A. Šumnici *s* i *z*

213 Šumnik *s* mijenja se ispred nepčanih glasova *č, ć, lj* i *nj* u šumnik *š*, pa se i piše:

pašče od *pasče* (prema *pas*)

piščev od *pisčev* (prema *pisac*)

donošče od *donosče* (prema *donositi*)

ščepati od *sčepati*

lišće od *lisće* (prema *list*)

pričešće od *pričesće* (prema *pričest*)

šćapiti od *sćapiti*

mišlju od *mislju* (prema *misao – misli*)

podnošljiv od *podnosljiv* (prema *podnositi*)

nošnja od *nosnja* (prema *nositi*)

prošnja od *prosnja* (prema *prositi*)

današnji od *danasnji* (prema *danas*)

bješnji od *bjesnji* (prema *bijesan*).

214 Šumnik se *z* mijenja ispred nepčanika *đ* i *dž* te zvonačnika *lj* i *nj* u *ž*, pa se i piše:

grožđe od *grozđe* (prema *grozd*)

ižđikati se od *izđikati se* (prema *đikati*)

užđipnuti od *uzđipnuti* (prema *đipnuti*)

ražđakoniti se od *razđakoniti se* (prema *đakon*)

raždžilitati se od *razdžilitati se* (prema *džilitati se*)

pažljiv od *pazljiv* (prema *paziti*)

ljubežljiv od *ljubezljiv* (prema *ljubezan*)

vožnja od *voznja* (prema *voziti*)

mržnja od *mrznja* (prema *mrziti*)

ispražnjen od *ispraznjen* (prema *isprazniti*)

kukuružnjak od *kukuruznjak* (prema *kukuruz*).

215 U mnogih riječi:

a) prije promjene *s* u *š* došlo je u složenicama i tvorenicama do jednačenja po zvučnosti *z* u *s* kao

iščupati preko *isčupati* od *izčupati*

uščavrljati se preko *usčavrljati se* od *uzčavrljati se*

obeščastiti preko *obesčastiti* od *obezčastiti*

raščešljati preko *rasčešljati* od *razčešljati*

kneščić preko *knesčić* od *knezčić*,

obraščić preko *obrasčić* od *obrazčić*,

išćuškati preko *isćuškati* od *izćuškati*

ušćuliti preko *usćuliti* od *uzćuliti*

bešćutan preko *besćutan* od *bezćutan*

išarati preko *iššarati* od *izšarati*;

b) nakon jednačenja *z* u *ž* po izgovornome mjestu stopila su se dva ista šumnika:

bežični mj. *bežični* od *bezžični*

bežilan mj. *bežilan* od *bezžilan*

beživotan mj. *beživotan* od *bezživotan*

ižimati mj. *ižimati* od *izžimati*

ražalostiti preko *ražalostiti* od *razžalostiti*.

216 Šumnici se *s* i *z* ne jednače po izgovornome mjestu kad se nađu ispred nepčanih *lj* i *nj*

a) koji stoje na početku drugog dijela složenice:

izljubiti, razljutiti, uzljuljati, iznjušiti, raznjihati;

b) koji su nastali stapanjem sa *j* (*l+j, n+j*) od kratkog izgovora dvoglasnika *ie* kao:

sljepoća, posljednji, ozljeda (prema *ozlijediti*), *razljev* (prema *razlijevati se*), *snježan, pobjesnjeti, razbjesnjeti se* (prema *bijesan*), *snjetljiv* (prema *snijet*).

B. Šumnik *h*

217 Kad se šumnik *h* nađe u izvedenicama ispred nepčanika *č* mijenja se u *š*, pa se i piše:

oraščić (od *orahčić* prema *orah*), *uzdaščić* (prema *uzdah*), *mješčić* (prema *mijeh*), *vraščić* (prema *vrag*), *vrščić* (prema *vrhčić*), *trbuščić* (prema *trbuh*), *Vlašče* (od *Vlahče* prema *Vlah*).

Kad se *h* nađe ispred *ć*, ostaje nepromijenjen kao u prezentu *dahćem* (od *dahtati*) i *drhćem* (od *drhtati*). Ako se jednači, tada skup *-hć-* prelazi u *-šć-*: *dršćem* (od *drhćem*) i *dašćem* (od *dahćem*).

C. Zvonačnik *n*

218 Kad se u izvedenicama nađe zvonačnik *n* ispred šumnika *b* i *p*, zamjenjuje se u *m*:

čimbenik od *činbenik* (prema *činiti*)

himba od *hinba* (prema *hiniti*)

zelembać od *zelen+bać*

stambeni od *stanbeni* (prema *stan*)

prehrambeni od *prehranbeni* (prema *prehraniti*).

219 U složenicama čiji prvi dio završava na *-n*, a drugi počinje sa *b-* i *p-*, ne bilježi se govorna promjena:

izvanblokovski, izvanbračni, vodenbuba, jedanput, stranputica, izvan-partijski, crvenperka.

STAPANJE GLASOVA

220 Kad se u tvorbi izvedenica ili složenica nađu jedan do drugog dva jednaka zatvornika, stapaju se u jedan. Zbog toga se piše

bezakonje mj. *bezzakonje* (prema *zakon*)

bezvučan mj. *bezzvučan* (prema *zvuk*)

bezub mj. *bezzub* (prema *zub*)

obeznaniti mj. *obezznaniti* (prema *znan*)

odahnuti mj. *oddahnuti* (prema *dah*)

odijeliti mj. *oddijeliti* (prema *dio*)

otjerati mj. *odtjerati* (prema *tjerati*)

iznojiti se mj. *izznojiti se* (prema *znoj*)

ruski mj. *russki* (prema *Rus*)

vrbaski mj. *vrbasski* (prema *Vrbas*).

221 Isto je tako kad se nađu dva jednaka zatvornika kao plod prethodnog
a) jednačenja po zvučnosti:

iseliti mj. *isseliti* od *izseliti*

isisati mj. *issisati* od *izsisati*

isušiti mj. *issušiti* od *izsušiti*

išarati mj. *iššarati* od *izšarati*

raširiti mj. *rašširiti* od *razširiti*

pedeset mj. *peddeset* od *petdeset*

šezdeset mj. *šezddeset* od *šestdeset*

engleski mj. *englesski* od *englezski* (prema *Englez*)

francuski mj. *francusski* od *francuzski* (prema *Francuz*).

b) jednačenja po izgovornome mjestu:

bežični mj. *bežični* od *bezžični*

bežilan mj. *bežilan* od *bezžilan*

beživotan mj. *beživotan* od *bezživotan*

ižimati mj. *ižimati* od *izžimati*

ražalostiti mj. *ražalostiti* od *razžalostiti*

ražariti mj. *ražariti* od *razžariti*.

222 Ne stapaju se nego se iznimno pišu i izgovaraju udvojeni zatvornici

a) u superlativu pridjeva kojima komparativ počinje sonantom *j: najjači, najjasniji, najjeftiniji, najjednostavniji, najjužniji, najjurišniji,* odnosno u nekih imenica koje se upotrebljavaju u publicističkom jeziku, kao *najjelo*;

b) u nekim složenicama radi lakšeg razumijevanja, i to:

-dd-: naddimnjačar, naddržavni, poddijalekt, poddioba, preddiplomski, preddiluvijalni, preddinastički, preddržavni;

-mm-: cirkummediteranski;

-pp-: kreppapir;

-rr-: hiperromantičan, superradikalan, superrevizija;

-tt-: posttoraks, posttturski, jedna dvadesettrećina (1/23);

-zz-: nuzzarada, nuzzanimanje;

c) u pojedinačnim onomatopejskim slučajevima kao *pssst!* u značenju *mir!*

ISPADANJE GLASOVA

223 Rezultat jednačenja zatvornika može biti i njihovo ispadanje kad se u tvorenicama i složenicama nađu jedni zatvornici u neposrednom dodiru s drugima. Jedanput se njihov gubitak razabire u pismu, drugi put se, u skladu s pravopisnom tradicijom, ne bilježi jednačenje. S tim u svezi mogu se navesti ova pravila:

224 Zatvornici *d* i *t* ispadaju te se ne pišu

a) ispred *c* i *č* u riječima

oca mj. *otca, očev* mj. *otčev* (prema *otac*)

suca mj. *sudca, sučev* mj. *sudčev* (prema *sudac*)

dlijece mj. *dlijetce* (prema *dlijeto*)

čeljace mj. *čeljadce* (prema *čeljade*)

siroče mj. *sirotče* (prema *sirota*)

goveče mj. *govedče* (prema *govedo*)

labučić mj. *labudčić* (prema *labud*), običnije *labudić*

kabinečić mj. *kabinetčić* (prema *kabinet*), običnije *kabinetić*;

b) ispred prefiksa *-ština* kao

hrvaština mj. *hrvatština*,

Buzeština mj. *Buzetština*,

gospoština mj. *gospodština*,

sloboština mj. *slobodština* i sl.;

c) kao dio skupa *st, št, zd, žd* ako iza njih slijedi koji zatvornik:

bolesna mj. *bolestna*, ali *bolestan* (prema *bolest*)

časna mj. *častna*, ali *častan* (prema *čast*)

korisna mj. *koristna*, ali *koristan* (prema *korist*)

radosna mj. *radostna*, ali *radostan* (prema *radost*)

slasna mj. *slastna*, ali *slastan* (prema *slast*)

žalosna mj. *žalostna*, ali *žalostan* (prema *žalost*)

izvrsna mj. *izvrstna*, ali *izvrstan* (prema *vrsta*)

mjesni mj. *mjestni* (prema *mjesto*)

godišnji mj. *godištnji* (prema *godište*)

boravišni mj. *boravištni* (prema *boravište*)

nužna mj. *nuždna,* ali analogijom i *nužan* (prema *nužda*)
brazni pored *brazdni* i *dvobrazdni* (prema *brazda*).

225   U izvedenicama na *-ski* gubi se suglasnik *s* ako bi se našao iza *č* i *k*. Zato se piše:

kopački (prema *kopač*), *orački* (prema *orač*), *pjevački* (prema *pjevač*), *plemićki* (prema *plemić*), *gospićki* (prema *Gospić*).

226   Da bi se, u skladu s pravopisnom tradicijom, sačuvao osnovni oblik, valja pisati *d* i *t*

a) u tvorenicama

na *-ski: brodski, gradski, ljudski, sudski, uredski, bratski, hrvatski, patriotski, svjetski;*

na *-stvo: ljudstvo, sredstvo, sudstvo, vodstvo, bratstvo, hrvatstvo, kmet-stvo, prokletstvo;*

b) u složenicama na *-što: budšto, kadšto, pokadšto;*

c) u nekih pridjeva od tuđica na *-st* kao *ametistni, aoristni, azbestni, damastni, kontekstni, protestni, tvistni* (prema *tvist*).

PISANJE RIJEČI IZ DRUGIH JEZIKA

227   U hrvatskom jeziku ima mnogo riječi stranoga podrijetla; one u naš jezik ulaze od najstarijih vremena sve do danas. Najviše je riječi ušlo iz onih jezika koji su nam u tijeku povijesti bili najbliži, ali su posredno ulazile u hrvatski jezik i riječi iz jezika s kojima nismo imali niti danas imamo neposrednih dodira. Uzroci su tomu kulturni i civilizacijski; internacionalizacija načina života i mišljenja pogoduje prihvaćanju riječi iz drugih jezika, posebno rječničkih internacionalizama. Od njih nije pošteđen ni jedan narodni jezik, pa ni hrvatski. U svim se jezicima ipak teži za tim da tuđih riječi bude što manje, odnosno da se mjesto njih upotrebljavaju riječi narodnog jezika. Zato se preporučuje da se i mi držimo poznatoga načela: *Tuđe riječi treba upotrebljavati tek onda kad za pojmove koji se njima izriču nemamo dobrih zamjena u svojem jeziku i ne možemo ih lako načiniti.*

228   Dvije su vrste riječi tuđega podrijetla u hrvatskom jeziku: posuđenice i tuđice.

a) Posuđenice su se sustavno tako prilagodile našem jeziku da više i ne osjećamo (često i ne znamo) da su stranoga podrijetla. One su dakle postale obične riječi našega jezika; najčešće ih i ne možemo zamijeniti drugima. Takve su npr. riječi: *breskva, car, cipela, crkva, čavao, čarapa, hlače, kaput, košulja, kralj, livada, lopta, limun, miris, naranča, sat, tamburica, tanjur, ura, urna, vaga, vagon, zebra, žirafa ...*

b) Tuđice su riječi iz drugih jezika gdjekad još nedovoljno jezično i pravopisno prilagođene, pa se utvrđuju dodatna pravila za njihovo usustavljivanje u duhu hrvatskog jezika i u skladu s hrvatskim pravopisnim pravilima. Pri tome smo napustili pristup o preuzimanju stranih riječi, a zadržali način njihova pisanja.

A. Tuđice koje nisu vlastita imena

229   1. Opće imenice, pridjevi, prilozi i druge strane riječi pišu se prema izgovoru u jeziku iz kojega potječu, ali uz neka ograničenja, i to zbog ovih razloga:

a) Za sve glasove u stranim jezicima nema jednakih glasova u hrvatskom jeziku.

b) Tuđice ne preuzimamo uvijek neposredno iz izvornog jezika, nego i preko jezika posrednika.

230   2. Strani glasovi različiti od hrvatskih prilagođuju se hrvatskima i pišu se slovima hrvatske latinice, npr.: *bife* (fr. buffet), *mebl(o)* (njem. Möbel) ...

Francuski se nosni samoglasnici pišu slovima odgovarajućih naših samoglasnika i nosnog suglasnika *n*, npr. *kreten* (fr. cretin), *kupon* (fr. coupon), *žanr* (fr. genre).

231   3. Kako sve tuđice ne ulaze u hrvatski jezik neposredno, nego često posredstvom drugih jezika, njihov se izgovor može i osjetnije razlikovati od izgovora u izvornom jeziku.

Tako npr. prema izvornom *Magyar* imamo *Mađar, Mađarska, mađarski* i druge izvedenice, ali je pod utjecajem izgovora u turskom jeziku prošiiren i lik *Madžar.*

Od latinskog *actualis* normalno je *aktualan*, ali se pod utjecajem francuskog *actuel* nameće i lik *aktuelan.* Jednako se zbog kasnijega francuskog utjecaja šiiri *defanziva, ofanziva* i njihove izvedenice (usp. fr. *défensif, offensif*) mjesto *defenziva, ofenziva* prema izvornom latinskom kako je npr. u glagola *defendere, offendere.*

Prvotno smo, prema našem izgovoru latinskih riječi, preuzeli riječ *detergent* (usp. lat. detergens, -entis), a u novije se vrijeme po uzoru na engleski izgovor nameće ta riječ u obliku *deterdžent.* Kako u novije vrijeme sve više prodiru u hrvatski riječi engleskog jezika, treba reći da se u hrvatskom odgovarajuće engleske riječi kao *deterdžent* (sa slovom *dž*) odreda pišu slovom *dž*, a ne slovom *đ*, npr.: *bedž, budžet, imidž, džem, džez, džemper, džersej, džip, džins, džiju-džicu, džokej, džoker, džudo, džungla* ...

232   Prema izgovoru u njemačkom jeziku primili smo mnoge riječi s početnom suglasničkom skupinom u kojoj je prvi suglasnik *š*, a drugi koji od bezvučnih zatvornika *k, p, t*: *škver, špalir, špalta, špinat, šport, štampa*, itd. Pod utjecajem engleskog izgovora u novije je vrijeme prodro izgovor i pisanje *sport, sportski, sportaš* i sl.

U svim je tim i takvim prigodama normalnije prilagođivati izgovor i pisanje u hrvatskom jeziku prema izgovoru u jeziku iz kojeg je riječ primljena, dakle *aktualan, ofenziva, šport* ...

233 5. Na hrvatski oblik riječi utječe i vrijeme kad je tuđica primljena. Nekad se tuđi završetni skup *-ōn* (s dugim *o*) mijenjao u hrvatskom jeziku u *-un*, pa imamo: *bataljun, kordun, limun, milijun, sapun, špijun;* tako su nastali i oblici vlastitih imena: *Antun, Brijun* (mn. *Brijuni*), *Kordun* i dr. U novijih tuđica toga tipa ostaje izvorno stanje: *balon, ciklon, ešalon, feljton, furgon, kreton, kupon, paviljon, šampion, telefon, vagon, žargon, žeton.*

234 Prema starijem izgovoru u francuskom jeziku imamo likove riječi kao *buljon, feljton, giljotina, marseljeza* itd. Prema novijem izgovoru u francuskom jeziku uz *buljon* širi se i *bujon*.

Zahtjev je jezične i pravopisne stabilnosti i prihvaćene norme da se već jednom prilagođene tuđice ne prilagođuju ponovno prema sadašnjem izgovoru u stranim jezicima.

235 6. Preuzimajući strani izgovor dobili smo u završetku nekih tuđica glasovne skupove neobične u hrvatskom jeziku, npr.: *artikl, binokl, fascikl, kragn, krigl, mebl, šnicl* itd. U tim su naime i takvim primjerima glasovi *l* i *n* u slogotvornoj funkciji, a to je sustavno neprihvaćena pojava u hrvatskom književnom jeziku. Zbog sustavne neprilagođenosti najbolje je ako se mjesto tih kao i općenito mjesto svih drugih tuđica upotrebljavaju dobre hrvatske zamjene. Tako npr. navedene tuđice možemo dobro zamijeniti hrvatskim riječima, i to: *artikl* > 1. trg. *predmet trgovine, roba,* 2. nov. *članak,* 3. lingv. *član; binokl* > *dvogled; fascikl* > *svežčić spisa, smotak; kragn* > *ovratnik; krigl* > *vrč; mebl* > *namještaj, pokućstvo; šnicl* > *odrezak.*

236 7. Ustaljeni međunarodni glazbeni termini, većinom talijanskoga podrijetla, mogu zadržati izvorni oblik; u stručnoj glazbenoj literaturi redovito zadržavaju izvorni oblik, npr.: *adagio* (čit. adađo), *allegro* (čit. alegro), *allegretto* (čit. alegreto), *animâto, bel canto* (čit. belkanto), *forte, fortissimo* (čit. fortisimo), *furioso* (čit. furiozo), *intermezzo* (čit. intermeco), *staccato* (čit. stakato), *vivace* (čit. vivače) ...

237 8. Strani glazbeni termini za novije glazbene pojmove, ponajviše engleskoga podrijetla, pišu se prema našem izgovoru, npr.: *bit,* često u svezi: *bitmuzika* (engl. beat music), *džez* (engl. jazz), *džuboks* (engl. juke-box), *hit,* često u svezi: *hitmuzika* (engl. hit music), *mjuzikl* (engl. musical), *pop,* obično u svezi: *popmuzika* (engl. pop music), *šlager* (njem. Schlager), *top tventi* (engl. top twenty) ...

Sama pak riječ engl. podrijetla *hit* rabi se i izvan glazbenoga pojmovlja, npr. u književnosti, filmu i modi: *hit knjiga, hit film, hit parada* ...

238　　12. Kulturno-obavijesni razlozi ponekad traže da se u hrvatskom jeziku upotrijebi i koja neprilagođena riječ ili izraz; tada se piše onako kako se piše u jeziku iz kojega potječe, npr. fr. *grand-prix* (čit. gran pri), engl. *grill-room* (čit. gril rum), engl. *music-hall* (čit. mjuzik hol), engl. USA *New Deal* (čit. nju dil), tal. *porto franco* (čit. porto franko), fr. *poste restante* (čit. post restant), fr. *restaurant* (čit. restoran), engl. *rock and roll* (čit. rok end roul), engl. *short story* (čit. šort stori), engl. *sleeping-car* (čit. sliping-kar), engl. *snack-bar* (čit. snek bar), engl. *sweating-system* (čit. sveting-sistem), engl. *top twenty* (čit. top tventi), fr. *vagon lits* (čit. vagon li) ...

239　　Kad pisac želi istaknuti strano podrijetlo koje riječi, može pisati tuđu riječ u izvornom obliku i onda kad već imamo njezinu hrvatsku prilagođe-nicu, npr.: *bum* i *boom* (engl.), *čarter* i *charter* (engl.), *damping* i *dumping* (engl.), *džambodžet* i *jumbo-jet* (engl.), *džentlmen* i *gentleman* (engl.), *džez* i *jazz* (engl.), *fer* i *fair* (engl.), *hardver* i *hardware* (engl.), *intervju* i *interview* (engl.), *ledi* i *lady* (engl.), *lider* i *leader* (engl.), *liftboj* i *lift-boy* (engl.), *softver* i *software* (engl.), *splin* i *spleen* (engl.), *toaleta* i *toilette* (fr.), *violončelo* i *violoncello* (tal.), *vizavi* i *vis-à-vis* (fr.) ...

U tome ne valja nikada pretjerivati jer se tuđice po općem pravilu pišu po izgovoru, a ne prema pisanju u stranom jeziku.

B. Tuđa vlastita imena

240　　1. Po općem pravilu tuđa se vlastita imena pišu onako kako se pišu u jeziku iz kojega potječu. To se pravilo može jednoznačno primijeniti samo onda kad je riječ o jezicima koji se služe latinicom. Pri prenošenju vlastitih imena iz jezika s ćiriličnim pismom moramo ćirilična slova presloviti slovima hrvatske latinice. Vlastita imena iz jezika koji se služe raznim drugim sustavima pismena najčešće primamo posredno, preko jezika koji su ih prilagodili svom latiničnom načinu pisanja. Ako ih primamo neposredno, obično ih ili prenosimo po izgovoru ili ih pišemo u latiničnom obliku onako kako se za službene potrebe pišu u jeziku iz kojega ta imena potječu.

241　　2. U dugotrajnim kulturnim doticajima s mnogim narodima i njihovim jezicima mnoga smo strana vlastita imena (osobna i zemljopisna) tako ponašili da su postala sustavni dio našeg imenarstva. Od osobnih imena to su u prvom redu ona koja su vezana osobito za kršćansku, pa muslimansku, u manjoj mjeri i židovsku civilizaciju i religiju. Kao sustavno prilagođena našem onomastičkom fondu takva se imena odlikuju razvijenim tvorbenim mogućnostima. Tako npr. od prvotno prihvaćenog imena *Antun* imamo na desetke imenskih izvedenica (*Ante, Anto, Toni, Tonči* i *Tonći* (pokr.), *Tonko, Tune, Tonček; Antica, Tonka, Tonkica, Tončica, Tonča; Antić, Antićev* i *Antičev, Antičević, Antunac, Antunović, Tončić, Tonković* itd.), a od svakog se imenskog oblika mogu tvoriti i pridjevne izvedenice (*Antunov, Antin; Antičin, Tonkičin; antunovski* itd.).

242 Prilagodili smo i brojna zemljopisna imena, osobito imena poznatijih gradova, pa nekih zemalja i svih država i njihovih stanovnika, ali i druga. Odavna govorimo i pišemo:

243 a) imena mjesta: *Atena, Beč, Budimpešta, Bukurešt, Carigrad, Lavov, Kairo, Kijev, Krakov, Pariz, Peking, Prag, Rim, Singapur, Solun, Varšava, Venecija* (i *Mleci*). Takvih je prilagodbi nekad bilo i više, npr. *Jakin* (Ancona), *Lipsko* (Leipzig), *Monakov* (München), *Draždani* (Dresden), *Rezno* (Regensburg), *Žakanj* (Gyekenes), *Đur* (Györ) ...

244 b) imena zemalja i država: *Albanija, Austrija, Bavarska, Bugarska, Češka, Danska, Engleska, Etiopija, Grčka, Indija, Irska, Kina, Mađarska, Nizozemska, Norveška, Njemačka, Paragvaj, Poljska, Rumunjska, Rusija, Slovačka, Španjolska, Švedska, Turska, Urugvaj* ...

245 c) imena stanovnika izvedena od imena pojedinih država: *Albanac* i *Albanka, Bugarin* i *Bugarka, Danac* i *Dankinja, Englez* i *Engleskinja/Englezica, Etiopljanin* i *Etiopljanka, Grk* i *Grkinja, Indijac* i *Indijka, Irac* i *Irkinja, Kinez* i *Kineskinja, Mađar/Madžar* i *Mađarica/Madžarica, Nizozemac* i *Nizozemka, Norvežanin* i *Norvežanka, Nijemac* i *Njemica, Paragvajac* i *Paragvajka, Rumunj* i *Rumunjka, Rus* i *Ruskinja, Slovak* i *Slovakinja, Šved/Šveđanin* i *Šveđanka, Turčin* i *Turkinja, Urugvajac* i *Urugvajka* ... (Usp. i § 44.)

246 3. U poštanskom prometu, u bibliografijama i u knjižarstvu, u diplomatskim i gospodarskim poslovnim odnosima, na zemljovidima sva se strana vlastita imena pišu izvorno. Iznimno se na zemljovidima mogu prilagođena zemljopisna imena napisati i u hrvatskom prilagođenom obliku (najbolje u zagradama), ali svakako treba navesti i izvorni način pisanja.

PISANJE VLASTITIH IMENA IZ JEZIKA
KOJI SE SLUŽE LATINICOM

247   1. Opće pravilo da se strana vlastita imena iz jezika koji se služe latinicom pišu izvorno u načelu vrijedi samo za osnovni, nominativni oblik tih imena. Kako se i tuđa vlastita imena mijenjaju po našim sklonidbenim obrascima, a od njih se tvore i posvojni i drugi pridjevi, ostaje da utvrdimo kako će imena koja se pišu izvorno tvoriti svoje oblike i kako će se mijenjati i pisati njihovi posvojni i drugi pridjevi. Treba, naime, znati da pri promjeni po padežima i pri tvorbi posvojnih i drugih pridjeva dolazi do stapanja tuđih i naših jezičnih osobina, pa su za pisanje raznih izvedenih oblika tuđih vlastitih imena potrebite dodatne upute.

248   2. Vlastita imena koja se svršavaju na nenaglašeno *-o* ili *-a* mijenjaju se kao i naša imena s tim završecima; na isti način tvore i posvojne pridjeve:

249   a) *Bilbao, -aa; Borneo, -ea, Chicago, -ga, Colorado, -da; Giacomo, -ma, -mov; Makao, -aa; Tasso, -sa, -sov …*

250   b) *Gioconda, -e, -in; Spinoza, -e, -in; Tisza, -e, -in …*

251   3. Ona vlastita imena u kojih je krajnje *-o* naglašeno zadržavaju *-o* u čitavoj promjeni i u tvorbi pridjeva: *Hugo, Hugoa, Hugoov; Rousseau, Rousseaua, Rousseauov …*

252   4. Kao i u našim riječima, između samoglasničkog skupa *ie* i *ia* umeće se u promjeni *j*, pa od izvornog *Columbia* imamo u G jd. *Columbije* (savezna država u SAD); od *Tokio* imamo G jd. *Tokija …*

   Kad je *i* u samoglasničkom skupu samo pravopisni znak, ne umeće se *j*: *Boccaccio*, G jd. *Boccaccia; Reggio*, G jd. *Reggia …*

253   5. Ženska vlastita imena na *-o* mijenjaju se i tvore posvojne pridjeve kao i ona koja se svršavaju na *-a*, pa se piše: *Klio, -ije, -ijin; Salambo, -be, -bin; Sapfo, -fe, -fin …*

254   6. U muških imena koja se svršavaju na muklo *-e* (tj. *-e* koje se ne čita) piše se to *-e* u čitavoj promjeni i u posvojnom pridjevu: *Mérimée, -ea, -eov; Molière, -ea, -eov; Pierre, -ea, -eov; Shakespeare, -ea, -eov.* Samoglasnik *-e* ostaje i onda kad služi samo kao pravopisni znak: *Cambridge, -ea; Laplace, -ea, -eov; Sermage, -ea, -eov …*

255   7. Francuska vlastita imena ženskog roda koja se svršavaju na muklo *-e* mijenjaju se i tvore posvojni pridjev kao da u nominativu imaju na kraju *-a* (tj. muklo se -*e* ne javlja u promjeni): *Champagne,* G *Champagne,* D *Champagni; Jeannette,* G *Jeannette,* D *Jeannetti,* posvojni pridjev *Jeannettin; Marne,* G *Marne,* D *Marni; Rosette,* G *Rosette,* D *Rosetti,* posvojni pridjev *Rosettin* ...

Kao ponašena, takva se imena u nominativu svršavaju na -*a: Marna* ...

256 8. U vlastitih imena koja se svršavaju na -*i,* -*y* ili (u engleskom) na -*ee* umeće se između osnove i nastavka *j: Attlee,* G *Attleeja,* posvojni pridjev *Attleejev; Leopardi,* -*ija,* -*ijev; Petöfi,* -*ija,* -*ijev; Vigny,* -*yja,* -*yjev.*

Ako *y* služi samo kao pravopisni znak ili ako se *i, y* čitaju kao *j,* ne umeće se novo *j: Hollei,* -*ia,* -*iev; Kalay,* -*ya,* -*yev; Nagy,* -*ya,* -*yev; Nestroy,* -*ya,* -*yev* ...

257 9. Ostala vlastita imena primaju padežni ili pridjevni nastavak na nominativni oblik, pa se piše: *Baku,* -*ua; Cantù,* -*ùa,* -*ùov; Cavour,* -*ra,* -*rov; Chile,* -*ea; Dante,* -*ea,* -*eov; Diderot,* -*ta,* -*tov; Dumas,* -*sa,* -*sov; Heine,* -*ea,* -*eov; John,* -*na,* -*nov; Lavoisier,* -*ra,* -*rov; Ledru,* -*ua,* -*uov; Liverpool,* -*la; Marx,* -*xa,* -*xov; Petrescu,* -*ua,* -*uov; Suppé,* -*éa,* -*éov; Swift,* -*ta,* -*tov* ...

258 10. U romanskih vlastitih imena na -*ca* (izgovorno -*ka*) valja u deklinaciji i u posvojnom pridjevu pisati *k,* tj. zadržava se izvorni izgovor: *Bianca,* G *Bianke,* D *Bianki,* posvojni pridjev *Biankin; Petrarca,* G *Petrarke,* D *Petrarki,* posvojni pridjev *Petrarkin* (Petrarkini soneti)*; Salamanca,* G *Salamanke,* D *Salamanki* ...

259 11. Ženska imena na nulti morfem koja ne završavaju na samoglasnik ili se ne mijenjaju ili se ponašaju kao da se svršavaju na -*a: Carmen,* G *Carmen* i *Carmene,* D *Carmen* i *Carmeni,* posvojni pridjev *Carmenin; Manon,* G *Manon* i *Manone,* D *Manon* i *Manoni,* posvojni pridjev *Manonin; Nives,* G *Nives* i *Nivese,* D *Nives* i *Nivesi,* posvojni pridjev *Nivesin* ...

260 12. Ako se skupa upotrijebi muško ime i prezime, redovito se sklanja i jedno i drugo (*Guy Mollet,* G *Guya Molleta*), a determinativni dijelovi ostaju nepromijenjeni.

261 a) Determinativni su dijelovi prijedlozi uz prezimena: *Ardelio Della Bella,* G *Ardelija Della Belle, Della Bellin rječnik; Leonardo da Vinci,* G *Leonarda da Vincija, da Vincijeva slika; Ludwig van Beethoven,* G *Ludwiga van Beethovena, van Beethovenova skladba* ...

262 b) Determinativni su dijelovi u zemljopisnim imenima riječi kao *saint, san, Sankt, sao; neu, new; bad, port; mont, mount; rio* itd.: *Saint Nazaire,* iz *Saint Nazairea; San Marino,* u *San Marinu; Sankt Moritz,* preko *Sankt*

Moritza; Sao Paulo, iz Sao Paula; New York, u *New Yorku; Bad Gastein,* u *Bad Gasteinu; Port Arthur, iz Port Arthura; Mount Mac Kinley,* s *Mount Mac Kinleya; Rio de Janeiro,* u *Rio de Janeiru ...*

263   c) Kao determinativni dijelovi služe i oznake uz osobna imena, među kojima mogu biti čak i imenice: *ben, don, fra, mac, miss, mister, lady, sir* i dr.: *Ben Hur,* od *Ben Hura; Don Juan,* za *Don Juana; Fra Angelico,* od *Fra Angelika; Mount Mac Kinley,* s *Mount Mac Kinleya; mister Donald,* s *mister Donaldom; sir John,* od *sir Johna ...*

264   13. Imeničke su se oznake uz imena toliko osamostalile da se i sklanjaju: s *lordom Byronom,* sa *signorinom Pavolini* (prema *signorina Pavolini*), od *donne Elvire* (prema *donna Elvira*). U takvoj se svezi može sklanjati i *mister:* s *misterom Donaldom.*

Ženska imena s determinativnim članom koja se svršavaju na suglasnik ili na samoglasnik osim na *-a,* ostaju nepromijenjena: za *miss Buttler,* od *lady Palmerston.* Usp. i navedena imena uz *signorina* i *donna.*

Determinativni se članovi pišu velikim ili malim početnim slovom prema izvornom pisanju.

265   14. Pridjevi na *-ski* pišu se izvorno do morfemske granice. Prema pravilima o glasovnim promjenama može im se pod utjecajem glasa *s* iz nastavka *-ski* mijenjati krajnji suglasnik osnovne riječi. Pri tome dolazi do istih glasovnih promjena kao i u tvorbi pridjeva na *-ski* od hrvatskih vlastitih imena i drugih riječi, pa se to odražava i u pismu: *bochumski* (prema Bochum), *habsburški* (prema Habsburg), *kielski* (prema Kiel), *leipziški* (prema Leipzig), *münchenski* (prema München), *newyorški* (prema New York), *rostočki* (prema Rostock), *stockholmski* (prema Stockholm) ...

Danas nije neobično da se ti i takvi pridjevi pišu i u posve pohrvaćenom obliku: *bohumski, kilski, lajpciški, minhenski, njujorški, štokholmski ...*

266   Pridjevi na *-ski* od stranih vlastitih imena koja smo pohrvatili tvore se redovito od našeg, a ne od stranog oblika tih imena: *atenski, bečki, budimpeštanski, kairski, mletački* (i *venecijanski*), *pariški, praški, rimski, solunski ...*

267   15. Pridjevi od stranih osobnih i drugih imena kojima se izriču svojstva i osobine kakve imaju nosioci tih imena ili kakav drugi opći odnos prema nosiocima imena dobili su opće pridjevno značenje, pa se pišu po izgovoru i malim početnim slovom: *bodlerovski* stih (prema Baudelaire), *botičelijevske* boje (prema Botticelli), *šekspirovsko* kazalište i *šekspirovska* drama (prema Shakespeare), *volterovska* filozofija (prema Voltaire) ...

268 Po izgovoru i malim početnim slovom pišu se i tako nastale opće imenice kojima se izriče svojstvo, osobina ili kakav drugi odnos povezan s nosiocem osobnog imena: *čegevarist* (prema Che Guevara), *jozefinizam* (prema Josef II.), *makijavelizam* (prema Machiavelli), *marksovac* i *marksist* (prema Marx), *šekspirovac* (prema Shakespeare), *darvinist* i *darvinizam* (prema Darwin), *humboltovac* (korisnik Humboldtove stipendije), *fulbrajtovac* (prema Fulbright), *folksvagenovac* (prema Volkswagen) …

269 16. Imena iz slavenskih jezika koji se služe latinicom prenose se u hrvatski jezik po istom općem pravilu, tj. pišu se onako kako se pišu u jeziku iz kojega potječu.

Ona vlastita imena (osobito zemljopisna) koja su ponašena mogu se pisati i po izgovoru: *Prag, Poznanj, Krakov, Varšava.*

Inače se od izvornoga pisanja odstupa samo zbog tehničkih razloga, kad nedostaju znakovi koji se upotrebljavaju u izvornom pisanju.

PISANJE VLASTITIH IMENA IZ JEZIKA KOJI SE SLUŽE ĆIRILICOM

270 1. Za pisanje vlastitih imena iz slavenskih jezika koji se služe ćirilicom vrijede ista opća pravila kao i za pisanje vlastitih imena iz jezika (slavenskih i neslavenskih) koji se služe latinicom. Kako, međutim, sva ćirilična slova ne označuju u svim jezicima uvijek iste glasove, jer je svaki jezik prilagodio ćirilicu svojim glasovnim potrebama, ne mogu se dati posve jednoznačna pravila o transliteraciji ćirilice u hrvatsku latinicu, nego se moraju razmotriti i specifičnosti te transliteracije iz svakog jezika posebno.

271 Opće je pravilo da se slova onih glasova koji su isti kao u hrvatskom jeziku prenose latiničnim slovima za te glasove. Pri prenošenju ostalih ćiriličnih slova vrijede posebna pravila; o tome se potanje govori u jezičnim priručnicima.

272 2. Ruska, ukrajinska i bjeloruska specifična slova prenose se u hrvatsku latinicu ovako:

rus. ё = *e* (*ë*), bjelorus. *jo*, rus. i bjelorus. ы = *y*, rus. i ukr. щ = *šč*, bjelorus. ў = *ŭ*, rus., bjelorus. i ukr. ю = *ju*, я = *ja*, й = *j*, ь = ' (apostrof). Za rusko i bjelorusko slovo э i ukrajinsko є te za rusko ъ nemamo odgovarajućih latiničnih pismena. Obično se э prenosi kao *e*, є kao *je*, а ъ kao ' (apostrof), ali to nije najprikladnije rješenje jer tako slovo *e* i znak ' (apostrof) zamjenjuju svaki po dva grafema. Zbog toga bi se moglo slovo э (є) označiti kao *ė* (*e* s točkom nad njim), a ъ kao ъ́ (s akutom). Time bi se postigla dosljednost, a upotreba znaka ´ ne smeta jer nije nad slovom, pa se isključuje kao znak za naglasak. Prenošenje slova ю i я našim dvoslovima *ju* i *ja* opravdava se time što te znakove i analiziramo kao dvoslove.

Ostala se specifična slova prenose ovako: ukr. и = *y*, i = *i*, ï = *i* (*ji*); bjelorus. i = *i*.

273   3. Za specifična slova bugarske ćirilice koja su ista kao i ruska vrijede ista pravila kao i za transliteraciju ruskih slova. Jedino se bugarski znak щ piše kao *št* (a ne *šč*): (Свищов > *Svištov*, Щъркелов > *Št'rkelov*).

274   4. Ista pravila vrijede i za pisanje makedonskih vlastitih imena. Specifična se makedonska slova ќ i ѓ ispred *i* i *e* pišu kao i u makedonskom slovima *k* i *g* (Ангел > *Angel*, Киро > *Kiro*), a u drugim položajima kao *ć* i *đ* (Ѓорче > *Đorče*, Ќурчијев > *Ćurčijev*). Slova љ, њ, џ iz makedonske ćirilice prenose se u hrvatsku latinicu slovima *lj, nj, dž*.

275   5. Vlastita imena srpskog i crnogorskog naroda koji se (i kad se) služe ćirilicom prenose se u latinicu po izgovoru, kao i sve druge riječi. Ćirilična slova љ, њ, џ prenose se latiničkim *lj, nj, dž*.

276   Pri pisanju vlastitih imena iz neslavenskih jezika koji se služe ćirilicom (npr. neki azijski jezici u bivšem SSSR-u) primjenjujemo isto načelo kao i pri pisanju imena iz jezika koji se ne služe ni latinicom ni ćirilicom, tj. držimo se načela "da se ta imena pišu onako kako se u službenoj latiničnoj transkripciji pišu u narodu iz kojega potječu". Usp. više o tome u sljedećem poglavlju.

PISANJE VLASTITIH IMENA IZ JEZIKA KOJI SE SLUŽE DRUGIM PISMIMA

277   Naše su navike u prenošenju vlastitih imena iz jezika koji se ne služe ni latinicom ni ćirilicom raznolike jer smo ih najčešće primali posredstvom drugih jezika. Britanija je prikupila i anglizirala najviše imena i to je na zemljovidima, u poštanskom prometu i u stručnoj literaturi dobilo široku primjenu. Bili smo i pod znatnim utjecajem njemačkih izvora, dakle podložni germaniziranju imena. Znatan je i francuski i talijanski utjecaj u pisanju zemljopisnih imena u bivšim kolonijama, a mnoga su azijska vlastita imena i rusificirana. Često se križaju svi ti utjecaji. Tako npr. kineska pismena za *Čungking* službena transkripcija donosi *Chongqing*, pošta *Chungking*, engleski *Ch'ungch'ing*, njemački *Tschungking*, francuski *Tch'ong-k'ing*, talijanski *Chungking*, ruski *Čuncin* itd.

278 Da bi se što je moguće više izbjegla neujednačenost i tako prekinulo s naslijeđem koje nije u skladu s našim vremenom, u pisanju se vlastitih imena iz jezika koji se ne služe ni latinicom ni ćirilicom valja držati načela da se ta imena pišu onako kako se u službenoj latiničnoj transkripciji pišu u naroda iz kojega potječu. Ako su u toj transkripciji latinizirani oblici iz vremena tuđe dominacije zamijenjeni transkripcijom prilagođenom narodnom jeziku ili su prihvaćena nova, narodna imena, treba poštivati oblike koje danas upotrebljavaju narodi kojima vlastita imena pripadaju. Po tom se pravilu piše: *Ganga* (za Ganges), *Dilli* (za Delhi), *Kalikata* (za Kalkutta ili Calcutta), *Lankā* (*za Ceylon*), *rt Abiad* (za rt Bon), *El Qâhira* (za Kairo), *Ed Dar el Beida* (za Casablanca) itd.

279 U javnim glasilima (novine, televizija) može se za domaće potrebe upotrebljavati i tradicionalan način pisanja tih imena, prilagođen prema stranim uzorima (npr. *Ganges, Delhi, Ceylon, Casablanca*) dok se u svim drugim prigodama (u međunarodnom dopisivanju, u diplomaciji, na zemljovidima i sl.) valja služiti izvornim načinom pisanja, tj. onim načinom koji se primjenjuje u jeziku iz kojega ime potječe. Tako će se stvarati uvjeti da se postupno prijeđe na izvorni način pisanja tih imena i u javnim glasilima i tako nestanu navike koje podcjenjuju kulturnu i nacionalnu samobitnost mnogih naroda.

SASTAVLJENO I RASTAVLJENO PISANJE RIJEČI

OPĆA NAČELA

280   Opće je načelo hrvatskoga pravopisa da se riječi pišu odvojeno, svaka za sebe, razdvojene bjelinama. Polazeći od toga načela, treba se, zbog različite tvorbe riječi, držati osnovnoga pravila: ako se isto značenje može iskazati kombinacijom jedinica koje već postoje u jeziku, nije potrebno uvoditi nove jedinice. Primjerice, moguće je usporediti ove dvije rečenice:

Uzmimo na primjer ovu rečenicu.

Uzmimo naprimjer ovu rečenicu.

Budući da se navedene rečenice ne razlikuju u svome temeljnom značenju, suvišno je uvoditi u jezični popis novu jedinicu *naprimjer* kad već postoje u popisu jedinice *na* i *primjer* koje, napisane sastavljeno ili rastavljeno, ne mijenjaju osnovno značenje poruke.

Iz tako iskazanoga pravila izvire još jedno: novo se značenje može iskazati novim spojem postojećih jedinica. Tada je dobivena nova složena riječ čiji se dijelovi pišu sastavljeno između bjelina. Zato treba razlikovati:

uoči 'dan prije' (*uoči* Duhova) od *u oči* (pogledati *u oči*)

odoka 'otprilike' (odmjeriti *odoka*) od *od oka* (odmaknuti *od oka*)

doduše 'zaista' (zna *doduše* mnogo) od *do duše* (dirnuti *do duše*)

smjesta 'odmah' (dođi *smjesta*) od *s mjesta* (*s mjesta* događaja).

Riječi *uoči, odoka, doduše, smjesta* i sl. postaju složenice te se kao posebne jedinice u popisu pišu sastavljeno.

281   Složenicom smatramo

a) riječ kojoj se jedan ili oba sastavna dijela ne upotrebljavaju samostalno, kao *dokle* (nema samostalne riječi *kle*), *dotle, ljetopis, možda, nogomet, neprestano, odavde, odavle, naizust, neprestano, prekjučer, previše, proljetos, sjeveroistok, suncobran, tobože, uzastopce, valjda, velesajam, zrakoplov*;

b) riječ u kojoj se jedan sastavni dio ne upotrebljava uz drugi u onom obliku koji ima u složenici kao *dovijek* (izvan *do vijeka*), *oduvijek, odmah, napose, pokraj, unakrst*;

c) riječ kojom se sastavljanjem dijelova dobiva novo značenje kao *doduše, međutim, najednom, naoko, odoka, potanko, smjesta, stoga, uoči, uopće, zajedno, zapravo, zato, žalibože* (jer je npr. u složenici *doduše* izgubljena veza s riječju *duša*).

282 Složenica ima, kao i ostale riječi, u pravilu jedan naglasak: *osamdèsēt, petogòdišnjī, samoòbrana, starohr̀vātskī, kȁdgod* (= katkad, ali: *kȁd gȍd* = svaki put), *Stȁrigrad* (u Podgorju, ali: *Stâri Grâd* na otoku Hvaru), *Šàrengrād*. Budući da složenice, osobito duge, mogu imati dva naglaska, kao *nâjnòvijī, nâjzdràvijī, nâjpamètnijī*, broj naglasaka ne odlučuje treba li što smatrati složenicom ili dvjema riječima.

283 Sveza dviju imenica od kojih prva atributivno određuje drugu i ne sklanja se, a obje zadržavaju svoj naglasak zove se polusloženica. Između sastavnih dijelova polusloženica piše se spojnica: *bìser-grána, ìzvor-vòda, krȅmēn-kàmēn, lȍvōr-vijénac, r̀ȁk-r̀ȁna, spȍmēn-plȍča, ùzor-mâjka, plȕs-pôl*.

Polusloženice se rabe vrlo često u stilističke svrhe. Spojnica se kao pravopisni znak rabi i u druge svrhe.

284 Složenice koje pripadaju promjenljivim vrstama riječi mijenjaju samo posljednji sastavni dio.

285 Budući da kod svake vrste riječi ima posebnosti hoće li se što smatrati složenicom ili polusloženicom, pravila se o sastavljenom i rastavljenom pisanju daju posebno za svaku vrstu riječi.

IMENICE

286 U skladu s iznesenim općim pravilima o složenicama pišu se zajedno mnoge imenice kao što su:

cestogradnja, cjepidlaka, čuvarkuća, danguba, kruhoborac, maloljetnik, praskozorje, sjeverozapad, starokatolik, strahovlada, vlakovođa, zubobolja, Novigrad, Šarengrad, Podsused, Turopolje, Bjelorusija, Bilopavlović, Hajdarhodžić, Rizvanbegović.

287 Kao složenice ponašaju se i imena stanovnika onih naselja koja se inače pišu odvojeno *Babogredac* (prema *Babina Greda*), *Banjolučanin* (prema *Banja Luka*), *Bjelopoljac, Dugoselac, Dugootočanin, Dugorešanin, Grubišnopoljac, Krivopućanin, Starograđanin, Svetoivanac, Svetojurac, Svetoročanin, Širokobriježanin.*

288 Sastavljeno se pišu imenice kojima je prvi dio

a) imenička, pridjevna, brojevna, glagolska i priložna osnova kao *člankopisac, dvoglas, gulikoža, kotlokrpa, kućegazda, maloprodaja, polubog, polukrug, suhozid, troskok, vjeroučitelj, visokogradnja;*

b) prefiks domaćega podrijetla kao *dovratnik, međubroj, nadgradnja, nadomjestak, natkoljenica, nečovjek, neistina, odskok, podstanar, pomajka, poočim, potkoljenica, prabiće, pračovjek, preobilje, predstraža, protuakcija, razmeđa, samozaštita;*

c) strani prefiks ili strana riječ kao prvi dio složenice kao *aminokiseline, aeroklub, aeromiting, agrokemija, anticiklona, antropobiologija, astrofizika, biogeneza, bugivugi, ekskralj, elektromagnet, elektrotehnika, euroraketa, geobotanika, helidrom, hidrocentrala, hidroelektrana, hiperprodukcija, kilogram, kreppapir, krepsaten, kvarclampa, makroprojekt, mikročitač, mikrofauna, nacionalsocijalizam, neobarok, paravojska, rotopapir, supertvrđava, šeribrendi, termodinamika, tonfilm, tonmajstor, ultrazvuk, vicekancelar, zookultura;*

d) riječ *auto, foto, kino, radio, audio, video* kao prvi dio složenice, a ne samostalna imenica (bez obzira na različita značenja dijela *auto-, audio-, foto-, kino-, radio-, video-*): autocesta (ali *auto* je na cesti), *autobiografija, autokritika, automehaničar, autosugestija, audiovizualan, fotoaparat, fotokemija, fotomontaža, fotosinteza, kinopredstava, kinooperater, kinoreklama, radiopostaja, radioaktivnost, radiopretplata, radioprijenos* (ali *Radio London* jer ovdje riječ *radio* znači *radiopostaja London*, inače *londonski radio*), *videoklub;*

289 Imenice *dopodne* i *popodne* pišu se sastavljeno, i onda kad označavaju vrijeme od dvanaest sati do sumraka i kad označavaju bilo koji trenutak poslije dvanaest sati. Za ista se značenja mogu upotrijebiti izrazi *prije podne* i *poslije podne.*

290   Sastavni se dijelovi imeničkih polusloženica povezuju spojnicom. Oni zadržavaju svaki svoj naglasak, a sklanja se samo završni dio:

bìser-grána (G jd. *bìser-gránē*), *dôboš-tôrta, ìzvor-vòda, krȅmēn-kāmēn, lȍvōr-vijénac, lȍvōr-grána, pȍp-glàzba, rȁk-rȁna, rȍk-glàzba, spȍmēn-kòlājna, spȍmēn-plȍča, ùzor-mâjka, zèlen-gòra, mínus-vòdīč, plȕs-pôl, ìvan-cvijêt, džez-glazba, neto-dohodak, neto-težina.*

Ovamo se ubrajaju i imenice koje u prvom dijelu imaju kakvo slovo ili simbol jer u izgovoru zadržavaju svoj naglasak kao *ß-zrake* (čitaj: *bȅta-zrȁke*), *a-deklinacija* (čitaj: *â-deklinácija*), *A-dur, h-mol, C-ključ, H-bomba, o-noge, x-noge, pH-vrijednost, Rh-faktor.*

291   Izuzetno se pišu kao polusloženice i sklanjaju se oba dijela prigodnim tvorenicama kad im se želi zbog stilskih ili značenjskih razloga naglasiti cjelina kao *ključ-razlikovnik* (G jd. *ključa-razlikovnika*), *grješnik-pisac* (G jd. *grješnika-pisca*), *junak-djevojka, brat-nebrat.*

292   Kao polusloženice pišu se sastavljene imenice kad izražavaju relaciju *od-do*, pa se ne sklanjaju kao *zemlja-zrak* (raketa *zemlja-zrak* G jd. rakete *zemlja-zrak*), *zrak-zemlja, zemlja-zemlja* i sl.

293   Imena naseljenih mjesta mogu se pisati

a) sastavljeno kao *Carigrad, Novigrad, Starigrad, Šarengrad, Medvedgrad, Josipdol, Jurjaves, Krišpolje, Pustopolje, Vrginmost*;

b) rastavljeno: *Babin Potok, Baška Voda, Duga Resa, Dugo Selo, Grubišno Polje, Kostajnički Majur, Krivi Put, Novi Vinodolski, Stari Grad, Staro Petrovo Selo, Sveti Rok, Sveti Juraj, Sveti Ivan Zelina, Žuta Lokva.*

294   Rastavljeno se pišu i ona dvočlana imena naseljenih mjesta kojima je prvi dio apozicija ili riječ u apozicijskoj službi kao *Ažić Lokva, Ivanić Grad, Ivanić Kloštar, Han Pijesak, Herceg Novi, Kaštel Gomilica, Klinča Selo, Kulen Vakuf.* Tim se imenicama sklanja samo drugi dio (*Ažić Lokva* G jd. *Ažić Lokve, Ivanić Grad* G jd. *Ivanić Grada*). Često se umjesto cijeloga dvočlanoga imena rabi samo jedno, pa se ono tada sklanja: doći iz *Ivanića*, doći iz *Kloštra.*

Iako im se ne sklanja prvi dio, mnoga se strana dvočlana zemljopisna imena pišu rastavljeno jer se tako pišu i u tuđem jeziku kao *Abu Dhabi* (iz *Abu Dhabija*), *Addis Abeba, El Alamein, Hong Kong, Lago Maggiore, Monte Carlo, New York, Port Arthur, San Marino, Saint Germain, White Island.*

295   Kad jedna prometna postaja ima u nazivu imena dvaju naselja, povezuju se oba spojnicom (umjesto veznika *i*) kao *Plase-Crikvenica, Strizivojna-Vrpolje, Vrhovine-Plitvička Jezera.*

296   Dvostruka se imena i prezimena muških osoba pišu kao zasebne riječi, pa se svaka sklanja:

Andrija Kačić Miošić G jd. *Andrije Kačića Miošića, Ivan Kukuljević Sakcinski, Silvije Strahimir Kranjčević, Antun Gustav Matoš, Antun Branko Šimić, Ante Tresić Pavičić, Viktor Car Emin, Duje Rendić Miočević.*

Isto se tako rastavljeno kao posebna riječ piše nadimak koji stoji iza prezimena: *Marin Držić Vidra, Ivan Gundulić Mačica, Ivan Bunić Vučić, Milutin Cihlar Nehajev, Janko Polić Kamov, Luka Ilić Oriovčanin.*

297   Dvostruka prezimena ženskih osoba nastala združivanjem očeva i muževljeva prezimena ili obratno pišu se spojnicom.

U takvim se dvostrukim ženskim prezimenima ne sklanja ono koje ne završava na *-a* kao *Ivana Brlić-Mažuranić* G jd. *Ivane Brlić-Mažuranić, Milka Ružić-Jakovina* G jd. *Milke Ružić-Jakovine, Marija Ružička-Strozzi, Ruža Pospiš-Baldani, Zinka Kunc-Milanov, Ana Krmpotić-Rukavina.*

298   Dvočlani časnički činovi u kojima je prvi dio apozicija pišu se rastavljeno kao *general bojnik*. Prvi se dio tada ne sklanja.

Tako se uz vlastito ime pišu i pridjevci odnosno titule koje se ne sklanjaju, a stoje ispred imena kao *fra Grgo Martić, don Frane Bulić, pre Blaž Baromić.*

299   Pridjevci istočnjačkoga podrijetla stoje obično iza imena. S imenom koje se ne sklanja vezuje ih spojnica kao *Hasan-aga, Smail-aga, Mehmed-baša, Rizvan-beg, Mehmed-paša, Nasredin-hodža, Juriš-oglu, Edhem-efendija, Sinan-čauš.*

Mnogi su takvi pridjevci potpuno srasli s imenom, pa se pišu sastavljeno kao jedna riječ: *Alibaba, Džingiskan.* Od nekih takvih sraslica postala su prezimena kao *Rizvanbeg, Mustajbeg, Alaga, Rizvanbegović, Hadžiomerbegović* i sl.

300   Ne smatraju se polusloženicama

1) imeničke sveze kao *pilot lovac, čovjek žaba, žena radnica, kamen temeljac* jer u takvim slučajevima prva imenica ima šire, a druga uže značenje te se obje sklanjaju i pišu rastavljeno: *pilota lovca, čovjeka žabe* (mn. *ljudi žabe*), *žene radnice, kamena temeljca;*

2) imeničke sveze u kojima je prvi dio

a) nesklonjiva tuđa pridjevna riječ ili riječ koja se može smatrati nesklonjivim pridjevom kao *drap tkanina* (tkanina je *drap*), *alt saksofon, fer igra, feš dečko, indigo papir, kaki boja, karbon papir, lak boja, mat namještaj, maksi moda, mini suknja, panama šešir, pepita tkanina, portabl televizor;*

b) kratica koja se osjeća kao pridjev *HPT usluge, TV pretplata, VKV radnik.*

PRIDJEVI

301 Prave su složenice pridjevi

1) koji se tvore od raznih osnova sa spojnikom *-o-* kao:

dobroćudan, jednodnevni, malokalibarski, mrzovoljan, niskonaponski, pučkoškolski, petogodišnji, prvorazredni, punokrvan, punoljetan, samonikao, srednjoškolski, starozavjetni, velikodušan, vlastoručan;

2) koji su složeni s prefiksima: *bezglasan, dodiplomski, ispodžitni, izvanbračni, međuparlamentarni, nadbubrežni, nagluh, nizvodni, okrupan, poratni, podlopatični, poslijepodnevni, predbračni, prekooceanski, preosjetljiv, prigradski, prosijed, sulud, svrhunaravan, unutarstranački;*

3) koji su složeni s riječcom *ne: nebrojen, nedrag, neljudski, neorganski, nepromočiv, neveseo, nevidljiv;*

4) koji su složeni s osnovom *-struk* kao *jednostruk, dvostruk, trostruk, četverostruk, devedeseterostruk, stostruk, dvjestostruk* itd.,

5) čiji se jedan sastavni dio ne upotrebljava samostalno kao *hipermoderan, infracrven, pačist, paravojni, postdiplomski, poludnevni, profašistički, protutenkovski, pseudopučki, supermoderan, bezbrad, povremen, pristran, samohran, svestran, svojeglav, suodgovoran, ultraljubičast.*

302 Kao složenice navedene pod 1) vladaju se i

a) pridjevi složeni s prilogom koji pojačava, umanjuje ili uopće pobliže označuje pridjev, a priložni se dio posebno ne ističe:

mnȍgopoštovānī, velecijenjeni, vrlozaslužan, malopoznat; jasnožut, svijetlosiv, tamnomodar, zagasitocrven, otvorenozelen i sl.

Ako se kod takvih riječi priložni dio želi posebno istaknuti, piše se rastavljeno od pridjeva:

mnȍgo pȍštovānī, vrlo zaslužan, malo poznat; jasno žut, svijetlo siv, tamno modar, zagasito crven, otvoreno zelen.

b) pridjevi izvedeni od dvočlanih zemljopisnih imena:

babogredski (prema *Babina Greda*), *bosanskohercegovački, dugoreški, dugootočki, gornjolužički, grubišnopoljski, južnoamerički, krivoputski, marijabistrički, novogradiški, newyorški* (prema *New York*), *petrovoselski, sjevernočakavski, svetojanski, svetojurački;*

303   Kao polusloženice pišu se

1) sastavljeni pridjevi ravnopravni značenjem ili odnosom:

hrvatsko-slovenska (granica), *češko-poljski* (odnosi), *englesko-francuski* (rječnik), *crno-bijela* (ploča), *putničko-teretni* (brod), *crveno-bijelo-plava* (zastava), *Ličko-senjska županija, Riječko-senjska nadbiskupija;*

2) posvojni pridjevi izvedeni od dvostrukih prezimena: *Brlić-Mažuranićkin* (roman), ili od onih koji se odnose na dva ili više autora: *Broz-Ivekovićev rječnik, Kant-Laplaceova teorija, Hering-Breuerov refleks, Maretić-Ivšićev prijevod Ilijade.*

ZAMJENICE

304   Složene su zamjenice u većini slučajeva prave složenice, pa ih treba pisati sastavljeno:

gdjetko, gdješto, gdjekoji, kojetko, koješta, kojekakav, kojekolik, svakakav, svekolik, svatko, svašta, štošta.

305   Zamjenice se često združuju s prefiksima, i to:

1. S prijedlogom *po* pišu se zajedno u značenju neodređenih zamjenica: *pokoji* (=koji), *poneki* (=neki), *ponešto* (=nešto), *pogdjekoji*. To se vidi u rečenicama: Tek *pokoji* od vas zna svirati. – Samo se *poneki* čuje. – *Ponešto* ću uzeti sa sobom. Ako prefiks *po* čuva svoje dijelno značenje, piše se rastavljeno od zamjenice:

Po koji put sam to već rekao? – Sjeo bi za glasovir i svirao *po koje* Mozartovo djelo. – Svakom bi djetetu darovao *po nešto*, najmlađem uvijek slatkiše.

Kad se *po* združi sa zamjenicom, može – pored neodređene zamjenice – nastati prilog koji se uvijek piše sastavljeno: *pošto* (*pošto* je voće?), *ponešto* (*ponešto* je oslabio), *potom* (*potom* je rekao).

2. S predmetcima *i, ne, ni* nastaju složene neodređene zamjenice kao *itko, išta, ikoji, ičiji, ikakav,*

netko, nešto, nekoji, nečiji, nekakav,
nitko, ništa, nikoji, ničiji, nikakav.

306 Riječce *i, ne, ni* mogu se pisati odvojeno od zamjenice u ovim slučajevima:

a) kad predmetak *i* služi za pojačanje: Znamo *i tko je, i što je, i čiji je, i kakav je, i gdje je, i kako mu je;*

b) kad kakav prijedlog razdvaja *ni* od zamjenice:

ni na koji (način), *ni na kakvu* (nagradu ne mislim), *ni od koga* (ne očekujem), *ni od čega, ni od čijeg* (novca), *ni s kim* (ne dijelim), *ni sa čime* (nije zadovoljan), *ni u kom* (slučaju), *ni u čijem* (kolu), *ni u kakvo* (doba), *ni za koga* (nije pjevala), *ni za koju* (plaću), *ni za što* (na svijetu), *ni s kim* (nisam razgovarao);*

c) kad čestice *ni* i *ne* stoje uz zamjenicu, ali služe za nijekanje: *Ne tko* govori nego što govori, zanima nas. – *Ne što* se kaže nego tko kaže, moram znati.– U toj se gužvi nije znalo *ni tko* pije, *ni tko* plaća. – Ne zna *ni što, ni kako.*

Kad složenica *ništa* ima imeničko značenje, ne odvaja se *ni* od *šta*: Od *ništa* glava ne boli. – Drže ga za *ništa.*

307 Zamjenice se mogu združivati i s česticom *god*, i to dvojako:

1. Kad je čestica *gȍd* naglašena, pokazuje neograničenost jer se odnosi na svaku osobu ili predmet iste skupine. Tada se piše odvojeno od zamjenice kao *tkȍ gȍd* (svaki), *štȍ gȍd* (sve, bilo što), *kòjī gȍd* (svaki), *čìjī gȍd* (svačiji), *s kȋm gȍd* (sa svakim). Tako je u rečenicama: Neka dođe *tko god* hoće. – *Što god* radiš, radi savjesno. – Možeš uzeti pušku *koju god* želiš. – Dođi, *s kim god* hoćeš.

Takvo naglašeno *gȍd* može biti i rastavljeno od zamjenice zanaglasnicom: Zadovoljan sam *što si mi god* dao. – Hrabar je *tko mu se god* približi. – Divio joj se *tko ju je god* vidio. Zapamtio je *što je god* pročitao.

2. Čestica -*god* može postati drugi dio složene zamjenice koja pokazuje ravnodušnost prema izboru. Tada -*god* nema svoga naglaska i piše se zajedno s prethodnom riječi kao *tkȍgod* (netko, bilo tko), *štȍgod* (nešto), *kòjīgod* (neki), *čìjīgod* (nečiji), *kakavgod* (nekakav, bilo koji), *s kimgod*. Tako je u rečenicama: Zna li *tkogod? –* Daj mi *štogod. –* Nije on bio baš *kojigod* prijatelj. – Dođi *s kimgod.*

Čestica -*god* dodaje se u sklonidbi osnovnom obliku zamjenice te se piše zajedno:

tkogod	*štogod*	*kojigod*	*čijigod*
kogagod	*čegagod*	*kojegagod*	*čijegagod*
komugod	*čemugod*	*kojemugod*	*čijemugod*
kimegod	*čimegod*	*kojimgod*	*čijimgod*

308   Zamjeničke se sintagme mogu tvoriti riječcama *put, bilo* ili *mu drago* koje se pišu odvojeno od zamjenice:

koji put, svaki put, ovaj put, onaj put,

bilo koji, koji bilo, bilo čiji, čiji bilo,

tko mu drago, što mu drago, koji mu drago, čiji mu drago.

Ako u takvim vezama riječca *put* izgubi svoj naglasak, može srasti uz zamjenicu i – kao složenica – dobiti priložno značenje: *kojiput* (katkada), *svakiput* (svagda).

309   Odvojeno se od prijedloga pišu zamjeničke zanaglasnice *nj, me, te, se* i instrumental *mnom*:

kroza nj, kroza me, kroza te, kroza se,

na nj, na me, na te, na se,

po nj, po me, po te, po se,

poda nj, poda me, poda te, poda se,

preda nj, preda me, preda te, preda se,

u nj, u me, u te, u se,

uza nj, uza me, uza te, uza se,

za nj, za me, za te, za se.

sa mnom, poda mnom, preda mnom.

BROJEVI

310   Višeznamenkasti brojevi pišu se kao složenice, i to:

1. glavni brojevi: *jedanaest, dvanaest, devetnaest, dvadeset, pedeset, šezdeset, dvjesto, tristo, petsto, šesto, devetsto;*

2. redni brojevi: *jedanaesti, dvanaesti, devetnaesti, dvadeseti, pedeseti, šezdeseti, dvjestoti, tristoti, petstoti, šestoti, devetstoti;*

3. brojevne imenice: *dvadesetina, tridesetina; dvadesetorica, šezdesetorica; tridesetero, pedesetero;* (*1/23*) *jedna dvadesettrećina* (ali: dvadeset trećina = *20/3*); (*1/59*) *pedesetdevetina* (ali: pedesetdevet devetina = *59/9*).

311   Kao polusloženice pišu se brojevi kad označavaju približne ili neodređene brojne vrijednosti:

a) *dva-tri, pet-šest, deset-dvadeset, pedeset-šezdeset, sto-dvjesto, stotinjak-dvjestotinjak, dvoje-troje, četvero-petero;*

b) *tisuću-dvije* (što znači *jednu tisuću-dvije tisuće*), *sat-dva, dan-dva, mjesec-dva, godinu-dvije, korak-dva, riječ-dvije,* popiti *čašu-dvije* i sl.

312   Rastavljeno se piše: *dvije stotine, tri stotine, četiri stotine, pet stotina, pet tisuća, pedeset tisuća, petsto tisuća, petnaest milijuna* itd.

Tako se pišu višečlani glavni i redni brojevi koji nastaju slaganjem jednočlanih brojeva jedan do drugoga kao

dvadeset jedan (21)

dvadeset prvi (21.)

pedeset dva (52)

pedeset drugi (52.)

tisuću devetsto sedamdeset jedan (1971)

tisuću devetsto sedamdeset prvi (1971.)

deset tisuća (10 000)

sto šezdeset tisuća tri (160 003)

sto šezdeset tisuća treći (160 003.).

Sve se rjeđe ispred jedinice višečlanog glavnog i rednog broja ispisuje veznik *i*:

šestosedamdeset i jedan (671)

tisuću devet stotina devedeset i deveti (1999.)

Iznimno se veznik *i* može upotrijebiti ispred svakoga nominativnog člana: *tisuću i devet stotina i devedeset i dva.*

313   Zbog posebnih se razloga u novčanom poslovanju višečlani brojevi mogu pisati i zajedno: *šestošezdeset* (660), *tisućusedamstodvadesettri* (1723), *jedanaesttisućaosamstoosamdesetdva* (11882).

314   Brojevi složeni s riječju *put* ili *puta* mogu se pisati

a) rastavljeno kad svaka riječ čuva svoj naglasak: *drȕgī pût* (ne *drugi puta*), *deseti put, stoti put; dvâ púta, tri puta, deset puta, sto puta; osamdesetak puta, oba puta,* pa i *više puta, mnogo puta, x puta* (čit. iks puta), *a puta b*;

b) kao složenica: *jedànpūt, dvaput, desetput, stoput.*

315   Dijelni su brojevi zapravo sintaktička veza prijedloga i glavnoga broja, pa se prijedlog piše rastavljeno od glavnoga broja: *po jedan, po dva, po tri, po četiri, po šezdeset, po sto, po tisuću.*

GLAGOLI

316   Kad se glagolima dodaju prefiksi, pišu se zajedno s glagolom kao

doraditi, izraditi, naraditi, nadraditi, obraditi, odraditi, poraditi, preraditi, proraditi, uraditi, zaradati; isposakrivati, ispremlatiti, isprekidati, ispreskakati, poisprekidati, poispreskakati.

317   Niječna čestica *ne* piše se rastavljeno od glagola:

ne znam, ne rekoh, ne čitah, ne pjevaj, ne bih, ne iskopasmo, ne čuđahu se, ne čitajući. Tako se može pisati i *ne ću, ne ćeš, ne će, ne ćemo, ne ćete, ne će* uz sastavljeno pisanje *neću, nećeš, neće, nećemo, nećete, neće.*

318   Niječna čestica *ne* piše se sastavljeno samo:

a) u slučajevima kad zajedno s glagolom daje jesno (potvrdno) značenje: *nestati, nestajati, nedostati, nedostajati, nenavidjeti* (= mrziti);

b) u oblicima:

nemoj, nemojmo, nemojte; nemam, nemaš, nema, nemamo, nemate, nemaju; nemaj, nemajmo, nemajte; nemajući (ostali zanijekani oblici glagola *imati* nisu sažeti te se pišu odvojeno: *ne imati, ne imao, ne imavši*).

319   U složenim se glagolskim oblicima zanaglasnice pišu – kao i drugdje – rastavljeno od riječi s kojima se zajedno izgovaraju: *pjevao sam, čitao je, radio bih, učili bismo, ne biste željeli.* Tako se i u oblicima futura piše: *ja ću doći, ti ćeš čitati, on će tresti.*

320   Kad se u obliku za futur zanaglasnica nađe iza infinitiva, onda se glagoli a) na *-ći* pišu s punim infinitivom i zanaglasnicom:

doći ću   doći ćemo
doći ćeš   *doći ćete*
doći će   *doći će*

b) glagoli na *-ti* gube završno *-i* u pismu:

čitat ću	čitat ćemo	*trest ću*	*trest ćemo*
čitat ćeš	čitat ćete	*trest ćeš*	*trest ćete*
čitat će	čitat će	*trest će*	*trest će.*

Zbog pjesničkih razloga, osobito u rimama, mogu se i glagoli na *-ti* pisati punim infinitivom i zanaglasnicom: *čitati ću, pisati ćeš, tresti će.*

321   Kao polusloženice pišu se stilemi nastali povezivanjem dvaju glagolskih oblika bliskih ili suprotnih po značenju:

rekla-kazala, hoćeš-ne ćeš i *hoćeš-nećeš, povuci-potegni, htio-ne htio, veži-driješi, lezi-diži se.*

PRILOZI

322   Prilozi mogu biti prosti i složeni. Kad su složeni, pišu se sastavljeno.

Prema općim pravilima složenim prilogom smatramo:

1) riječ kojoj se jedan ili oba sastavna dijela ne upotrebljavaju samostalno, kao *dokle* (nema samostalne riječi *kle*), *dotle, jutros, možda, naizust, naksutra, nauznak, neprestano, obdan, obnoć, odande, odanle, odavde, odavle, premalo, premnogo, previše, sinoć, sučelice, suviše, tobože, uzastopce, uzduž, valjda;*

2) riječ u kojoj se jedan sastavni dio ne upotrebljava uz drugi u onom obliku koji ima u složenici kao *dovijek* (izvan složenice *do vijeka*), *dakako,*

iskraj, iznebuha, iznenada, izvrh, kojegdje, kojekuda, odčas, odmah, oduvijek, otkako, napose, naizmak, naokrug, posrijedi, unakrst, zauvijek.

323   Složeni prilozi nastaju također združivanjem postojećih leksičkih jedinica da bi se dobilo novo značenje. To se postiže

1) dodavanjem prostom prilogu bilo kojega drugoga priloga ili prefiksa ili obojega kao

a) *gdjegdje, gdjekad, kakogdje, malogdje, katkad, kadikad, kakokad, malokad, kojekako; pogdjegdje, pokatkad, poodavno;*

b) *igdje, ikada, ikako, ionako, ikamo, ikoliko, ikuda;*

nigdje, nikada, nikako, nikamo, nikoliko, nikuda, niotkuda;

negdje, nekada, nekako, nekoliko, nekamo, nekuda; unekoliko;

c) *dokada, dosada, dotada, odsada, otada, otkada, odonda, zasada.*

Navedeni prilozi mogu se pisati i rastavljeno kad im se drugi (priložni) dio želi istaknuti i naglasiti:

Ne znam *ni kamo* ću doći, *ni kako* ću putovati, *ni gdje* ću biti. — Složio si to *nejednako: ne jednako* dobro u svakom dijelu. — *Do kada* te mogu čekati. — Točno se zna *od kada* radiš. — *Od sada* pa do nedjelje nemam vremena. — Dosta mi je i *za sada* i za poslije. — *Od onda* pa do danas svijet se promijenio.

324   2) spajanjem otpridjevnih priloga i prefiksa kao

domalo, doskoro, nabrzo, načisto, nadaleko, nadesno, nadugo, naglavačke, najednako, nakratko, nalijevo, namalo, namrtvo, nanisko, nanovo, naopako, napismeno, naprazno, naprosto, naprvo, narijetko, nasamo, nasigurno, nasitno, nasuho, natiho, naveliko, nedavno, odavno, počesto, podjednako, poodavno, potpuno, svejednako, svejedno, ubrzo, ujedno, ukratko, ukrupno, uludo, umalo, unekoliko, upravo, uskoro, uširoko, utoliko, zacijelo, zadugo, zajedno, zamalo, zapravo; odviše, izbliže, nabolje, nadalje, nagore, podalje, pobliže, poduže, poizbliže, poizdalje, pomanje, ponajčešće, ponajdalje, ponajmanje, zaduže.

Sastavni dijelovi ovih složenih priloga mogu čuvati svoja samostalna značenja, ali tada priložni dio više nije prilog nego pridjev, pa se piše rastavljeno od prijedloga. Zato se i u pismu razlikuje

biti poznat *nadaleko*	ići *na daleko* putovanje
pogledaj *nadesno*	pogledaj *na desno* oko
istući *namrtvo*	staviti *na mrtvo* tijelo
dobiti što *napismeno*	dobiti *na pismeno* traženje

popiti lijek *naprazno*	sjesti *na prazno* mjesto
sijati *narijetko*	sijati *na rijetko* sito
ubrzo se razočarao	uzdati se *u brzo* rješenje
doći *upravo* sada	doći *u pravo* vrijeme
zacijelo to nije znao	premalo je *za cijelo* društvo
pogledati *izbliže*	doći *iz bliže* okolice

325 3) spajanjem dijelova eliptične sintagme kao

domala, doskora, iskosa, isprijeka, isprva, istiha, izbliza, izdaleka, izdavna, izmalena, iznova, izokola, izrana, nablizu, najednom, nato, odmila, podjedno, pritom, sasvim, slijeva, stoga, ubuduće, uglavnom, uopće, uostalom, usto, uto, uvelike, zaludu, zarana, zatim, zato, zdesna.

U punim sintagmama sastavni dijelovi ovih priložnih složenica čuvaju svoja samostalna značenja, pa se pridjevni dio piše rastavljeno od prijedloga. Zato se razlikuje

vidjet ćemo se *doskora*	*do skora* viđenja
isprva nije znao pročitati	*iz prva* dva dijela
početi razglabati *izdaleka*	doći *iz daleka* kraja
poznavati koga *izmalena*	piti *iz malena* vrča
otputovati *izrana*	*iz rana* jutra
stajati *nablizu*	upozoriti *na blizu* opasnost
nestati *najednom*	stajati *na jednom* mjestu
doći *slijeva*	doći *s lijeva* puta
raditi tako i *ubuduće*	raditi tako i *u buduće* dane
govoriti *zaludu*	govoriti *za ludu* svjetinu
ustati *zarana*	ustati *za rana* dana

326 4) povezivanjem priloga s nenaglašenom riječcom *-god* kao *gdjègod, kadgod, kamogod, kudgod*. Tada prilog ima neodređeno značenje:

Možda ga *gdjegod* (negdje) nađeš. — Mogu se oni *kadgod* (katkad, ponekad) dignuti visoko. — Sakrij to *kamogod* (nekamo).

Naglašeno se *gȍd* piše, kao i u drugim slučajevima, rastavljeno od priloga i znači neograničenost:

gdje gȍd (bilo gdje), *kada gȍd* (bilo kada, svaki put), *kamo gȍd* (bilo kamo), *kuda gȍd* (bilo kuda), *koliko gȍd* (bilo koliko).

Takav dvočlan prilog služi kao veznik koji može stajati samo na početku zavisnih rečenica:

Gdje god živio, živi pošteno. — *Kad god* što radiš, radi savjesno. — Idi *kamo god* hoćeš. — Možeš svirati *koliko god* želiš.

327 5) spajanjem prijedložnoga izraza ili dijelova rečenice u cjelinu kao

doduše, međutim, naime, najednom, naoko, naprečac, navlas, natrag, odoka, odreda, otprilike, potanko, izreda, smjesta, stoga, uistinu, usput, uvijek, zaboga, zauvijek; bogme, bogzna, dabogda, dozlaboga, žalibože.

Takvi prilozi, kao i svi ostali, mogu stajati zasebno, nezavisno od okoline. Kad se razdvoje na dijelove prijašnjega izraza, nisu više prilozi nego prijedložni izrazi ili dijelovi rečenice koji se pišu rastavljeno. Zato se razlikuje

može se *doduše* reći da …	doprijeti *do duše*
to je *naime* ovako	vratiti (što) *na ime* duga
vratiti se *natrag*	naići *na trag*
odmjeriti *odoka*	odmaknuti *od oka*
svi su *odreda* dobri	biti čovjek *od reda*
dođi *smjesta*	doći *s mjesta* događaja
vjerovati *uistinu* svakomu	vjerovati *u istinu* i pravdu
nije to *bogzna* što	*Bog zna* sve

328 Osim navedenih izraza rastavljeno se pišu i oni u kojima nije došlo do sraščivanja:

1. prijedloga s imenicom jer se

a) postojećim leksičkim jedinicama, napisanima sastavljeno ili rastavljeno, ne mijenja osnovno značenje poruke kao

bez sumnje (nesumnjivo), *na glas* (glasno), *na koncu* (konačno), *na oči* (očigledno), *na primjer* (primjerice), *na silu* (silom), *na žalost* (sa žalošću), *od šale* (lako), *po volji* (drago);

b) upotrebljavaju kao dijelovi izreke:

do grla (doći *do grla*), *na čistac* (istjerati *na čistac*), *na dohvat* (biti *na dohvat*), *na domak* (biti *na domak*), *na dušak* (ispiti *na dušak*), *na glas* (doći *na glas*), *na iskap* (popiti *na iskap*), *na jagmu* (prodati *na jagmu*), *na oči* (doći komu *na oči*), *na odmet* (ne biti *na odmet*), *na pamet* (pasti *na pamet*), *na put* (stati komu *na put*), *na ruku* (ići *na ruku*), *na smrt* (istući *na smrt*), *niz dlaku* (ići *niz dlaku*), *od ruke* (ne ići *od ruke*), *pred oči* (doći komu *pred oči*), *preko grla* (doći *preko grla*), *pri ruci* (imati što *pri ruci*), *u brk* (skresati *u brk*), *u dalj* (skočiti *u dalj*), *u koštac* (uhvatiti se *u koštac*), *u riječ* (upasti *u riječ*), *u stopu* (pratiti *u stopu*), *u vis* (skočiti *u vis*), *u vjetar* (govoriti *u vjetar*), *uz dlaku* (ići *uz dlaku*), *uz nos* (ići *uz nos*);

2. prijedloga s vremenskim prilogom ili vremenskom imenicom:

do danas, do jučer, do jutra, do jutros, do ljetos, do sutra, iz jutra, na večer, na zimu, na ljeto, od danas, od jutra, od jutros, pod jesen, pod zimu, s jeseni, s proljeća, u jesen, u jutro, u večer, u zimu.

329 Ne srašćuju se ni priložni izrazi:

i te kako	*i te koliko*
tako rekavši	*tako reći*
bolje rekavši	*bolje reći*
pravo rekavši	*pravo reći*
dobar dan	*dobro jutro*
dobra večer	*laku noć*

Kao polusloženice pišu se priložni izrazi sastavljeni od dvaju korelativnih priloga najčešće sa suprotnim značenjem: *amo-tamo, brže-bolje, danas-sutra, gore-dolje, kad-tad, kako-tako, koliko-toliko, lijevo-desno, manje-više, ovdje-ondje, nikud-nikamo, pošto-poto, više-manje.*

PRIJEDLOZI

330 Prijedlozi mogu biti prosti i složeni.

Složeni se prijedlozi pišu sastavljeno po općim pravilima kao i prilozi, i to:

1. kad sastavni dijelovi ne bi mogli izvan složenice stajati zajedno: *ispod, ispred, između, iznad, izvan, naprama, nasred, pokraj, poradi, posred, unatoč, zaradi;*

2. kad nastaju združivanjem postojećih leksičkih jedinica da bi se dobilo novo značenje:

dovrh, nadno, nakraj, navrh, namjesto, podno, pokraj, povrh, umjesto, uoči, usprkos.

Kad se takvi prijedlozi razdvoje na dijelove ranijega izraza, nisu više složeni prijedlozi nego prijedložni izrazi koji se pišu rastavljeno. Zato se razlikuje

sjesti *nakraj* postelje   doći *na kraj* puta
stajati *navrh* brda   popeti se *na vrh* brda
doći *namjesto* koga   doći *na mjesto* sastanka
uoči Duhova   pogledati *u oči*

Rastavljeno se pišu dva prijedloga koji stoje jedan uz drugi, a svaki čuva svoje značenje:

do pred kuću, *do potkraj* rata, *do poslije* podne, *do ispod* koljena, *do niže* pojasa, *do ispred* Zagreba, *sa po* dvije puške, novčanice *od po* 500 kuna.

Riječ *tik* nadopunjuje prijedlog te se piše odvojeno: *tik* do zida, *tik uz* kuću.

VEZNICI

331   Po općim se pravilima pišu kao složenice ovi veznici:

eda, kadno, kanda, ipak, makar, niti, otkako, pošto, premda.

U jednih se takvih složenica sastavni dijelovi ne govore samostalno (*e-, kan-, prem-*), u drugih je sastavljanjem dobiveno novo značenje:

Pošto je prodao jabuke, otišao je natrag u selo.

Po što (po koju stvar) je otišao natrag u selo?

Novo je značenje dobiveno i u složenici *iako* koja služi kao dopusni veznik:

Nije došao *iako* sam mu pisao.

Ako dođe *i ako* potpiše, posao je ugovoren.

332   Riječca se *li* može uz veznike i uz ostale riječi pisati rastavljeno i sastavljeno.

1. Rastavljeno se piše

a) kad ima upitno značenje: *je li, jesu li, bi li, bismo li, kada li, koliko li, da li, tko li, gdje li.* To se vidi u rečenicama: *Je li* da su jeli? — *Bi li* oni bili došli? — *Da li* ste im dali? — *Tko li* je bio? — *Gdje li* je sada?

b) u pogodbenim rečenicama: *ako li dođe ..., budeš li radio ..., proučimo li ...*

2. Sastavljeno se piše u svim drugim slučajevima:

kamoli, kadli, negoli, nekmoli.

333   Rastavljeno se pišu sastavni dijelovi ostalih višečlanih veznika:

budući da	*jedino što*	*tek što*
kao da	*nego što*	*a kamoli*
samo da	nakon što	*a nekmoli*

334   Za dvočlane priloge s naglašenim *god* rečeno je (v. § 326, t. 4) da mogu biti vezničke riječi i da se tada pišu uvijek rastavljeno:

Gdje *god* živio, živi pošteno. — Idi *kamo god* hoćeš.

RASTAVLJANJE RIJEČI NA KRAJU RETKA

335   Riječ se rastavlja u dva dijela na kraju retka kad se ne može cijela ispisati (otisnuti) u retku u kojem je započeta. Tada se drugi dio riječi prenosi u novi redak, a uz posljednje slovo na kraju retka stavlja se spojnica (-). Ona označava da dva dijela valja čitati kao cjelinu.

336   Rastavljanje je riječi na kraju retka u načelu slobodno. To je više tehničko pitanje nego pravopisno.

Unatoč tomu *ne valja*:

1. rastavljati jednosložne riječi: *čaj, čin, čvrst, prst*;

2. prenositi u novi redak jedan glas ili sam suglasnički skup. Nije dobro rastavljati **čud-o, *misa-o, *pepe-o, *čeljus-t* ili **čelju-st*, nego *ču-do, mi-sao, pe-peo, če-ljust*;

3. u domaćim i stranim riječima odvajati one dvoslove kojima se piše jedan glas, dakle: ne **pol-je* nego *po-lje*, ne **hod-ža* nego *ho-dža*, ne **ufan-je* nego *ufa-nje*.

337   Složenice se rastavljaju prema svojim sastavnim dijelovima, ako su raspoznatljivi:

pre-poznati, ras-poznati, u-poznati, nad-cestar, pot-predsjednik.

Ako se kod složenica ne raspoznaje kako su složene, rastavljaju se kao nesložene riječi:

ra-zo-ri-ti, ra-zu-mje-ti, o-ti-ma-ti, u-ze-ti.

338   U knjigama s umjetničkim težnjama, u svečanim ispravama i sl. dobro
je riječi rastavljati po slogovima. Jednostavno pravilo glasi: ne valja u idući
red prenositi onaj skup kojim ne počinje ni jedna riječ.

339   Ako polusloženicu treba odvojiti na mjestu gdje se nalazi spojnica, onda
se jedna spojnica stavlja na kraju retka, a druga na početku idućega retka:

rak-	spomen-	*Smail-*	*gore-*	*korak-*
-rana	-ploča	*-aga*	*-dolje*	*-dva*

REČENIČNI ZNAKOVI

340   Rečenični su znakovi oni znakovi u pisanome jeziku koji služe za rastavljanje teksta na rečenice i njezine dijelove. Zbog toga se nazivaju i *interpunkcija*, od lat. interpungere 'razlučiti, razlučivati, rastaviti, rastavljati', a hrvatski *razgodci*, od razgoditi 'razdvojiti, razdijeliti'.

Za misaono oblikovanje govora, za rastavljanje većih ili manjih govornih cjelina u govoru služe kraće ili duže stanke, intonacija, jačina i rečenični tempo, a u pismu se to označuje rečeničnim znakovima. Zbog različitosti naravi govorenoga i pisanoga jezika rečenični znakovi ne mogu u potpunosti biti jednakovrijednice govornim vrjednotama. Stoga u prikazivanju rečeničnih znakova polazimo u prvome redu od njihove uloge u pismu, a tek se usputno osvrćemo i na njihovo govorno značenje. Njihov je zadatak prvenstveno u tome da se zna kako napisano valja razumjeti, a onda i pročitati, a u drugome je planu kako govoreno valja zapisati. Govoreno se može napisati na više različitih načina, a da bude pravopisno dobro zapisano. To se najlakše može pokazati time što bi jedan te isti govor više dobrih poznavalaca pravopisnih pravila zapisali različito.

341   Rečenični su znakovi:

.	točka	...	trotočje
?	upitnik	....	točkice
!	uskličnik	„ ”	navodnici
,	zarez	» «	navodnici
;	točka sa zarezom	, '	polunavodnici
:	dvotočje	( )	zagrade
–	crtica	/	kosa crtica
-	spojnica		

Neki od tih znakova služe i kao pravopisni znakovi. Ta njihova služba obrađena je u poglavljima Pravopisni znakovi i Kratice, a upitnika, uskličnika, navodnika i polunavodnika, koliko služe i kao pravopisni znakovi, u ovom poglavlju kod tih znakova.

Za oznaku početka rečenice služi i veliko slovo, ali se o tome govori u poglavlju Velika i mala slova.

Katkada za isticanje pojedinih rečenica i rečeničnih dijelova služe i razmaknuta i kosa slova.

TOČKA

342 Točka je rečenični znak kojim se označuje kraj rečenice. Što je rečenica i kolika će ona biti, kratka ili duga, određuje pisac. Točka se najčešće stavlja na kraju izjavnih rečenica:

Dolazi sumrak.

Mor sjedi kraj očeva kreveta. Nudi ga hranom i vodom.

On miruje i vrlo malo govori.

Šuti.

Otac boluje.

Tramvaj je puzio u polukrugu oko prometnika na pijedestalu, kao oko spomenika, čekajući da ovaj otvori raskršće, ali on je izvodio neke usporene plesne figure tepereći kao umirući labud, i kad je konačno vozar odlučno trgnuo polugom ubrzivača, ustadoh i nađoh se gotovo u mladićevu zagrljaju.

*

Na krovu ćuk. Ne voli ga nitko. Tišina. Glasnik smrti. Glasnik gadne, podmukle smrti. Čitam Micheleta i slično. Za razonodu. Iz noći, iz gadne, antipatične tmine, tvrdoglavo, u pravilnim razmacima: ćuk, ćuk. Stanka. Duga. Ćuk. Ćuk … Rokću motori. Kamioni. Vojska. (M. Krleža)

Točka se ne stavlja kad rečenica završava upitnikom ili uskličnikom, niti iza crtice ili trotočja koje dolaze kao znak nezavršenog iskaza.

343 Točka se piše na kraju naslova, podnaslova i natpisa kad dolaze u tekstu jedan iza drugoga:

Hrvatske narodne pjesme. Junačke pjesme. Knjiga druga. Izdanje Matice hrvatske

ERO S ONOGA SVIJETA

Komična opera u tri čina. Glazba: Jakov Gotovac. Riječi prema narodnoj pjesmi: Milan Begović

U toj službi dolazi i crtica (v. § 424.), a u nizanju bibliografskih podataka i zarez (v. § 370.).

344 Iza naslova novina, knjiga, članaka, poglavlja ne stavlja se točka:

Zlatarevo zlato

Tehnički rječnik

Priroda otoka Mljeta

Točka se ne stavlja ni kad je naslov potpuna rečenica:

I srce zna govoriti

Bacam srce pod tuđa stopala

Veoma se smanjuje broj patuljaste tekunice

Kada se voda povlači, i barske kornjače odlaze s njom

345 Točka se piše iza naslova ako je smješten u isti redak s tekstom:

Dalekozor i mikroskop. *Dalekozor je optički instrument pomoću kojega daleke predmete vidimo pod većim vidnim kutom …*

Ako je takav istaknuti dio sastavni dio rečenice, iza njega se, razumljivo, ne piše točka:

Drava *u svom najvećem dijelu nije regulirana …*

Sava *je pri normalnom vodostaju plovna od Siska, a regulacijama i kopanjem kanala bit će plovna gotovo od Zagreba …*

UPITNIK

346 Upitnik je pravopisni znak kojim se označuje upitnost. Stavlja se na kraju upravnoga pitanja koje se može sastojati od jedne riječi, više njih ili upitne rečenice:

Tko vas zove? Ništa nisi opazio? A koga se ja to bojim?

– Umoran si? Što? Gladan si? Trebalo bi ti nešto toplo skuhati?

– Čujem da će vas Domaćinski pozvati na dvoboj!

– Na dvoboj? Mene? Domaćinski?

347   Kad nekoliko upitnih rečenica dolazi jedna iza druge, a smislom su uže povezane, upitnik se može staviti samo iza posljednje, a ostale se odjeljuju zarezom ili povezuju veznikom:

Ne pitaju me: ni tko sam, ni što sam?

348   Pita li se samo jednom riječju ili dijelom rečenice, iza njih se meće upitnik, a rečenica se nastavlja malim slovom:

Ljudi dolaze i odlaze. Otkuda? kamo? – Oni su nešto šaputali, a što? tko bi znao. – A tuđi novci, što? fino mirišu?

349   Na kraju se neupravnoga pitanja upitnik ne stavlja:

Tko zna koji su naši. Reci mi tko te je udario. Pitao je odakle je došla ta crna vijest. Nije znao reći je li to bila magla, dim ili prašina.

350   Sam upitnik može stajati kao znak upitne šutnje u razgovoru:

– To je zanimljivo! A kako, molim vas, mi drugi ne možemo razgovarati tako s drvećem ko vi?

– Ne znam!

–?

– Možda zato što ga volim kao samog sebe.

… znate li što je učinio?

–?

Denuncirao je sâma sebe!

351   U naslovu se upitnik obično ne stavlja ako upitni oblik više navješta tumačenje, objašnjenje nego pitanje:

Gdje su mladi dani (Naslov pjesme)

Tko jeca u drvoredu (Naslov pjesme)

OFANZIVA I TANK ILI OFENZIVA I TENK (Naslov članka)

Ako u takvim primjerima autor stavi upitnik, tada je težište na pitanju:

Zašto nam Mjesec pokazuje uvijek samo jednu svoju stranu?

Aktuelan ili aktualan?

352   Dio rečenice u zagradi s upitnikom ili sam upitnik u zagradi znači da je podatak ispred upitnika nesiguran, nepouzdan, nepotvrđen ili je izražena sumnja u ono što je pred takvim upitnikom:

Metod se kao svjetovnjak zvao Mihajlo (?).

Kad je vokativ na kraju rečenice, obično se stavlja uskličnik (v. § 355.), ali ako dolazi iza upitne rečenice, može se staviti i upitnik:

– *Kamo ćeš, Andro? – Otkud tebi svračići u to doba, vještice stara?*

USKLIČNIK

353 Uskličnik je pravopisni znak kojim se označuje uskličnost. Stavlja se iza pojedinih uskličnih riječi i uskličnih rečenica:

– *Gle! Gle! Ovi gradovi! Kako su samo pitomi! Topli! Ugodni! Mili! Pa ova slavna zvonjava! Zvonjava francuska! Pa ove rijeke! Francuske rijeke!*

– *Ovi kanali zeleni što se zrcale u rijekama! Koje bogatstvo! Koja ljepota! Koja svečana ljepota!*

Pa to je lijepo, vrlo lijepo! – veli kapelan.

354 Usklične su rečenice prvenstveno one koje sadržavaju imperativ i optativ:

– *Stani, smiri se!*

»Otac ti je dobar, razveseli ga čime!«

»Nariši mu štogod!« dometne Ane.

– *Živio nam Presvijetli još mnogo godina!*

– *Živio!*

355 Vokativi i usklici čine svoje usklične rečenice i zato se odvajaju od ostalih rečenica prema mjestu na kojem se nalaze.

Uskličnik se stavlja iza vokativa ako je na kraju rečenice ili kad je na početku, a jače je naglašen:

Sve je važno, Ivane! – Ti me znaš, gospodaru! – Sine! Pričaj kako je bilo! Gospodo!

Kako vidite, ovdje nema ni slušateljstva na galerijama, ni stenografa, dapače ni voditelja zapisnika.

356 Uskličnik se stavlja na početku pisma iza naziva komu je pismo upućeno:

Draga moja Klarice!

Jučer je bio moj god; čestitali mi Stankovčani, nikad ljepše!

Zlatna moja Anice!

Jučer sam bio na selu, u šumi, i tako Ti istom danas pišem.

Dragi Vladimire!

Mi smo već skoro pol godine u Slavoniji, a ja Ti još ni pisao nisam; ne zamjeri!

Iza takvih se naslova može staviti i zarez, ali se tada nastavlja malim početnim slovom, v. § 100.

357   Manje naglašen vokativ na početku rečenice ili uklopljen u samu rečenicu odjeljuje se zarezom, v. § 373.

Kao s vokativom jednako se postupa i s usklicima:

– Ooo! – zgrozi se indignirano.

– To je sramota! Fuj! – plane Dadićka.

– Blee! – ljubomorno zableji tele.

– A gavrana jato grakće:»Kvar! Kvar! Kvar!«

358   Uskličnik ne mora doći iza svakoga uskličnoga dijela, nego se, prema smislu, može staviti samo iza posljednjega, a ostali se odjeljuju zarezom ili povezuju veznikom:

– Prilegnite, odmorite se! – nutkao ih starac …

Ne plačite, nego radujte se!

Konja, konja, Haso, konja!

359   Ako se u rečenici nalaze pojedine usklične riječi, iza njih se može staviti uskličnik bez drugih znakova:

Donese baka gnijezdo, podigoše kokoš, a ono u gnijezdu nešto zakriješti: iskočiše goli svračići, pa skok! skok! po trijemu.

360   Kad bi jednome dijelu rečenice trebao upitnik, a drugome uskličnik, onda se stavlja samo jedan znak, i to ponajviše kakav treba biti prema posljednjem dijelu:

Kud si krenuo, nesretniče!

Nesretniče, kud si krenuo?

361   Iza upitne rečenice s vokativom na kraju može se mjesto uskličnika staviti upitnik, v. § 352.

Mjesto uskličnika može doći i koji drugi znak kao oznaka smirenijega osjećaja:

– Djedo, je li daleko otac?

– Daleko je, sinko. (Točka iza vokativa!)

Eno ih, gle! bez bojazni uđoše.

Gle, jedna duga u vodi se stvara.

Gospodine, ne muči se. (Točka iza vokativa i imperativa jer rečenica označuje blagu molbu.)

362 Iza željnih ili zapovjednih rečenica mjesto uskličnika može se staviti i točka kad su te rečenice bez naročitoga naglašavanja:

Kaži slobodno što znaš. – Izvolite sjesti. – Molim vas, dodajte mi olovku.

363 U naslovima se uskličnik stavlja rijetko, samo kad je s kojih posebnih razloga potrebno istaknuti uskličnost ili kad je sastavni dio naslova:

Bistrina! To nam je dužnost!

Krivci nagrađeni!

Mažuranićeva crtica ,,Vrati se!"

Kao oznaka veoma snažnog usklika, mogu se staviti dva ili tri uskličnika:

Na kartici ništa, nego jedna jedina riječ, sa tri usklika: »Bićega!!!«

(F. Mažuranić)

Ja Vas prezirem !!!

364 Kao pravopisni znak uskličnik se upotrebljava u zagradama, sam ili s riječima *sic!, tako!,* kad se želi istaknuti da je što vjerno prepisano, pogotovu ako se prenosi tiskarska pogreška ili kad se želi upozoriti čitatelja da na to obrati posebnu pozornost:

,,*Urednika zamijenjivaše* (!) *mlad spletkar.*"

,, *… o ulasku rat* (sic!) *USA uopće u ono vrijeme nije bilo govora …*"

,, *…smatra da bi iz nastave jezika i iz udžbenika, kojima je osnovna mana što su* »prepametni« (*što uostalom nije samo* »odlika« *udžbenika iz jezika*), *trebalo bi izbaciti sofisticiranu terminologiju* (sic!) »veleučene« *suvremene lingvistike …*"

U prvome primjeru navoditelj uskličnikom upozorava da u izvornom tekstu piše *zamijenjivaše* umjesto normalnoga *zamjenjivaše,* u drugom da nema prijedloga *u,* a u trećem da pisac govori protiv pretjerane upotrebe tuđica, a sam piše *sofisticiranu terminologiju.*

UPITNIK I USKLIČNIK

365   Budući da upitne rečenice mogu izražavati i određeno uzbuđenje, a ushit, čuđenje i sl. mogu se izreći i u obliku i pitanja, to iza takvih rečenica mogu doći oba znaka, upitnik i uskličnik.

Uz pitanje koje izražava i čuđenje, oduševljenje, ushit može se uz upitnik staviti i uskličnik:

– *To nije moguće! – rekoše mu.*

A on njima: – Kako nije?!

Zavrtim glavom da neću.

– Nećeš?!

Zar ti nisi nikada bio mlad?!

Da prijevoz prištedim, išao sam za mornara – a tko će mornaru vjerovati da on dijamante nosi u kovčegu?! – Dali su pet engleskih lira i bog! Kamo ću s pet lira?!

– Zašto me onda vučeš za jezik?!

– Zašto bi htjela da te vučem za jezik?

– A, već znate to?! O nekropoli?! – upita iznenađeno Sirena.

Komorna glazba – za stadione?!

Odakle Marija Sniježna sred Zagorja?! (O crkvi u Belcu.)

366   Kao što se uz upitnik može staviti i uskličnik, tako se uz uskličnik može staviti i upitnik, već prema tome što pisac želi jače izraziti ili naglasiti, pitanje ili usklik:

– I vi?! Kažete … i vi!? U grmlju?! … I Vi?!

– Zdrav?! Zašto!? – čudi se doktor Neno.

Zašto?! (Naslov crtice F. Mažuranića.)

Upitna šutnja združena s čuđenjem izriče se upitnikom i uskličnikom:

– Jeste li rod jedan drugomu?

– …?!

– Čujete li što pitam?

ZAREZ

367 Zarez je pravopisni znak kojim se razgraničuju rečenični dijelovi radi lakšega čitanja i razumijevanja napisanoga u okviru jedne rečenice, jer rečenice mogu biti različito složene, a neke i veoma duge. Katkada se zarez stavlja i radi bolje preglednosti teksta jer bi često i bez zareza bilo jasno kako tekst treba razumjeti pa je tada pisanje zareza zalihosno, npr. ispred suprotnih rečenica, iza zavisnih kad su ispred glavnih i sl. Često o samom zarezu zavisi značenje. Kad je tako, onda se on mora staviti i kad dijeli sintaktičke dijelove koji inače idu zajedno, npr. subjekt u zavisnim rečenicama kad se nalaze ispred glavne. Kad je tako, onda se u takvim rečenicama mora staviti bez obzira na druga pravila jer je ispravno razumijevanje napisanoga najvažniji kriterij u pisanju. Kad se to ima na umu, onda se pravila po kojima se zarez stavlja svode na tri osnovna načela: nizanje, naknadno dodavanje i suprotnost.

Nizanje ima više specifičnosti pa se radi jasnoće izlaganja posebno izdvajaju primjeri za naknadno dodavanje.

Ta načela vrijede bez obzira bila posrijedi složena rečenica ili dijelovi proširene. Kad pisanje zareza među rečenicama ima koju posebnost, onda se to u pravilima posebno spominje.

1. Nizanje

368 Nizanje je kad pojedini dijelovi dolaze jedan uz drugi usporedno, nezavisno, a to su u prvom redu istovrsni dijelovi bez veznika, dijelovi koji se ponavljaju, nabrajaju. Oni se tada odvajaju zarezom:

Ljudi prolaze pokraj mene: tuđe majke, tuđe sestre, tuđa braća.

Shvaća jedino da je danas podeštat dobar kao dobar dan u godini, da nešto govori o Jožinim zaslugama, o subotnjem volu, o providuru Barbabjanki, o putovanju u Kopar tamo o Uskrsu, o galijama i o Mlecima.

A on pliva, pliva, cio Božji dan.

Dani su prolazili, žito je raslo, voće je dozrijevalo po vrtovima.

Zuji, zveči, zvoni, zvuči –
To je jezik roda moga.

Krcnu kolac nekoliko puta,
Zviznu pala nekoliko puta,
Zadrhtaše ta vješala tanka …

369 Nije nizanje kada u rečenici dolazi više priložnih oznaka ako su one raznovrsne po značenju:

Sastanak će se održati 5. svibnja u prostorijama Matice hrvatske u 13 sati s ovim dnevnim redom …

Tako se u rečenici između mjesta i nadnevka ne stavlja zarez jer su to različite priložne oznake:

Ljudevit Gaj rodio se u Krapini 8. srpnja 1809., a umro je u Zagrebu 20. travnja 1872.

Nije nizanje ako se uz nadnevak ime mjesta piše s prijedlogom u:

U Karlovcu 29. studenoga 1845.

To je sažeta rečenica: *To se zbilo, to je napisano u Karlovcu 29. studenoga 1845. godine.*

370 Nizanje je ako se ime mjesta i nadnevak napišu nezavisno:

Zagreb, 17. ožujka 1971.

To vrijedi i za navođenje bibliografskih podataka pa se između njih stavlja zarez, a tako onda i između mjesta i godine.

V. Dukat, Ivan Trnski i Šulekovi rječnici, Rad HAZU, 277, Zagreb, 1943, str. 125.

Pisanje bez zareza, *Zagreb 1943.*, bilo bi opravdano pod slikama, na razglednicama i sl. gdje bi značilo: Tako je izgledao Zagreb 1943. godine.

371 Kad se u nizanju dijelovi pišu jedan ispod drugoga, tada se iza njih ne piše zarez:

Nove pojmove često označujemo vezom dosadašnjih riječi, npr.:

prsni koš

crni sljez

divlji kesten

kiselo mlijeko

plesna dvorana.

372 To isto vrijedi i kad se dijelovi nabrajaju jedan ispod drugoga sa a), b), c) ili sa 1) 2) 3) ili sa prvo, drugo, treće:

Izraz šoping centar, anglizam koji se u novije vrijeme sve više upotrebljava, barbarizam je:

– jer je nepotreban anglizam

– jer se ne uklapa u hrvatski glasovni sustav

– *jer se žargonska riječ diže na općeknjiževnu razinu*

– *jer otupljuje hrvatski jezični osjećaj.*

Kad u takvom nabrajanju dolaze rečenice koje počinju malim početnim slovom, one se mogu odjeljivati točkom sa zarezom. V. § 404.

Ako rečenice u takvu nabrajanju počinju velikim početnim slovom, tada se na kraju stavlja rečenični znak prema vrsti posljednje rečenice.

373 V o k a t i v je nezavisan padež. On uvijek čini svoju rečenicu i zato se odjeljuje, bio sam ili dio koje rečenice. Ako nije odijeljen uskličnikom, odjeljuje se zarezom:

Anice, što slikaš? – pitam je. – O moj Lisko, ti si vjeran, a i ja bih bio da imadem kome! – Čekajte, hajduci! – Tako je to bilo, moj prijatelju. – Sjedi, Vlade, pa ćeš mi napisati jedno pismo – reče mi žena. – Prekidaju me, moj stari i dobri Silvestre, eto i sam vidiš.

Kao što primjeri pokazuju, zarez se stavlja iza vokativa ako je on na početku rečenice, ispred njega ako je na kraju, a s obje strane ako je u sredini rečenice. Prema onome što je rečeno u § 355., vokativ se odjeljuje zarezom kad se smatra da je slabije istaknut, kad je bliži ostalim dijelovima rečenice. Zbog toga se i iza naslova u pismima može staviti zarez, ali tada prva rečenica obično počinje malim početnim slovom, v. § 99.

374 Zarez se po načelu nizanja stavlja i između nezavisnih atributa:

Vani je bila divna, beskrajna, ljetna noć.

Po pričanju djeda moga bila je lijepa, blaga, proljetna noć.

Zrela, žuta, mirisava dunja

Na stablu visoku

Neotrgnuta ostala

Jesenas.

375 Više atributa može se pisati i bez zareza:

I stadoh lutati stojnim gradom strmih gotskih krovova i oštrih kućnih sljemena.

Velika bijela vrata zinuše.

Prema tome atributi se mogu odvajati zarezima ili pisati bez njih. Razlika je u tome što su prvi put upravnoj riječi dodani nezavisno jedan od drugoga, a drugi put pridjev *velika* dodan je vezi *bijela vrata* kao već gotovoj cjelini.

Kad se ispred upravne riječi nalaze samo dva atributa, a odijeljena su zarezom, drugi je istaknut:

Ide starim, utabanim putem. – Sjedosmo gotovo usred jezera, ispod granatog, drevnog drveća. – Međutim veliki, bijeli dan dizao se kao lijep, snažan momak iz mirna, duboka sna.

Veze *jedan jedini, jedva jedvice, nov novcat, cijel cjelcat, isti istovjetni, sit presit* ne smatraju se nizanjem i među njima se ne piše zarez.

376   Ako nezavisni dijelovi nisu odijeljeni kojim drugim znakom, odjeljuju se zarezom:

Eh, kako se neki događaji nikako ne dadu izbrisati iz duše.

Badava, to ostaje u krvi.

Sada, hajde, zasviraj malo!

377   Nepromjenjive riječi kojima se izriču različita subjektivno-modalna obilježja i ocjena rečenica kao cjeline, a sintaktički ne pripadaju toj cjelini, nego čine cjelinu za sebe, odvajaju se zarezom. To su riječi kao

da, ne, dabome, dakako, dašta, doista, zaista, nesumnjivo, nedvojbeno, neosporno, sigurno, jamačno, vjerojatno, zacijelo, naravno, možda, valjda, međutim, naprotiv …

Da, sjećam se. – Bijah već, doista, prije odlučio. – Ali to su, dabome, puste sanjarije osamljenog čovjeka. – Plakat ćeš, možda, u kasne večeri … – Sna se, dakle, veli glumac, bojati ne treba. – Putujući službenik, međutim, još je živ.

Kad takve riječi modificiraju značenje glagola uz koji stoje ili kad određuju koji drugi rečenični dio, ne odvajaju se zarezom:

On već sigurno hoda. – Valjda zna. – Možda je samo zakasnio.

378   Načelo nizanja, nezavisnosti veoma je važno za različite samostalne skupove koji dobivaju određeno značenje tek po jasnoj granici među njima. U govoru je to stanka, a u pismu, ako nije upotrijebljen koji drugi znak, zarez:

Ne, volim umrijeti!	*Ne volim umrijeti.*
Ne valja prodati!	*Ne, valja prodati!*
Da, ima pravde na zemlji.	*Da ima pravde na zemlji, lakše bi se živjelo.*
Molim lijepo, pišite.	*Molim, lijepo pišite.*
Mislila si u tajnosti, suze lije.	*Mislila si, u tajnosti suze lije.*

Potvrdi zdravstvenu knjižicu,
poslije podne vodim maloga
na sladoled.

Sviđa mi se što radnik može
zaraditi i preko dvjesto
tisuća, više nego njegov
ravnatelj.

Potvrdi zdravstvenu knjižicu
poslije podne, vodim maloga
na sladoled.

Sviđa mi se što radnik može
zaraditi i preko dvjesto tisuća
više nego njegov ravnatelj.

Spavao on ili bdio, noću i danju sjeme klija i raste ...

jer drugo bi bilo: *Spavao on ili bdio noću i danju, sjeme klija i raste ...*

U stihu *Svakog se trenutka bližim suncu smrti, grobu* pjesnik kaže da se približava dvjema pojavama: suncu koje je smrt (u opreci prema suncu života) i grobu. Da je iza suncu stavio zarez, rekao bi trima: suncu, smrti, grobu.

Slično je i u primjeru: *Gledao je preda se osamljenički razočarano, mračno.* Drugo bi bilo kad bi iza *osamljenički* bio zarez.

379 Kad se dva usporedna dijela povezuju sastavnim ili rastavnim veznicima, normalno se ne odjeljuju zarezom:

Ovaj je kameniti krš okupan suzom i krvlju. – Čuo se šum smreka, maslina i mora. – Starci stoje u hladu i srču kapljicu. – Ivan mi skine torbicu, otvori je i stane rezati hranu. – Sve nešto šuška pod šuškorom, puže uz granu, zuji oko cvjetova, udara krilima i kucka kljunom.

Nek naraste višnja ili trešnja, meni je svejedno.

Bio tko genijalan ili lud, ptica u kavezu ili zvijer u šumi, svaki od njih imade svoja sveta prava.

Ili došao ili ne došao, ne nadaj se da ćeš izmaknuti.

Ili skuplja marke ili jaše ili polazi koji kurs ili čita ,,Streffleura" i tako uvijek se nađe po koja pasija.

To znači da se sastavne i rastavne rečenice u pravilu pišu bez zareza, kao što i pokazuju upravo navedeni primjeri.

380 Kad ima više sastavnih veznika, tada se usporedni dijelovi mogu i drugačije povezivati:

A on, pokvarenjak, pokušava se izvući i lažju i laskanjem, i ljutnjom i grubošću i prijetnjama, i novcem.

Takav je način veoma blizak isticanju.

Kad su dva dijela povezana veznikom, a ispred veznika se stavi zarez, tada se drugi dio ističe:

Oluja će biti strašna, i naša će lađa na dno. – Ovaj prima grešnike, i blaguje s njima. – Dakle ni imena nemaš, ili si ga zaboravio.

381 Dio iza zareza može se katkada smatrati i naknadno dodanim. Kad bi zarez u takvim rečenicama bio dvoznačan, valja mjesto njega upotrijebiti koji drugi znak (dvotočje ili crticu).

Zarez se kao znak isticanja stavlja ispred riječi koje služe upravo za isticanje, kao što je pojačajno *i*, veza *i to* i sl.:

Izbrisala je večer sve sa zemlje: I ceste, i vrtove, i ljude, i horizont … – I reče im:»Ništa ne uzimajte na put: ni štapa, ni torbe, ni kruha, ni srebra!« – A Unukić nije čuo ni gudnjave vjetra, ni soptanja hata, ni šušnjave klasja po konjskom trbuhu, ni ćurlika prestrašenih prepelica. – Sad ću nizati uspomene svoje, i to od kolijevke, jer sjećanje moje do kolijevke seže! – Nekog dana dođe on na more, i to na veliko neko more. – Bijaše on nadcarinik, i to bogat.

382 Zaključne se rečenice odvajaju zarezom:

Neki dan je zapalio kuću našeg knjigovođe, stoga su ga i pritvorili.

Ja sam ti već rekao sve, dakle više nemaš što tražiti od mene.

Pravila o zarezu između suprotnih i izuzetnih rečenica v. u § 398. – 400.

383 Zavisne se rečenice zbog svoje naravi normalno ne odvajaju zarezom:

Čitao je neke novine da mu vrijeme brže prođe.

Dakle vi nećete ići da vidite doček što se sprema u slavu dolaska njegove preuzvišenosti.

Mladi upravitelj grizao se za usne kad je čitao taj zaključak općinskoga vijeća.

Tužiti ga ne smijem jer nemam svjedoka.

I tako je nenadano skočio do prozora da je izgledalo da će se kroz zatvoreni prozor baciti napolje.

Ja mislim da to nije sramota reći o čovjeku da je pojeo pol praseta kad ga jedanput u godini dana vidi na stolu.

Rod ti nije rod ako te ne priznaje i ne poštuje.

Zanimljivo je da se to može pouzdano utvrditi iako je to veoma složen posao.

U svakoj kapljici koju popiješ, u svakom zalogaju koji pojedeš imade i života i smrti.

384 Ali se i zavisne rečenice mogu nizati i tada se po načelu nizanja odvajaju zarezom:

Osjećaše da je potpuna iznimka, da je bijela vrana.

Seljaka bi valjalo naučiti kako se zemlja obrađuje, kako se voće i stoka oplemenjuje, gdje se najzgodnije kupuje i najbolje prodaje, kako se kuće grade, kako se red i čistoća drži, i kako se živi da čovjek zdrav ostane duševno i tjelesno.

385 Ako je zavisna rečenica ispred glavne, uvijek se odvaja zarezom:

Da nema vjetra, pauci bi nebo premrežili. – Tko se u vinu kupa, u vinu se i utopi. – Kako se za njegovim stolom najednom stvorila Ankica, to Jakov nije nikada saznao. – Uhvatim jednoga za helebardu i kada trgnuh da ga probudim, stražar se skotrlja na zemlju. – Tko ne štedi, rešetom vodu grabi.

Tu je zarez potrebno stavljati zbog jasnoće. Naime zbog toga što glavna rečenica obično počinje bez ikakva posebnoga znaka, katkada se ne bi znalo gdje završava zavisna, a gdje počinje glavna.

386 Jednako se zarezom odvaja i skup riječi s glagolskim prilogom kad se nalazi ispred glavnih dijelova rečenice:

Otvorivši uzdrhtalim rukama službeno pismo, pade nemoćno na uzglavlje. – Budeći se noću u svojoj sirotinjskoj ćeliji, bijaše mu prva misao: Ej, ja sam u Parizu! – Ne gubeći je s oka, izgubim se u gomili. – A donosili mu i dojenčad da ih se dotakne. Vidjevši to, učenici im branili.

Takav je skup zapravo stegnuta zavisna rečenica pa je i postupak isti kao kad se zavisna rečenica nalazi ispred glavne.

387 To isto vrijedi i kad je zavisna rečenica umetnuta u glavnu pa se katkada ne bi znalo gdje završava zavisna, a gdje se nastavlja glavna:

To što si ti rekao, meni nije jasno.

To što si ti rekao meni, nije jasno.

Stoga i iza takvih umetnutih rečenica valja stavljati zarez:

U zemljama čiji se građani osjećaju nesigurni u zatvoru, čovjek se osjeća jednako nesiguran i na slobodi. – Blago onomu sluzi kojega gospodar kada dođe, nađe da tako radi. – I sav narod koji to vidje, dade hvalu Bogu. – Smokva koju si prokleo, usahnu. – Svako stablo koje ne rađa dobrim plodom, siječe se i u oganj baca.

U takvim primjerima zarez valja staviti bez obzira na druga pravila.

Ispred zavisne rečenice zarez se može staviti i po načelu naknadnoga dodavanja, v. § 389., 394. i 395.

Zarez se u nizanju ne mora stavljati u leksikografskim djelima gdje je zbog sustavnoga ponavljanja, načina pisanja i sl. jasno da je posrijedi nizanje. Usp. ovdje u Pravopisnome rječniku, osim kad se nastavljaju morfološki podatci.

2. Naknadno dodavanje

388   Dio rečenice koji nije uže povezan s ostalim dijelovima te se čini kao da je naknadno dodan ili umetnut, odvaja se zarezom:

> *Napokon stigoh, sav znojan. – Mladost mi je prošla, kao proljetni dan. – A stari je otjerao Orlića, baš kao pseto. – Njegova je Klotilda tiho plakala, kao jesenska kiša. – On nešto zamrmlja, u polusnu. – Prestali su raspravljati kad je donesena na stol crna kava, koju svi veselo primiše. – Nad onom je ravninom, s koje se u daljini vidjelo otvoreno more, sjalo sunce i uzduh je iskreći podrhtavao.*

Zarezima je označeno da dijelovi posebno objašnjavaju ono uz što stoje, kao da su ih pisci naknadno dodali ili umetnuli pošto su rečenice smislili bez njih. Ti bi dijelovi mogli biti napisani i bez zareza, ali bi tada bili ravnopravni ostalima i nestala bi posebnost naknadnoga objašnjavanja.

389   Umetnute se rečenice uvijek odvajaju zarezom:

> *Ta je služba, kažu, unosna. – Mi nismo, dobro reče Sartre, odgovorni samo za ono što činimo, nego i za ono što nismo učinili.*

Takve se umetnute rečenice mogu staviti među crtice ili zagrade, ali ako nema posebnih razloga za druge znakove, bolje je upotrijebiti zarez.

390   A p o z i c i j a iza upravne riječi smatra se naknadno dodanim dijelom i odjeljuje se zarezom:

> *Glava kuće, moj pradjed, zvao se Antun.*
>
> *– U Jurjevskoj ulici … ima neka drvenjara, a u njoj djed Petar, mljekar, sa kćerkom …*
>
> *Jelena, djevojka mlada, živi u neznanom kraju.*
>
> *Rugači, mlađarija i djeca, poskakuju uokolo bogalja i praskaju u smijeh.*

Posljednji primjer sa zarezom iza riječi djeca jasno pokazuje da je posrijedi apozicija. Kad se nabraja više podmeta (subjekata), iza posljednjega se ne stavlja zarez.

Isto je i u ovome primjeru:

Obratite se i svatko od vas neka se krsti u ime Isusa Krista da vam se oproste grijesi i primit ćete dar, Duha Svetoga.

Da iza riječi *dar* nije stavljen zarez, *Duha Svetoga* bio bi posvojni genitiv i značilo bi: *primit ćete dar od Duha Svetoga.* Ovako znači: *primit ćete dar koji je Duh Sveti.*

391 I atributi kad stoje iza svoje imenice kao naknadno dodani, odjeljuju se zarezom:

Tražim dugme, sivo i maleno.

Crvić, crn i dlakav, ide preko staze …

Samo kad sama apozicija stoji iza same imenice ili jednočlanoga imena ne odvaja se zarezom:

Djevojka je ječam žito klela. – Odosmo dakle blizu one potleušice dočekati Petra mljekara … Tako i Kulin ban, Jelačić ban, Sindbad pomorac, ministar predsjednik, Pavao apostol, sv. Cecilija mučenica …

392 Dijelovi koji počinju sa *tj., to jest,* navode se kao naknadno objašnjenje i zbog toga se ispred *tj., to jest* uvijek stavlja zarez:

Sve gleda jednostrano, tj. samo s gledišta koristi i štete koju će on od toga imati.

… potpisi su također bili falsificirani, tj. kopirani s bankovnih čekova.

Objašnjenje je kad se iza pojedinačnoga nabrajanja sažima zamjenicom *sve* pa se ispred toga *sve* stavlja zarez:

Ustajanje, dnevni red izvan škole, učenje, odmor, igranje, šetnja, sve je to bilo u detalje točno propisano. – Škripa plugova, dahtanje volova, šum žrvnjeva, lupa kamenja, struganje greda uza zidove, sve se čuje u Jožinu glasu …

Takvo se objašnjenje može označiti i crticom ispred zamjenice *sve*, usp. § 424.

393 Umetnuti se dio može odvojiti zarezom i kad se nalazi iza prednaglasnica:

On ne pokazuje odlučnosti i, zaokupljen svojim misaonim svijetom, propušta trenutak koji znači ostvarenje sreće.

Prijatelji izađoše izvan grada i, u predvečerje, stigoše do ljetnikovca …
Mi treba da, koliko god to možemo, prenosimo ideje čitavom čovjeku.

Međutim kako se prednaglasnice normalno izgovaraju s riječju iza sebe, takav je način stilski veoma snažan, zato se njime valja služiti samo kad doista ima poseban smisao, inače to postaje puka manira koja nije u skladu s normalnom jezičnom upotrebom.

394　　Zavisne rečenice mogu se odvojiti zarezom kao naknadno dodane kad glavna može biti bez njih:

Djevojka je narezala svježeg kukuruznog kruha, koji je sama zamijesila i ispekla, jer se Adam neoprezno odao da voli kukuruzni kruh. – Nekog dana, kad je cvijeće ponajljepše cvalo, posjetih rođaka na imanju. – I opalim obje cijevi, da bar odjek čujem.

395　　Zavisne rečenice, u prvome redu odnosne, koje već značenjem pokazuju kao da su naknadno dodane, odjeljuju se zarezom:

Ona je imala iskustva u prenošenju poruka stekavši ga kod Sofijina oca, koji je bio liječnik. – Ne dolazi proljeće onako samo, da bude ljepšega vremena, da uzmogneš iz sobe izaći – ne, ono dolazi jer mora doći.

Zarezom pisac označuje da je zavisna rečenica manje važna, da je težište značenja na glavnoj.

396　　Kad glavna rečenica bez zavisne ne bi imala pun smisao ili kad bi imala drugi smisao, tada se zavisna ne odvaja zarezom:

Ima velikih riječi koje su tako prazne da se u njima mogu zatvoriti čitavi narodi. – Sve što je jučer saznao, kopkalo je neprestano u njegovoj duši i nije mu više dalo mira. – Ali to nije ono što sam ja htio. – Ja sam ona slomljena grana koja na vjetru cvili.

Tu zavisne rečenice koje počinju sa *koje, što, koja* daju pun smisao riječima na koje se odnose i zato se od njih ne odvajaju zarezom. To posebno vrijedi za odnosne rečenice koje imaju odredbeni (ograničavajući) smisao:

Kosci koji su bili umorni, otišli su u hlad. (Samo neki, ne svi.)

Moja sestra koja živi u Splitu, postala je baka. (O drugoj ili drugim sestrama ne kazuje se ništa.)

Te rečenice sa zarezom ispred *koji, koja* značile bi da su svi kosci otišli u hlad i da je riječ o sestri, a samo se usput dodaje da ona živi u Splitu:

Kosci, koji su bili umorni, otišli su u hlad.

Moja sestra, koja živi u Splitu, postala je baka.

Kako je takvo razlikovanje birano i zahtjevno, u ležernijem se jeziku u odredbenom značenju mogu upotrijebiti i pokazne zamjenice:

Oni kosci koji su bili umorni ...

Ona moja sestra koja živi u Splitu ...

397 Kao naknadno dodani dio zarezom se može odvojiti i skup riječi ispred glavnih dijelova rečenice:

Stari romantik ideje o kontinuitetu evropske kulture, Filip se snuždio pod dojmom ove male brončane figurine ...

Takve dijelove ne valja odvajati mehanički, kako se uobičajilo u nekim publicističkim tekstovima:

Prema mišljenju američkog delegata, opasnost od iznenadnog izbijanja rata ne može biti isključena sve dok se ne postigne potpuno razoružanje.

Prema švedsko-norveškim proračunima, izgradnja atomskog broda za prijevoz rasutog tereta od 60 tisuća tona stajala bi oko 90 milijuna švedskih kruna.

U takvim primjerima valja ocijeniti da li je taj dio tijesno povezan s rečenicom ili se može smatrati naknadno dodanim pa prema tome – staviti ili ne staviti zarez.

Uopće, ne valja pretjerivati pa zarezima odjeljivati svaku riječ i skupinu riječi koju možemo smatrati manje važnom za smisao rečenice, a time onda i naknadno dodanom.

3. Suprotnost

398 Svi suprotni dijelovi odjeljuju se zarezom. To su u prvom redu riječi i rečenice sa suprotnim veznicima:

On bi katkada stao i zagledao se onako klečeći i pognute glave u taj sićušni, a nemirni narod. – Gleda, a ne vidi. – Okrenem se, a čiča na zemlji. – Jedna, ali vrijedna. – Veličina raste, ali običnije pada s vremenom. – Nema jednosmjernosti ni izgrađivanja, nego je sve isprepletenost prašumska, močvarna, panonska, bezizlazna i mračna. – Nije im dosta da gule i satiru naš jadni puk, već hoće da nas i sramote. – Ostavit će vas, no vi morate primiti ovu malu kutijicu. – Koliko sam ja toga kanio svršiti, pa nisam! – Ali sve to kod Krđe prođe časkom, dok kod njega dugo potraju osjećanja, pa čak i izgled lica.

Budući da je u suprotnim rečenicama pisanje zareza zalihosno, već veznik uvijek označuje početak nove rečenice, mnogi ga na tim mjestima i ne stavljaju, ali ga valja stavljati zbog općenitosti pravila.

399 Kad se veznik *nego* nadovezuje na komparativ ili kakav komparativni izraz, ispred njega se zarez ne stavlja:

Jesi li danas pametniji nego jučer?

Bolje je umrijeti stojeći nego živjeti na koljenima.

Isto se tako zarez ne stavlja ispred *nego, već* kad dolaze u vezi sa *ne samo ...*

Svake subote dobiva ne samo vola nego i brentu vina.

Zarezom se ne odvaja ni niječna veza sa suprotnim veznikom kad ima jesno značenje (,,samo" ili ,,sam"):

Nisam izvršio ništa drugo već svoju dužnost. (Jesno: *Izvršio sam samo svoju dužnost.*)

400 Izuzetne su rečenice suprotne po svojem smislu i stoga se odvajaju zarezom:

Spasili su blago, samo je bik simentalac ostao u štali.

Te su noći tihe kao usnula luka, samo se psi kreću noću uz plotove ...

Ali kad izuzetni veznici vežu samo riječi, ispred njih se ne stavlja zarez:

Nemam ništa osim ljubavi ... – I ni k jednoj od njih nije bio poslan Ilija doli k ženi udovici u Sarfati sidonskoj.

Sa zarezom takve bi veze značile da je dio iza veznika naknadno dodan.

TOČKA SA ZAREZOM

401 Točka sa zarezom pravopisni je znak sa srednjom vrijednosti između točke i zareza. Stavlja se obično na mjesta gdje bi točka preoštro odsjekla jedan dio, a zarez ne bi uočljivo odijelio istovrsne ili srodne dijelove. Kako se za tu razliku ne može dati čvrsto pravilo, ta se upotreba prepušta uglavnom osobnoj piščevoj ocjeni:

Biljka sam na livadi, kopitom pogažena; mač koji rđa u dubini morskoj!

Dočuo Herod tetrarh sve što se događa te se nađe u nedoumici jer su neki govorili: »Ivan uskrsnu od mrtvih«; drugi: »Pojavio se Ilija«; treći opet: »Ustao neki od drevnih proroka«.

Ali noću, u snovima, kad usne bolna, ali jaka svijest dana i moje osamljene ličnosti i kad ležim bespomoćno izložen noći i njenim tajnim silama, tada događaji dobivaju strahovito lice u snovima; tijelo, koje danju sputava misao i ponos, dolazi do svojih prava; smjela divna duša čovjekova leži mrtva kao kamen na dnu mora, a tijelom gospodari bestijalan strah i nerazumljiva panika živaca.

402 U nabrajanju istovrsnih ili srodnih pojmova točka sa zarezom upotrebljava se za jasnije razgraničenje takvih nabrajanja:

Leže znaci svake sile:

Pluzi, brane, srpi, grablje;

Malji, kliješta, noži, šila;

Topi, puške, koplja, sablje;

Dlijeta, pile i šestari;

Veslo, sidra i kormila;

Kisti, pera, kolobari;

Stijezi, grbi žezla, krune;

Mitre, štapi, čisla, krsti;

Javor-gusle još bez strune;

403 Točka sa zarezom odjeljuje prvu polovicu rečeničnog sklopa (perioda) od druge:

Traje dugo; no se, eto, već stišava; sapa je medvjedova rastrgnuta; biva svjetlije, nebo se vedri, hridine i stabla opet što i prije.

Jezero je zaleđeno, valja mu probiti koru. Sam ne zna što će kada to uradi i dođe do vode u kojoj sluti plijen; tuče sjekirom, udara kamenom, lupa kladom. Lupanje odzvanja nadaleko, mami zvjerad; a on sâm, još uvijek šepav i slaba ramena, na otvorenu prostoru; stabla i grmovi nisu više skrovište i zaštita. Eto: dvije se krupne lisice duga svijetla krzna već došuljale; gledaju ga sitnim lukavim očima, željne da on što ulovi, a one se dočepaju ostataka.

U toj službi može doći i dvotočje.

404 Kad dijelovi koji se nabrajaju dolaze jedan ispod drugoga, tada se pišu bez zareza, v. § 372., ali ako sadržavaju rečenice koje počinju malim početnim slovom, mogu se odjeljivati i točkom sa zarezom:

Riječi strojevina ili očvrsje bolje su od riječi hardware:

prvo, jer potiskuju nepotreban anglizam;

drugo, jer su bolje od anglizma; naša istovrijednica bila bi željezarija;
treće, jer pokazuju inventivnost u stvaranju hrvatskih riječi;
četvrto, jer su u duhu hrvatske jezične tvorbe;
peto, jer upućuju hrvatski književni jezik na njegov najbolji jezični smjer.
Ako rečenice počinju velikim početnim slovom, tada se na kraju stavlja
pravopisni znak koji dolazi prema vrsti rečenice.

DVOTOČJE

405 Dvotočje se bilježi ispred upravnoga govora:

Uto doleti naš Miško, koji je pred kućom na straži bio, vičući: ,,Idu, idu!"

Nije više govorila: ,,Šuti …, umiri se …, on će otići ako se ne javiš …"

Dvotočje se stavlja iza dijela koji se objašnjava:

– Sve su to fakini, kažem ja vama: jedan kao i drugi.

Zazeblo me gledajući u taj grob: dubljeg i hladnijeg teško da bih igdje
na svijetu našao.

406 Dvotočje se stavlja ispred onoga dijela rečenice u kojem se što nabraja:

Tlo je pokriveno snijegom prošaranim tragovima šumske divljači: zeca,
lisice, lasice i drugih. – No nije samo lijeska prilagođena na oprašivanje
vjetrom, nego i većina našeg šumskog drveća: hrast, grab, bukva, kesten,
breza. – Zastanite kod nakupca ljekovitog bilja. Tu ćete vidjeti ne samo bazgu,
lipu, sljez, žalfiju, nego i rjeđe šumsko bilje: lazarkinju, naprstak, brusnicu,
oslad, ljubicu, pa čak i runolist.

407 Dvotočje se ne stavlja ispred onoga nabrajanja koje se normalno uklapa
u rečenicu, kao što u prethodnoj rečenici nije stavljen iza riječi *samo*. Takvi
su i ovi primjeri:

Ali mi Ivica pokaza Jelačićev trg, Svetog Kralja, Maksimir, Tuškanac,
Promenadu i cio Gornji grad, pa i ono mjesto gdje su Gupca mučili … – Ta
imena su i Miliću već poznata pa mi pokazuje Glavicu, Peršinovu peć,
Škrinjinu, Galiju, Sedlinu. – Izađi brzo na trgove gradske i ulice pa dovedi
ovamo prosjake, sakate, slijepe i hrome.

408 Dvotočje ne valja stavljati iza prednaglasnica kad se što nabraja:

To je potrebno za:

– *čvršća i dugoročnija programska povezivanja*

– *intenziviranja primijenjenih i razvojnih istraživanja*

– *prilagođavanje uvoznih tehnoloških rješenja* ...

U takvim primjerima treba dvotočje staviti iza *potrebno* pa za svaki put ponoviti *za* iza crtice ili napisati *za ovo:* , *za ove poslove:* i sl.

D. kao hemostatik djeluje pouzdano pri kapilarnim i parenhimatoznim krvarenjima te je stoga indiciran u:

– *prevenciji intraoperativnih i postoperativnih krvarenja,*

– *liječenju internih postoperativnih i traumatskih hemoragija,*

– *liječenju hematurija nepoznata postanja* ...

U takvim slučajevima treba postupati slično kao i u prethodnome primjeru.

409 Dvotočje ne valja stavljati ni u bibliografskim jedinicama iza predna-glasnice *u*, npr.

Ljudevit Jonke, Slavenske pozajmljenice u Šulekovu»Rječniku znan-stvenoga nazivlja« u: Zbornik radova Filozofskoga fakulteta Sveučilišta u Zagrebu, Zagreb, 1955, str. 71. – 82.

Tu treba ili *u Zborniku radova*, ili *u knjizi: Zbornik radova* ...

Dvotočje se obično ne piše ispred nabrajanja koje se uvodi kraticama *npr., tj.*, a ne piše se ni iza naslova pod kojim dolazi nabrajanje, kao što je SADRŽAJ, KAZALO, POPIS, PREGLED i sl.

TROTOČJE

410 Trotočje je pravopisni znak koji pokazuje da je tekst izostavljen ili nenaveden. Obično se stavlja na mjesta gdje ga čitatelji mogu sami nadopu-niti:

Sluge zove Smail-aga

Usred Stolca kule svoje,

A u zemlji hercegovoj:

»Ajte amo, sluge moje ...

Ne pada snijeg da pokrije brijeg ...

411   Trotočje se stavlja u navodu na mjestu izostavljenoga dijela, na početku ili na kraju navoda kad se s kojih razloga ne navodi početak ili kraj rečenice, i u sredini kad se izostavi koji dio. (Primjeri su veoma česti u primjerima koji se navode uz pravila o rečeničnim znakovima, npr. u § 345. i 390.)

Ako bi mogla nastati sumnja čemu služi trotočje, jer se može nalaziti i u izvorniku, tada se trotočje kao znak izostavljanja stavlja u zagrade, pogotovu ako je izostavljena cijela rečenica ili više njih. Primjer v. u § 446.

U navodu se izostavlja onaj dio koji nije prijeko potreban za ono zbog čega se navod navodi, a to se smije učiniti samo onda kad izostavljanje ne utječe na smisao zbog kojega je navedeni dio ispisan.

412   Trotočje se stavlja na kraju prekinutoga teksta koji se nastavlja.

Kad smo se izljubili, ispriča mi Branko da je čuo od kuhara da je jučer poginulo 39 momaka, da ih je ranjeno 68, a od naših drugova ...

– ... a od naših drugova?

Trotočje se stavlja na mjestu prekida nabrajanja kad se želi reći da ima više takvih primjera pa se ne nabrajaju svi:

Izvedenice sa sufiksom -telj imaju kratkouzlazni naglasak na trećem slogu od kraja, rjeđe kratkosilazni na prvom slogu:

brànitelj, bùditelj, gràditelj, iznevjèritelj, krivotvòritelj, kròtitelj, usrèćitelj ..., glȅdatelj, mȕčitelj, tlȁčitelj ...

i zbog toga ne mogu imati dvoglasnik ije /e/:

cijéditi > cjèditelj, dijéliti > djèlitelj, iskorijéniti > iskorjènitelj ...

Više takvih primjera v. u poglavlju o dvoglasniku ije.

Trotočje se stavlja kad pisac želi označiti isprekidan govor, duže stanke i sl.

– Čuj – progovori Pupu zbunjeno – ti si ... tako ... čovjek, to znam. Zato sam se i sjetio ...

Dragica mu iskrsne pred očima, a on ih pritvori ... Modra bluza ... vrat ... kosa ... Ali, dođavola, lice nikako da iskrsne!

– Ovaj ... kako da kažem ... ovaj ... morao bih kući.

– Gdje je sada taj vaš gospodar?

On se napreže; izbaci s mukom:

– Kl ... kl ... klet!

– Kakav je čovjek? Što najviše voli?

– Kl ... kl ... klet!

– *Kako prolazi dane? S kime? Gdje?*

– *Kl … klet! klet!*

Mucavac samo tako; ja ne znam da li proklinje gospodara ili bi htio nešto drugo reći.

413 Kad pisac ne želi odsječno početi ili završiti misao, a osobito kad želi da se čitatelj na kraju zamisli, stavlja trotočje:

… Oblaci, jesenji bijeli i teški oblaci kao vunjač, a okolina požutjela kao pejzaž na starom goblenu.

… A bršljan na Smiljkinom grobu dršće, treperi, kao da želi prozboriti. Odjedared se sa nekog cvijetka digne bubica, pa zujne, zacvili, pretvori se u zlato i stane se dizati, dizati prema nebu …

Iščeznu.

Kada mi se izgubi sa vida, otkinem nekoliko listića od bršljana.

Evo, ovo je uvelo lišće sve što mi ostavi mladost. Ima ih koji nemaju ni toga …

I nju i njega zakopaše krišom, – krišom, dragi čitaoče, krišom …

Nek vjetar kuka nada mnom,

A suze roni kišica

Med granjem crnim borovim …

TOČKICE

414 Točkice su pravopisni znak kojim se označuje duža stanka ili se posebno ističe da je izostavljen duži tekst. Sastoje se od pet, šest ili više točaka, pa i cijeloga reda, a iznimno i nekoliko redova.

THE REST IS SILENCE

»Rijeka«

»Dalmacija«

»Bosna«

....

Hrvatska majko! Upleti ove riječi u svagdanju *molitvu* svoje nevine dječice. – – Možda molitva s *nevinih* usta uslišana bude! … Naše prošnje ne pomažu: griješili smo. (F. Mažuranić)

Princ, primi!

Liza, primi!

Bato, primi!

Ziko, primi!

....

....

....

(R. Marinković)

Tim se načinom valja služiti samo kad to traže jaki stilski razlozi.

CRTICA

415   Crtica je pravopisni znak koji se upotrebljava za označivanje stanke, i to uglavnom jače stanke nego što je izražena zarezom. Stoji često umjesto zareza, zagrade, navodnika, a katkada i mjesto dvotočja.

Crticama se odjeljuju umetnute rečenice ili riječi kad se umetnuti dio želi jače istaknuti ili označiti da su stanke duže:

Na Badnjak sjedim – sam samcat – pokraj prozora u hotelu gledajući kako odlična neka švedska obitelj kiti božićno drvo.

Ako je rijeka jaka, a plima velika, onda je između njih ljute borbe: more hoće naprijed, a rijeka mu ne da, pa se – čelom o čelo – kvače kao dva silna bika hoteći jedan drugoga potisnuti.

Samo antilope se ni lađe ni čovjeka ne boje pa nas – velikim svojim očima – radoznalo motre.

416   Crticom se, kao i zarezom, odjeljuju umetnuti dijelovi:

Tko visoko leti – kaže narod – nisko pada.

To osobito vrijedi za rečenice u kojima ima više zareza pa ne bi bilo jasno koji se dio odvaja kao umetnuti ili naknadno dodani.

417   Crtica se stavlja ispred onoga što dolazi neočekivano, suprotno prethodnom dijelu:

I gol i bos, i još mu je – zima.

Dlanovima, koji su uvijek vreli, grijem svoje tijelo – i još mi studenije biva.

Ali on, Jože, tako jak i čil, pa – rob.
I tako u snovima gledaju sreću,
A plovit se boje.
Na jarbole šarene zastave meću
I – stoje.

418 Crtica stoji u sažetim, poslovičnim rečenicama na prekretnom mjestu:

Mladost – radost. Mladost – ludost.
Kakva sjetva – takva žetva.

419 Crtica se stavlja na prekretu gdje se rečenica drukčije nastavlja negoli je počela:

Tuži mlada, za srce ujeda, oči gore življe od plamena, čelo joj je ljepše od mjeseca – i ja plačem kao malo dijete.

420 Crtica služi da uz drugi koji znak označi jaču stanku:

Jure pokraj mene vičući: ,,Rat! – Rat!''

,,Teta, – patuljci!'' poviknem veselo.

Al' nigdje nema Tebe. – Tebe nema.

421 Crtica se stavlja na mjestu gdje se prekida govor, a započeta se misao ne dovršuje:

– Ja sam. Ja sam –
Kajite se jerbo zora rana
Nać će mnogog kud zavazda gre se.
Kajite se –''
Ali u grlu
Dobru starcu riječca zape …

U toj službi mogu doći i dvije, rjeđe i tri crtice:

,,A boli li crva kad ga ševa jede?''

,,Kako ne bi?!''

,,Pa kako je to – – – ,, čudi se Vlade, ali ne reče što misli.
Ne ide mu u glavu što je čitao. A ni meni.
– – – Svi smo mi crvi, moj Vlade – i crvi, i manji od crva! …

Kad pisac želi naznačiti dužu stanku ili ne želi završiti rečenicu odsječno, stavlja jednu, dvije, tri crtice, rjeđe više. U toj službi dolazi i trotočje, v. § 413.

422   Crtica se obično stavlja kad je misao tako prekinuta da se više ne može nastaviti, a trotočje kad čitatelj lako može sam nastaviti ili nije važno kako se nastavlja.

423   Crtica se upotrebljava u pripovijedanju za oznaku upravnoga govora i zamjenjuje navodnike, a i zareze kad su pripovjedačeve riječi uklopljene u upravni govor ili slijede za njim.

> – *Hoću li, velim, umrijeti, doktore T.?*
> – *Bez sumnje, vrlo lako! – reče doktor T.*
> – *Ako sam, na primjer, šećeraš?*
> – *U tom slučaju još lakše – reče doktor T.*
> – *Niste mi gledali krv.*
> – *Pa zar vi ne želite umrijeti?! – čudio se doktor T.*

Uz crticu ne treba pisati zarez ni točku, osim na kraju pripovjedačevih riječi. U takvim se primjerima mjesto crtice upotrebljavaju i navodnici, v. § 430. i 431.

Kao što je rečeno u § 392., crtica se može staviti umjesto zareza ispred riječi *sve* kad se njome iza pojedinačnoga nabrajanja sve sažima:

> *Parti, Međani, Elamljani, žitelji Mezopotamije, Judeje i Kapadocije, Ponta i Azije, Frigije i Pamfilije, Egipta i krajeva libijskih oko Cirene, pridošlice Rimljani, Židovi i sljedbenici, Krećani i Arapi – svi ih mi čujemo gdje našim jezicima razglašuju veličanstvena djela Božja.*

424   Crtica se stavlja kad se više naslova ili podnaslova navode jedan iza drugoga:

> *BELA II. SLIJEPI I GEJZA II.*
>
> *Ličnost Bele II. Slijepoga (1131. – 1162.) – Boris Kolomanović i njegovi privrženici i njihov slom – Mirne godine vladanja Bele II. – Prilike u Hrvatskoj i Dalmaciji – Krčki knez Dujam (1133.) – Zagrebačka biskupija (1134.) – Bosna se pridružuje Ugarskoj i Hrvatskoj (oko 1138.) – Smrt kralja Bele II. (13. veljače 1141.) – Gejza II. (1141. – 1162.)*

U toj službi može doći i točka, v. § 343., ali crtica preglednije odvaja pojedine naslove ili podnaslove.

425   Kao znak duže stanke katkada se stavljaju dvije ili tri crtice:

> *Čekamo, čekamo – –, a lava sveudilj nije.*
> – *Jeste li vidjeli onog bekriju Unukića?*

– N-ne – – nisam – – posao – –

Katkada se piše cijeli red crtica, dva ili više da se označi duža stanka za razmišljanje ili izostavljeni tekst:

»(...) Ako gazda poželi, da laješ na oca i na majku svoju, a ti laj! Ako poželi, da se kolješ sa rođenom braćom svojom – ti se kolji! ...«

–––
–––

P a s j i moral, nije li?

(F. Mažuranić)

*

Svi mu se silno začude, a najviše on sam jer se – – – – – – – – – – – –
–––
probudio.

(A. G. Matoš)

I tim se načinom valja služiti samo kad to traže jaki stilski razlozi.

426   Crtica se piše između primjera koji se navode za koje pravilo ako između njih nema nikave druge veze, pogotovu ako treba jače naglasiti da pripadaju različitim cjelinama. Primjeri za to nalaze se na mnogim mjestima u cijelom poglavlju Rečenični znakovi, usporedi u § 406. i 407.

SPOJNICA

427   Spojnica je svojom glavninom pravopisni znak, a kao razgodak u pisanju polusloženica (v. § 283.) i u pisanju riječi koje se u rečenici ne izgovaraju kao cjelina, nego u svojim dijelovima: radi jačega naglašavanja tih dijelova, rečeničnoga naglaska ili kojega drugoga stilskoga učinka:

A onda: Kaj-bum-ščak!

...a neko drekne iz dvorišta u debelom basu:

– Za-po-ve-da-ju –

– Pituljicu si opet smazao – vikala je debeljuškasta, jedra kuharica – kud čas prije.

– Ni-i-i-sa-am.

NAVODNICI

428   Navodnici su dvostruki pravopisni znak kojima se označuje tekst koji se navodi doslovce ili se označenomu daje drugo značenje. Imaju dva oblika: „ " i » «. U rukopisnom se tekstu upotrebljavaju prvi, a u tiskanome oba. Radi uštede u znakovima na pisaćim strojevima uobičajilo se da se u upotrebi prvih dvaju znakova isti znak stavlja na početku i na kraju: *"Došao u halbcilindru".*

Ti se znakovi sastoje od dva dijela: početnog i završnog i uvijek se upotrebljavaju oba, prvi na početku, a drugi na kraju onoga što se navodi. Valja dakle pripaziti, osobito pri dužem navodu, da se stave oba dijela.

429   Navodnici se upotrebljavaju kad se što navodi upravo onako kako je izgovoreno ili napisano.

Raspravljajući o Matoševoj prozi, Antun Barac kaže:

,,Pisati hrvatskim jezikom ne znači prema tome samo upotrebljavati i hrvatske riječi i hrvatsku sintaksu, nego dati, da u pismenom sastavku dođe do izraza ritam hrvatskog jezika i sve one njegove značajke, kakvih nema ni u jednome drugom jeziku".

Veličina malenih, Zagreb, 1947, str. 134.

U navođenju pisanog teksta u načelu se ne smije ništa mijenjati pa se prepisuju čak i tiskarske pogreške. (U navedenom Barčevu tekstu nije ništa mijenjano, pa ni zarezi iako bi se oni po pravilima u ovom pravopisu pisali drukčije.) Ako je koji dio previše, može se izostaviti, ali to mjesto treba označiti trotočjem (v. primjer u § 446.), tiskarska se pogreška označuje uskličnikom (v. § 364.), a ako se što ističe posebnim tipom slova valja reći u napomeni (obično: *isticanja moja*). Nije dobro ni mijenjati navodnike u polunavodnike (v. § 446.). Ako se tekst navodi u popularnije svrhe, može se prilagoditi pravopis, ispraviti tiskarska pogreška, ali se ni tada ne smije ništa mijenjati što bitno utječe na sam tekst.

430   Navodnicima se označuje upravni govor:

,,Zar je to sve?" uzdisao je Cezar na vrhuncu svoje moći i slave. ,,Zar je to zbilja sve?!"

Nešto mi iz sumraka šapće: ,,Tko ti veli da si pjesnik? – – Čuješ li ti što rumeni oni oblačići na nebesima jedni drugima šapću? Ako ne čuješ, nisi za pjesnika, kao ni onaj za slikara koji slika ružu kako cvate. Ako si ti slikar, naslikaj je kako miriše!"

431   Navodnici se upotrebljavaju u razgovoru kad riječi pojedinih govornika dolaze jedne ispod drugih:

»Zar ste i vi iz onoga kraja?«

»Iz Novoga.«

»Bio sam u Novom; leži poput Betlehema – – «

»A znadete li štogod hrvatski?«

U razgovoru pripovjedačkih djela mjesto navodnika u novije je vrijeme običnija crtica (v. § 423.), pogotovu kad rečenice pojedinih govornika dolaze jedna ispod druge, kao što je u navedenom primjeru.

U dijalogu kazališnih djela ne upotrebljavaju se ni navodnici ni crtice:

GABRA MATIĆ: Dižeš ti parnicu.

ILARIJA: Radi prisvojenja tuđega vlasništva.

GABRA: Dugo se proces vukao.

ILARIJA: On je mazao gdje je samo mogao.

GABRA: A ti nisi htio mazati.

ILARIJA: Zašto za svoje rođeno da mažem.

432   Općepoznate izreke, osobito narodne poslovice, obično se ne stavljaju u navodnike:

Narodna poslovica lijepo kaže: Dobroj maćehi i pastorci su sinovi.

433   Navodnicima se označuju tuđe riječi koje su tijesno povezane s rečenicom, a pisac ih želi naznačiti kao tuđe (kao navod):

... doktor koji me liječi i koji po svom građanskom pozivu brigu brine o mojim živcima, tvrdi da su to zapravo ,,podrovani živci" i da sve to nema nikakvog ,,dubljeg i važnijeg značenja".

On je sada ,,na rođenoj grudi", kako veli Đalski.

Petar Zoranić Ninjanin davno je pričao i pjevao o našoj ,,rasutoj bašćini".

434   Navodnicima se označuju riječi koje se uzimaju u drugom, prenesenom značenju, obično u podrugljivom:

Dok mi ovako razgovarali o »važnom« predmetu, dođe u sobu i domaćica ... (Znači da predmet nije baš važan, da je riječ zapravo o ćaskanju.)

Tu je bilo ne samo ,,crepovlja", već i dobro sačuvanih žara ...

(Riječ je o arheološkim ulomcima.)

Bijaše to treći dan ,,bune". (Time je rečeno da to nije bila prava buna.)

435 Navodnicima se označuju riječi koje ne idu u književni jezik, a pisac ih ipak s kojih razloga upotrebljava:

To je bila prava Mažuranićeva kuća, s prostranim balkonom, jer je »shodić« obilježje starih naših kuća. (Novljani se šale da Mažuranići najprije »balkun« ziđu pa istom onda kuću grade!)

...odvedoše me u – kako veli teta – »bavlioteku«, koja će odsele biti mojom sobom.

Malo je pred tim stigao iz Velikog Gnijezda gdje je imao posla kod suda, i tu kod Jure bijaše mu prva »štacija«, da istrese i pretrese novosti koje je pohvatao.

Ide on često u Trst, ali u „shoping".

Prvo su ih zvali »remake« ...

436 Imena poduzeća, ustanova, gospodarskih objekata, organizacija, raznih projekata, pothvata, imena prometala, novina, časopisa i dr., pišu se bez navodnika kad je jasno da su imena:

Astra, Ferimport, Generalturist, Ingra, Iris, Kerametal, Unikonzum, Varteks, Zagrebačka banka, Gradska štedionica, Večernji list, Vjesnik, Jezik ...

437 Kad su to preuzeta vlastita imena (osobna, zemljopisna, etnička, astronomska ...), tada se mogu pisati pod navodnicima ako je potrebno za prepoznavanje novoga značenja:

»Apollo«, svemirski istraživački program

»Belje«, poljoprivedno poduzeće

»Čistoća«, gradsko poduzeće za čišćenje grada i odvoz smeća

»Gorica«, tvornica emajliranoga posuđa

»Zvijezda«, prva hrvatska tvornica ulja

»Dubrovnik«, »Esplanade«, »Panorama«, »Park« (hoteli)

»Komet«, radionica za popravak televizijskih aparata

»Forum«, časopis, arhitektonski biro

Navodnike ne treba pisati kad je u tekstu veliko slovo dovoljan znak o čem je riječ:

To sam pročitao u novom Forumu. U današnjem Vjesniku iznenadila me jedna vijest. – U Jeziku sam našao zanimljiv članak o velikom i malom slovu vlastitih imena u množini.

Tako na samim ustanovama piše DUBROVNIK, ESPLANADE, GORICA ... jer je zbog samoga mjesta gdje se natpis nalazi, jasno što označuje, pogotovu kad piše Hotel Jadran, KINO Grič.

438 Budući da navodni znakovi utječu na vizualnu sliku napisanoga, u novije se vrijeme nazivi često pišu kosim slovima. Nije stoga potrebno upotrebljavati i navodnike i kosa slova kao u primjeru:

Matoš nije bez razloga nazvao svoju knjigu *»Pečalba«* mjesto *»Nadnica«*.

Kad škole i druge ustanove iz počasti uzimaju u svoj naziv osobno ime i prezime, navodnici se ne pišu ako je to ime i prezime u genitivu:

Osnovna škola Petra Preradovića, Gimnazija Silvija Strahimira Kranjčevića, Pjevačko društvo Vatroslava Lisinskoga ...

Ako je ime i prezime u nominativu, tada se u navodnike stavljaju vlastita imena:

Osnovna škola ,,Petar Preradović", Gimnazija »Silvije Strahimir Kranjčević«, Pjevačko društvo »Vatroslav Lisinski« ...

Ako nema posebnih zapreka, bolje je odabrati prvi način.

NAVODNICI UZ DRUGE ZNAKOVE

439 Kad je među navodnicima potpuna rečenica, onda se rečenični znakovi stavljaju ispred drugoga navodnika:

»Čemu bih se mogao naučiti od sitnoga mrava?«

»Koječemu, jer su mravi razumniji od ljudi!«

»U čemu je taj njihov razum?«

Salamun se nasmije i reče: »U čemu? Već u tome što nemaju kralja!«

440 Kad je među navodnicima dio rečenice, onda se rečenični znakovi meću iza drugoga navodnika:

I tako nisam vidio kako se ,,prosi".

Tko još vjeruje u ,,vrzino kolo"?

To je dakle taj čuveni ,,liječnik"!

441   Kad se rečenica među navodnicima prekida umetkom, zarez se meće iza drugoga navodnika ako sama rečenica na tom mjestu nema rečeničnog znaka; ako ga ima, zarez se meće ispred drugoga navodnika:

>*»Bili smo«, reče Ivan, »kod njega na ručku.«*

>*»Gospodine,« kaže čovuljak mome ocu, »kupite štogod!«* (Prema: *»Gospodine, kupite štogod!«*)

442   Rečenica se poslije upravnoga govora ne odvaja zarezom ako upravni govor završava upitnikom ili uskličnikom:

>*»Gdje ga je udarila?« pitaju se.*

>*»Halo!« odazivlje se znanac.*

Ali poslije navodnika mjesto točke stavlja se zarez:

>*,,Ne vidi se", reče jedna.*

>*»To je ono«, jadikuje mati.*

POLUNAVODNICI

443   Kad se nađe govor u govoru koji se izravno navode, tada se drugi govor označuje polunavodnicima:

>*»Što gledaš trun u oku brata svojega, a brvna u oku svome ne opažaš? Kako možeš kazati bratu svomu: 'Brate, de da izvadim trun koji ti je u oku', a sam u svom oku brvna ne vidiš?« – »Nego – reci riječ da ozdravi sluga moj. Ta i ja, premda sam vlasti podređen, imam pod sobom vojnike pa reknem jednomu: 'Idi!' – i ode, drugomu: 'Dođi!' i dođe, a sluzi svomu: 'Učini to!' – i učini.«*

444   Kad se u rečenici koja se navodi s navodnicima, nađu riječi koje su već označene navodnicima ili bi ih prema pravilima trebalo tako označiti, onda se mjesto njih obično stavljaju polunavodnici:

>*,,Hrvatski su književnici već u počecima preporodnog rada osjetili izražajnu snagu našega jezika. Mihanović je u svojoj 'Reči domovini' ispravno tvrdio, da u nas ima izraza, koji se ne dadu prenijeti ni u kakav strani jezik. Drašković je svoju 'Disertaciju' započeo pisati s ponosnom tvrdnjom, kako mi imamo jezik, kojim se može izreći sve, što čovjek osjeća i misli."*

A. Barac, Veličina malenih, str. 146. U izvorniku stoji: »Reči domovini«, »Disertaciju«. Inače nije ništa drugo mijenjano, pa ni zarez (v. § 429.).

445   Kad se riječi označene navodnicima nalaze na kraju navoda, tada se najprije stavljaju polunavodnici, a zatim navodnici:

> *»U svojoj raspravi 'Ustroj hrvatskog jezika'(u 'Nevenu' 1854) upozorio je Veber na bogatstvo našega jezika s obzirom na njegovu moć izražaja. Kao dokaz naveo je mnoštvo oblika, sinonima i riječi izvedenih iz istoga korijena. Na isto pitanje vratio se g. 1869., u članku 'O slogu hrvatskom'.«*

Isto, str. 147.

446   Budući da pisanje polunavodnika umjesto navodnika mijenja izvorni tekst, bolje je ostaviti navodnike kako je u izvorniku, a cijeli navedeni dio staviti u drugu vrstu navodnika:

> ,,*U svojoj raspravi »Ustroj hrvatskoga jezika« (u »Nevenu« 1854) upozorio je Veber na bogatstvo našega jezika s obzirom na njegovu moć izražaja. (…) Na isto pitanje vratio se g. 1869., u članku »O slogu hrvatskom«.*"

447   Često se umjesto navodnika upotrebljavaju kosa slova, pogotovu kad u tekstu koji se navodi ima navodnika.

Kosa se slova umjesto navodnika upotrebljavaju i kad se u proznim djelima navode stihovi.

448   Polunavodnici se u jezikoslovnim djelima upotrebljavaju kad se želi označiti značenje koje riječi. Primjere v. u §160.

Polunavodnici se mogu upotrebljavati i u drugim strukama kad se želi označiti da se riječ ili koja sintagma ne upotrebljava u svom općem značenju, nego u specifičnome, a navodnici bi bili prejaka oznaka, a kosa slova s kojih razloga neprikladna:

> *U našem primjeru 'životinja' imamo pojam koji je u ovome kontekstu jednoznačan … – Kontrahiranje analognih pojmova dobilo je naziv 'expressior conceptio eiusdem realitatis' – 'sve potpunije poimanje iste stvarnosti'.*

ZAGRADE

449   Zagrade kao rečenični znak jače odjeljuju od ostaloga teksta jedan dio ili koju rečenicu kao manje važnu, kojom se što dodaje ili tumači.

Ima više vrsta zagrada: oble ( ), kose / /, uglate [ ] i vitičaste { }.

U beletrističkim tekstovima upotrebljavaju se samo oble zagrade, a u stručnim tekstovima i druge kako je uobičajeno u tim strukama.

Zagrade, kao i navodnici, sastoje se od dva dijela: prvog, *otvorena zagrada* (, i drugoga, *zatvorena zagrada*).

450   U zagrade se stavljaju riječi i rečenice koje služe za dopunjavanje i objašnjavanje, koje pripadaju drugom sloju teksta i sl.:

> *Nekog jutra dođe sestra Marica posteljici mojoj te mi tajanstveno šapće*: *»Vlade, otac su prišli!«* (*U kući smo čakavski govorili.*)

> *Zvonce na vratima* (*postavljeno da zvoni za odbjeglim pijancem*) *uslužno najavi Melhiorov ulazak.*

> *On je* (*u njihovim predodžbama*) *došljak …*

> *A i ovu našu čistu, bijelu sestru … Aciku* (*doista, ime je za kihanje, usput pomisli*) *i nju sam ja pokušao da zagrlim i poljubim …*

Zagrade se upotrebljavaju u tekstovima u kojima nema bilježaka pa se u njih stavlja ono što bi inače došlo u bilješke.

451   Ako bi u zagradama trebale doći zagrade, tada se stavljaju uglate zagrade, pogotovu kad se u navodu umeće piščev tekst. No zagrade u zagradama predmet su stručnih tekstova, a to se rješava prema potrebama pojedinih struka.

Sa zagradama ne valja pretjerivati. Ako već treba nešto označiti kao umetnuto, naknadno dodano, može se i zarezima:

> Umjesto: *Stari je Kavran* (*još uvijek preko glave u vinu*) *opet zaboravio sinovljev glas …* , bolje bi bilo: *Stari je Kavran, još uvijek preko glave u vinu, opet zaboravio sinovljev glas …*

452   Rečenični znakovi koji pripadaju zagrađenom dijelu stavljaju se u zagrade, a ostali izvan njih, kao što pokazuju primjeri:

> *Ležim u kolijevci, a to svjetlo* (*sunčani odsjev od kakova stakla, što li?*) *titra na cijelom stropu. – U svojem »Lišću«* (*u crtici »Što sam mislio umirući?«*) *spominjem kako su mi u smrtnoj borbi svi grijesi i sve opačine mlađanog mojeg života bile pred očima.*

> *– Jedina moja mati* (*mučenica vječna!*) *reče da joj je milije da gudim nego da se na krov penjem …*

453   Zarez se stavlja samo iza drugoga dijela zagrade:

> *»Marice* (*tako se ona zvala*), *Marice, hoćeš li biti moja?«* – *Već pune dvije godine nosi revolver u džepu* (*dvadeset i jedan franak je dao za njega*),

a ništa! – Ali da imaš samo toliko stida (stari je lijevom rukom zadro noktom o zub i kvrcnuo glasno), ti bi se ipak zamislio nad tim svim malo!

Ako se u zagradama nalazi čitava rečenica, svi znakovi koji pripadaju toj rečenici dolaze u zagrade, v. prvi primjer u § 450.

KOSA CRTICA

454 Kad se kosa crtica upotrebljava kao pravopisni znak, v. u tom poglavlju, a kao razgodak upotrebljava se samo da se označi kraj stiha kad se stihovi prenose u vodoravnom slijedu radi uštede u prostoru:

U mom srcu nije mir / I blaženost: u srcu oštar nož / Zaboden stoji. / (Ljubav mi je, nemilosrdna, srce probola.)

D. Tadijanović, Travo zelena

TIPOVI SLOVA KAO REČENIČNI ZNAKOVI

455 Katkada posebni tipovi slova ili način njihova pisanja služe za različite sintaktičke potrebe, za označivanje rečeničnoga naglaska ili isticanja pojedinih dijelova, a katkada i cijele rečenice.

Neki se pisci za to služe razmaknutim slovima:

To sam ja tebi, tetko moja, nekad vjerovao, a sada znadem da su ljudi u b l i z i n i manji!

»A što si izvjesio c r n i barjak?«

»Vrati se! – – Čekamo te!«

Ne čekajte! ...

Vlade moj, n e ć e š t i ostariti!

Ja na ovo svoje s i g u r n o, a vi u surovi svijet, makar to značilo i slobodu!

Ognjište! S v o j e ognjište. U s v o j o j pećini. S v o j u vatru.

...upitao me pogledom d a k l e j e i p a k d o k t o r ? !, ali nije dospio zaustiti, jer je domaćin već odškrinuo.

Neno se zakvačio baš za ono moje s p o m e n i k, kao tobože – g l e t i njega! S p o m e n i k! N i š t a m a n j e!

456   Drugi se pisci za istu svrhu služe kosim slovima:

To je njihov svijet, ta dva dugmića ...

Težimo za ma kakvim *oslobođenjem.* Vi to ne znate, gospodine Melkiore, niste bili oženjeni, ja jesam.

Mi jedino znamo da moramo nositi i *donijeti* pa nam nije dosadno.

457   Iznimno se za isticanje kojega rečeničnoga dijela ili cijele rečenice upotrebljavaju velika slova:

– Kroz svu ... onakvu ... jaku maglu ... smo izašli ... ste vidjeli ... lijepo isplovili ... i prošli a sad ovdje, na toj vidljivosti ... na svjetlu na otvorenom ... BRODOLOM! – Ne kažem za našeg Barbu, a, ne, on će se već znati POSTAVITI!

Bez posebnih razloga nije dobro za isticanje, pogotovu za rečenični naglasak, upotrebljavati velika slova.

NADREČENIČNI ZNAKOVI

458   Za označavanje odlomaka, većih cjelina i poglavlja u pisanom tekstu služi uvučen redak, paragraf (§), zvjezdica (*), nekoliko zvjezdica, arapske i rimske brojke, rjeđe red crtica ili točkica.

Primjeri za prvi način pisanja nalaze se u svakoj knjizi, a ostali bi tražili velik prostor pa se ovdje ne mogu navesti. Zvjezdicom je u ovom priručniku nekoliko puta označeno da je primjer drugoga pisca, npr. u § 342. i 425.

NAPOMENA UZ REČENIČNE ZNAKOVE

459   Pravila po kojima su se stavljali razgodci, bila su u bližoj prošlosti hrvatskoga književnoga jezika uglavnom bez većih promjena, uz postupna usavršavanja. U većoj su se mjeri mijenjala samo pravila o pisanju zareza, i to samo među surečenicama. Prema njemačkome uzoru zarez se među surečenicama uvijek pisao, uz neznatne iznimke, i po tome je cijela interpunkcija nazvana gramatičkom ili vezanom interpunkcijom. Prema francuskom se uzoru pisanje zareza među rečenicama većinom prepuštalo piščevoj odluci i po tome se cijela interpunkcija nazivala logičkom ili slobodnom interpunkcijom. Međutim, kako gramatičke kategorije određuju i tzv. logičku interpunkciju i pisac nije dobrim dijelom bio slobodan, a kako i po gramatičkoj pisac često sam odlučuje, jer je i gramatička jednako tako pazila na smisao, s pravom se kaže da niti je gramatička interpunkcija nelogična niti je logička slobodna.

460 Uočavajući nedostatke i prednosti jednog i drugoga načela, a oba su iskušana u hrvatskoj prošlosti, u ovim je pravilima primijenjeno ono što se pokazalo najprimjerenije posebnostima hrvatskoga književnog jezika. Zbog te primjerenosti mogli bismo je nazvati organska interpunkcija, to više što je u povijesti hrvatske pravopisne tradicije već upotrebljavan naziv organički pravopis. Zbog toga što ova interpunkcija pazi na jezičnu strukturu, može se nazvati strukturnom interpunkcijom, a kako je svojom glavninom određena sintaktičkim kategorijama, mogli bismo je nazvati i sintaktičkom interpunkcijom. To bi bilo najopravdanije jer je opis upotrebe rečeničnih znakova usko vezan uz rečenicu i njezine dijelove pa bi se taj opis trebao zapravo nalaziti u sintaksi. Zato se interpunkcijskim znakovima najlakše i najbolje može ovladati tek dobrim poznavanjem sintakse i njezinih kategorija. U ovom se priručniku sintaktičke kategorije spominju samo u onoj mjeri u kojoj je to bilo prijeko potrebno.

Valja imati na umu da sam naziv i nije tako važan, važno je shvatiti ulogu razgodaka i znati pravila kad se pišu, a kad se ne pišu. Inače, kao i kod ostalih pravopisnih pravila, slabim poznavanjem ne samo da ćemo griješiti i u jednostavnim slučajevima nego ćemo katkada napisati i ono što nismo mislili reći.

PRAVOPISNI ZNAKOVI

461 Pravopisni znakovi služe zato da se odredi kako što treba čitati ili razumjeti. Tako npr. točka iza brojke označuje samo to da brojku treba pročitati kao redni, a ne kao glavni broj.

462 Pravopisni su znakovi:

točka .	naglasci ˝ ` ^ ´
zarez ,	znak dužine ¯
dvotočje :	genitivni znak ^
crtica –	križić †
spojnica -	luk)
zagrade ( )	kosa crtica /
zvjezdica *	znak manje (minus) -
izostavnik '	znak više (plus) +
znak jednakosti =	znak množenja ×
znakovi podrijetla:	znak diobe :
< razvilo se od,	znak ponavljanja "
> razvilo se u	paragraf §

Kao pravopisni znakovi mogu poslužiti i rečenični znakovi:

uskličnik !	navodnici » «
upitnik ?	polunavodnici , '

O tome se govori u pravilima kod tih znakova u poglavlju *Rečenični znakovi*.

TOČKA

463   1. Točka se upotrebljava iza kratica: *itd., i dr., i sl., nom., m. r., zem., pov.* (Druge primjere usp. u poglavlju *Kratice.*)

Bez točke se redovito pišu samo kratice ili znakovi međunarodno prihvaćenih mjernih i sličnih jedinica (v. § 519. – 521.).

464   2. Točka se piše iza rednih brojeva radi razlikovanja tih brojeva od glavnih brojeva.

465   a) Ne pravi se razlika između arapskih i rimskih brojki za redne brojeve. Kako se rimske brojke pretežno rabe kao redni brojevi, a imaju oblik nekih velikih latiničnih slova, često bi dolazilo do nejasnoća kad se redni brojevi pisani rimskim brojkama ne bi označivali točkom:

Tekst je prenesen sa 179. strane IX. knjige Starih pisaca hrvatskih.

Dan planeta Zemlje obilježava se 22. IV.

Božić se slavi 25. XII. svake godine.

Ljudevit Gaj je rođen 8. VII. 1809.

Dan hrvatske državnosti je 30. V.

466   Usp. još i ove primjere:

tiskane malim slovima: *učenik I. gimnazije, vojnik 2. brigade, radnik III. smjene;*

tiskane velikim slovima: *I. GIMNAZIJA, VI. BRIGADA, 50. OBLJET-NICA, 100. GODIŠNJICA.*

467   Točku kao pravopisni znak iza rednoga broja valja pisati i u okomitu nizanju:

Valja pisati	*Ne valja pisati*
I. Uvod	I Uvod
II. Zaplet	II Zaplet
III. Razvoj	III Razvoj
IV. Vrhunac	IV Vrhunac
V. Rasplet	V Rasplet

468   b) Pravilo o pisanju točke iza rednih brojeva vrijedi jednoznačno, pa se točka piše i onda kad slijedi koji drugi pravopisni znak (zarez, spojnica, zagrade i sl.), tj. u načelu točku kao pravopisni znak iza rednih brojeva ne isključuje drugi pravopisni znak:

August Cesarec (1893. – 1941.) pisao je pjesme, pripovijetke, romane, drame, putopise, eseje i studije. Objavljena su mu Izabrana djela I. – X. (1946. – 1955.).

Natjecanje je odgođeno za 1993./94. god.

Od toga se načela može odustati samo ako je jasnoća potpuna, a gospodarstvenost izrazito veća:

A. Cesarec (1893 – 1941),

Splitska sinoda 924/5.

469 Točka se može ispustiti posebice u bibliografskim jedinicama i drugim popisima u nizu. Tako su izostavljene točke iza rednih brojeva stranica i paragrafa i u ovoj knjizi, pogotovu i zato što se brojke za stranice i brojke iza paragrafa mogu i čitati kao glavni brojevi, npr. *str. (broj) dvadeset, (broj) stošezdesetsedam.*

470 Točka se stavlja i iza rednoga broja za godinu na kraju izdvojenoga datuma:

Zagreb, 27. VII. 1971.

Split, 27. 7. 1971.

To je tradicijski način pisanja datuma. U međunarodnom je poslovnom priopćavanju prihvaćeno pisanje datuma i na druge načine, npr. 19911121 (= 21. studenoga 1991. godine), 19930507 (= 7. svibnja 1993. godine) …

ZAREZ

471 Zarez se može upotrebljavati kao desetinski znak za razlikovanje cijelih brojeva (pišu se ispred zareza) od desetinskih (pišu se iza zareza) i uvijek se piše bez razmaka među brojkama, npr. 7,5 (čit. *sedam cijelih i pet desetina*). Takvi su primjeri: 26,6 °; 17,25%.

472 Uobičajeno je da se, radi što bolje preglednosti, u velikim brojevima točkom odjeljuju tisuće od stotina, a zarezom milijuni od tisuća, i to bez razmaka između brojki, npr. 15,575.500.

Preporučljivije je da se umjesto zareza i točke ostavi razmak, npr. 15 575 500.

DVOTOČJE

473 Kao pravopisni znak dvotočje se piše između brojeva da se označi omjer, a čita se *prema*:

Čisti se prihod dijeli na piščevu zaradu i na tvarne troškove u odnosu 70 : 30.

Nogometna je utakmica između prve i druge momčadi domaćega kluba završila rezultatom 3 : 2 (Usp. i § 501.).

CRTICA

474 1. Crtica između brojeva zamjenjuje prijedlog *do* i piše se s razmacima s obje strane.

Vozio je prosječnom brzinom 80 – 90 km na sat.

Ivan Mažuranić (1814. –1890.) bio je prvi hrvatski ban pučanin.

Godišnji odmori traju 14 – 30 radnih dana.

Ako se ispred broja napiše prijedlog *od*, onda je između brojeva bolje napisati prijedlog *do* nego staviti crticu:

Bio je trajno zaposlen od 1945. do 1985. godine.

475 2. Crtica se redovito piše kad se želi označiti udaljenost između dvaju (ili više) mjesta ili smjer kretanja od jednoga do drugog mjesta:

Autocesta Zagreb – Split

Cestovna udaljenost Zagreb – Rijeka iznosi 184 km.

Vlak vozi smjerom Zagreb – Sisak – Bihać – Knin – Split/Zadar.

476 3. Crticom se vežu svaka dva uzastopna naziva ili imena privremeno ili trajno združena u međusobni odnos:

Gledali smo utakmicu Croatia – Hajduk.

Zrakoplov leti na liniji Zagreb – Dubrovnik.

SPOJNICA

477   1. Spojnica se kao pravopisni znak piše:

a) između dijelova polusloženica: *hrvatsko-američki odnosi, biser-grana, uzor-majka, Smail-aga;*

b) između dvostrukih prezimena, ili od njih izvedenih pridjeva na *-ev, -ov, -in,* povezanih trajno ili prigodno: *Broz-Ivekovićev rječnik, Ivana Brlić--Mažuranić, Maretić-Ivšićev prijevod Ilijade, Kant-Laplaceova teorija ...*

c) između dvaju glagolskih oblika značenjski povezanih: *htio-ne htio, hoćeš-nećeš, rekla-kazala ...*

d) između dvaju korelativnih priloga: *brže-bolje, danas-sutra, manje--više ...*

e) između dijelova brojnih izraza pri označivanju neodređene brojne vrijednosti: *dva-tri, dvoje-troje, pet-šest ...*

f) pri označivanju nekih naziva na način međunarodno prihvaćen: *α-zrake, ß-zrake, x-zrake, x-noge, C-dur, c-mol, C-ključ.*

478   2. Spojnica se piše pri svakom članjenju riječi:

a) pri označivanju slogova u riječi: *Za-greb, Hr-vat-ska, go-spo-dar-ski od-no-si;*

b) pri označivanju sricanja pojedinih glasova u riječi: *p-r-i-j-a-t-e-lj, z-a-h-v-a-l-i-t-i;*

c) pri označivanju sastavnih dijelova koje riječi: *nazočn-ost, od-govoriti, učitelj-ica;*

d) u oznaci nastavka i sufiksa: *žen-a, žen-e, žen-om; žut, žut-a, žut-o; učitelj-ica.*

479   3. Spojnica se stavlja na kraju retka kad se cijela riječ ne može napisati u istom retku, nego se jedan njezin dio mora prenijeti u idući redak.

480   4. Spojnica se piše između dvaju dijelova riječi izvedenih s kojim brojem kad se prvi dio piše brojkom, a drugi dio slovima: *50-godišnjica* (čit. *pedesetogodišnjica), 60-ih godina, 30-godišnjak* (čit. *tridesetogodišnjak).*

Uz riječ *obljetnica* piše se redni broj i puna riječ, bez spojnice: *Obilježena je 30. obljetnica osnivanja Društva* (čit. *trideseta obljetnica).*

481   5. Kad treba sklanjati sastavljene kratice napisane velikim slovima, između kratice i padežnog nastavka stavlja se spojnica: *odluke ZAVNOH-a, rat u BiH-u, ugovor s HTV-om.*

Kao što primjeri pokazuju, neke sastavljene kratice imaju svoj gramatički rod, tj. ne moraju biti istoga gramatičkog roda niti imati istu vrst sklonidbe kao višečlana imena ili nazivi prema kojima su napravljene.

ZAGRADE

482   Kao pravopisni znak (oble) zagrade služe za skraćeno označivanje dvostrukih likova istoznačnih riječi i oblika: *akcen(a)t,* čit. *akcent* i *akcenat; zarad(i),* čit. *zarad* i *zaradi; dobrog(a),* čit. *dobrog* i *dobroga; veselim(a),* čit. *veselim* i *veselima, pročitav(ši),* čit. *pročitav* i *pročitavši ...*

U posebnim se prilikama mogu na isti način skraćeno pisati raznoznačne riječi koje imaju iste dijelove: *(pre)nositi,* čit. *prenositi* i *nositi; označi(va)ti,* čit. *označivati* i *označiti ...*

483   Ne preporučuje se pisati primjere kao *učenik(ica)* i sl. jer nisu dvostruki likovi istoznačnih riječi.

Osim oblih zagrada u stručnoj se literaturi upotrebljavaju i neke druge vrsti zagrada: uglate zagrade [ ], vitičaste zagrade { }, izlomljene zagrade < >. Te se zagrade upotrebljavaju prema pravilima pojedinih struka.

O zagradama kao rečeničnim znakovima vidi § 449. – 453.

ZVJEZDICA

484   1. U stručnoj se (jezikoslovnoj) literaturi zvjezdica stavlja ispred riječi koja se uspostavlja rekonstrukcijom, odnosno kojoj se donosi (pretpostavljen ili pismeno nepotvrđen) prvotni oblik: **blъxa > buha, *gordъ > grad, *lъžъ > laž, *legēti > *legĕti > ležati, *svět'ja > svijeća ...*

Zvjezdicom se označuju i mogući, ali neobični, neprihvaćeni likovi riječi. To se vidi u ovom primjeru: Pridjev *zagrebački* izvodi se od etnika **Zagrebac* ili **Zagrebec.* Kako ti likovi (**Zagrebac* i **Zagrebec*) nisu ušli u normalnu književnojezičnu uporabu, obilježavaju se zvjezdicom.

485   2. U rječnicima se zvjezdica stavlja ispred riječi (rjeđe iza riječi) kao upozorenje da riječ označena tim znakom ne ide u normalan, stilski neobilježen rječnički fond književnog jezika, nego se upotrebljava s posebnom stilskom vrijednosti. U stilski neutralnom značenju treba upotrijebiti riječ na koju se upućuje, npr. *astal > stol, *čatati > čitati, *zejtin > ulje, *preduzeće > poduzeće ..., kao što je rečeno u Napomenama o ovome rječniku.

486   3. Katkad se zvjezdica stavlja uz koju riječ u tekstu kao upozorenje da se tumačenje, napomena ili koji drugi podatak u vezi s tom riječju ili općenito u vezi s tekstom donosi ispod teksta ili iza teksta. Kako bi nova takva upozorenja na istoj strani trebalo obilježavati dvjema, trima i više zvjezdica, uobičajilo se umjesto zvjezdice stavljati u takvim slučajevima brojke. (Usp. § 495.)

Zvjezdica može poslužiti kao znak rođenja mjesto riječi *rođen*, npr. *Ivan Gundulić *1589.*

IZOSTAVNIK

487   1. Izostavnik se ili apostrof katkad bilježi umjesto izostavljenog slova, ponajviše u pjesničkim tekstovima i u ustaljenim izrekama:

a) u pjesničkim tekstovima:

I kad znoj nam skvasi čelo

Isprav'mo ga svjesno, smjelo.

Haj, kad tuga srce kida

Pa te pije poput zmije,

Man' se, druže, vedra vida,

Onih briga tričavije'!

Reko j' babo čedu svomu,

Da sam i ja tvoje čedo.

Bac' te raji oglodane kosti,

Bac' te kosti, spremajte pečenje ...

b) u ustaljenim izrekama:

Ili grmi il' se zemlja trese.

Stan', da ti rečem »Dobar dan«!

488 2. Izostavnik se ne piše na kraju krnjeg infinitiva i glagolskoga priloga sadašnjeg, iako to nisu prihvaćeni književni oblici, npr. *mislit, misleć*. Usp. i općepoznate Mažuranićeve stihove:

Sramota je takome junaku

Kupit harač, ne skupit harača,

Džilitnut se, ne pogodit cilja …

Ne piše se izostavnik ni na kraju krnjeg infinitivnog oblika u sastavu futura, jer je to normom ozakonjena tvorba toga oblika: *govorit ću, pisat ću, uradit ću …*

Izostavnik ne treba bilježiti ni kad se sažimanjem dvaju samoglasnika dobije samo jedan: *ko < kao, čeko < čekao, našo < našao, reko < rekao …*

489 Nikad se ne piše izostavnik ako koja riječ ili oblik ima dva istoznačna i jednakopravna lika, a upotrijebi se kraći: *dobrog* (uz *dobroga*), *lijepom* (uz *lijepomu*), *veselim* (uz *veselima*); *kad* (uz *kada*), *svud* (uz *svuda*) …

ZNAK JEDNAKOSTI

490 Znak se jednakosti može staviti između riječi koje su po čemu jednake: *kad = kada.*

Osobito je čest znak jednakosti u matematici: $5 + 5 = 10$.

ZNAKOVI PODRIJETLA

491 Znak > znači da se od riječi ili oblika ispred toga znaka razvila riječ ili oblik iza tog znaka: *dъnь > dan*. Više primjera usp. u poglavlju ZVJEZDICA (§ 484.).

Znak < znači da se od riječi ili oblika iza tog znaka razvila riječ ili oblik ispred tog znaka: *dan < dъnь;* Petrov < Petar …

Tim se znakovima može upućivati i na riječi koje se preporučuju, kao npr. u rječniku uz ovaj pravopis: *adet > običaj, arhipelag > otočje, balsam > balzam, čigra > zvrk, ćutljiv > šutljiv, stočić > stolčić, šanuti > šapnuti, učešće > sudjelovanje, vanbračan > izvanbračan, zasjenjivač > sjenilo, žuk > gorak …*

NAGLASCI

492 Naglasci se pišu kad bi bez njih bilo nejasno o kojoj je riječi ili o kojem značenju riječ ili kad pisac želi označiti da se riječ pročita samo na jedan način. Pišu se samo iznad samoglasnika. Njima se označuje mjesto, dužina i vrst naglašenosti naglašenog sloga (samoglasnika) u riječi.

U hrvatskom su književnom jeziku znakovi za naglaske ovi:

    ˝   kratkosilazni

    ˋ   kratkouzlazni

    ˆ   dugosilazni

    ˊ   dugouzlazni

Dugi nenaglašeni samoglasnici bilježe se znakom za dužinu (ˉ).

Primjeri:

sȉla, brȁt, ȍko, sjȅdnica, nȁ zemlju,

sèstra, govòriti, ne mògu (ja), ì brat,

mȇso, grȃd, pȃmtiti,

rúka, potiskívati, zá se,

vȉdīm, sèstrē (G jd.), *ȕ grȃd.*

GENITIVNI ZNAK

493 Genitivni se znak bilježi na kraju G mn. nekih imenica kad je potrebito označiti razliku između tog oblika i kojega drugog oblika, ako se drukčije u pismu nikako ne razlikuju:

    čovjek bez prijatelja (G jd.)   : *čovjek bez prijateljâ* (G mn.)

    jaja od kokoši (G jd.)   : *jaja od kokošî* (G mn.)

    od stvari (G jd.)   : *od stvarî* (G mn.) ...

Ako međutim u izreci ima drugih pokazatelja da je riječ o genitivu množine, tada genitivni znak ne treba bilježiti. Usp. *čovjek bez dobrih prijatelja* : *čovjek bez dobroga prijatelja.*

DRUGI PISMENI ZNAKOVI

494 **Križić** se, suprotno od zvjezdice, stavlja u značenju *umro*, npr. *Ivan Gundulić †1638*. Križić može i općenito (posebice u kršćanstvu) služiti za obilježavanje *umrlih, pokojnih* osoba: †*Ivan Ivanić sin* †*Antunov* (tj. *pok. Ivan Ivanić sin pok. Antuna*).

Znak *križić* (†) treba razlikovati od znaka *više* ili *plus* (+).

495 **Luk** je po obliku jednak drugom dijelu oble zagrade. Stavlja se mjesto točke u nabrajanju uz redne brojeve: 1)... 2)... 3)... ili uz slova u istoj službi: a)... b)... c)... ili A)... B)... C)... Usp. više takvih primjera i u ovoj knjizi.

U starijim se tekstovima luk stavljao uz zvjezdicu ili redni broj kad je trebalo što objasniti ili dopuniti »ispod crte« ili, eventualno, na kraju određenoga teksta: *) ili 1), **) ili 2) itd.

Danas je općeprihvaćeno da se *luk* posve izostavi, a zvjezdica ili redni broj napiše povišeno kao eksponent. Usp. primjer:

Prava je rijetkost da jedan papa vodi dnevnik. Još veća je rijetkost da u dnevnik unosi jednog rimskog kapelana. Aleksandar VII. upravo je jedan od papa koji je vodio dnevnik i u nj unio kapelana Jurja Križanića[1].

Juraj je Križanić 1658. poklonio papi Aleksandru VII. "jednu knjigu koju je sastavio o glazbenim proporcijama"[2]. *Do pape je doprla Križanićeva misao kako bi bilo podesno da se otpravi u Moskvu poslanik kojemu bi on, Križanić, bio tumač*[3]. (Ivan Golub, Starine HAZU, knjiga 59., Zagreb, 1984.)

496 **Kosa crtica** služi:

a) kao znak razlomka (1/2, 1/3, 1/4) umjesto vodoravne crtice u matematici $\left(\dfrac{1}{2}, \dfrac{1}{3}, \dfrac{1}{4}\right)$;

b) za oznaku razdoblja koje se proteže na dvije uzastopne i istovrsne vremenske jedinice, najčešće godine: *škol. god. 1993./94.* Usp. i ove primjere: *u noći 14./15. kolovoza 1993., na prijelomu 19./20. stoljeća;*

c) za točno određenje adrese, tj. broja kuće (stubišta) i kata: *Batušićeva 13/3* ili *Batušićeva 13/III* (tj. Batušićeva ulica broj 13, 3. kat);

d) kao zamjena za prijedloge *po* i *na* između dviju oznaka mjere, npr. *t/m* (tona po metru), *100 km/h* (sto kilometara na sat);

e) kao oznaka da su oba podatka (riječ, oblik, značenje, simbol), onaj ispred i onaj iza kose crtice, u funkciji iste uporabne vrijednosti:

Često će u pjesništvu na čakavskom varijetetu riječi kao znak i riječi kao sadržaj/značenje pronositi i posebnosti uvjetovane neraskidivom svojom vezanošću za zemlju.

Ukupno se dosad pojavilo u javnosti oko 450 autora/pjesnika koji su »u naše vrijeme« pisali/propjevali na čakavskom varijetetu.

Znak diobe/dijeljenja odgovara dvotočju kad služi za oznaku »prema«.

Prekomjerno jesti/piti.

Mjesto rođenja/podrijetla.

Činiti koga/što nadutim.

f) kad se stihovi pišu u retku in continuo, a ne svaki u svojem retku kako je u izvornom izdanju:

Ne okreći lica od papige./Ne/okreći/lica/svog/od/prosjaka/k/nebu.

497   Računski znaci pripadaju računstvu (matematici), ali se gdjekad upotrebljavaju i u običnom pisanju.

498   a) **Znak manje (minus)** obilježava se crticom, izvan računstva najčešće za označivanje temperaturnih stupnjeva ispod *ništice:* –10 °C (*minus deset stupnjeva Celzijevih*).

499   b) **Znak više (plus)** osim u računstvu može se iskoristiti i u primjerima kao: *č* je sliveno od *t* +*š, đ* je nastalo od *d* +*j, Petrarkin se sonet sastoji od 4 + 4 + 3 + 3 jedanaesterca.*

Znak više (plus) služi i za označivanje temperaturnih stupnjeva iznad ništice: +10 °C (*plus deset stupnjeva Celzijevih*).

500   c) **Znak množenja** služi za oznake protega (dimenzija), npr. *soba 5x4,5m* (tj. *soba duga pet, a široka četiri i pol metra*). Za razliku od računskih operacija u navedenoj se uporabi znak množenja piše bez uobičajenog razmaka između brojki.

501   d) **Znak diobe/dijeljenja** jednak je po obliku dvotočju. Osim u računstvu (npr. 30 : 10 = 3) pretežno se upotrebljava u značenju »prema« i piše se razmaknuto od riječi ili znakova između kojih se nalazi:

Nogometna utakmica između prve i druge momčadi »Hajduka« završila je 3 : 2.

Mjerilo je zemljovida 1 : 1 000 000.

502   e) **Znak ponavljanja**, po obliku jednak prvom dijelu navodnika (''), stavlja se ispod riječi koje se u stupcu ponavljaju, npr.:

Prezime i ime	*Spominje se godine*	*Mjesto rođenja/podrijetla*
Bonaurić don Jure	1623.	Sukošan
Marasović don Jure	1623. – 1633.	Sali
Mucinigović don Matija	1634.	”
Banović don Šimun	1632. – 1650.	Bibinje
Calović don Šime ml.	1825. – 1846.	Tkon
Torbarina don Krševan	1846. – 1875.	Sukošan
Torbarina don Marko	1875. – 1883.	”

503 **Paragraf** se kao pismeni znak bez pravoga razloga sve rjeđe upotrebljava. Piše se bez točke, a po potrebi mu se mogu (uz spojnicu) dodavati i padežni nastavci, npr.: § 4., 6., 8. – 12. i 14. Usp.

> *u §-u* 4.
>
> *u §-ima* 12. i 14.

504 Mjesto *paragrafa* u upotrebi je

a) riječ *članak* (ustava, zakona, statuta), najčešće predstavljan kraticom *čl.*, npr. *čl.* 4., 6., 8. – 12. i 14.

b) riječ *točka*, kratica *t.* (u značenju »odlomak« u kakvu tekstu), npr. *t.* 4., 6., 8. – 12. i 14.

KRATICE

505 Ima stalnih i prigodnih kratica. Stalne su kratice nastale po utvrđenim načelima, a prigodne stvara sam pisac, ali tako da čitatelj može uvijek bez kolebanja uspostaviti punu riječ.

Stalne su kratice dvojake. Jedne su, obične kratice, skraćeni dijelovi riječi ili skupova riječi i čitaju se kao da su te riječi napisane. Druge su kratice nastale spajanjem početnih slova ili grupa slova višečlanih naziva i imena i obično se čitaju kako su napisane. To su tzv. sastavljene kratice.

OBIČNE KRATICE

506 Obične se kratice redovito pišu s točkom na kraju; točka je znak kraćenja riječi.

Bez točke redovito se pišu samo kratice odnosno oznake međunarodnih mjernih i sličnih jedinica.

A. Kratice koje se pišu s točkom

507 1. Kratice s jednim slovom iza kojega se stavlja točka:

a) kratice hrvatskih riječi:

č. – čitaj (uz *čit.*)   *n. d.* – navedeno djelo

g. – godina (uz *god.*)   *o.* – otac (samo u značenju
       gospodin (uz *gosp.*)   »duhovni otac«)

l. – lice   *oo.* – oci (npr. oci isusovci)

r. – razred (uz *razr.*)   *o. g.* – ove godine

t. – točka   *s. r.* – srednji rod

v. – vidi(te)   *v. d.* – vršitelj dužnosti
i d. – i dalje   *v. r.* – vlastitom rukom
m. r. – muški rod   *ž. r.* – ženski rod ...
m. s. – među spise

508   b) kratice nekih latinskih riječi i izraza:

a. a. – ad acta (među spise)   *n.* – neutrum (srednji rod)
f. – femininum (ž. r.)   *o. c.* – opus citatum (navedeno djelo)

l. c. – loco citato (na navede-   *s. l.* – sine loco (bez oznake mjesta)
nom mjestu)
m. – masculinum (muški   *s. v.* – sub voce (kod riječi) ...
rod)
m. p. – manu propria (vlasti-
tom rukom, vlastoručno)

509   U rječnicima i posebnim priručnicima kratice se za rod riječi (hrvatske i latinske), osobito ako se pišu drukčijim tipom slova nego riječ, mogu donositi i bez točke: *m, s, ž* (hrvatske kratice), *f, m, n* (latinske kratice).

510   c) Neke se takve kratice pišu velikim slovima:

L. S. – locus sigilli (mjesto   N. B. – nota bene (pazi dobro,
pečata)   pripomena)
M. P. – mjesto pečata   P. S. – post scriptum (poslije napisa-
                                            noga) ...
N. N. – nomen nescio (ne
znam imena, netko nepoz-
nat)

511   2. Kratice s točkom na kraju koje se pišu početnim slovima do prvog samoglasnika (ne računajući samoglasnik na početku):

ar. – arapski   *st.* – stoljeće
arh. – arhitekt (i izvedenice)   *str.* – strana
br. – broj   *sv.* – svezak
čl. – član(ak)   *šk.* – školski (*šk. g.* školska godina)
i dr. – i drugo (drugi)   *šp.* – španjolski
fr. – francuski   *uč.* – učenik

i sl. – i slično
mj. – (u)mjesto
mn. – množina
pl. – plural

ul. – ulica
um. – umanjenica
uv. – uvećanica ...

512 3. Kratice s točkom na kraju koje se pišu slovima do drugog samoglasnika riječi:

čak. – čakavski
čit. – čitaj(te) (uz *č.*)
dem. – deminutiv (umanjenica)
engl. – engleski
gen. – genitiv (uz G)
gimn. – gimnazija
god. – godina (uz *g.*)
hip. – hipokoristik
ing. – međunarodna kratica za inženjer
komp. – komparativ
kajk. – kajkavski

kat. – katolički
pov. – povijest
prof. – profesor
razr. – razred (uz *r.*)
stud. – student(ski)
sup. – superlativ
štok. – štokavski
tal. – talijanski
tur. – turski

usp. – usporedi(te) ...

513 4. Kratice s točkom na kraju u kojih se pišu dva prva sloga u riječi sa suglasnicima do trećeg samoglasnika:

augm. – augmentativ
imperf. – imperfekt (uz *impf.*)

514 5. Kratice s točkom na kraju koje se pišu do drugog suglasnika iza samoglasnika u početnom slogu riječi:

rus. – ruski (jezik i dr.)
zem. – zemljopis(ni) ...

515 6. Kratice s točkom na kraju u kojih se piše samo prvo i zadnje slovo ili prvo slovo i kraj riječi:

dr. – doktor
mr. – magistar ...

516 7. Zbog praktičnosti kratice se s točkom na kraju prave i na druge načine, po načelu da su kratke i jasne:

impf. – imperfekt (uz *imperf.*)	*sg.* – singular (*sg. t.* singulare tantum, singularia tantum)
itd. – i tako dalje	*svr.* – svršeni (glagol)
jd. – jednina	*stcsl.* – starocrkvenoslavenski
npr. – na primjer	*stsl.* – staroslavenski
ns. – nesvršeni (glagol)	*tj.* – to jest
pf. – perfekt (uz *perf.*)	*tzv.* – tako zvani (takozvani)
rkt. – rimokatolik, rimokatolički	

517 8. Kao sve druge kratice tako i kratice titula uvijek zadržavaju isti oblik, tj. ne dobivaju padežne nastavke, a čitaju se kao pune riječi, i to u padežu koji traži smisao:

dr. Gaj (čit. doktor Gaj), *od dr. Gaja* (čit. od doktora Gaja), *s dr. Gajem* (čit. s doktorom Gajem).

518 9. Prigodne se kratice svršavaju na suglasnik i iza svih se stavlja točka. To je postupak kao kad npr. pisac za svoje potrebe skrati: *pred.* ili *predsjed.* predsjednik, *gospod. odn.* gospodarski odnosi, *preuzv.* preuzvišeni, *slavon.* slavonski, *potroš.* potrošački …

B. Kratice odnosno oznake koje se pišu bez točke

519 1. Bez točke se pišu:

a) kratice i znakovi mjernih jedinica:

mm – milimetar	*t* – tona
cm – centimetar	*ml* – mililitar
dm – decimetar	*dcl* – decilitar
m – metar	*l* – litra
km – kilometar	*dkl* – dekalitar
g – gram	*hl* – hektolitar
dag – dekagram	*s* – sekunda
kg – kilogram	*cd* – kandela (svjetlosna jakost) …
q – kvintal	

b) kratice odnosno oznake za novčane jedinice, i to u načelu obvezatno samo u međunarodnoj razmjeni, npr. USD (američki dolar), CHF (švicarski franak), ITL (talijanska lira), DEM (njemačka marka), ATS (austrijski šiling), HRK (hrvatska kuna).

U domaćem, unutarnjem novčanom prometu oznake novčanih jedinica mogu biti i drukčije. Tako se u Njemačkoj služe oznakom DM (a ne isključivo DEM) i u Italiji oznakom Lit (=Lira italiana). Za naziv novčane jedinice *kuna* međunarodna je oznaka HRK, a domaća kratica *kn*. Za novčanu jedinicu *lipa* kratica je *lp*.

520 U međunarodnom su prometu, posebice za potrebe stručnih krugova i organizacija, prihvaćene i mnoge druge zajedničke oznake za mjerne i srodne jedinice i pišu se bez točke, npr.

a – ar	*h* – sat (hora)
ha – hektar	*d* – dan (dies)
1° – stupanj	*mmHg* – milimetar živina stupca
1' – minuta	eV – elektronvolt
1" – sekunda	

Srodne jedinice glazbenih pojmova pišu se također prema uobičajenoj međunarodnoj praksi, npr. *D-dur, d-mol, C-ključ* i dr.

521 2. Bez točke i velikim slovom pišu se kratice/oznake za vlastita imena od jedne riječi u nazivima časopisa, strana svijeta i sl., kratice za šahovske figure, jedino ili prvo slovo znakova kemijskih počela i nazivi nekih drugih mjernih i srodnih jedinica te složene kratice:

a) nazivi časopisa

F – Forum (časopis)
J – Jezik (časopis)
S – Slovo (časopis) …

b) nazivi strana svijeta

I – istok
J – jug (JZ jugozapad, JI jugoistok)
S – sjever (SZ sjeverozapad, SI sjeveroistok)
Z – zapad …

Napomena: Isto vrijedi i za pisanje međunarodnih oznaka za nazive stranâ svijeta, npr.: WNW međunarodna kratica za zapad-sjeverozapad (hrv. ZSZ), WSW međunarodna kratica za zapad-jugozapad (hrv. ZJZ).

c) nazivi šahovskih figura

D – dama

K – kralj

L – lovac

T – toranj, top

S – skakač ...

d) nazivi kemijskih počela

Eu – europij

F – fluor

Ga – galij

S – sumpor ...

e) nazivi drugih mjernih jedinica

Hz – herc

°C – Celzijev stupanj

V – volt

W – vat ...

f) sastavljene kratice (usp. i § 523. i dalje)

HAZU – Hrvatska akademija znanosti i umjetnosti

MH – Matica hrvatska

SAD – Sjedinjene Američke Države

USA – engl. United States of America (hrv. SAD) ...

522 3. Iznimno se bez točke pišu tradicionalne (međunarodne) kratice: *don* (prema lat. dominus, titula kat. svećenika), *fra* (fratar, prema lat. frater). Te se titule izgovaraju kako su napisane, ali se ni one ne mijenjaju po padežima.

Bez točke se pišu i uobičajene kratice *gđa* (gospođa) i *gđica* (gospođica).

SASTAVLJENE KRATICE

523 1. Prema tome kako su napravljene, razlikujemo dvije vrsti sastavljenih kratica:

524 a) Jedne su postale od početnih slova svakog člana izraza koji se u njima krati. Pišu se bez točke iza pojedinih slova i sva su slova velika:

HAZU – *Hrvatska akademija znanosti i umjetnosti*

HBZ – *Hrvatska bratska zajednica* (u SAD)

HDZ – *Hrvatski dijalektološki zbornik; Hrvatska demokratska zajednica*

HINA – *Hrvatska izvještajna novinska agencija*

HKD – *Hrvatsko kulturno društvo* (Hrvata Gradišćanaca u Austriji i drugdje)

HUS – *Hrvatska udruga sindikata*

HVO – *Hrvatsko vijeće obrane* (u Herceg-Bosni)

MH – *Matica hrvatska*

NDH (pov.) – *Nezavisna Država Hrvatska*

OTV – *Omladinska televizija*

RH – *Republika Hrvatska*

SAD – *Sjedinjene Američke Države*

SHM – *Savez Hrvata u Mađarskoj*

UN – *Ujedinjeni narodi*

USA – krat. za engl. *United States of America* (hrv. SAD)

ZAVNOH (pov.) – *Zemaljsko antifašističko vijeće narodnog oslobođenja Hrvatske*

525 One između tih i takvih kratica koje oblikom odgovaraju riječima našeg jezika mogu se i sklanjati. Padežni se nastavak pisan malim slovima odvaja od kratice spojnicom:

HUS-a, HUS-u, HUS-om; ZAVNOH-a, ZAVNOH-u, ZAVNOH-om ...

526 Od ostalih sastavljenih kratica toga tipa jedne obično ostaju nepromijenjene (HAZU, MH), a drugima se dodaje padežni nastavak, ali se tada pretpostavlja čitanje pojedinih slova u obliku njihova abecednog naziva:

HDZ – *Hadeze*, HDZ-a – *Hadezea*; HKD – *Hakade*, HKD-a – *Hakadea*; HSP – *Haespe*, HSP-a – *Haespea*; OTV – *Oteve*, OTV-a – *Otevea*.

Po abecednom nazivu pojedinih slova mogu se čitati i druge takve kratice (MH – *Emha*, RH – *Erha*), ali se izgovorni oblik ne sklanja.

527   b) Druge takve tvorenice imaju oblik promjenljivih riječi i njihovu sklonidbu, a kao vlastita imena pišu se velikim početnim slovom:

Binoza (pov.) – Biblioteka novinske zadruge:

Ta je knjiga izdanje Binoze.

Nama – Narodni magazin (ime trgovačkoga poduzeća):

Haljinu je kupila u Nami.

Roma – Robni magazin:

Posjetio sam Romu.

Tim se načinom mogu pisati i kratice kao *Hina* (mj. HINA), *Zavnoh* (mj. ZAVNOH) i sl. Tada se sklanjaju kao druge riječi svoje kategorije: *Hina, Hine; Zavnoh, Zavnoha …*

528   c) Kratice *Sofka, Fifa* i sl. koje već u nominativu jednine imaju nastavak *-a* sklanjaju se kao i ostale imenice ž. r. na *-a*: *Sofka, Sofke, Sofki; Fifa, Fife, Fifi …*

529   2. Sastavljene kratice iz stranih jezika koje se u svakidanjoj uporabi ne analiziraju po postanju ako ih treba i kad ih treba upotrijebiti pišu se po izgovoru i ponašaju se kao prilagođene tuđice:

Unprofor (nazočnost *Unprofora*)

Unra (pomoć od *Unre*)

Unicef (pomoć od *Unicefa*) …

530   3. U posljednje se vrijeme uvode neki nazivi i neka imena napravljena po stranom, uglavnom njemačkom ili engleskom uzoru, i to tako da se naziv ili ime sastavi od dviju samostalnih imenica od kojih svaka ima svoje posebno značenje:

Drvopromet (drvo + promet), *Drvorad* (drvo + rad), *Mesopromet* (meso + promet), *Dalmacijaturist* (Dalmacija + turist). Kako to nije sustavni način tvorbe složenica, takav način tvorbe naziva i imena treba u hrvatskom jeziku izbjegavati.

PRAVOPISNI RJEČNIK

Napomene o ovome rječniku

Pravopisni rječnik specifična je vrsta rječnika pa je radi razumijevanja njegove naravi i boljega služenja njime potrebno reći što se u njemu nalazi.

U pravopisni rječnik ne ulaze sve riječi hrvatskoga književnoga jezika, nego samo one u kojima dolazi do nedoumica kako se pravilno pišu, a to je prema dosadašnjoj pravopisnoj tradiciji ovo:

1. riječi koje u sebi sadržavaju glasove *č, ć, dž, đ, h, j,* dvoglasnik *ie,* koji se piše sa ije i na njegovim mjestima zamjene *je-e-i*

2. riječi koje u svojim oblicima ili u svojoj tvorbi prema osnovnoj riječi imaju glasovne promjene po jednačenju po zvučnosti, mjestu tvorbe i gubljenju suglasnika

3. riječi kod kojih postoji kolebanje da li se pišu kao složenice ili kao polusloženice

4. riječi koje se pišu velikim početnim slovom

5. tuđice u kojima postoji kolebanje pišu li se prema pisanju ili prema izgovoru jezika iz kojega potječu

6. najuobičajenije kratice.

Dakako da zbog ograničenoga opsega knjige nije bilo moguće unijeti sve takve riječi. Riječi 1-3 unesene su u veoma velikom izboru, a riječi 4-6 zbog svoje naravi u veoma malom izboru.

Unošene su prvenstveno općejezične riječi, a riječi pojedinih struka samo u onoj mjeri u kojoj imaju šire značenje i znatno su proširene u svakidašnjoj upotrebi. Uskostručne riječi i kad su pravopisno zanimljive, u načelu nisu unošene u ovaj rječnik. Njihovu pravopisnu problematiku treba rješavati u okviru pojedinih struka.

U rječniku ima dosta turcizama. Oni se ne mogu u ovakvu rječniku izbjeći jer upravo te riječi često imaju glasove *č, ć, dž, đ,* a ima dosta hrvatskih pisaca koji su ih upotrebljavali, kao što su Safvetbeg Bašagić, Musa Ćazim Čatić, Edhem Mulabdić, Ahmed Muradbegović, Hasan Kikić, Alija Nametak, Mak Dizdar, Jakša Kušan i dr. Ako se traženi turcizam ne nalazi u ovom rječniku, a izaziva pravopisnu nedoumicu, potrebno ga je potražiti u drugim rječnicima, rječniku stranih riječi, posebno u rječniku turcizama Abdulaha Škaljića.

Mnoge su riječi unesene sa dva, a neke čak i sa tri lika, osobito riječi na *-tak, -dak, -tac, -dac* i riječi s dvoglasnikom *ie,* koji se piše sa *ije* i na tome mjestu glasovni skup *je* i glas *e.* Učinjeno je to zato da se uklone zaprjeke koje su zbog političkih neprilika onemogućavale hrvatskomu pravopisu da se normalno razvija i standardizira. Zbog toga se zasad mnoge dvostrukosti i trostrukosti mogu smatrati podjednako dobrima dok praksa ne pokaže čemu će dati prednost. Kako su nove dvostrukosti unesene s opravdanim razlozima, to se može očekivati da će one imati prednost. Naime jasnije je kad se napiše *svi petci* nego *svi peci,* a *naši mladci i mlatci* i ne može se napisati drukčije jer *naši mlaci i mlaci* ne bi bilo jasno.

Osobna smo imena u pravopisni rječnik unosili u ograničenu opsegu, a i imena mjesta još u ograničenijem ako i jesu pravopisni problem jer takvih imena ima veliko mnoštvo pa bi to preopteretilo pravopisni rječnik. S druge strane imena mjesta većinom već imaju ustaljene likove, stoga smo unijeli samo neke kao primjer i za druge, a glavnina odgovora na ta i slična pitanja naći će se u rječniku imena naših naseljenih mjesta, njihovih etnika i pridjeva od njih, koji se priprema. Jedino su unesena imena država koja su pravopisni problem jer se ona pišu po izgovoru.

Rijetko su u rječnik unošeni pridjevi na -*ioni* jer su oni svojom glavninom izašli iz upotrebe današnjega hrvatskoga književnog jezika, a s druge strane umjesto njih se upotrebljavaju pridjevi na -*ijski,* pa koliko treba, oni su unošeni u rječnik. Kako oni po abecednom redu dolaze na mjestu pridjeva sa -*ioni,* to neće biti većih teškoća zbog toga postupka.

Uz pojedine riječi koje su ušle u pravopisni rječnik unošeni su i njihovi oblici, prvenstveno kad bi mogli izazvati kakvu pravopisnu nedoumicu.

Riječi u kojima dolazi dvoglasnik ie, koji se piše sa *ije*, zadržavaju to *ije* u svim svojim oblicima; ako je drukčije, to je navedeno.

Osobito se često daje vokativ imenica na -*ac,* -*ak* jer on na mjestu *c, k* ima *č,* zatim I jd. imenica ž. r. koje završavaju na *d, t* jer se ti glasovi u tom padežu smjenjuju sa *đ, ć.* Tako se uz imenice na -*ost* nalazi -*ošću* i -*osti,* što znači da su oba oblika ravnopravna, ali ako nema posebnih razloga za upotrebu lika sa -*ošću,* dobro je prednost davati obliku na -*osti.*

G. mn. imenica ž. r. tipa *pečurka* koje ispred nastavka -*a* imaju dva ili tri zatvornika, često ima dva ili tri oblika, npr.

pečurka G mn. -raka, -rka i -rki

svjedodžba G mn. -džaba, -džba i -džbi.

Iako su sva tri lika u načelu ravnopravna, najpovoljnije je davati prednost liku s nepostajanim a jer on ima jaču hrvatsku tradiciju, a i najrazlikovniji je.

Ako imenica koja je unesena u rječnik, ima nepostojano a, onda je uz takvu riječ dan i oblik za genitiv, ako je natuknica pridjev, onda oblik za ž. r.

Glagoli na -ći (dići, doseći, dotaći ...) normalno se nalaze u pravopisnome rječniku, a njihovi parnjaci na -ti (dignuti, dosegnuti, dotaknuti ...) samo iznimno, ali to nipošto ne znači da prvi zbog toga imaju upotrebnu prednost.

Uz stilski obilježene riječi, ne baš prijeko potrebne tuđice ili manje preporučljive riječi koje po navedenim pravilima ulaze u pravopisni rječnik, dolazi znak >, a iza njega stilski neutralna riječ, domaća zamjena ili normativno preporučljivija riječ ili oblik.

Ako je stilska obilježenost veća, tada ispred prve dolazi još i zvjezdica.

Valja posebno naglasiti da to ne znači da se riječi sa zvjezdicom ili bez zvjezdice ispred znaka > ne smiju upotrebljavati u hrvatskome književnome jeziku, nego upozorenje da takve riječi valja upotrebljavati s većim oprezom i s posebnim znanjem.

Polazimo od pravila da je u književnom jeziku sve dobro ako je upotrijebljeno u skladu sa svojom stilskom vrijednosti. Samo da bi se tako moglo postupati, treba znati sve stilske vrijednosti. Znak > sa zvijezdicom ili bez nje samo upozorava da riječ ima posebne stilske vrijednosti, ali sve one nisu mogle biti označene jer se to i ne može učiniti bez složenoga sustava oznaka. Da smo to činili, time bismo znatno prešli okvire pravopisnoga rječnika. To je predmet rječnikâ, jezičnih i stilskih savjetnika. No i onim što smo učinili, nismo se strogo držali pravopisnih kriterija, ali valja reći da su tako postupali svi naši pravopisni priručnici, od Brozova Hrvatskoga pravopisa, preko Boranićevih izdanja pa sve do našega. Kad bismo se strogo držali pravopisnoga načela, onda su npr. i riječi s *č, ć, dž, đ* svojom glavninom jezični, a nisu pravopisni problem. Pogotovu bi bilo neprimjereno držati se toga u današnjim prilikama kad je hrvatsko rječničko blago u velikom previranju i kad još uvijek nemamo rječnika hrvatskoga književnoga jezika na koji bismo se u pravopisnome pogledu mogli s pouzdanjem osloniti i kad je pravopisni rječnik mnogima jedinim ili glavnim jezičnim priručnikom. Stoga nismo mogli u rječnik unositi riječi samo po pravopisnome kriteriju pa reći: ovako se riječi pišu, a kako se upotrebljavaju, to se pravopisnoga rječnika ne tiče.

Ako koje riječi nema u pravopisnome rječniku, tada samo na temelju te činjenice ne valja donositi zaključke o njezinoj vrijednosti ili o potpunosti ovoga rječnika. Sve što je dosad rečeno, kazuje da u pravopisnome rječniku ne treba tražiti odgovore na pitanja u svezi s onim riječima koje zbog svoga glasovnoga sastava ne ulaze u pravopisni rječnik, kao što su npr. *kvaliteta, kvantiteta, komet, planet...* pa tražiti odgovor da li se upotrebljavaju one ili njihove rjeđe usporednice *kvalitet, kvantitet, kometa, planeta*. Ni jedne ni druge ni po šire shvaćenim pravopisnim pravilima ne ulaze u pravopisni rječnik pa o tome u njemu ne treba ni tražiti odgovor.

Slično vrijedi i za odnose feudalni (koji se odnosi na feud) - feudalistički (koji se odnosi na feudalizam). Prvi se ne nalazi u pravopisnome rječniku jer za to nema razloga, a drugi se nalazi zbog č, ali bi zbog toga bilo pogrešno da je feudalni u bilo kojem smislu diskriminiran. Rješavanje njihovih odnosa pripada drugomu jezikoslovnomu području.

Riječi u rječniku nisu obilježene naglascima. Time je naglašeno da je to pravopisni, a nije pravogovorni priručnik. Dakako, kad je naglasak razlikovan, onda su riječi njime obilježene.

Kad je to s kojih razloga bilo potrebno, uz pojedine se riječi daju najnužnija tumačenja, a samo su uz neke stavljeni brojevi koji upućuju na paragraf u Pravopisnim pravilima. To je učinjeno uglavnom kod primjera za sastavljeno i rastavljeno pisanje riječi jer bi tumačenje uz natuknicu uzelo mnogo prostora, a moglo bi se dogoditi da ni tada ne bude dovoljno jasno kad treba pisati jedno, a kad drugo.

Ne nađe li se koja riječ u pravopisnome rječniku, a po navedenim bi pravilima trebala biti, a ni po analogiji se ne može odrediti njezin pravopisni lik, molimo korisnike da se slobodno obrate autorima i oni će dati potrebno objašnjenje, a riječ zabilježiti za usavršavanje novih izdanja.

A

a. a. *kratica za lat.* ad acta, *čit.* ad akta (*hrv.* među spise)
abderićanin mn. -ani (*ograničen malograđanin*)
abecedarac, -rca, V jd. -rče, G mn. -raca
abecedarij
*abecedarijum > abcccdarij
Abel
abiturijent
abiturijentica
abiturijentičin
abiturijentski
abnormalac, -lca, V jd. -lče, G mn. -laca
abnormalnost, -ošću *i* -osti
abolicionist
abolicionistički (*prema* abolicija 'poništenje, ukinuće')
abonent
abonentski
abonman
Aboridžin > Praaustralac
Aborigin > Praaustralac
Abraham
Abrahamov; krilo Abrahamovo
Abu Dhabi (*zem.*)
adagio *i* adađo (*glaz.*)
a-deklinacija /sklonidba
A-dur
a-mol
adet > običaj
adhezija
adhezijski
Adis Abeba (*zem.*)
adjektiv > pridjev
adjunkt
adjutor
administrativac, -vca, V jd. -vče, G mn. -vaca
adresant
adsorbirati
adsorpcija
adstrat
A-dur
Advent (*Došašće*)
adventist
adventistica
adventistićin
adventistički

*adžija > hadžija
adutant G mn. -nata
aerobioza
aerodinamičan, -čna
aerodinamički
aerodinamičnost, -ošću *i* -osti
aerodrom > uzletište, zračna luka
aerofobija
aeroklub
aeromehanika DL jd. -ici
aeromiting mn. -nzi
aeromotorist
aeronautički
aerostatički
afatičan, -čna
afekt G mn. afckata
Afganistan (*zem.*)
Afganistanac, -nca, V jd. -nče, G mn. -naca
afiličan, -čna
afinitet
afoničan, -čna
aforističan, -čna
aforistički
aforističnost, -ošću *i* -osti
Afrićanin mn. -ani > Afrikanac (*prema* Afrika)
afrički
Afrikanac, -nca, V jd. -nče, G mn. -naca
Afrikančev
Afrikanka DL jd. -ki, G mn. -ki
Afrikankin
AFŽ (*pov.*) *kratica za* Antifašistička fronta žena
aga DL jd. agi; *spaja se spojnicom s osobnim imenom:* Smail-aga; *kao dio imena piše se spojeno:* Suljaga
agamist (*neženja*)
aginica *piše se:* Smail-aginica *i* Hasanaginica; *usp.* aga
aginičin *prema* aginica
agitacija
agitacijski
agitacioni > agitacijski
agitatoričin *prema* agitatorica
agnostičar > agnostik
agrafičan, -čna
agrafično (*pril.*)
agrarac, -rca, V jd. -rče, G mn. -raca

agrarčev *prema* agrarac
agrotehnički *prema* agrotehnika
agrotehnika DL jd. -ici
ahar
Ahasver
ahat
ahatni
ahavac, -vca, V jd. ahavče, G mn. ahavaca
   (*pov., onaj koji je bio za to da se u* G mn. *piše*
   -ah)
ahbab > drug, prijatelj
Aheja (*pov.*)
Ahejac, -jca, V jd. Ahejče, G mn. -jaca, *prema*
   Aheja
Ahejčev
Aheront (*mit.*)
Ahil *i* Ahilej (*ime*); Ahilova peta
ahistorizam, -zma
Ahmed (*ime*)
*AIDS, AIDS-a > sida, kopnica
ajme(h) (*razg.*)
ajnštajnij (*znak* E *i* Es)
*ajnštajnijum > ajnštajnij
ajvar
akademac, -mca, V jd. -mče, G mn. -maca
akademčev
akademičar (*sveučilišni slušač*)
akademičarka DL -ki, G mn. -ki
akademički *prema* akademac
Akademijin *prema* Akademija
akademijski *prema* akademija *i* Akademija
akademik V jd. -iče, mn. -ici (*član Akademije*)
akcenat > akcent/naglasak
akcenatski
akcent G mn. akcenata
akcentuacija
akcentuacijski
akcident G mn. akcidenata
ako li
akono (*zast.*)
akribičan, -čna
akribičnost, -ošću *i* -osti
akromatičan, -čna
akromatičnost, -ošću *i* -osti
akromatski
akromazija (*bezbojnost*)
akropola
aksiomatički
aksiomatski
akšam-cvijet
akšamlučar
akšamlučiti, akšamlučeći
akt mn. akti; *ne* *akta (*drugo je lat.* ad acta)
aktivist

aktivistčin *prema* aktivistica
aktivistički
aktualan, -lna
akumulacijski
akustičan, -čna
akustički
akustičnost, -ošću *i* -osti
Alah (*vlastito ime božanstva*)
alaj-barjak
alaj-čauš
alatničar
alaukati, -učem, alauči, alaučući
Albanac, -nca, V jd. -nče, mn. -nci, G mn. -naca
Albančev *prema* Albanac
Albanija (*zem.*)
Albanka DL jd. -ki, G mn. -ki
Albankin
albanski
alčica *um. od* alka
alegoričan, -čna
alegorički
aleja; Aleja Vukovar (*u Zagrebu*), *umjesto:*
   Vukovarska aleja
Aleksandar, -dra
*Aleksander > Aleksandar
Aleksandrija (*zem.*)
aleksandrijski
aleksandrinac, -nca, G mn. -naca (*stih*)
aleluja
alergičan, -čna
alfabetički > alfabetski
alfabetski
Al fatah
Alhambra
alhamijado (*španjol.* aljamiado)
Alibaba
alijenacija
alijenacijski
alimentacija
alimentacijski
alkaličan, -čna
alkaloid
alkemičar
alkemija
alkemijski
alkemist
alkemistički
alkohol
alkoholičar
alkoholičarev *i* alkoholičarov
alogičan, -čna
Alpe mn. ž. r., G Alpa, DL I Alpama
Alpinac, -nca, V jd. -nče, G mn. -naca
alpinistički

alpinizam, -zma (*šport.*)
alsaški *i* alzaški *prema* Alsacc
altruist
altruistički *prema* altruist
altruizam, -zma
alt-saksofon
aluminij
aluminijev > aluminijski
aluvij
alva > halva
Alzašanin *prema* Alsacc
Alzašanka DL jd. -ki, G mn. -ki
alzaški *i* alsaški *prema* Alsacc
Alžir (*zem.*)
Alžirac, -rca, V jd. -rče, G mn. -raca
Alžirka DL jd. -ki, G mn. -ki
aljamiado *v.* alhamijado
aljkavac, -vca, V jd. aljkavče, G mn. -vaca
*am > ham
amajlija > hamajlija
ambalaža
ambar, -ara
ambasada > vclcposlanstvo
ambasador > vclcposlanik
ambijent
ambrozija
ambrozijski
ambulatorij
americij (*znak* Am)
*americijum > amcrcij
Američanin mn. -ani > Amcrikanac
američki
Amerika DL jd. -ici
Amerikanac, -nca, V jd. -nčc, mn. -nci, G mn.
  -naca
Amerikančev
Amerikanka DL jd. -ki, G mn. -ki
Amerikankin
ametice > hamcticc
ametisni *i* amctistni
ametom > hamctom
amfibrah mn. -asi
amfikar, -a, mn. -i, G mn. -a
amfiteatar, -tra, G mn. -tara
amfora
amidža > stric
amonij
amonijačni
*amonijum > amonij
amorfan, -fna
Amorićani
amortizacijski
amortizacioni > amortizacijski
amo-tamo

amper (*mjera*)
Amper (*ime*)
amper-sat
amper-sekunda
amputacijski
amputacioni > amputacijski
anabaptist
anabaptistica
anabaptistN
anabaptistički
anahoret
anahoretski
anakroničan, -čna
anakronističan, -čna
anakronistički
anakronizam, -zma
analeptičan, -čna
analist
analističan, -čna
analistički
analitičar
analitičarka DL jd. -ki, G mn. -ki
analitički
analitika DL jd. -ici
anamnestički
anarhičan, -čna
anarhičnost, -ošću *i* -osti
anarhija
anarhist
anarhistica
anarhistN
anarhistički
anarho- (*npr.* anarhoindividualist)
anastatički
Ančica
ančuga DL jd. -gi (*zool.*)
Ande mn. ž. r., G Anda, DL I Andama
Andrija; Andrija Kačić Miošić (*hrvatski epski*
  pjesnik)
andrijevački *prema* Andrijevci
Andrijevci (*zem.*)
Andrijevčanin
Andrijevčanka DL jd. -ki, G mn. -ki
Andrijica *prema* Andrija
Andrijičin
Andromaha DL jd. -hi
anđel *i* anđeo
anđelak, -lka, V jd. -lče, mn. -lci, G mn. -laka
anđelčić
Anđelija
Anđelijica *prema* Anđelija
anđelski *i* anđeoski
anđeo, -ela *i* anđel
anđeoski *i* anđelski

aneksionistički
anemičan, -čna
anemičar
anemičarka DL jd. -ki, G mn. -ki
anemičnost, -ošću i -osti
anestetičan, -čna
anestetičar
anestetičarka DL jd. -ki, G mn. -ki
angelika DL jd. -ici (bot.)
anglikanac, -nca, V jd. -nče, G mn. -naca
anglist
anglistica
anglističin
anglistički
anglistika DL jd. -ici
anglo-američki; anglo-američki savez
angloamerički prema Angloamerikanci
Anglo-Amerikanci (Englezi i Amerikanci)
Angloamerikanci (Amerikanci engleskoga
    podrijetla)
angora; angora mačka, angora kunić
Aničica hip. od Anica
Aničin prema Anica
anihilacija
animalist
animalistički
animist
animistički
Anka DL Anki
Ankica hip. od Anka
Ankičin prema Ankica
ansambl G mn. -bala
antagonist
antagonistički
antarktički prema Antarktik
Ante G jd. Ante (m. ime)
antialkoholičar
antialkoholičarka DL jd. -ki, G mn. -ki
antibiotičan, -čna
anticiklona
antički prema antika i Antika
antidržavni > protudržavni
antifašist
antifašistica i antifašistkinja
antifašistički; Antifašistička fronta žena
    (pov.), krat. AFŽ; Dan antifašističke borbe
    (spomendan)
antifašistkinja i antifašistica
antiimperijalist
antiimperijalistički
Antikrist i Antikrst (osobni nadimak)
antikrist i antikrst (nevjernik)
antipatičan, -čna
antipatičnost, -ošću i -osti

antipatija
antiseptičan, -čna
antologičar
antologičarev i antologičarov
antologičarka DL jd. -ki, G mn. -ki
antologičarkin
antologičarov i antologičarev
Antonijica prema Antonija
Antun
Antunov
anuitet (bank.)
a ono
aoristni; aoristni oblik
apagogički; apagogički dokaz
apatičan, -čna
apatičnost, -ošću i -osti
aplauz
apodiktičan, -čna
apodiktički
apoen
apokaliptičan, -čna
apokaliptički
apolitičan, -čna
apolitički
apolitičnost, -ošću i -osti
apostol
apostolski; Djela apostolska (knjiga)
apotekaričin prema apotekarica
apoteoza
aprioristički
*aps > tamnica, uze, zatvor
apsolutist
apsolutistički
apsorpcija
apstraktistički
apsurdan, -dna
apsurdnost, -ošću i -osti
*apta > habat
Arabija (zem.)
arabist
arabistički
*arambaša > harambaša
*aranđel > arhanđel
Aranđelovac, -vca (zem.)
Arapin
Arbanija > Albanija
arbitar, -tra, G mn. -tara
arčiti > harčiti
*arfa > harfa
argumen(a)t, -nta, G mn. -nata
arhaičan, -čna
arhaističan, -čna
arhaistički
arhaizam, -zma, mn. -zmi, G mn. -zama

arhajski
arhanđel/arhanđeo *i* arkanđel/arkanđeo
arheolog mn. -ozi
arheološki *prema* arheolog *i* arheologija
arhetip
arhi *u složenicama:* arhiđakon, arhiepiskop...
arhiđakon
arhiepiskop
arhijerej
arhijerejski; Arhijerejski sabor
arhimandrit
arhimandritski
Arhimed
arhipelag > otočje
arhitekt
arhitektonski
arhiv
arhivar
arhivist
arhivistica
arhivističin
arhivistički
arhont
Arijac, -jca, V jd. -jče, G mn. -jaca
arijevac, -vca, V jd. -vče, G mn. -vaca
aristokracija
aristokracijski
aristokrat
aristokratski
ariš
aritmetičar
aritmetičarka DL jd. -ki, G mn. -ki
aritmetički
aritmičan, -čna
arkanđel/arkanđeo *i* arhanđel/arhanđeo
arkiv > arhiv
arktički *prema* Arktik
*arlekin > harlekin
Armenija (*zem.*)
armirač
arnaućenje *prema* arnautiti
aromatičan, -čna
aromatičnost, -ošću *i* -osti
Arpadović; dinastija Arpadovića (*pov.*)
arpadovićki
arsenal
arseničan, -čna
arsenovodik
Artemida (*mit., osobno ime božanstva*)
arterijalan, -lna
arterijski
arteriosklerotičan, -čna
artičok mn. -oci (*bot.*)
artificijelan, -lna

artikulacijski
artikulacioni > artikulacijski
artiljerac, -rca, V jd. -rče, G mn. -raca
artiljerčev
artiljerski
artist
artistica
artističin
artistički
asambleja > skupština
aseptičan, -čna
aseptički
asignacijski
asignacioni > asignacijski
asimetričan, -čna
asimetrički
asimetričnost, -ošću *i* -osti
asimilacijski
asimilacioni > asimilacijski
asinhron > asinkron
asinkron
asinkroničan, -čna
Asirac, -rca, V jd. -rče, G mn. -raca
Asirija (*pov.*)
asistentičin *prema* asistentica
asket
*astal > stol
*astalčić > stolić
astečki *prema* Asteci
astigmatičan, -čna
astigmatičnost, -ošću *i* -osti
astmatičan, -čna
astmatičar *i* astmatik
astmatičarka DL jd. -ki, G mn. -ki
astmatik V jd. -iče, mn. -ici *i* astmatičar
astrahan (*krzno*)
astrofizičar
astrofizički
astronautički
aščija > kuhar
aščinica > kuhinja
at (*konj*)
atakirati, -ajući
atavistički
ateist
ateistica *i* ateistkinja
ateistički
ateistkinja *i* ateistica
atelijer
atelijerski
atelje > atelijer
Atena (*zem.*)
atenski *prema* Atena
Atenjanin mn. -ani

Atičanin mn. -ani *prema* Atika
Atičanka DL jd. -ki, G mn. -ki
atički
atika DL jd. -ici (*arhit.*)
Atika DL -ici (*zem.*)
Atlant (*div*)
atlantski *prema* Atlant; Atlantski occan
atlas (*zbirka zem. karata*)
Atlas (*zem.*)
atlaski *prema* Atlas
atlasni *prema* atlas
atlet
atletičar
atletičarka DL jd. -ki, G mn. -ki
atmosfera
atmosferski
atoksičan, -čna
atomist
atomistički
atoničan, -čna
atoničnost, -ošću *i* -osti
atrakcija
atrakcijski
atrakcioni > atrakcijski
atrij
atrofičan, -čna
atrofičnost, -ošću *i* -osti
audiotehnika DL jd. audiotchnici
audiovizualan, -lna
auditorij
Augije (*mit.*)
Augijev; Augijevc stajc
augur
August (*ime*)
august > kolovoz
auktor > autor
aurcola
aureomicin
auspicij
Australac, -lca, V jd. -lčc, G mn. -laca
Australčev
Australija (*zem.*)
Australka DL jd. -ki, G mn. -ki
Australkin
australski
Austrija (*zem.*)
Austrijanac, -nca, V jd. -nčc, G mn. -naca
Austrijančev
Austrijanka DL jd. -ki, G mn. -ki
austrijski
Austro-Ugarska *i* Austro-Ugarska Monarhija
  (*pov.*)
austro-ugarski (*austrijski i ugarski*)
austrougarski *prema* Austro-Ugarska

autarhičan, -čna
autarhičnost, -ošću *i* -osti
autarhija (*samovlada*)
autarhijski
autarkija (*dovoljnost samom sebi*)
autentičan, -čna
autentičnost, -ošću *i* -osti
autistički
auto *kao prvi dio složenica piše se sastavljeno:*
  autobiografija
autobiografija
autocesta
autodidaktički
autodrom
autoelektričar
autogaraža
autohton; autohtona kultura
autohtonost, -ošću *i* -osti
autokefalan, -lna
autokefalnost, -ošću *i* -osti
autokrat
autokracija
*autokratija > autokracija
autokritičan, -čna
autokritičar
autokritičarka DL jd. -ki, G mn. -ki
autokritički
autokritičnost, -ošću *i* -osti
autokritika DL jd. -ici
automehaničar
automehaničarev *i* automchaničarov
automehanički
automehanika DL jd. -ici
automobil
automobilist
automobilistički
autonomist
autonomistički
autopostaja
autoput > autocesta
autor
autoritet
autostop
autosugestija
autsajder
avangardist
avangardistički
avanturist
avanturistički
avet, aveti, l jd. -cću *i* -cti
avijacija > zrakoplovstvo
avijatičar
avijatičarev *i* avijatičarov
avijatičarka DL jd. -ki, G mn. -ki

avijatičarov *i* avijatičarcv
avijatičarski
avijatički *prema* avijatika
avijatika DL jd. -ici > zrakoplovstvo
aviomehaničar
aviomehaničarev *i* aviomehaničarov
aviomehaničarski
avion > zrakoplov
A-vitamin *i* vitamin A
avlijski > dvorišni
Avnoj, -a *i* AVNOJ, AVNOJ-a (*pov.*), *kratica*
za Antifašističko vijećc narodnog oslobođenja Jugoslavijc
*avta > habat

azbestni
azbučni; azbučni rcd
azbuka DL jd. -uci > abcccda
Azerbejdžan (*zem.*)
Azerbejdžanac, -nca, V jd. -nčc, G mn. -naca
Azerbejdžanka DL -ki, G mn. -ki
azerbejdžanski
Azija (*zem.*)
Azijac, -jca, V jd. -jčc, G mn. -jaca
Azijka DL jd. -ki, G mn. -ki
azijski
aždaha > aždaja
aždaja
Ažić Lokva (*mjesto*)

B

babičin *prema* babica
babičenje
babičiti, babičeći
babički
babičluk mn. -uci
babić (*grožđe, vino*)
Babilon (*pov.*)
Babilonac, -nca, V jd. -nče, G mn. -naca
Babilonija (*zem.*)
babilonski; babilonsko sužanjstvo (*pov.*)
Babina Greda (*selo*)
Babin potok (*potok*)
Babin Potok (*selo*)
babinjača
babinje
babljača
bablji; bablje ljeto
Babogrečev *i* Babogredčev
Babogredac, -cca *i* -cdca, V jd. -cčc *i* -cdčc, G mn. -daca (*čovjek iz Babine Grede*)
Babogredčev *i* Babogrečev
babogredski *prema* Babina Greda
Babogretka DL jd. -ki, G mn. -ki, -tka *i* -gredaka (*žena iz Babine Grede*)
Babogretkin
baboličan, -čna
baburača
bacač
bacački
bacil
bač; bač-lva (*pokr.*)
bačenka DL jd. -nci, G mn. -nki > pribadača
Bačinci G mn. -naca (*zem.*)
Bačka DL jd. -koj (*zem.*)
bačva G mn. bačava
Bačvanin
Bačvanka DL jd. -ki, G mn. -ki
bačvanski
bačvar
bačvarev *i* bačvarov
bačvarica
bačvarnica
bačvarov *i* bačvarev
bačvarski; bačvarski zanat/obrt
bačvarstvo G mn. -stava
bačvast
Bačvice (*zem., dio Splita*)

baćo (*brat*)
badač
badavadžija
badavadžijka DL jd. -ki, G mn. -ki
badnjača
badnjački (*prema Badnjak*)
badnjak (*drvo*)
Badnjak *i* Badnji dan (*dan uoči Božića*)
badnji; Badnja večer (*večer uoči Božića*)
badnjić
Badnji dan *i* Badnjak (*dan uoči Božića*)
badrljičar
bagerist
bagljić
bagrem *i* bagren
bah
Bah *i* Bak, Bako (*mit.*)
Bahama *i* Bahami (*zem.*)
bahamski; Bahamsko otočje, Bahamski otoci (*zem.*)
bahat, bahata (*prid.*)
bahat, bah(a)ta (*prasak*)
bahatost, -ošću *i* -osti
bahnuti, -nem, *običnije* banuti
bahoriti (*bajati*)
Bahrein (*zem.*)
*baht > sreća
bahtati, bašćem *i* bahćem, bašćući *i* bahćući
bahuljati *i* bauljati > puzati
bajač
bajačica
bajačin
bajalac, -aoca, V jd. -aoče, G mn. -alaca
Bajram; Kurban-bajram
bajronist *prema* Byron
bajronistički
bajuneta
Bak *i* Bah, Bako (*mit.*)
Bakač
bakanal
bakanalija (*pijanka*)
Bakanalije mn. ž. r. (*svečanost u čast Baka, boga vina*)
bakandža
bakant
bakantica
bakantičin

bakantski
bakar, -kra
bakičin *prema* bakica
Bako *i* Bak, Bah (*mit.*)
bakrač
bakračić *um. od* bakrač
bakrenjača
bakroreščev *prema* bakrorezac
bakrorez
bakrorezac, -esca, V jd. -cšče, G mn. -ezaca
bakrorezački
baksuz nesreća, »smola« (*fig. nesretan čovjek*)
baktati se, bakćem se, bakćući se
bakterija
bakterijski
bakteriolog V jd. -ožc, mn. -ozi
Baku, Bakua (*zem.*)
bal
balalajka DL jd. -ci, G mn. -ki
balansirati, balansirajući
balavac, -vca, V jd. -vče, G mn. -vaca
balavče, -eta, *zb.* balavčad, -adi, I jd. -ađu *i* -adi
balavčić *um. od* balavac
balavčina
balavičin *prema* balavica
balaviti, balavcći (*koga, što*)
balavjeti, -vim, balavcći (*sliniti; postajati slinav*)
balavljenje
balčak mn. -aci
baldahin
balega DL jd. -czi (*razg.* -cgi)
balističar
balistički
Balkanac, -nca, V jd. -nče, G mn. -naca
Balkanka DL jd. -ki, G mn. -ki
balsam > balzam
balsamirati > balzamirati
Baltazar
baltički; Baltičko morc (*zem.*)
baltoslavenski
baltski
balvančić
balzam
balzamirati
bambadava (*pril.*)
Banaćanin mn. -ani (*čovjek iz Banata*)
Banaćanka DL jd. -ki, G mn. -ki (*žena iz Banata*)
bančiti, bančeći
bandijera > zastava
baničin *prema* banica
Banija (*zem.*)

Banijac, -jca, V jd. -jčc, G mn. -jaca (*čovjek s Banije*)
Banijčev
Banijka DL jd. -ki, G mn. -ki *i* -jaka (*žena s Banije*)
Banijkin
banijski
bankin *prema* banka
bankokracija
bankokrat
bankrotirati, -ajući
Banova Jaruga DL jd. Banovoj Jaruzi (*zem.*)
banovac, -vca, V jd. -včc, G mn. -vaca
banovački
banovičin *prema* banovica
banović
Banovići (*zem.*)
banuti
Banjalučanin *i* Banjolučanin (*čovjek iz Banjaluke/Banje Luke*)
Banjalučanka DL jd. -ki, G mn. -ki *i* Banjolučanka
banjalučki *i* banjolučki
Banja Luka DL jd. Banjoj Luci *i* Banjaluka (*zem.*)
Banjaluka DL -uci *i* Banja Luka
Banjolučanin *i* Banjalučanin
Banjolučanka DL jd. -ki, G mn. -ki *i* Banjalučanka
banjolučki *i* banjalučki
baptist
baptisterij
baptistički
baračica *um. od* baraka
baračina *uv. od* baraka
Baranja (*zem.*)
Baranjac, -njca, V jd. -njčc, G mn. -njaca
baranjski *prema* Baranja *i* Baranjac
barapčić
barapčina
Barbara
Barbarin *prema* Barbara
barbarin mn. -ari
barbarizam, -zma
barbarka DL jd. -ki, G mn. -ki
barčica *um. od* barka
Baričin *prema* Barica
barij (*znak* Ba)
barijera
barijev *prema* barij
***barijum** > barij
barilce, -lca
barioce, -ioca > barilce
barjačić

*Barjam > Bajram
*barjelo > barilo
barkača
Barnaba (ime apostola)
baruničin prema barunica
barutnjača
*basen > bazen
bastion
bašča i bašća > vrt
Baščanin i Bašćanin mn. -ani prema Baška
(zem.)
Baščanka i Bašćanka DL jd. -ki, G mn. -ki
baščanski i bašćanski; Baščanska ploča i
Bašćanska ploča
Baščaršija (trg u Sarajevu)
baš-čauš
Baš-Čelik
baščeni > vrtni
baščica um. od bašča
bašća i bašča > vrt
Bašćanin i Baščanin
Bašćanka i Baščanka DL jd. -ki, G mn. -ki
bašćanski i baščanski; Bašćanska ploča i
Baščanska ploča
Baška DL jd. -ki (zem.)
bašta > vrt
baštica um. od bašta
*baštovan > vrtlar
batačić
batačina
bataljon > bataljun
bataljun
batić
Batina Gornja (zem.)
batinati, batinajući
batisten
Batušić; Batušićeva ulica (u Zagrebu)
baučak, baučka, mn. -čci, G mn. -čaka
bauljati i bahuljati > puzati
bavljenje prema baviti se
bazen
bazga DL jd. -zgi
bazgovača
bazičan, -čna
bazilej
bazilički
bazilijanac, -nca, V jd. -nče, G mn. -naca
Bazilije (pov., ime)
bazilika DL jd. -ici
bazlamača (vrst pite)
baždaričin prema baždarica
bdjenje; Knjiga bdjenja (pjesnička zbirka)
bdjeti, bdim i bdijem... bde i bdiju, bdeći i bdi-
jući, bdah, bdio, bdjela, bdij

bebičin
Becić; Becićeve stube (u Zagrebu)
Beč (zem.)
Bečanin mn. -ani
Bečanka DL jd. -ki, G mn. -ki
bečanje
bečati, bečeći
Bečej (zem.)
Bečejac, -jca, V jd. -jče, G mn. -jaca
Bečejka DL jd. -ki, G mn. -ki
bečejski
bečki; Bečki listići (pov.), Bečki kongres
(pov.), Bečka šuma (zem.)
Bečkinja > Bečanka
Bečlija > Bečanin
Bečlijka > Bečanka
bećar
bećarac, -rca, V jd. -rče, G mn. -raca
bećarev i bećarov
bećaričin prema bećarica
bećariti se, bećareći se
bećarov i bećarev
bećarstvo G mn. -stava
bećaruša
bedastoća
Bedekovčina (zem.)
bedevijče, -cta
bedreni prema bedro; bedrena kost
bedrenjača (bolest)
bedro, bedra
bedž
beg; Husein-beg, beg Husein
begovičin prema begovica
begović
behar > cvijet
beharati > cvasti
behaviorist
bihevioristički
beheviorizam, -zma
bejzbol (igra)
bekeljiti se, bekeljeći se
bekhend (u tenisu)
beletristički prema beletristika
beletristika DL jd. -ici
Belgija (zem.)
Belgijac, -jca, V jd. -jče, G mn. -jaca
Belgijka DL jd. -ki, G mn. -ki
belgijski
belišćanski prema Belišće
Belišće (zem.)
belkantistički (prema belkantist)
belkantist
belkanto (glaz.)
Belostenec, -nca (leksikograf)

Beludžistan (*zem.*)
belzebub (*onaj koji ima osobine* Belzebuba)
Belzebub (*đavolski poglavica*)
belzebupski *prema* belzebub *i* Belzebub
Benbaša *i* Bendbaša (*u Sarajevu*)
bendžo
beđeluk *i* benđiluk, mn. -uci
benetati, benećem, benećući
benkovački *prema* Benkovac
Benkovčanin mn. -ani
Benkovčanka DL jd. -ki, G mn. -ki
Benjamin (*ime*)
benjamin (*najmlađi član*)
Beocija > Beotija
Beočin (*zem.*)
Beočinac, -nca, V jd. -nče, G mn. -naca
Beočinka DL jd. -ki, G mn. -ki
Beoćanin mn. -ani *prema* Beotija (*pov.*)
Beoćanka DL jd. -ki, G mn. -ki
Beograd (*zem.*)
beogradski
Beograđanin mn. -ani
Beograđanka DL jd. -ki, G mn. -ki
Beotija (*pov.*)
beotski *prema* Beotija
berač
beračica
beračičin
berački
berekinče, -cta, zb. berekinčad (*pokr.*)
beriberi, -ija
berićet > blagoslov, napredak
berićetan, -tna
beril (*dragi kamen*)
berilij (*znak* Be)
berilijev
*berilijum > berilij
Berlin (*zem.*)
Berlinac, -nca, V jd. -nče, G mn. -naca
berlinski; Berlinski kongres (*pov.*)
bernardinac, -nca, V jd. -nče, G mn. -naca (*pas*)
besan, -sna (*bez sna*)
besavjesnik V jd. -iče, mn. -ici > nesavjesnik
besavjesno > nesavjesno
besavjesnost, -ošću *i* -osti > nesavjesnost
besavjestan, -sna > nesavjestan
bescarinski; bescarinska zona
bescjen
bescjenje
bescvjetan, -tna
bescvjetnica
beshljebica
besilan, -lna
besjeda G mn. besjeda

besjediti, besjedeći
besjednica
besjedničin
besjednički
besjednik V jd. -iče, mn. -ici
besjedništvo G mn. -štava
besjedovnica
besjeđenje *prema* besjediti
besjemen
besjemenica
besjemenost, -ošću *i* -osti
beskarakteran, -rna
beskićmenjak V jd. -ače, G mn. -aci > beskralj\
   -lježnjak (*za životinje*)
beskoljenka DL jd. -nci, G mn. -ki (*bot.*)
beskonačan, -čna
beskonačnost, -ošću *i* -osti
beskralježnjak V jd. -ače, mn. -aci
beskućanik V jd. -iče, mn -ici > beskućnik
beskućnica
beskućnički
beskućnik V jd. -iče, mn. -ici
beskućništvo
besmisao, -sla
besmočan, -čna (*koji je bez smoka*)
besmočnost, -ošću *i* -osti
besmrtan, -tna
besmrtnički
besnježan, -žna
besočan, -čna (*koji je bez soka*)
besočnost, -ošću *i* -osti
bespomoćan, -ćna > nemoćan
bespomoćnost, -ošću *i* -osti > nemoć(nost)
besposličar
besposličarev *i* besposličarov
besposličarka DL jd. -ki, G mn. -ki
besposličarov *i* besposličarev
besposličarski
besposličiti, besposličeći
bespotreban, -bna > nepotreban
besprijekoran, -rna; *komp.* besprekorniji *i* be\
   -sprjekorniji
besprijekornost, -ošću *i* -osti
*besprikoran, -rna besprijekoran
besprimjeran, -rna
besprimjeren (*prid.*)
besprimjerenost, -ošću *i* -osti
besprimjernost, -ošću *i* -osti
bespuće
besramnički
besramnik V jd. -iče, mn. -ici
besramnost, -ošću *i* -osti
besrčac, -čca, G mn. -čaca
bestidničin *prema* bestidnica

bestidnički
bestidnik V jd. -iče, mn. -ici
bestjelesan, -sna
bestjelesnost, -ošću i -osti
bestranački
besvijest, -cšću i -csti > nesvijest
besvjesno (pril.) > nesvjesno
besvjesnost, -ošću i -osti > nesvjesnost
besvjestan, -sna > nesvjestan
besvjestica > nesvjestica
bešačan, -čna (koji je bez šake)
bešačnost, -ošću i -osti
beščast I jd. beščašću i beščasti
beščastan, -sna > nečastan
beščastiti, beščašćah, beščašćen, beščasteći
beščašće
bešćedan, -dna (koji je bez čednosti) > nečedan
bešćednost, -ošću i -osti > nečednost
bešćinje > bezakonje
bešćovječan, -čna > nečovječan
bešćovječnost, -ošću i -osti > nečovječnost
bešćulan, -lna > neosjetilan
bešćuvstven > nečuvstven
bešćuvstvenost, -ošću i -osti > nečuvstvenost
bešćutan, -tna
bešćutnik V jd. -iče, mn. -ici
bešćutnost, -ošću i -osti
bešećeran, -rna
beta; beta-zrake, ß-zrake
Betlehem (zem.)
B-vitamin i vitamin B
bezakoničin prema bezakonica
bezakonički
bezakonje
*bezbjedan, -dna > siguran
*bezbjednost, -ošću i -osti > sigurnost
bezbožničin prema bezbožnica
bezbožnički
bezbožnik V jd. -iče, mn. -ici
bezbrad (prid.)
bezdan, bezdana
bezdjelica
bezdjetan, -tna
bezdjetnica
bezdjetnost, -ošću i -osti
bezdušničin prema bezdušnica
bezdušnički
bezdušnik V jd. -iče, mn. -ici
bezgaćnik V jd. -iče, mn. -ici
bezglasan, -sna
bezglasnost, -ošću i -osti
bezgraničan, -čna
bezgraničnost, -ošću i -osti
bezgrešan, -šna i bezgrješan

bezgrešnica i bezgrješnica
bezgrešničin i bezgrješničin
bezgrešnički i bezgrješnički
bezgrešnik V jd. -iče, mn. -ici i bezgrješnik
bezgrešno i bezgrješno
bezgrešnost, -ošću/-osti i bezgrješnost
bezgrješan, -šna i bezgrešan
bezgrješnica i bezgrešnica
bezgrješničin i bezgrešničin
bezgrješnički i bezgrešnički
bezgrješnik i bezgrešnik
bezgrješno i bezgrešno
bezgrješnost, -ošću/-osti i bezgrešnost
bezimućan, -ćna > neimućan, siromašan
bezjački prema bezjak
bezlatičnica (bot.)
bezličan, -čna
bezličnost, -ošću i -osti
*bezmalo > umalo
bezmatičan, -čna
bezmatičiti se, bezmatičeći se
bezmjeran, -rna
bezmjernost, -ošću i -osti
bezmliječan, -čna
bezmliječnost, -ošću i -osti
bezmoćnost, -ošću i -osti
beznačajan, -jna
beznačajnički
beznačajnik V jd. -iče, mn. -ici
beznačajnost, -ošću i -osti
beznačelan, -lna
beznačelnost, -ošću i -osti
beznađe
bezobličan, -čna
bezobličnost, -ošću i -osti
bezočan, -čna
bezočanstvo
bezočiti, bezočeći
bezočnica
bezočničin
bezočnički
bezočnik V jd. -iče, mn. -ici
bezočnost, -ošću i -osti
bezočnjak V jd. -iče, mn. -aci
bezoporučan, -čna
bezosjećajan, -jna
bezosjećajnost, -ošću i -osti
bezrječno (pril.)
bezručan, -čna
bez sumnje
bezub (prid.)
bezubost, -ošću i -osti
bezumlje
bezumnički

bezumnik V jd. -iče, mn. -ici
bezumnost, -ošću i -osti
*bezuslovan, -vna > bezuvjetan
bezuspješan, -šna > neuspješan
bezuspješnost, -ošću i -osti > neuspješnost
bezutješan, -šna
bezutješnost, -ošću i -osti
bezuvjetan, -tna
bezuvjetno (svakako)
bezuvjetnost, -ošću i -osti
bezuzročan, -očna
bezuzročnost, -ošću i -osti
bezvjerac, -rca, V jd. -rče, G mn. -raca
bezvjeran, -rna
bezvjerje
bezvjerka DL jd. -ki, G mn. -ki
bezvjernica
bezvjerničin
bezvjernik V jd. -iče, mn. -ici
bezvjerstvo
bezvjetrica
bezvlađe
bezvlašće
bezvremen
bezvremenost, -ošću i -osti
bezvrijedan, -dna
bezvrijednost, -ošću i -osti
bezvrijednostan, -sna
bezvučan, -čna; bezvučni suglasnik/šumnik
bezvučnik mn. -ici (bezvučni suglasnik)
bezvučnost, -ošću i -osti
beždreban, -bna i beždrjeban, -bna
bežičan, -čna; bežični telefon
bežilan, -lna
beživotan, -tna
beživotnost, -ošću i -osti
bežučan, -čna (koji je bez žuči)
bežučnost, -ošću i -osti
bibernjača
bibličar
biblički
Biblija (knjiga)
biblijski
bibliotečni > bibliotetski
biblioteka DL jd. -ci > knjižnica
bibliotetski prema biblioteka
biciklist
biciklistica i biciklistkinja
biciklistički
biciklistkinja i biciklistica
bič
bičalje
biče, bičeta um. od bik
bičevalac, -aoca, V jd. -aoče, G mn. -laca

bičevanje
bičevati, -čujem, bičujući
bičić um. od bič i bik
bičji prema bik
bičkarati, bičkarajući i bičkareći
biće
bićerin (pokr., čašica)
bidermajer (stil)
Biđ (zem.)
bife, -ca i buffet
bifedžija
bigamist
bigamistički
biglisati, -išem, biglišući
bigotka DL jd. -ki, G mn. -ki
bih, bi, bi, bismo, biste, bi; ne *bi za 1. l. jd. i
   1. i 2. mn.
BiH; kratica za Bosna i Hercegovina; Repu-
   blika Bosna i Hercegovina
Bihać, Bihaća (zem.)
Bihaćanin mn. -ani i Bišćanin prema Bihać
Bihaćanka DL jd. -ki, G mn. -ki i Bišćanka
bihaćki i bišćanski
bijah i bjeh (od biti)
bijeda
bijedan, -dna; komp. bjedniji
bijediti, bijedeći
bijednica
bijedničin
bijednik V jd. -iče, mn. -ici
bijednost, -ošću i -osti
bijeđenje prema bijediti
bijeg mn. bijezi (poet.) i bjegovi
bijel, bijela; komp. bjelji i bjeliji; Bijela kuća
   (rezidencija američkih predsjednika); Bijelo
   more; Bijeli Zagreb (stil.)
bijelac, -lca, V jd. -lče, G mn. -laca; konj bi-
   jelac
bijelac, bioca > bjelance (u jajeta)
Bijelac, -lca (pripadnik bijele rase)
Bijela Stijena (mjesto)
bijel bjelcat
Bijelčev prema Bijelac
bijeliti, bijelčći (činiti što bijelim)
bijeliti se, bijeleći se (činiti sebe bijelim)
bijelka DL jd. -ki, G mn. -ki
bijelo u nekim složenicama: bijelo-crven (bijel
   i crven)
bijelonja i bjelonja
bijelost, -ošću i -osti
bijelj, bijelja, mn. bjeljevi
bijeljenje prema bijeliti (se) i bijeljeti
bijeljeti, bijelim, bijeljah, bijelio, bijeljela, bi-
   jeleći (postajati bijel)

bijeljeti se, bijeleći se (biti bijel)
Bijeljina (zem.)
bijeljka DL jd. -ki, G mn. -ki
bijenale
bijes mn. bjesovi
bijesan, -sna; komp. bješnji i bjesniji
bijesnica i bjesnica
bijesnik V jd. -ičc, mn. -ici
bijesnost, -ošću i -osti
bijest I jd. bijesti i biješću (pokr.)
bikini, -ija, mn. -iji (naziv za vrst kupaćega kostima)
bikomičan, -čna
bilabijal
bilabijalan, -lna
bilabijalnost, -ošću i -osti
bilač (pokr., čaplja)
bilah
bilanca
bilancirati, bilancirajući
bilancist
bilančevina (bank.)
bilančni prema bilanca
Bile (nadimak; ime magarcu po boji dlake)
Bileća (zem.)
Bilećanin mn. -ani
Bilećanka DL jd. -ki, G mn. -ki
bilećki
bilijar
bilijarda (broj)
bilijarski prema bilijar
bilijun (broj)
bilingvistički
*bilion > bilijun
bilo (puls; planinska kosa)
Bilogora (zem.)
bilogorski
bilo kakav
bilo koji
bilo kolik
bilo što
bilo tko
biljac, -ljca običnije od bjeljac
biljača
Biljarda (dvorana za bilijar u crnogorskom cetinjskom dvoru)
biljčica um. od biljka
biljeg mn. -zi, G mn. biljega
biljega DL jd. -zi, G mn. biljega
biljegovati, -gujem, biljegujući
biljegovina
bilješčica um. od biljčka
bilješka DL jd. -šci, G mn. bilježaka i bilješki
biljeter

biljeterka DL jd. -ki, G mn. -ki
bilježenje
bilježiti, bilježeći
bilježje
bilježnica
bilježnički
bilježnik V jd. -iče, mn. -ici
bilježnikovica (pov.)
bilježništvo
*biljisati > biglisati
biljkin prema biljka
biljojedac, -jeca i -jedca, V jd. -ječe i -jedče, G mn. -jedaca > biljožder
biljožder
bimilenij
Binča i Binačka Morava (zem.)
binački prema Binča
bio > bijel
bio-bibliografija (biografija i bibliografija)
bioce, bioca i bioceta > bjelance
*biočug > karika
Biograd (na moru) (zem.)
biogradski prema Biograd
Biograđanin (čovjek iz Biograda)
Biograđanka DL jd. -ki, G mn. -ki
biograf
biografija
biokemičar
biokemija
biokemijski
Biokovo (zem.)
biolog
biologija
biološki
biomehanički
biomehanika DL jd. -ci
biosfera
biostanica (biološka stanica)
birač, birača
Birač, Birča (kraj u Bosni)
biračiti, biračeći
birački prema birač i Birač
birališni
birati, biram, birajući
biro, -oa, mn. -oi
birokracija
birokrat
bisački, bisačaca um. od bisaci i bisage > bisazi
bisage mn. ž. r.
bisazi mn. m. r.
biserče, -eta, zb. biserčad
biserčica
biser-grana
Biserka (osobno ime)

bisilabičan, -čna
bisilabičnost, -ošću i -osti
biskati, bištem i bišćem, bišti i bišći, bištući i
  bišćući
*bistijerna > studenac
bistrica (bot.)
Bistrica (zem.); Marija Bistrica
Bistričanin mn. -ani
Bistričanka DL jd. -ki, G mn. -ki
bistrički prema bistrica i Bistrica
bistroća
bistrook
bistvo > bivstvo
Bišćanin mn. -ani i Bihaćanin
Bišćanka DL jd. -ki, G mn. -ki i Bihaćanka
bišćanski i bihaćki
*Bišće > Bihać (zem.)
bitak, bitka, mn. bitci i bici, G mn. bitaka
biti, budem; jesam – sam, bijah i bjeh, bih, budi,
  budući, bivši, bio, bila
bitmuzika (engl. beat-music)
bivol, bivola
bivolče, -eta, zb. -čad
bivolčić
bivolski
bivoljača
bivstvo
Bizanćanin mn. -ani
Bizanćanka DL jd. -ki, G mn. -ki
Bizant
Bizantija
Bizantinac, -nca, V jd. -nče, G mn. -naca
bizantinac, -nca, V jd. -nče, G mn. -naca (splet-
  kar)
bizantinski prema Bizantinac i bizantinac
bizantski prema Bizant
bjanko-mjenica (bank.)
bječva > čarapa
bjedilac, -ioca, V jd. -ioče, G mn. -laca
bjednoća
*bjegati > bježati
bjegnuti, -nem > pobjeći
bjeguć, -uća
bjegunac, -nca, V jd. -nče, G mn. -naca
bjegunački
bjegunče, -eta, zb. bjegunčad
bjegunčev
bjegunica
bjeguničin
bjegunstvo
*bjekstvo > bijeg
bjel (vrst hrasta)
bjelača
bjelajica (bijela čarapa)

bjelance, -nca i -nceta
bjelančevina
bjelančevinast
bjelanjak > bjelance
bjelasati se, bjelasajući se
Bjelasica (zem.)
bjelast
bjelaš
Bjelašnica (zem.)
bjelava
bjelcat u svezi bijel bjelcat
bjelica
bjeličast
bjelidba G mn. bjelidaba i bjelidbi
bjelika DL jd. -ici
bjelilac, -ioca, V jd. -ioče, G mn. -laca i bjelitelj
bjelilo
bjelilja
bjelina
bjeliočev
bjelitelj i bjelilac
bjelkast
bjelo prema bijel u nekim složenicama: bjelo-
  dan, bjelolik, Bjelorus
bjelobrad
bjelobrk
bjelocrven
bjelocvat
*bjeločnica > bjeloočnica
bjeloća
bjelodan
bjelogardijac, -jca, V jd. -jče, G mn. -jaca
bjelogardist
bjelogardistica
bjelogardističin
bjelogardistički
bjeloglav
bjeloglavica
bjeloglavka DL jd. -ki, G mn. -ki i -vaka
bjelogorica
bjelogorični
bjelograb
bjelograbovina
bjelogriv
bjelogrlast
bjelogrli
bjelogrud
bjelokapac, -pca, V jd. -pče, G mn. -paca
bjelokorac, -rca, V jd. -rče, G mn. -raca
bjelokos
bjelokosast
bjelokosni; toranj bjelokosni
bjelokost, -ošću i -osti
bjelokostan, -sna; Bjelokosna Obala (bolje

nego: Obala Bjelokosti)
bjelokožan, -žna
bjelokožnost, -ošću *i* -osti
bjelokrvnost, -ošću *i* -osti
Bjelolasica (*zem.*)
bjelolik
bjelolist
bjelomorski *prema* Bijelo more
bjelonog
bjelonja *i* bijelonja
bjeloočnica
bjelook
Bjelopavlići (*zem.*)
bjelopavlićki
bjeloperka DL jd. -ki, G mn. -ki *i* -raka
bjeloput
bjeloputan, -tna
bjeloputnost, -ošću *i* -osti
bjelorep
bjelorepka DL jd. -pci *i* -pki, G mn. -ki *i* -paka
bjeloruk
bjelorun
Bjelorus (*etn.*)
Bjelorusija
Bjeloruskinja
bjeloruski
Bjelostijenac *prema* Bijela Stijena (*mjesto*)
bjelostijenski
bjelosvjetski
Bjeloš (*zem.*)
bjelouška DL jd. -šci *i* -ki, G mn. -šaka (*zmija*)
Bjelovar (*zem.*)
Bjelovarac, -rca, V jd. -rče, G mn. -raca
Bjelovarčev
Bjelovarka DL jd. -ki, G mn. -ki
Bjelovarkin
bjelovarski; Bjelovarska ulica
bjelovrat
bjelug mn. -uzi
bjeluša
bjelušast
bjelušina
bjeluška DL -šci *i* -ški, G mn. -šaka
bjelutak, -tka, mn. -uci *i* -utci, G mn. -utaka
bjelj > bijelj
bjelja
bjeljac > biljac
bjeljača
bjeljar
bjeljara
bjeljina *uv. od* bijelj
bjesnica *i* bijesnica
bjesničin
bjesnik V jd. -iče, mn. -ici

bjesnilo
*bjesniti > bjesnjeti
bjesnoća
bjesnulja
bjesnjeti, bjesnim, bješnjah, bjesnio, bjesnjela, bjesneći
bjesomučan, -čna
bjesomučnica
bjesomučnik V jd. -iče, mn. -ici
bjesomučnost, -ošću *i* -osti
bjesovati, -sujem
bjesovski
bješčić *um. od* bijes
bješnjenje *prema* bjesnjeti
bježalac, -aoca, V jd. -aoče, G mn. -laca
bježan, bježana (*onaj koji rado bježi*)
bježanje
bježati, bježeći
Blaca, Blataca, mn. s. r. (*zem.*)
Blačanin mn. -ani, *prema* Blaca
Blačanka DL jd. -ki, G mn. -ki *prema* Blaca
Blaćanin mn. -ani *prema* Blato (*zem.*)
Blaćanka DL jd. -ki, G mn. -ki *prema* Blato
blaćenje *prema* blatiti
blag *komp.* blaži
blagajna
blagajnica
blagajničin *prema* blagajnica (*žena*)
blagajnički
blagdan, blagdana; blag dan, G jd. blaga dne (dana)
blagočastiv
blagoća
blagoćudan, -dna
blagoćudnost, -ošću *i* -osti
blagodat, blagodati, I jd. -aću *i* -ati
blagodatan, -tna
blagodjet, -ti, I jd. -cti *i* -cću
blagodjetan, -tna
blagohotan, -tna
blagohotnost, -ošću *i* -osti
blagoizvoljeti, -olim
blagorječiv
blagorječivost, -ošću *i* -osti
blagorođe
blagosiljati *i* blagoslivljati
blagoslov
blagosloven
blagosloviti, blagoslovljen
blagovaona > blagovaonica
blagovaonica
Blagovijest, -iješću *i* -ijesti (*vjer.*)
blagovjeran, -rna
blagovjerničin *prema* blagovjernica

blagovjernost, -ošću i -osti
blagovjesnik V jd. -iče, mn. -ici
blagovremen > pravodoban
blagovremenost, -ošću i -osti > pravodobnost
blagozvučan, -čna
blagozvučnost, -ošću i -osti
blanjača
blašče, -cta, zb. blaščad
blatački prema Blaca
blatnjača (jabuka)
blatski prema Blato
blebetati, -ećem, blebetah, blebeći, blebećući, blebetao
blečati, blečim, blečeći
Bled (zem.)
bledski; Bledsko jezero
blejati, -jim, bleji, blejeći
blenuti, -nem
blezgarija
blezgati, -am, blezgajući
blijed komp. bljeđi
blijedjeti, blijedim, blijeđah, blijedi, blijedeći, blijedio, blijedjela
blijedo u složenicama: blijedozelen
blijedocrven
blijedoplav
blijedost, -ošću i -osti
blijedozelen
blijedožut
blijeđenje prema blijedjeti
blijesak, -ska, mn. -sci i bljeskovi
blijeska DL jd. -sci, G mn. -ski i -saka
blijeskati, -am, blijeskajući (drugo je bljeskati)
blijesnuti, blijesnem
bliješnjak mn. -aci
bliještati, -tim, bliješteći
bliještiti > bliještati
Bliski istok (zem.)
bliz(ak) komp. bliži
Blizanci (astr.)
blizanče, -cta, zb. blizančad, mn. blizančići
blizančić
blizoća
bližnjajiv
blobotati, -oćem, -oćući
blućenje prema blutiti
bludjeti, -dim, bluđah, bludio, -djela, bludeći (lutati)
bludničiti, -im, bludničeći
bludničin prema bludnica
bludnički
bluđenje prema bluditi i bludjeti
blječkati se, blječkajući se
blječkavica

bljedica (slabokrvnost)
bljedičast
bljedilo
bljedo prema bljed u složenicama: bljedolik
bljedobolja
bljedocrven
bljedoća
bljedolik
bljedolikost, -ošću i -osti
bljedovit
bljedunjav
bljedunjavost, -ošću i -osti
bljeđahan, -hna
bljeđan, -ana
bljesak, -ska
bljeskalica
bljeskanje
bljeskati, bljeskajući
bljeskav
bljesnuti, -nem, nuv(ši)
*bljештati > blistati
*bljешtav > blistav
bljuvati, bljujem, bljujući
boa, boc DL jd. boi, I jd. boom, mn. boc (udav, zmijski car)
bobi, -ija
bobica
bobičast
bobičav
bobičavost, -ošću i -osti
bobić
bobnjača
bobotati, -oćem, boboćući
Bocvana (zem.)
bočan, -čna
bočat i bočatan, -tna; bočata i bočatna voda
bočenje prema bočiti (se)
bočev i bodčev (prema bodac)
bočica
bočić um. od bok
bočina uv. od bok
bočiti se, bočeći se
bočka DL jd. -ki, G mn. -ki
bočno (pril.)
bočnjak mn. -aci
boća i buća
boćar i bućar
boćati se prema boća
bodac, bodca i boca, mn. bodci i boci, G mn. bodaca
bodčev i bočev (prema bodac)
bodeč (riba)
bodenje prema bosti
bodljača

bodljikav
bodljiv
Bodul
Bodulka DL jd. -ki, G mn. -ki
bodulski
boem *i* bohcm
bog (*opća im.*)
Bog (*kao vlastito ime božanstva*)
bogački
bogaćenje *prema* bogatiti
bogatašičin *prema* bogatašica
bogatiti (se), bogaćah (sc), bogaćcn, bogatcći (sc)
bogatstvo G mn. -stava
bogec (*stil.*) bokca, V jd. -kčc, mn. -kci, G mn. -gaca
bogme (*pril.*) *i* bomc
bogočašće
bogočovjek, V jd. -cčc *i* Bogočovjck *kao vlastito ime umjesto* Isus
Bogojavljenje (*vjer.*)
bogoljubnost, -ošću *i* -osti
Bogorodica (*Isusova majka Marija*), *ali:* bogorodica Marija
Bogorodičin *prema* Bogorodica (*tj. Marija*)
bogovetni
bogumil
bogzna (*pril.*); bogzna kakav, bogzna kolik, bogzna gdjc
bohem *i* bocm
bohemist
bohemistica
bohemističin
bohemistički
bohemistika DL jd. -ci
bohemizam, -zma
Bohinj
bohinjski *prema* Bohinj; Bohinjska Bistrica (*zem.*), Bohinjsko jczcro
bojadisaona > bojadisaonica
bojadisaonica
bojazan, bojazni, I jd. bojažnju *i* bojazni
bojažljiv
Bojica (*ime*)
bojišni
bojišnica
bojište
bojkot *prema* Boycott
bojler
bojnički *prema* bojnik
bojnik, mn. -ici; gcneral bojnik
bojse (*pril., možda*)
Boka DL jd. -ki *i* -ci (*zem.*)
bokačovski (*u stilu Boccaccia*)

Boka kotorska DL jd. Boki kotorskoj (*zem.*)
bokal
bokalić *um. od* bokal
bokčija *prema* bogac *i* bogcc
Bokelj (*čovjek iz Boke kotorske*)
Bokeljka DL jd. -ki, G mn. -ki
bokeljski
Bokokotorac, -rca, V jd. -rčc, G mn. -raca
bokokotorski; Bokokotorski zaljcv
boksač
boksačev
boksački
boksmeč
boktepitaj
bokunić (*pokr., um. od* bokun)
bol, bola *i* boli, mn. bolovi *i* boli
Bol, Bola (*zem.*)
bolahan, -hna
bolan, bolna
boleći
bolećica
bolećiv
bolećivost, -ošću *i* -osti
bolesničarka > bolničarka
bolesničin *prema* bolcsnica
bolesnički
bolesnik V jd. -ičc, mn. -ici
bolestan, bolesna
boleščina *i* bolcština
boleščurina *i* bolcšćurina
bolešljiv *prema* bolcst
boleština *i* bolcščina
bolijest > bolcst
Bolivija (*zem.*)
bolnica
bolničar
bolničarev *i* bolničarov
bolničarka DL jd. -ki, G mn. -ki
bolničarov *i* bolničarev
bolnički
bolnik V jd. -ičc, mn. -ici
boljeti, bolim, boljah, bolio, boljcla, bolcći
boljetica
boljevački *prema* Boljcvci
Boljevci mn. m. r. (*zem.*)
Boljevčanin mn. -ani
Boljevčanka DL jd. -ki, G mn. -ki
boljezan, -zni, I jd. -zni *i* -cžnju (*zast.*)
bolježljiv *prema* boljezan
boljka DL jd. -ci, G mn. -ki (*bolest*)
boljševički (*pov.*)
boljševik V jd. -ičc, mn. -ici (*pov.*)
boljševizam, -zma (*pov.*)
Boljunčica (*zem.*)

bombastičan, -čna
bombastičnost, -ošću i -osti
bombon
bombončić um. od bombon
bombonijera
bome (pril.) i bogme
bonapartist
bonapartistički prema bonapartist
bonik > bolnik
bor mn. borovi
borač, -ača > borac
Borač, -rča (zem.)
borački
boravišni; boravišna taksa/pristojba
borić um. od bor
borićak, -ćka, mn. -ćci, G mn. -ćaka
borilac, borioca, V jd. -ioče, G mn. -laca
borilački
Boris (osobno ime)
borovičan, -čna
borovička DL jd. -ki, G mn. -ki
borovički
borovnjača (bot.)
boršč (rus., vrst juhe)
Bosanac, -nca, V jd. -nče, G mn. -naca
Bosančev prema Bosanac
bosančica (pov., pismo)
Bosanka DL jd. -ki, G mn. -ki
Bosankin
bosanski prema Bosna; Bosanska Dubica
  (mjesto), Bosanski Novi (mjesto), Bosanska
  ulica, Bosanski pašaluk (pov.)
bosanskohercegovački prema Bosna i Herce-
  govina
bosilak > bosiljak
bosiljak, bosiljka, G mn. bosiljaka
Bosiljevac, -vca, V jd. -vče, G mn. -vaca prema
  Bosiljevo
Bosiljevka DL jd. -ki, G mn. -ki i -vaka
Bosiljevo (zem.)
bosjački prema bosjak
*bosiok > bosiljak
Bosna DL jd. Bosni (zem.); Herceg-Bosna,
  Bosna i Hercegovina (država)
bosoća
Bospor (zem.)
bosporski
bostančić
bostandžija
bostandžijski
bosti, bodem, bodijah, bodi, bodući, bo, bola,
  boden
bošča > rubac
boščaluk mn. -uci

boščica um. od bošča
bošnjački prema Bošnjak
botaničar
botaničarev i botaničarov
botaničarka DL jd. -ki, G mn. -ki
botaničarov i botaničarev
botanički; Botanički vrt (u Zagrebu)
botnički; Botnički zaljev (zem.)
Bović (zem.)
Boycott (ime); usp. bojkot
božičin prema božica
Božić (vjer., blagdan; prezime)
božićevati, -ćujem, božićujući
božićni; Božićni otoci (zem.), božićni običaji
Božji (prema Bog)
božji prema bog; božja ovčica (kukac)
Božo hip. od Božidar
bracin prema braco
Bracin prema Braco
braco hip. od brat
Braco (nadimak)
brač > berač
Brač (zem.)
bračan, -čna
Bračanin mn. -ani
Bračanka DL jd. -ki, G mn. -ki
brače, bračeta hip. prema brat
bračev i bratčev prema bratac
Bračevci mn. m. r. (zem.)
bračica > beračica
brački prema Brač; Brački kanal, bračke
  pustinje
bračni
bračnik V jd. -iče, mn. -ici
bračnost, -ošću i -osti
braća prema brat; Sveta Braća (tj. Ćiril i Me-
  tod), složna braća
braćenje prema bratiti se
bradac, bradca i braca, mn. bradci i braci, G
  mn. bradaca
bradača
bradavičast
bradavičav
bradavičica um. od bradavica
brahijalan, -lna
brahiologija
brahiopoda mn. s. r. (zool.)
Brahma
brahmanac, -nca, V jd. -nče, G mn. -naca
brahmanizam, -zma
brahmanka DL jd. -ki, G mn. -ki, -nka, -naka
Brajev; Brajeva abeceda, v. brajica
brajica (Brailleovo pismo)
brajični (koji se odnosi na brajicu)

brakolomac, -mca, V jd. -mče, G mn. -maca
brakolomstvo G mn. -stava
brancin (*riba*)
branče (*pokr.*) škrgc
branhijati mn. m. r. (*životinje koje dišu*
škrgama)
branhije (*škrge*)
branič
Braničevac, -vca, V jd. -včc, G mn. -vaca
Braničevo (*zem.*)
branilac, -ioca, V jd. -iočc, G mn. -laca
branilački
branilaštvo G mn. -štava
braniočev
branitelj
braniteljičin *prema* braniteljica
braniteljka DL jd. -ki, G mn. -ki > braniteljica
branjenje *prema* braniti
Brašančevo (*vjer.*) > Tijelovo
brašnjača
bratac, braca *i* bratca, V jd. brače *i* bratče, mn.
braci *i* bratci, G mn. -taca
bratanac, -nca, V jd. -nčc, G mn. -naca
bratančev
brataničin *prema* bratanica
bratanić
bratčev *i* bračcv *prema* bratac
bratičina
bratična
bratić
bratjenac, bratjcnca, V jd. -cnčc, G mn. -naca
bratoubilački
bratski
bratstvo G mn. -stava
bratučed
bratučeda
bravče, -eta, *zb.* -čad
braveći
bravlji
brazdača
brazdičati
brazditi, braždah, bražđen, brazdcći
brazdni *i* brazni *prema* brazda
Brazil (*država*)
Brazilac, -lca, V jd. -lčc, G mn. -laca
Brazilka DL jd. -ki, G mn. -ki
brazni *i* brazdni *prema* brazda
bražđenje *prema* brazditi
brbljati, brbljam, brbljajući
brbotati, -oćcm, -oćući
brbučiti, brbučcći
Brčak, -aka, V jd. -ačc, mn. -aci (*čovjek iz*
Brčkoga)
Brčanka DL jd. -ki, G mn. -ki

brčanski *i* brčki *prema* Brčko
brčić *um. od* brk
brčina *uv. od* brk
brčiti, -im, -čcći
brčkalo
brčkati, -kam, brčkajući
brčkavica
brčki *i* brčanski *prema* Brčko
Brčko, Brčkog(a) (*zem.*)
brdovački *i* brdovečki *prema* Brdovec
Brdovčanin *prema* Brdovec
Brdovčanka DL jd. -ki, G mn. -ki
Brdovec, -vca (*zem.*)
brdovečki *i* brdovački *prema* Brdovec
brdski
brđanin mn. -ani
brđanka DL jd. -ki, G mn. -ki
brđanski
breča (*šljunak*)
brečast
brečati, -im, -čcći
brečiti > tresnuti
bređ; bređa krava
bređati, bređajući
bređost, -ošću *i* -osti
Bregalnica (*zem.*)
bregalnički
Bregana (*zem.*)
Bregava (*zem.*)
bregovit *prema* brijeg *i* brjegovit
bregovitost, -ošću *i* -osti *i* brjegovitost
bregulja (*ptica*) *i* brjegulja
bregunica *i* brjegunica
breguša *i* brjeguša
brektati, -kćcm, -kćući
breme
bremenit
bremenitost, -ošću *i* -osti
bremza > kočnica
brenčati, -čim, -čcći
brendi, -ija (*rakija*)
breskva G mn. bresaka
brestača *i* brjestača
Brestača (*zem.*)
brestak > br(j)estik
brestić *um. od* brijest *i* brjestić
brestik *i* brjestik
brestov *prema* brijest *i* brjestov
Brestovac, -ovca (*zem.*)
brestovača *i* brjestovača
brestovina *i* brjestovina
breščić *um. od* brijcg *i* brjcščić
breza
brezić

brezik
brezje
brezov
Brezovac, -vca (zem.)
brezovača
brezovački
Brezovica (zem.)
brezovički prema Brezovica
brežić um. od brijeg i brježić
brežina uv. od brijeg i brježina
brežuljak, -ljka, G mn. brežuljaka i brjcžuljak
brežuljast i brjcžuljast
brežuljčić i brjcžuljčić
brežuljkast i brjcžuljkast
brglijez
Brgudac, -udca i -uca, mn. -udci i -uci, G mn. Brgudaca
bričiti, bričcći
bridjeti, bridim, briđah, bridcći, bridio, bridjela
bridž
briđenje prema bridjeti
briga DL jd. brizi
Briga (poosobljen pojam)
brijač
brijačev
brijačica (ona koja brije); drugo je brijaćica
brijačičin
brijačnica
brijaći (npr. sapun)
brijaćica zamjena pridjevu brijaći (britva); drugo je brijačica
brijati, brijem, brijući
brijeg, V jd. brijcžc, mn. brcgovi/brjcgovi i brijczi (poet.)
brijest mn. brijestovi
briješće prema brijest
briježak, brijcška um. od brijeg
briježan, -žna
Brijuni (zem.); Mali Brijun, Veli Brijun
brijunski; Brijunski otoci
brilijant i briljant, -nta
brinuće
Brinje jd. s. r. (zem.)
Brioni > Brijuni
brioš; brioš-torta
brisač
brisačica
brisački
Brist (zem.)
Brišćanin prema Brist
Brišćanka DL jd. -ki, G mn. -ki
briški prema Brist
Britanac, -nca, V jd. -nčc, G mn. -naca

Britanija (zem.); Velika Britanija
brižditi, briždim, brižđah, brižđeći
brižljiv
brižljivost, -ošću i -osti
brjegovi mn. od brijeg i bregovi
brjegovit i bregovit
brjegovitost, -ošću i -osti i bregovitost
brjegulja i bregulja
brjegunica i bregunica
brjeguša i breguša
brjestača i brestača
brjestić i brestić
brjestik i brestik
brjestov i brestov
brjestovača i brestovača
brjestovik i brestovik
brjestovina i brestovina
brješčić um. od brijeg i breščić
brježić um. od brijeg i brežić
brježina uv. od brijeg i brežina
brježuljak, -ljka i brežuljak
brježuljast i brežuljast
brježuljčić i brežuljčić
brježuljkast i brežuljkast
brkač
brkaćenje prema brkatiti
brkić > brčić
brkljača
brkljoč (ptica)
brnača (drljača)
brnčati, -čim, brnčcći
broć
broćanski prema Broćno
broćast
broćika
broćiti, broćcći
Broćno (zem.)
broćnjak mn. -aci
Broćnjanin mn. -ani
Broćnjanka DL jd. -ki, G mn. -ki
Brod (zem.); Slavonski Brod, Brod na Kupi, Bosanski Brod (sve imena mjesta)
brodarče, -cta, zb. -čad
brodaričin prema brodarica
brodić
broditi, brođah, brodcći
brodiv i brodljiv
brodograđevni
brodotoč (zool.)
brodotočac, -čca, G mn. -čaca
brodovlasnički
brodovlasnik, V jd. -iče, mn. -ici
brodski prema Brod (zem.); Brodsko-posavska županija

Brođanin mn. -ani *prema* Brod
Brođanka DL jd. -ki, G mn. -ki
brođenje *prema* broditi
brojač
brojačica
brojčan, -ana
brojčanica
brojčanik mn. -ici
brojiti, broj, brojeći
bronca
brončan
brončati (*prevlačiti broncom*)
bronh mn. bronhi
bronhija
bronhitis
brošić *um. od* broš
Broz; Ivan Broz (*hrv. leksikograf*)
brstiti, bršćah, bršten *i* bršćen, brsteći
bršćenje *prema* brstiti
brujati, brujim, brujeći
Brundo; medvjed Brundo (*u životinjskom epu*)
brusač, -ača, V jd. -aču, I jd. -ačem
brusački
brusaći (*prid.*)
brusić *um. od* brus
brusiona > brusionica
brusionica
brušnjača (*vodir*)
bruto; brutotežina
brz *komp.* brži
brzati, -am, brzajući
brzić (*brz čovjek*)
brzinomjer
brzoća
brzorek
brzoreka
brzoteča
brže-bolje
bubnjača
bubnjić
bubreg mn. -czi
bubreščić
bubuljičast
bubuljičav
bubuljičavost, -ošću *i* -osti
Bucefal > Bukefal
buča (*bundeva*); *drugo je* buća (*kugla*)
bučađ I jd. -ađu *i* -adi
bučan, -čna
bučati, -čim, bučeći
buče, -cta, *zb.* -čad
bučica *um. od* buča
bučiti, bučeći (*činiti buku*); *drugo je* bućiti (se)

bučje (*bukovik*)
bučka DL jd. -ki, G mn. -ki
bučkati, -am, bučkajući
bučnost, -ošću *i* -osti
buć (*kosa na glavi, zamršena*)
buća *i* boća (*špor., kugla*); *drugo je* buča
bućar *i* boćar
bućati se, bućajući se *prema* buća
bućav (*čupav*)
bućica *um. od* buća
bućiti se, bućeći se (*nadimati se*); *drugo je* bučiti
bućkalica
bućkalo
bućkati, bućkajući
bućkuriš
bućnuti, -nem
bućoglav
budac, buca *i* budca, mn. buci *i* budci, G mn. budaca
Budački, Budačkog(a) (*zem.*)
Budimpešta (*zem.*)
Budinščina *i* Budinšćina (*zem.*)
budist
budistički
budničarstvo
budnoća
budoar, -ara
budšto (*bilo što*)
budući
budući da
budućnost, -ošću *i* -osti
Budva (*zem.*)
Budvanin mn. -ani
Budvanka DL jd. -ki, G mn. -ki
budvanski
budzašto (*pril.*)
budža (*batina*); *drugo je* buđa
***budžak** > ugao, kut
***budželar** > novčanik
budžet
budžetski
***buđ** > plijesan
***buđelar** > novčanik
buđenje *prema* buditi
buffet *i* bife
bugačica
Bugarče, -čta; *zb.* -rčad
Bugarin mn. Bugari
Bugarka DL jd. -ki, G mn. -ki
Bugarska DL jd. -koj
bugarski
bugivugi, -ija
buha DL jd. -hi *i* -si

buhač (*bot.*)
buhača (*bot.*)
buhačica *um. od* buhača
buhara
buhav
buhavan, -vna
buhavost, -ošću *i* -osti
buhinji *i* bušji *prema* buha
buhtla
bujati, -am
bujon > buljon
bukač
bukača (*sova*)
bukačev *prema* bukač
*Bukarešt > Bukurešt
bukati, bučem, bučeći
bukćenje *prema* buktjeti
Bukefal (*konj Aleksandra Velikoga*)
buket
bukle, -ca (*fr.* bouclé)
buklija
buknuće
bukoč
bukolički
bukovača
bukovački *prema* Bukovac
Bukovčanin mn. -ani
Bukovčanka DL jd. -ki, G mn. -ki
Bukovčev *prema* Bukovac (*prez.*)
Bukovica; Špišić Bukovica (*zem.*)
bukovički *prema* Bukovica
buktati, bukćem, bukćući
buktjeti, buktim, bukćah *i* buktijah, buktio, buktjela, buktcći
Bukurešćanin mn. -ani *prema* Bukurešt
bukureški
Bukurešt (*zem.*)
bukvički
bukvić *um. od* bukva
bulažnjenje *prema* bulazniti
buldog V jd. -ožc, mn. -ozi
bulevar, -ara
bulumač *i* bulumać
bulvar, -ara > bulevar
bulješ
buljioka DL jd. -ci, G mn. -ki
buljiti, buljeći
buljon
buljook

bumbača > pribadača
bumerang mn. -nzi
bunarčić
bunarčina
bunardžija
bunarić
bundžija > bunilac, bunitelj, buntovnik
Bunić (*zem.*)
bunilački
buniočev *prema* bunilac
bunište *i* bunjište
buntovnički
Bunjevac, Bunjevca, V jd. Bunjevče, mn. Bunjevci, G mn. Bunjevaca
bunjevački
Bunjevčev
Bunjevka DL jd. -ki, G mn. -ki
bunjište *i* bunište
burača (*mijeh za vino*)
buregdžija *prema* burek
burgijica *um. od* burgija
burgundac, -unca *i* -undca, G mn. -daca (*vino*)
Burkina Faso
burundžuk mn. -uci
buržoaski
buržoazija
buržuj
buržujka
buržujski
busenjača
busija
busje > busenje
busola > kompas
Busovača (*zem.*)
bušač, -ača
bušačar (*zool.*)
bušji *i* buhinji *prema* buha
butelja
butić *um. od* but
butnjača
*buvlji > bušji
buzdohan > buzdovan
buzdovan
Buzećanin mn. -ani *prema* Buzet
Buzećanka DL jd. -ki, G mn. -ki
Buzeština (*zem.*)
Buzet
buzetski

C

caklenjača (*bot.*)
cakati, cakćem, cakćući
capćenje *prema* captjeti
*captjeti > cvatjeti, cvjetati
carevati, carujem, carujući *i* carovati
carević
caričica *prema* carica
caričin *prema* carica
carić
Carigrad (*zem.*)
carigradski
Carigrađanin mn. -ani *prema* Carigrad
Carigrađanka DL jd. -ki, G mn. -ki
carinarnički
carinički
carinik V jd. -iče, mn. -ici
carist
caristički
carovati, carujem, carujući *i* carevati
cavćenje *prema* cavtjeti
*cavtjeti > cvatjeti, cvjetati
C-dur
cece-muha
Cecilija (*ime*)
ceh
Celovac, -vca (*zem.*)
celovački
celuloid
celzij
Celzij
Celzijev; + 10 Celzijevih stupnjeva
celzij(us) (*mjera*)
cement; portland-cement
centimetar, -tra
centralist
centralistički
centralizam, -zma
centralnoafrički; Centralnoafrička Republika
(*zem.*)
centričan, -čna
centričnost, -ošću *i* -osti
cenzura
ceptjeti, -tim, cepćah, ceptio, ceptjela, cepćući
Ceranac, -nca, V jd. -nče, G mn. -naca
ceranski
Cerber
cerić *um. od* cer

Cerić (*zem.*)
Cerićanin mn. -ani *prema* Cerić
Cerićanka DL jd. -ki, G mn. -ki
cerićki
cerij (*znak* Ce)
cerijev
ceriti se, cercći se
Cerna (*zem.*)
cerovača (*batina*)
cerovnjača (*gljiva*)
Cesargrad (*zem.*)
cesaričin *prema* cesarica
cesta; Nova cesta (*ime cesti*), autocesta
cestogradnja
Cetina (*zem.*)
Cetingrad (*zem.*)
Cetinje jd. s. r. (*zem.*)
cezaropapistički
ciborij
Ciceron
*cicija > škrtac
cič > ciča
ciča (*velika studen*)
cičati, -čim, cičeći
cići > ciknuti
Cigranče, -eta, *zb.* Cigančad
Cigrančica
cigančiti, cigančeći
Ciganin > Rom (*pripadnik ciganske narod-
nosti, Rom*)
Ciganka DL jd. -ki, G mn. -ki (*Romica / Rom-
kinja*)
ciganski > romski
cigli ciglovetni
cijankalij
cijanovodičan, -čna; cijanovodična kiselina
cijediti, -im, cijeđah, cijedi, cijedeći, cijedio,
-djela, cijeđen
cijeđ, cijeđa
cijeđenje *prema* cijediti
cijel *i* cio
cijelac, -lca, G mn. -laca
cijel cjelcat
cijeliti, cijelim, cijeljah, cijelio, cijeljela, cijeleći
cijelka DL jd. -ci, G mn. -ki
cijelo; jedno cijelo, dva cijela, deset cijelih
(*mat.*)

cijelost, -ošću i -osti
*cijelj > cilj
cijeljenje prema cijeliti i cijeljeti
cijeljeti, -lim, cijelio, cijeljcla, cijeleći
(zarašćivati, o rani)
cijen komp. cjenji i cjeniji > jeftin
cijena
cijenac, -nca
cijene (pril.); komp. cjenje i cjenije > jeftino
cijeniti, -nim, cijenjah, cijenjen (npr. cijenjeni
gospodin), cijeneći
cijenjenje prema cijeniti
cijepac, -pca, G mn. -paca
cijepanje
cijepati, -am, cijepajući
cijepiti, -im, cijepljah, cijepljen, cijepeći
cijepljenje prema cijepiti
cijepnica
cijetka DL jd. -ki, G mn. -ki i cijedaka
cijev, cijevi, I jd. cijevi i cijevlju
cijevčiti
cijevka DL jd. -ci, G mn. -ki i -vaka
cijevni
cijevnica
cijevnjača
cijevnjak mn. -aci
cijuk mn. -uci
cijukati, -učem, cijuči, cijučući
cikcak; cikcak-crta
Cikladi (otoci)
cikličan, -čna
ciklički
ciklop i kiklop (noviji izgovor)
ciklus
ciknuti, ciknem
ciktati, cikćem, cikćući
cilindričan, -čna
cilj
ciljač, -ača
cimbal (glazb.)
cinčan
cinčati, cinčajući
ciničan, -čna
cinički prema cinik
cinik V jd. -iče, mn. -ici
cink
cinkografija
cio, cijela i cijel
cionist
cionistički
cipal, -pla, G mn. -pala (riba)
Cipar, -pra (otok i država)
ciplić um. od cipal
Cirenaika (zem.) DL jd. -ki

cirkulacijski
cirkulacioni > cirkulacijski
cirkummediteranski
*cjeć > radi, poradi, zaradi
cjedilo
cjediljka DL jd. -ci, G mn. -ki i -ljaka
cjedina > cjedište
cjedište
cjeđenik mn. -ici
cjelcat ob. u svezi cijel cjelcat
cjelica
cjelina
*cjelishodan > prikladan
*cjeliv > cjelov
cjelivanje
cjelivati, cjelivam, cjelivajući
cjelo u složenicama: cjelokup(an)
cjeloća
cjelodnevni
cjelokup(an)
cjelov
cjelovati > cjelivati
cjelovečernji
cjelovit
cjelovitost, -ošću i -osti
cjelunuti, -nem
cjenik mn. -ici
cjenkati se, cjenkajući se
cjenoća > jeftinoća
*cjenovnik > cjenik
cjenje pril., komp. od cijene
cjenjkati se > cjenkati se
cjepač
cjepača
cjepačev
cjepačica
cjepački (pril.)
cjepak, -pka (prid.)
cjepalo
cjepanica
cjepčica
cjepidlačenje
cjepidlačiti, cjepidlačeći
cjepidlački
cjepidlaka DL jd. -ci i -ki
cjepika DL jd. -ici
cjepivo
cjepka DL jd. -ci i -ki, G mn. -ki i cjepaka
cjepkati, -am, cjepkajući
cjepkav
cjeplja > cjepanica
cjepljičica um. od cjeplja
cjepljiv
cjepljivost, -ošću i -osti

cjepnica
cjepnuti, -nem
cjepočica
cjepokril (*ptica*)
cjepotak, -tka, mn. -ci *i* -tci, G mn. -taka
cjepotina
cjepotka DL jd. -oci *i* -otci, G mn. -ki *i* -taka
*cjeriti se > ceriti se
cjevanica
cjevanični
cjevast
cjevaš (*crv*)
cjevčica *um. od* cijev
cjevčina *uv. od* cijev
cjevnjača
cjevnjak mn. -aci
cjevovod
CK *krat. za* Centralni komitet; Centralni komitet SKH (*polit., pov.*)
ckiljeti, ckiljim, ckiljeći
C-ključ
cmakati, cmakam *i* cmačem, cmakajući *i* cmačući
*cmiljeti > cviljeti
cmokati, -am, cmokajući
c-mol
*cokotati > cvokotati
col, cola, mn. coli
Coulomb (*ime*), *uspor.* kulon
crći > crknuti
crepana *i* crjepana
crepar *i* crjepar
crepara *i* crjepara
creparev/creparov *i* crjeparev/crjeparov
creparnica *i* crjeparnica
crepast *i* crjepast
crepić *um. od* crijep *i* crjepić
crepina *uv. od* crijep *i* crjepina
crepinja *i* crjepinja
crepovlje *i* crjepovlje
crepulja *i* crjepulja
crepuljar *i* crjepuljar
crepuljarev/crepuljarov *i* crjepuljarev/crjepuljarov
crescendo (*glazb.*)
cretski *prema* Cret (*zem.*)
crevar *i* crjevar
crevarev/crevarov *i* crjevarev/crjevarov
crevlja *i* crjevlja
crevljar *i* crjevljar
crijep mn. crepovi *i* crjepovi
crijeplje
crijepnja G mn. crijepnji *i* crepanja/crjepanja
crijevac, -vca

crijevan, -vna
crijevce, -a *i* -cta, G mn. crevaca *i* crjevaca
crijevni; crijevni katar
crijevnica
crijevnični
crijevo
crijevonja > trbonja
Crikvenica (*zem.*)
Crikveničanin mn. -ani
Crikveničanka DL jd. -ki, G mn. -ki
crikvenički
crjepana *i* crepana
crjepar *i* crepar
crjepara *i* crepara
crjeparnica *i* creparnica
crjepast *i* crepast
crjepić *i* crepić
crjepina *i* crepina
crjepinja *i* crepinja
crjepovlje *i* crepovlje
crjepulja *i* crepulja
crjepuljar *i* crepuljar
crjepuljarev/crjepuljarov *i* crepuljarev/crepuljarov
crjevar *i* crevar
crjevarev/crjevarov *i* crevarev/crevarov
crjevlja *i* crevlja
crjevljar *i* crevljar
crkavičav
crkva (*sakralna zgrada*)
Crkva (*ime zajednice vjernika*), *npr.* Crkva u Hrvata, *ali:* Katolička crkva *ili* Rimokatolička crkva
*Crkvenica > Crikvenica
crkvenoslavenski; crkvenoslavenski jezik
crkvenjački
crljen > crven
crljenac, -nca (*luk*)
crljenica (*zemlja*)
*crljeniti > crveniti
crljenka
crljenko
*crljenjeti > crvenjeti
*crljenjeti se > crvenjeti se
crmpurast
crnački *prema* crnac *i* Crnac
Crna Gora; Republika Crna Gora
Crna gora (*planina*)
crnče, -eta; *zb.* crnčad
crnčev *prema* crnac
Crnčev *prema* Crnac
crnčić *um. od* crnac
crndać (*ptica*)
crnilnica

crniti, crncći (*činiti što crnim*); *drugo je* crnjeti
crnoburzijanac, -nca, V jd. -nče, G mn. -naca
crnoća
Crnogorac, -rca, V jd. -rče, G mn. -raca
Crnogorče, -cta; *zb.* Crnogorčad
Crnogorčev
crnogoričan, -čna
Crnogorka DL jd. -ki, G mn. -ki
Crnogorkin
crnogorski; crnogorski običaji
crnograbić
Crnomorac, -rca, V jd. -rče, G mn. -raca
Crno more (*zem.*)
crnomorski *prema* Crno more
crnook
crnopjegavost, -ošću *i* -osti
crnoriječki *prema* Crna Rijeka (*mjesto*)
crnjenje *prema* crniti *i* crnjeti
crnjeti, crnim, crnjah, crnio, crnjela, crncći
    (*postajati crn*); *drugo je* crniti
crnjeti se (*biti crn*)
crnjka > crnka
crnjkast > crnkast
crpenje *prema* crpsti
crpiti *i* crpsti
crpsti, crpem... crpu, crpao, crpla, crpen,
    crpući
crtač
crtačev
crtačica
crtačičin
crtački; crtački talent
crtaći; crtaći pribor
crtež
crtić (*razg., crtani film*)
crvembrk > crvenbrk
crvemperka > crvenperka
crven; crveno-bijelo-plava boja hrv. zastave;
    Crveno more (*ime mora*)
crvenbrk
crvendać
crvendaćev
crveniti (*činiti što crvenim*); *drugo je* crvenjeti
crvenkapa
Crvenkapica
Crvenkapičin
crvenperka DL -ki, G mn. -ki
crvenjača
crvenjenje *prema* crveniti *i* crvenjeti
crvenjeti, crvenim, crvenjah, crvenio, crve-
    njela, crvencći (*postajati crven*); *drugo je*
    crveniti
crvenjeti se (*biti crven*)
crvić *um. od* crv

crvljiv
crvotoč, crvotoči, I jd. -čju *i* -či
crvotočan, -čna
crvotočina
crvotočnost, -ošću *i* -osti
curče, -cta, *zb.* curčad
curenje *prema* curiti
curetak, -tka, mn. -cci *i* -ctci, G mn. -taka
curičica
curičin *prema* curica
curiti, curcći
curjeti > curiti
cvaćenje *prema* cvatjeti
cvatjeti, cvatim, cvaćah, cvatio, cvatjela, cva-
    tcći
cvičati, cvičcći
cvijeće
cvijećnjak *i* cvjećnjak
cvijeliti *koga; s prijedlozima običnije* cviliti:
    ucviliti
cvijet mn. cvjetovi
Cvijeta (*ime*)
cvijetak, -tka, mn. -cci *i* -ctci, G mn. -taka
Cvijeti > Cvjetnica
cvijetnjak *i* cvjetnjak
Cvijeto (*ime*)
cvijetonja *i* cvjetonja
cvil
cviljenje *prema* cviljeti
cviljeti, cvilim, cviljah, cvilio, cviljela, cvilcći
C-vitamin *i* vitamin C
cvjećar *i* cvjetar
cvjećara
cvjećarev *i* cvjećarov
cvjećarica *i* cvjetarica
cvjećaričin *prema* cvjećarica
cvjećarna > cvjećarnica
cvjećarnica
cvjećarnički
cvjećarov *i* cvjećarev
cvjećarstvo G mn. -stava
cvjećice, cvjećica *um. od* cvijeće
cvjećnjak *i* cvijećnjak
*cvjel > cvil
cvjetača
cvjetan, -tna; Cvjetna nedjelja (*usp.* Cvjetnica)
Cvjetan, -ana (*ime*)
Cvjetna (*ime*)
cvjetar *i* cvjećar
cvjetarica *i* cvjećarica
cvjetaričin *prema* cvjetarica
cvjetast
Cvjetašin (*ime*)
cvjetati, -am, cvjetajući

cvjetić *um. od* cvijet
Cvjetimir
cvjetina *uv. od* cvijet
cvjetište
Cvjetko
Cvjetnica (*vjer., blagdan*)
cvjetnjak *i* cvijetnjak
cvjetolik
cvjetonosan, -sna
cvjetonoša
cvjetonja *i* cvijetonja
Cvjetoš
cvjetulja
cvjetunica

cvjetuša
cvokotati, -oćem, cvokoćući
cvrčak, -čka, mn. -čci, G mn. -čaka
cvrčalo
cvrčanje
cvrčati, cvrčim, cvrči, cvrčeći
cvrčež, cvrčča
cvrčić (*ptica*)
cvrće (*prženo jelo*)
cvrenje *prema* cvrijeti
cvrijeti, cvrem, cvru, cvro, cvrla, cvrt, cvrući
cvrkutati, -ućem, -ućući
cvrkutić *um. od* cvrkut
cvrljak, cvrljka, mn. -ljci, G mn. -ljaka

Č

ča (čak., što)
ča-ča-ča (vrst plesa, ritma)
čabar, -bra
Čabar, Čabra (zem.)
čabarski prema Čabar
Čabranin mn. -ani (čovjek iz Čabra)
Čabranka DL jd. -ki, G mn. -ki (žena iz
  Čabra)
čabrast
čabreni prema čabar
čabrenica
čabrenik mn. -ici
čabrenjak mn. -aci
čabričica
čabrić
čabronoša
čača (riba)
čačak, čačka
Čačak, Čačka (zem.)
Čačanin mn. -ani (čovjek iz Čačka)
Čačanka (žena iz Čačka)
čačanski prema Čačak
čačinački prema Čačinci
Čačinci G mn. -naca (zem.)
Čačinčanin mn. -ani (čovjek iz Čačinaca)
Čačinčanka DL jd. -ki, G mn. -ki (žena iz
  Čačinaca)
čačkalica
čačkalo
čačkati, -am, čačkajući
čačkovit prema čačak
Čad (zem.)
čador
čadorčić
čadorje
čađa
Čađanin (prema Čad)
Čađanka DL jd. -ki, G mn. -ki
čađav
čađavac, -vca, V jd. -vče, G mn. -vaca
Čađavac, -vca (zem.)
čađavica
Čađavica (zem.)
čađavički
čađavina
čađaviti, čađaveći i čađiti (činiti što čađavim)
čađavjeti (postajati čađav)

čađavost, -ošću i -osti
čađenje prema čađiti
čađiti, čađeći i čađaviti
*čaga > ples
čagalj, čaglja (čačak)
čagalj, čagalja (zvjerka)
Čaglić (zem.)
Čaglićanin mn. -ani (čovjek iz Čaglića)
Čaglićanka DL jd. -ki, G mn. -ki (žena iz
  Čaglića)
čaglićki prema Čaglić
čagrljati, -am, čagrljajući
čagrtaljka > čcgrtaljka
čagrtati, -rćem > čcgrtati
čahura
čahurični
čaj
čajana (mjesto gdje se toči čaj)
čajanka
čajati, -jcm > čckati
Čajetina (zem.)
Čajniče jd. s. r. (zem.)
čajnik mn. -ici
čak
čakavac, -vca, V jd. -včc, G mn. -vaca
čakavački > čakavski
čakavčev
čakavica i čakavština
čakavizam, -zma
čakavka DL jd. -ki
čakavski
čakavština i čakavica
čaklja
čakovački prema Čakovci
Čakovci (zem.)
Čakovčanin mn. -ani prema Čakovci i Čako-
  vec
Čakovčanka DL jd. -ki, G mn. -ki prema Ča-
  kovci i Čakovec
Čakovec, -vca (zem.)
čakovečki prema Čakovcc
*čakšire mn. ž. r. > hlače
čaktar i čaktor
čalabrcalo
čalabrcati, -am, -ajući
čalabrčak, -čka, mn. -čci, G mn. -čaka
čalabrknuti, -ncm

čalakati, čalakam i čalačcm, čalakaj i čalači,
   čalakajući i čalačući
čalaran, -rna
čalarnik V jd. -ičc, mn. -ici
čalarnost, -ošću i -osti
čalma
čam
čama
čamac, čamca, V jd. -mčc, G mn. -maca
čamalica
čamati, -am, čamajući
čamčar
čamčić
čamdžija
čamdžijski
čaminjati, -am, čaminjajući
čamiti, -im, čamljah, čamcći
čamljenje *prema* čamiti
čamotinja
čamovina > jclovina
čamunjati > čaminjati
čanak > zdjcla
čančar > zdjclar
čančara (*kornjača*)
čandrljiv
čandrljivost, -ošću i -osti
čangrizalica
čangrizaličin *prema* čangrizalica
čangrizalo
čangrizati, -am, čangrizajući
čangrizav
čangrizavost, -ošću i -osti
čangrizljiv > čangrižljiv
čangrižljivost, -ošću i -osti
čankoliz
čankoliziti, -im, čankoližah, čankolizcći
čapak, čapka
Čapek G Čapeka
čapkun
čaplja G mn. čapalja i čaplji
čapljica *um. od* čaplja
Čapljina (*zem.*)
čapljinski
čaponjak, -njka, mn. -njci
čaporak, -rka, mn. -rci, G mn. -raka
čar, čara i čari (*mn.*), *prema kojemu je i* čarati;
   drugo je ćar
čarak, čarka
čaralac, čaraoca, V jd. -aočc, G mn. čaralaca
čaralački
čaralica
čaran, -rna
čaranje
čarapa

čarapica
čaraparičin *prema* čaraparica
čarapčina *uv. od* čarapa
čaratan, -ana
čaratanica
čarataničin *prema* čaratanica
čarati, čaram, čarajući
čardačić *um. od* čardak
čardačina *uv. od* čardak
čardački
čardak
čari mn. ž. r. *i* čar
čarka DL jd. -ci, G mn. -ki
čarkanje
čarkati, -am, čarkajući (*dirati u vatru*), čarkati
   sc (*mali boj biti*); *drugo je* ćarkati
čarnuti (se), -ncm (sc)
čaroban, -bna
čarobija
čarobnica
čarobničin
čarobnički
čarobnik > čarobnjak
čarobnost, -ošću i -osti
čarobnjački
čarobnjak, -aka, V jd. -ačc, mn. -aci
čarobnjakov
čarobnjaštvo G mn. -štava
čarojica
čarolija
*čarovan, -vna > čaroban
*čaršav > plahta
čaršija > trg
čaršijica
čaršijski
čarter (*engl.* charter); čarter-letovi
čas
časak, časka
časiti, čascći; ni časa nc čascći
časkom (*pril.*)
Časlav
časlovac, -vca
časni; časna sestra
časnički
časnik V jd. -ičc, mn. -ici
časništvo G mn. -štava
časnost, -ošću i -osti
časom (*pril.*)
časomičan, -čna > časovit
časopis
časoslov
časovit
*časovničar > urar
*časovnik > sat

čast I jd. čašću i časti
častan, časna
častiti, čašćah, čašćcn, časteći
častohlepan, -pna
častohleplje
častohlepnost, -ošću i -osti
častoljubac, -upca, V jd. -upčc, G mn. -baca
častoljubiv
častoljubivost, -ošću i -osti
častoljublje
čaša
*čašćavati > častiti (koga)
čašćenje prema častiti
čašični prema čašica
čaška DL jd. -ci i -ki
čatac, čaca i čatca > čitač
*čatati i čatiti > čitati
čatrnja > bunar
čauš
čavao, čavla, G mn. čavala
čavče, -cta, zb. čavčad
čavčica um. od čavka
čavčić
čavčji
čavka DL jd. -vci i -vki, G mn. -vki i čavaka
čavlar
čavlast
čavlav
Čavle (zem.) mn. ž. r., G mn. -vala
čavlen
čavlenjak, -aka, mn. -aci (vrst svrdla)
čavlić
Čavljanin prema Čavle
čavljanski
Čavoglave (zem.)
čavrljalo
čavrljati, -am, -ajući
čavrljuga DL jd. -zi
čavrzgati, -am, -ajući
čazba
čazbina
Čazma (zem.)
Čazmanac, -nca, V jd. -nče, G mn. -naca (prema Čazma)
Čazmanka DL jd. -ki, G mn. -ki
čazmanski; Čazmanski kaptol
čečati, -čim > čučati
čečnuti, -ncm > čučnuti
čedan, čedna
čedance, -a i -cta
čednost, -ošću i -osti
čednjak, -aka, mn. -aci (himen)
čedo
Čedomil i Čcdomir

čedomor
čedomorac, -rca, V jd. -rčc, G mn. -raca
čedomorčev
čedomorka DL jd. -ki, G mn. -ki i -raka
čedomorstvo G mn. -stava
čega (*čcsa) G od što
čegović
čegrtaljka DL jd. -ci, G mn. -ki
čegrtaš
čegrtati, čcgrćcm i čcgrtam, čagrćući i čagrtajući
čegrtuša
Čeh mn. Čcsi
čehati, -am
Čehinja
Čehinjin
čehizam, -zma
čehno i čcsno
čehnuti, -ncm
Čehov prema Čch
čehulja
čehuljast
čehuljica
ček (bank.)
čeka i dočka
čekač, -ača
čekačica
čekalac, čckaoca, V jd. -aočc, G mn. čckalaca
čekalica
čekalište
čekalo
čekaona > čckaonica
čekaonica
čekati, -am, -ajući
čekić
čekićarka DL jd. -ci, G mn. -ki
čekinja (četina)
čekinjara
čekinjast
čekinjav
čekovni; čckovni račun (bank.)
čekrk mn. -rci > kolotur, vitao
čektalo
*čela > pčcla
čelan, -lna
čelast i čclat
čelce, čclca i čclccta um. od čelo > čcocc
čelenka DL jd. -ci i -ki, G mn. -ki
čeličan, -čna
čeličana
čeličenje
čeličiti, -im, čcličcći
čelik; krom-čclik, Baš-Čclik
čelist

čelistica
čelistički
čelni i čconi prema čelo
čelnik V jd. -ičc, mn. -ici
čelo (dio glave; glaz.); drugo je ćclo
Čelopeci (zem.)
čelopek mn. -cci
čelovođa
čeljace, -cta (um. od čeljadc) i čeljadcc
čeljad, čeljađu i čeljadi
čeljadce i čeljacc
čeljade, -cta
čeljuska DL jd. -sci, G mn. čcljustaka i čeljuski
čeljusni; čcljusna kost
čeljusnica (čeljusna kost)
čeljust l jd. -sti i čcljušću
čembalo mn. čcmbali (glaz.)
čemer (otrov, jed); drugo je ćcmer
čemeran, -rna
čemerika DL jd. -ci (bot.)
čemeriti, -im, -rcći
Čemernica (zem.)
čemin
čempres
čemu DL jd. od što
čengel (željezna kuka)
čeoce, čcoca i čcoccta (um. od čelo)
čeoni, čcona i čclni prema čelo
čep
čepac, čcpca, G mn. -paca
čepati, -am i čepljcm; čcpaj i čcplji, čcpajući i
   čcpljući
čepić
Čepić (zem.)
Čepikuće (zem.)
Čepin (zem.)
Čepinac, -nca, V jd. -nčc, mn. -nci, G mn. -naca
   (čovjek iz Čepina)
Čepinka DL jd. -ki, G mn. -ki (žena iz Čepina)
čepinski
čepiti se, -im sc, čcpljah sc, čcpcći sc
čepkati, -am, -ajući
čepljuskati, -am, -ajući
čepnuti, -ncm
čeprkač
čeprkalo
čeprkati, čcprčcm i čcprkam, čcprčući i
   čcprkajući
čeprljati, -am, -ajući
čepukati, -am, -ajući
Čeralije (zem.)
čerečar, -ara
čerečiti, -im, čcrcčcći
*čerek > čctvrt

čerenac, -nca (vrst ribarske mreže)
Čerević (zem.)
Čerevićanin mn. -ani (prema Čcrcvić)
Čerevićanka DL jd. -ki, G mn. -ki (prema
   Čerević)
čerevićki
čerez (vrst slatkiša)
čerga DL jd. -gi
čergar
čergaš
čerjen G mn. čcrjcna
čerkeski
Čerkeskinja
Čerkez
*čerpić > ćcrpić
čerupati, -am, čcrupajući
*česa > čcga
česalo
česan, čcsna > čcšnjak
česati, čcšcm, čcšući > čcšati
*Česka > Čcška; Rcpublika Čcška
*česki > čcški
česma (vrelo); drugo je ćcsma
česmina
česnica
*česnik > razlomak
česno i čchno
čest, čcsta (prid.); komp. čcšći
čest, čcsti, l jd. čcsti i čcšću
česta
čestak, -aka, mn. -aci
*čestar, -ara > guštara
čestica
čestičin prema čcstica
čestimice
čestimičan, -čna
čestina
čestit
čestitač, -ača, V jd. -aču
čestitalac, čcstitaoca, V jd. čcstitaočc, G mn.
   čcstitalaca > čcstitač
čestitanje
čestitar
čestitarev i čcstitarov
čestitarica i čcstitarka
čestitaričin
čestitarka DL jd. -ki, G mn. -ki i čcstitarica
čestitarov i čcstitarcv
čestitati, čcstitajući
čestitka DL jd. -tci i -tki, G mn. -tki i -taka
čestitost, -ošću i -osti
često komp. čcšćc
čestoća i čcstota
čestokratan, -tna

čestoput (*često*)
često puta
čestota *i* čcstoća
*čcsvina > čcsmina
češagija > čcsalo
češalj, čcšlja
češanj, čcšnja
češanje
češati, čcšcm, čcšući
češće (*komp. prema* čcsto)
češer (*šiška, šišarica*)
Češka; Rcpublika Čcška
češki
*Češkinja > Čchinja
češljač, -ača
češljačica
češljačičin
češljanje
češljaona > čcšljaonica
češljaonica
češljar
češljarev *i* čcšljarov
češljast
češljati, -am, čcšljajući
češljić
češljika DL jd. -ci
češljuga DL jd. -zi
češljugar
češljugarka DL jd. -ki, G mn. -ki
češnjak, -aka, mn. -aci
češnjovka
četa
četčica *i* čcčica *um. od* čctka
četedžija (*onaj koji* čctuje)
Četekovac, -vca (*zem.*)
četica
četina
četinar
četinarski
četinjača
četiri (4); čctiri stotinc (400), čctiri tisuće
  (4.000), čctiri milijuntinc (4/1,000.000),
  čctiri posto (4%), čctiri puta
četiristo (400)
četiristogodišnji
četiristogodišnjica
četiristoti (400.)
četiri stotine (400)
četka DL jd. čctki *i* čc(t)ci
četkanje
četkar
četkarev *i* čctkarov
četkati, -am, čctkajući
četkica

četni *prema* čcta
četnički
četnik V jd. -ičc, mn. -ici
četnikovati, -kujcm, -kujući
četništvo G mn. -štava
četovati, čctujcm, čctujući
četovođa
četrdeset (40); čctrdcsct jcdan *i* čctrdcset i
  jcdan (41)
četrdesetak (*oko* 40)
četrdesetero
četrdesetgodišnjak > čctrdcsctogodišnjak
četrdesetgodišnji > čctrdcsctogodišnji
četrdesetgodišnjica > čctrdcsetogodišnjica
četrdeseti (40.)
četrdesetica
četrdesetina (1/40)
četrdesetnica
četrdesetogodišnjak, (40-godišnjak), -aka,
  mn. -aci
četrdesetogodišnji (40-godišnji)
četrdesetogodišnjica (40-godišnjica)
četrdesetorica
četrdesetosma (*pov., godina 1848. i događaji*
  oko nje; inače je: čctrdeset osma *i* četrdeset
  i osma godina i sl.)
četrnaest (14)
četrnaestak (*oko* 14)
četrnaestero
četrnaestgodišnji > čctrnacstogodišnji
četrnaesti (14.)
četrnaestica
četrnaestina (1/14)
četrnaestogodišnji
četrnaestorica
četrun > lubcnica (*bot.*)
četruna
četverac, -rca, G mn. -raca
četveri
četverikati, -am *i* -ičcm, -ajući *i* -ičcući
četvero
četveroboj
četverobroj
četverocjepan, -pna
četveročlan
četveroglasan
četverogodišnji
četverokatan, -tna
četverokatnica
četverokut
četveromjesečni
četveronedjeljni *koji se odnosi na četiri ne-*
  djelje; drugo je čctvcrotjcdni
četveronoške (*pril.*)

četveronožac, -ošca, G mn. -ožaca
četveropjev
četveropreg
četveroruk
četverosjed
četverostruk
četverotjedni *koji se odnosi na četiri tjedna;*
drugo je čctvcroncdjeljni
četvorci G mn. četvoraka
četvorče, -eta, *zb.* -čad *(jedno od četvoraka)*
četvori > čctvcri
četvorica
četvorina
četvoriti, čctvorćći
četvorka DL jd. -ki, G mn. -ki
četvorni; čctvorni mctar
četvrt, čctvrti, l jd. -réu *i* -ti; gradska četvrt
četvrtača
četvrtak, čctvrtka *(četvrti dan u tjednu)*
četvrtak, čctvrtaka *(konj od četiri godine i dr.)*
četvrtalj, -alja
četvrtfinale
četvrti (4.); čctvrti put; Krešimir Četvrti *(hrv.*
kralj)
četvrtina (1/4)
četvrtinka DL jd. -ci, G mn. -ki
*čevrljati > čavrljati
čevrljuga DL jd. -zi *(ševa)*
čeznuće
čeznuti, -ncm, čeznući
čežnja
čibučić *um. od* čibuk
čibučina *uv. od* čibuk
čibuk mn. -uci
čibukati, -am, -ajući
čibuljica
*čić > cić
čiča
čičak, čička, mn. čičci
Čiče jd. s. r.; Novo Čičc *(zem.)*
čičimak, -aka *(bot.)*
čičkati, -am, -ajući
čičkovac, -vca *(bot.)*
čičoka DL jd. -ci *(sitna repa)*
Čifut
Čifutka DL jd. -tki, G mn. -tki
čifutski
*čigov > čiji
čigra > zvrk
čihati > čchati
*čijati > čchati
čiji
čijigod *(nečiji)*
čijī gȍd *(bilo čiji, svačiji)*

čiji mu drago
čik
čikanje *(žvakanje duhana)*
čikati, -am, -ajući *(žvakati duhan)*
čikica *um. od* čiko
čikičin *prema* čikica
čikin *prema* čiko
čiko, -c
Čikola *(zem., rijeka)*
čikoš
čil *i* čio
čilan, čilna
čilaš
Čile *(zem.)*
Čileanac, -nca, V jd. -nčc, G mn. -naca
Čileanka DL jd. -ki, G mn. -ki
čileanski *i* čilski
Čilipi *(zem.)*
čilost, -ošću *i* -osti
čilski *i* čileanski; čilska salitra
čiljeti, čilim, čiljah, čilio, čiljcla, čilcći
čim l *od* što
čim *(vcz.)*
čimbenik *i* činitelj, činilac
čimkati, -am, -ajući
čimpanza
čin, čina
čini mn. ž. r.
činidba G mn. -daba *i* -dbi
činija > zdjcla
činijica *um. od* činija
činilac, činioca, V jd. -očc, G mn. činilaca
činitelj
činiteljev
činiteljica
činiteljičin
činiti, čincći
činkvečento
činovnica
činovničić
činovničin
činovnički
činovnik V jd. -ičc, mn. -ici
činovništvo G mn. -štava
činjenica
činjenični
činjenje *prema* činiti
čio, čila *i* čil
*čioda > pribadača
čiopa
Čiovo *(zem.)*
čipa
čipav *prema* čipa
čipčica *um. od* čipka

čipka D L jd. -ci *i* čipki, G mn. čipki *i* čipaka
čipkaći; čipkaća igla
čipkanje
čipkar
čipkarev *i* čipkarov
čipkarica
čipkaričin
čipkarov *i* čipkarcv
čipkarski
čipkast
čipkati, -am, -ajući
čir
čirak, čiraka > svijcćnjak
čiravost, -ošću *i* -osti
čirić *um. od* čir
čislo
čismen
čist *komp.* čistiji *i* čišći; Čista srijeda, Čista (*prva korizmena nedjelja*)
čistac (*čistina*)
čistač
čistačev
čistačica
čistačičin
čistački
čistikuća
čistilac, čistioca, V jd. -iočc, G mn. čistilaca
čistilački
čistilica
čistilište; Čistilište (*crkv.-vjer.*)
čistilo
čistina
čistiona > čistionica
čistionica
čistiti, čišćah, čišćcn, čistcći
čistka (*rus.*)
čistoća
čistokrvan, -vna
čistokrvnost, -ošću *i* -osti
čistopis
čistunac, -nca, V jd. -nčc, G mn. -naca
čistunstvo G mn. -stava
čišćenje *prema* čistiti
čitač
čitačev
čitačica
čitačičin
čitački
čitak, čitka
čitalac, čitaoca, V jd. -aočc, G mn. čitalaca
čitalački
čitančica *um. od* čitanka
čitanka D L jd. -ci, G mn. -ki
čitanje

čitaočev
čitaona > čitaonica
čitaonica
čitaonički
čitatelj
čitateljev
čitateljica
čitateljičin
čitateljski
čitateljstvo
čitati, čitajući
čitav
čitko (*pril.*)
čitkost, -ošću *i* -osti
čitlučar
Čitlučanin *prema* Čitluk
čitlučiti, čitlučcći
čitlučki *prema* Čitluk
čitluk poljsko dobro, imanjc
Čitluk (*mjesto*)
čitljiv
čitljivo (*pril.*)
čitljivost, -ošću *i* -osti
čitulja
čivit
čizma
čizmar
čizmarev *i* čizmarov
čizmarica
čizmaričin
čizmarov *i* čizmarcv
čizmarski
čižak, čiška, G mn. čižaka
*čižma > čizma
čkakljati > škakljati
*čkalj > čičak
čkrnjati, -am, -ajući
član
članak, članka, mn. -nci, G mn. -naka
članarina
člančić *um. od* član(ak)
člančina *uv. od* član(ak)
članica
članičin
člankast
člankonožac, -ošca, V jd. -oščc, G mn. -ožaca
člankopisac, -sca, V jd. -iščc, G mn. -isaca
člankovit
člankovitost, -ošću *i* -osti
članovit
članstvo G mn. -stava
človiti, človcći
čmar
čmavati, -am, -ajući

*čmičak, čmička > ječmičak
čoban > čobanin
čobančad, -di i -ađu
čobanče, -cta, zb. čobančad
čobančica
čobančić
čobančina
čobanica > pastirica
čobaničin
čobanija
čobanin > pastir
*čoek > čovjek
čoha DL jd. -hi
*čoja > čoha
čokanj, čokanja
čokanjčić
čokoće, zb. od čokot > trsje
čokolada
čokot > trs
čopor
*čorba > juha
čorda (krdo); drugo je ćorda
čordaš
čortanovački prema Čortanovci
Čortanovci mn. m. r., G mn. -vaca (zem.)
čot, čota
Čovići mn. m. r. (zem.)
čovječac, -čca
čovječan, -čna
čovječanski
čovječanstvo G mn. -stava
čovječić
čovječina
čovječji
čovječki
čovječnost, -ošću i -osti
čovječuljak, -ljka, V jd. -uljče, mn. -uljci, G mn. -uljaka
čovjek mn. ljudi
Čovjek (poosobljen pojam)
čovjekoljubac, -upca, V jd. -upče, G mn. -baca
čovjekoljuban, -bna
čovjekoljubiv
čovjekoljubivost, -ošću i -osti
čovjekoljublje
čovještvo G mn. -štava
čovo
čovuljak, -ljka, V jd. -ljče, mn. -uljci, G mn. -ljaka
črčkanje
črčkarija
črčkati, črčkajući > drljati
črčkav
Črećani (zem.)

Čret (zem.)
*črknja > zarez
Črnomerec, -rca (dio Zagreba)
ČSSR (pov.) kratica za Čehoslovačka Socija-
listička Republika
čubar, čubra
čučanj, čučnja
čučanje
čučati, čučim, čučći
čučavac, -vca, G mn. -vaca
čučećke i čučćći (pril.)
Čučerac, -rca, V jd. -rče, G mn. -raca (čovjek
iz Čučerja)
Čučerje jd. s. r. (zem.)
Čučerka DL jd. -ki, G mn. -ki
čučerski; Čučerska cesta
čučke (pril.)
čučnuti, -nem
čudački
čudak, čudaka, V jd. -ače, mn. -aci
čudaković
čudan, -dna
čudesan, -sna > čudan
čudika DL jd. -ci (bot.)
čuditi se, -im se, -deći se, čuđah se
čudnovat
čudnjački
čudnjak, -aka, V jd. -ače, mn. -aci
čudo
čudotvorac, -rca, V jd. -rče, G mn. -raca
čudotvorčev
čudotvorka DL jd. -ki, G mn. -ki
čudotvorkin
čudotvornost, -ošću i -osti
čudovište > neman
čuđenje prema čuditi se
Čuh (predjel na Dugom otoku, hrv. prilagođe-
nica prvotnog imena za Dugi otok od grč.
Pysuch)
čujan, čujna
čujnost, -ošću i -osti
čukalj, čuklja > kuka
čukljajiv
čuknuti, -nem
čukumbaba > šukumbaba
čukundjed > šukundjed
čula (u koga su malene uši)
ćula (vrst igre); drugo je ćula
čulan, čulna > osjetilan
Čulinec, -nca (zem.)
čulinečki (koji se odnosi na Čulinec)
čulo > osjetilo
čun
čunak, čunka, mn. čunci i čunkovi

čunčić *um. od* čunak
čunić *um. od* čun
čunj *i izvedenice*
čup
čupa
čupač
čupačev
čupačica
čupačičin
čupanje
čupati, -am, čupajući
čupav
čupavac, -vca, V jd. -vče, G mn. -vaca
čupavica
čupavičin
čuperak, -rka, mn. -rci, G mn. -raka
čupica
čupkanje
čupkati, -am, čupkajući
*čustvo > čuvstvo
*čušljav > čupav; *drugo je* ćuslav
čuti, čujem, čujući
čutura
čuvač
čuvačev
čuvačica
čuvačičin
čuvalac, čuvaoca, V jd. -aoče, G mn. čuvalaca
čuvanje
čuvar
čuvarev *i* čuvarov
čuvarica
čuvaričin
čuvarkuća (*bot.*)
čuvarov *i* čuvarev
Čuvaši (*narod uz desnu obalu Volge*)
čuvaški (*prema* Čuvaši)
čuvati, čuvajući

čuven *prema* čuti
čuvenje
čuvida
čuvstven > osjećajan
čuvstvo > osjećaj
*čuvstvovati > osjećati, ćutjeti
čvakati, -am, čvakajući
čvalikati, -ičem, -ičući
čvarak, čvarka, mn. čvarci, G mn. -raka
čvariti, čvarćei
čvor
čvorak, čvorka, mn. čvorci *i* čvorkovi, G mn. -raka *i* -rkova (*ptica*)
čvorast
čvorav
čvoravost, -ošću *i* -osti
čvorić *um. od* čvor
čvorina *uv. od* čvor
čvornat
čvornatost, -ošću *i* -osti
čvornovit
čvoruga DL jd. -uzi
čvorugav
čvorugavost, -ošću *i* -osti
*čvrčak > cvrčak
*čvrčati > cvrčati
čvrkati, čvrkam, čvrkajući
čvrknuti, -nem
čvrljak > čvorak
čvrljuga DL jd. -uzi
Čvrsnica (*zem.*)
čvrsnuti, -nem
čvrst *komp.* čvršći
čvrstac, -sca (*zool.*)
čvrstina
čvrsto (*pril.*); *komp.* čvršće
čvrstoća

Ć

ća (*pril., pokr., tamo, čak*)
ćaba (*hodočašće do Ćabe*)
Ćaba (*muslimansko svetište u Meki*)
ćabenski *prema* Ćaba
ćaća
ćaće (*pokr., otac*)
ćaćin
ćaćko
ćafir (*kaurin*)
ćakati, -am, -ajući
ćaknut
ćaknuti, -nem
ćako
ćakula *ob. mn.* ćakule (*pokr.*)
ćakulati, ćakulajući (*pokr.*)
ćale > otac
Ćamil (*ime*)
*ćapiti > uhvatiti, dobiti, primiti
*ćaporak, -rka > čuperak
*ćar > trgovina, dobit, zarada (*turski*); *drugo je* čar
ćariti, ćarćei *prema* ćar > trgovati
ćarkati, ćarkam, ćarkajući (1. ćariti, 2. ćarlijati), *drugo je* čarkati
ćarlijanje
ćarlijati, -jam, ćarlijajući
*ćaro (*pokr., tal.* chiaro) > bistro
ćaskalo
ćaskati, ćaskajući
ćatib > pisar
ćatin *prema* ćato
ćato, -e > pisar
će (*3. l. prez. gl.* htjeti)
ćebe, -eta, *zb.* ćebad > gunj, pokrivač
ćeča (*bijela albanska kapa*)
ćef > volja
Ćeklići *mn. m. r.* (*zem.*)
ćeklićki *prema* Ćeklići
ćela
ćelav
ćelavac, -vca, V jd. -vče; G mn. -vaca
ćelavčev
ćelavjeti, ćelavim, ćelavio, ćelavjela, ćelaveći (*postajati ćelav*)
ćelavljenje *prema* ćelavjeti
ćelavost, -ošću *i* -osti
*ćelibar, -ara > jantar

ćelija
Ćelije (*zem.*)
ćelijica *um. od* ćelija
ćelo (*ćelav čovjek*); *drugo je* čelo
ćelonja
ćemane, -eta
ćemer > svod, pojas; *drugo je* čemer
ćemeriti, ćemereći (*graditi na svod*)
ćepenak, -nka, mn. -nci, G mn. -naka
ćepica > kapica
ćepurkati, ćepurkajući
*ćer > kći
*ćerati > tjerati
ćereće jd. s. r.
ćeretati, ćeretajući
*ćerka > kćerka
ćerpič
*ćesar > cesar
ćesma (*šupljika*); *drugo je* česma
ćesmati, ćesmajući
ćevabdžija *i* ćevapčićar
ćevabdžinica
ćevap (*pečak*)
ćevapčić
ćevapčićar *i* ćevabdžija
ćevrkati, ćevrkajući
*ći > kći
Ćić (*stanovnik Ćićarije*)
Ćićarija (*zem., kraj u Istri*)
Ćićka (*žena iz Ćićarije*)
ćićki *prema* Ćić
ćiler > kiljer, kućerak
ćilibar > jantar
ćilim (*sag*)
ćilimar
ćilimarev *i* ćilimarov
ćilimarski
ćilimarstvo G mn. -stava
ćilimčić
ćilimski
Ćiril; Ćiril i Metod
ćirilica
ćirilički > ćirilični
Ćirilo
ćirilometodski; ćirilometodsko naslijeđe
ćirilski
Ćiro

ćitaba
ćivrikati, -ičcm, ćivriči, ćivričući
ćohati se, ćohajući sc
ćopati, ćopajući
ćopiti
ćorac, -rca, G mn. -raca
ćorak, -rka, G mn. -raka
ćoravac, -vca, V jd. -včc, G mn. -vaca
ćoravčev
ćoravica
ćoravičin
ćoraviti, ćoravcći (koga)
ćoravjeti, ćoravim, ćoravio, ćoravjela, ćoravc-
    ći (postajati ćorav)
ćorda (sablja); drugo je čorda
ćoro
ćorsokak
*ćosa > ćoso
ćosav
ćosavac, -vca, V jd. -včc, G mn. -vaca
ćosavjeti, ćosavim, ćosavio, ćosavjela, ćosavc-
    ći (postajati ćosav)
ćoso
*ćošak, ćoška > ugao
ćozot (pokr.)
ću (1. l. prez. gl. htjeti)
*ćuba > kukma
*ćubast > kukmast
ćućenje prema ćutjeti
ćućoriti, ćućorcći
ćućurin (ptica)
ćud, ćudi, I jd. ćuđu i ćudi
ćudljiv
ćudljivac, -vca, V jd. -včc, G mn. -vaca
ćudljivčev
ćudljivica
ćudljivičin
ćudljivost, -ošću i -osti
ćudoredan, -dna
ćudoređe
ćudovit > ćudljiv
ćuh mn. ćusi i ćuhovi > povjetarac
ćuhati, ćuhajući
ćuhnuti, -ncm
ćuk mn. ćuci i ćukovi
ćukati, ćućcm i ćukam, ćuči i ćukaj, ćučući i
    ćukajući
ćukati se, ćukajući sc
ćükati, -am, ćukajući (o kokoši)
ćuknuti, -ncm
ćuko > pas
ćula (kijača); drugo je čula

ćulah, -aha, mn. -asi
ćulati se, ćulajući sc
ćulbastija
ćuliti, ćuljah, ćulcći (uši)
ćuljenje prema ćuliti
ćumez
ćumur > ugljcn
ćup
ćupa (krčag); drugo je čupa
ćupić um. od ćup
ćuprija > most
Ćuprija (zem.)
Ćuprijac, -jca, V jd. -jčc, G mn. -jaca
ćuprijica um. od ćuprija
Ćuprijka DL jd. -ki, G mn. -ki
ćuprijski
ćura > pura
ćurad, ćuradi, I jd. -ađu i -adi > purad
ćürak, ćurka (kožuh)
ćurak, ćurka > puran
ćuran > puran
ćurčija > krznar
ćure -cta, zb. ćurad > pure
ćureći (prid.) prema ćura; ćurece jaje
ćuriti, ćurcći
ćurka DL jd. -ci, G mn. -ki > pura
ćurlik mn. -ici
ćurlika DL jd. -ici
ćurlikati, -ičcm, ćurliči, ćurličući
ćurliti, ćurljah, ćurlcći
ćuskija > poluga
*ćustvo > čuvstvo (osjećaj)
ćušak, -ška (um. od ćuh)
ćušati, ćušajući > ćuškati
ćüšiti, ćušcći (lahoriti)
ćüšiti (zaušiti)
ćuška DL jd. -šci, G mn. ćušaka
ćuškati, ćuškajući
ćušnut
ćušnuti, -ncm
ćut, ćuti, I jd. ćutju i ćuti
ćutalica
*ćutati, ćutim, ćutcći > šutjeti
ćutilni; ćutilni život > osjećajni
ćutilo (ćut)
ćutjeti, ćutim, ćućah, ćutio, ćutjcla, ćutcći
ćutkati, -am, ćutkajući > ušutkivati
*ćutke > šutkc
ćutljiv > šutljiv
ćutljivost, -ošću i -osti (osjetljivost)
*ćuv > ćuh

D

d krat. za dinar, dan, i dalje (i d.); D *rimski znak
za broj 500*, (*šah.*) oznaka za kraljicu (damu),
krat. za dativ, dinar
Dabac, Dapca
dabogme *i* dabome (*pril.*)
Dacija
dača (*rus., vila, ljetnikovac*)
Dačanin
dački
daća
dadaist
dadaistički
dadaizam, -zma
dag *znak za* dekagram
dah
dahija
dahijski
dahnuti
Dahomej (*zem.*)
Dahomejac, -jca, V jd. -ječ
Dahomejka DL jd. -ki, G mn. -ki
dahomejski
dahtati, dašćem i dahćem, dašći i dahći, dašćah
i dahćah, dašćući i dahćući
daidža > ujak
daidžić
daidžinica
daidžičin
daire, daira (mn. ž. r.) i daire, daireta (jd. s. r.)
dajbudi (*pril., zast., bar*)
dajder
dakako (*pril. , ali* nastoj da kako uspiješ)
dakati, dačem, dači, dačući
dalaj-lama
***dalečina** > daljina
dalek *komp.* dalji
Daleki istok (*zem.*), Daleki Istok (*narodi Dale-
kog istoka*)
dalekoistočni
dalekopisač (*teleprinter*)
dalekosežnost, -ošću *i* -osti
dalekovidnost, -ošću *i* -osti
da li
Dalmatinac, -nca, V jd. -nče (*čovjek iz Dalma-
cije*); dalmatinac (*1. vino; 2. pasmina pasa*)
dalmatinski (*koji se odnosi na Dalmaciju i Dal-
matince*); Dalmatinski sabor (*pov.*), Dalma-
tinska zagora (*zem.*)

dalmatski (*pov., koji se odnosi na Dalmate*);
dalmatski jezik
daljinomjer
damasteni *prema* damast
damastni > damasteni
Damaščanin *prema* Damask
damaščanski *prema* Damask
Damjan
dampinški
dan; dan-dva; Majčin dan (*druga nedjelja u
svibnju*), Dušni dan, Dan hrvatske državnos-
ti (*30. 5.*), Dani hrvatskoga jezika (*13.-17.
ožujka*)
Danac, Danca, V jd. Danče
Danaide (*kćeri kralja Danaja*)
danas-sutra
dandanas (*pril.*)
dandanašnji
danguba
dangubnik
Danijel
daninoć > maćuhica
Danska DL jd. Danskoj
danski
Dante Alighieri, Dantea Alighierija
Danteov
danteovski
danu > nuder, deder
***danuti** > dahnuti
dapače
Dapci, Dabaca (*selo kod Čazme*)
darčić
Dardaneli, -la (*mn. m. r.*)
Darej
darežljivost, -ošću *i* -osti
Darija
Darije
darivalac, -aoca, V jd. -aoče, G mn. -alaca
darmar
darodavac, -vca, V jd. -vče, G mn. -vaca
darvinistički
daščan, -a
daščara
daščetina
daščica
daščurina
dašto (*pril.*)
dat. *krat. za* dativ; *i* D

datak, datka, N mn. datci *i* daci, G mn. dataka
davač
davalac, davaoca, V jd. davaoče, G mn. davalaca
davati, dajem, dajući
davorija, -ije
dazimetar > gustinomjer
daždevnjak V jd. -ače, mn. -ací
daždevit
daždic > daždić
daždić
daždjeti, daždim, daždah, daždeći, daždio, daždjela
dažđenje *od* daždjeti
dažnjak > daždevnjak
***dcl** > dl
d. d. *krat. za* dioničko društvo
DDT (krat. za diklor-difenil-triklormetil-metan (*sredstvo za uništavanje gamadi*), *prema američkome izgovoru* di-di-ti *nazvan* diditi
de (*piše se odvojeno kad je naglašeno*: de pogledaj, stupi de bliže, hajde de, zajedno s glagolom, npr. pogledajde, iziđide)
debeliti (*činiti debelim*)
debelokožac, -ošca, V jd. -ošče, G mn. -ožaca
debelostjen
debeljački *prema* debeljak
debeljak, -aka, V jd. -ače, N mn. -aci
debeljati, -elim, -elio, -eljela (*postajati debeo*)
debeo, debela; *komp.* deblji
debi, -ija (*prvi javni nastup*)
decenij > desetljeće
deci (*razg.*) > decilitra
decibel
decigram
decilitra, -re (*znak* dl ili dL)
decimetar, -tra (*znak* dm)
decrescendo (*glaz., čit.* dekrešèndo)
Dečani (*zem.*, mn. m. r.)
dečkić
dečko *običnije od* dječko, N mn. dečki; fеš dečko (*razg.*)
dederte
defenziva > obrana
defenzivan > obramben
defetistički
deficijent, G mn. -cijenata
defile, -ca > mimohod
degenerik, V jd. -iče, N mn. -ici
deiktički > dokazni, primjerni, pokazni
***dejstvo** > djelovanje
Dekalog (*Deset zapovijedi Božjih*)
dekrešendo > decrescendo

Delfi, Delfa (mn. m. r.)
delfijski
delijski *prema* delija
delija
delirij
Delnice (*zem.*, mn. ž. r.)
Delničanin mn. -ani
Delničanka DL jd. -ki, G mn. -ki
delnički
delta-čestica
delta-elektron
delta-kovina
delta-zrake, δ-zrake
deltoid
Demetrije
Demir-kapija (*zem.*)
demokracija
demokratičan
demokratski
demonstracija, -ije
***denčani** *prema* denjak > komadni
dendi, -ija (*engl.* dandy)
dendrologija, -ije (*znanost o poznavanju drveća*)
dendrološki
dentistica > zubarica
dentistički > zubarski
denuncijacija
denuncijant
denuncijantski
***denjak**, -njka > svežanj, zavežljaj, bala, vreća
depo, depoa, N mn. depoi > skladište, kolnica, spremište
deponij > odlagalište, smetište
derač
deračina
derančić
derbi, -ija
derčad
derče, -eta, *zb.* derčad
Derenčin
dereš *i* derež
derež *i* dereš
derišćad > derištad
derišče > derište
***derišće** > derište
derište, -a
derištad l jd. -adi
dermatologija
dermatološki
Dervenćanin N mn. -ani
Dervenćanka DL jd. -ki, G mn. -ki
Derventa (*zem.*)
derventski

derviš, *musl. redovnik,* Dedo derviš, od Dede derviša, Derviš *ime,* Derviš-aga, Derviš-beg
desen *i* dezen
desert *i* dezert
desetača
desetački
desetak, -ctka, N mn. -cci *i* -ctci, G mn. -ctaka
desetgodišnji > desetogodišnji
deseterački
desetero
deseterokatnica
desetični
desetka, DL jd. -cci, -ctci *i* -ctki, G mn. -ctaka *i* -ctki
desetljeće
desetljetni
desetogodišnjak V jd. -ačc, N mn. -aci
desetogodišnji
desetogodišnjica
desetomjesečni
desetorica
desetoro > desetero
desetosatni
desetotonski
desetput *i* deset puta
desetsatni > desetosatni
desettonski > desetotonski
Deset zapovijedi Božjih
designirati
Desinić (*zem.*)
Desinićanin N mn. -ani
Desinićanka DL jd. -ki, G mn. -ki
desinićki
dèsnī (*prid.*)
dêsnī, tih desni (*meso oko zubi*)
desničar
desničarski
desno; u desno, desno-lijevo, lijevo-desno
despocija
despotski
despotstvo, G mn. -stava
destinacija > središte
dešnjak V jd. -ačc, N mn. -aci
dešnjački
dete (*uzvik*)
deterdžent (*sredstvo za pranje*)
detergent (*sredstvo za pranje i raskužbu*)
deva (*pustinjska životinja s jednom ili dvije grbe*); *drugo je* djeva
devče, -cta (mlada *deva*), N mn. devčići, *zb.* devčad; *drugo je* djevče
devećenje *prema* devetati
devedeset (90)
devedesetak N mn. -cci *i* -ctci, G mn. -ctaka

devedesetka DL jd. -cci, -ctci *i* -ctki, G mn. -ctaka, -ctki > devedesetica
devedeseti (90.)
Deveta (*skraćeni naslov Bethovenove Devete simfonije*)
devètāk, -áka, N mn. -áci (*onaj koji je u vezi s brojem devet, obično životinjski mužjak*)
devétak, -étka, N mn. -cci *i* -ctci
devetati, -am
devetero
devetka DL -ctki, -ctci *i* -cci, G mn. -ctaka *i* -ctki > devetica
devetnaest (19)
devetnaestogodišnjak V jd. -ačc, N mn. -aci
***devetnajst** > devetnaest
devetogodišnji
devetogodišnjica
devetomjesečni
devetpostotni
devetsto *i* devet stotina (900)
devetstogodišnji
devetstogodišnjica
devetstoti (900.)
devetstotnina (9/100)
devettisući (9 000.)
devettisućiti (9 000.)
devijacija
dezagregacija
dezavuirati > opovrći, zanijekati
dezen *i* desen
dezert *i* desert
dezerter > bjegunac, uskok, izdajica
dezertirati
Deziderije
dezinfekcija > raskužba
dezinfekcijski
dezinfekcioni > dezinfekcijski
dezinficirati > raskužiti
dezodoracija
dezodorans
dezodorant
dezodorator
dezorijentacija > zbunjenost, metež, nesnalaženje
DHK *krat. za* Društvo hrvatskih književnika
DI *krat. za* Družba Isusova
diacetlaceton
dičan, -čna
dičenje
dičiti, dičeći
dičnost, -ošću *i* -osti
dići, dignem, digoh, diže, digao, digla, dignut, digav(ši)
didaktičan, -čna

didaktičar
didaktički
didaktičnost, -ošću i -osti
diditi, -ija (v. DDT)
Dieselov motor i dizelski motor
diferencijal
difteričan
difterija
diftonški > dvoglasnički
digresija
dihati i disati, dišem, dišući
dihnuti
dihotomija
dijabetes > šećerna bolest
dijabetičan, -čna
dijabetičar (šećeraš, razg.)
dijaboličan, -čna
dijaboličnost, -ošću i -osti
dijački
dijadem
dijafilm
dijafragma (anat.) > ošit
dijagnostičar
dijagnostičarka DL jd. -ki, G mn. -ki
dijagnostika DL jd. -ici
dijagnoza
dijagonal (tkanina)
dijagonala (mat., prječnik)
dijagram
dijak (zast., đak)
dijakritički
dijakronija
dijalekt
dijalekatni
dijalekatski > dijalektni
dijalekt i dijalekat
dijalektalni > dijalektni
dijalektičan, -čna
dijalektičar
dijalektički
dijalekat i dijalekt
dijalektalan, -lna
dijalektalni > dijalektni
dijalektičan, -čna
dijalektičar
dijalektički
dijalektika DL -ici
dijalektolog N mn. -ozi
dijalektologija
dijalektološki
dijaliza
dijalog N mn. -ozi
dijaloški
dijamant G mn. -nata

dijamantni
dijametar, -tra > promjer
dijametralan, -lna > suprotan, oprečan, potpuno različit
Dijana
dijapazon
dijapozitiv
dijareja > proljev
dijas (geol.)
dijaspora
dijastaza
dijastola
dijastoličan, -čna
dijatermija
dijatonički
dijatonika DL jd. -ici
dijeceza > biskupija
dijel, dijela, N mn. dijelovi i dio
dijelak, dijelka, N mn. dijelci, G mn. dijelaka, um. od dio
dijelba > dioba
dijelni, -lna i dioni
dijeliti, dijelim, dijeljah, dijeleći, dijeljen
dijelom-dijelom (pril.)
dijeljenje prema dijeliti
dijereza
dijeta
dijetalan, -lna
dijete, djeteta, zb. mn. djeca
dijetni prema dijeta
dijeliti (se), dijeljen, dijeleći
dijetetika DL jd. -cci
dijetni
dijevati ns. od svr. djeti
dijeza
dijuretičan, -čna
dijureza
dikcionar > rječnik, leksikon
dikasterij; Hrvatski dvorski dikasterij
dilberče, -cta
dilberčić
diletantski
diližansa
diluvij
diluvijalan, -lna
diluvijski
Dilj; pjes. Dilj gora
diljem (pril.)
dimije
Dimitrije > Demetrije, ali Dimitrije Demetar
dimnjača
dimnjačar
dinamičan, -čna
dinamičnost, -ošću i -osti

dinamo N mn. dinami (*stroj*), Dinamo (*šport-sko društvo*)
Dinamov *prema* Dinamo
dinamovac, -ovca, V jd. -ovče, G mn. -ovaca
dinarčić
dinarić
dinastija
dinastijski
Dingač (selo); dingač (*vino*)
dio, dijela, N mn. dijelovi *i* dijel, dijela
dioba
diobni
dioda
Diogen (*grč. mudrac*); Šenoin Diogenes; T. Brezovačkoga Diogeneš
Dioklecijan
dioksid
diolen
dioni *i* dijelan
dionica
dioničar
dioničarski
dionički, dioničko društvo
dionik V jd. -iče, N mn. -ici
dioništvo, G mn. dioništava
Dioniz (*Bakho*)
Dionizije (*ime*)
dionizijevac, -vca, V jd. -vče
dionizijski > dionizijevski
diopter
dioptrija (*jedinica za oštrinu vida*)
dioptrijski
dioptrički
dioptrika DL -ici (*znanost o vidu i lomu svjetlosti*)
diorama
dipl. *krat. za* diplomiran
diplomacija
diplomat
diplomatika DL jd. -ici
diplomatski
diptih N mn. -isi, G mn. -iha
*__direčić__ > gredica, stupčić
direkcijski
direktorčić
direktoričin
direktorij
dirigentski
dirinčenje
dirinčiti
*__dirindžiti__ > dirinčiti
dirljivost, -ošću *i* -osti
*__disaoni__ > dišni
disati, dišem *i* dihati

disanje *i* dihanje
discipliniranost, -ošću *i* -osti
disertacija
disertacijski
Dis-dur
disharmoničan
disharmoničnost, -ošću *i* -osti
disciplinarnost, -ošću *i* -osti
disharmonija
disident
disidentski
disimilacija > razjednačivanje
disimilacijski
disimilacioni > disimilacijski
disk-džokej
diskoklub
diskoteka DL jd. -eci
diskrecija
diskrecijski
diskrecioni > diskrecijski
diskretnost, -ošću *i* -osti
diskriminacija
diskriminacijski
diskurs *i* diskurz
diskurzivan, -vna
diskusija
diskusijski
diskusioni > diskusijski
dis-mol
disonancija
dispanzer
dispečer
disperzija > raspršenje, rasipanje (svjetlosnih zraka)
displej (*engl.* display) > predočnik
dispozicija
dispozicijski
disprozij
distanca > distancija
distancija
distih N mn. -isi, G mn. -iha > dvostih
distoničan, -čna
distribucija
distribucijski
distribuirati
distrofičan, -čna
distrofičar
dišnični
ditiramb > hvalospjev
ditirampski
Divača (*zem.*)
divančić *um. od* divan
divandžija
divanhana

diverzija
diverzijski
Divina commedia, Divine commedije (*Danteov spjev*) > Božanska komedija
divizion
divljač
divljačan, -čna > divlji
divljače, -eta
divljačica
divljačić
divljačina
divljačiti se
divljački
divljačnost, -ošću i -osti
divljak V jd. -ače, N mn. -aci
divlji, Divlji zapad (*za nekadašnje stanje zapadnih krajeva SAD*)
divojarac, -arca, V jd. -arče, G mn. -araca
divolijeska DL jd. -lijesci, G mn. -lijesaka, -lijeski i divoljesaka
divot-izdanje
dizač
dizajn
dizajner
dizaličar
dizdarev i dizdarov
dizgresija > digresija
dizel > Dieselov motor
dizel- (*kao prvi dio polusloženice*) dizelski
dizelica (*dizelska lokomotiva*)
dizelski
dizenterija
djeca, *ali* dijete
djecoubojica
djecoubojstvo
dječače, -eta
dječačić
dječačina
dječački
dječadija
dječak V jd. -ače, N mn. -aci
dječakov
dječarac
dječarče, -eta
dječarčić
dječaštvo G mn. -štava
dječetina *uv. od* djeca
dječica; Nevina dječica (*vjer. spomen-dan 28. 12.*)
*dječiji > dječji
dječinji > dječji
dječji
dječko > dečko
dječurlija
dječurlijski

djed, djedovi
djeda G mn. djêdā
djedak V jd. -ače, N mn. -aci
djedetina
djedica
djedičin *prema* djedica
djedin *prema* djeda
djedin *prema* djedo
djedina > djedovina
djedina *uv. od* djed
djedinstvo > djedovina
djedo, djédē, *dubr.* djédo, djéda
djedov *prema* djed
djedov *prema* djédo, djéda
djedovina
djedovski
djedušina *uv. od* djed
*djejstvo > djelovanje, učinak
*djejstvovati > djelovati
djeko > djedo
djelača > djeljača
djelanje (*zast.*) > djelovanje, rad
djelatan
djelati, djelajući
djelatni > radni
djelatnički
djelatnik V jd. -iče, N mn. -ici
djelatnost, -ošću i -osti
djelce
djelčić
djelić
djelidba G mn. -daba, -dbi
djelilac, -ioca, V jd. -ioče, G mn. -ilaca (*djelitelj*)
*djelimice > djelomice
*djelimičan, -čna > djelomičan
*djelimično > djelomično
*djelimičnost, -ošću i -osti > djelomičnost
djelišni
djelište (*mat.*)
djelitelj
djeliteljev
djeliteljica
djeliteljičin
djelo, djêla, G mn. djêlā; remek-djelo; usp. dio, dijela
djelokrug N mn. -uzi i -ugovi > područje
djelomice
djelomičan, -čna
djelomično
djelomičnost, -ošću i -osti
djelotvoran, -rna
djelotvorno
djelotvornost, -ošću i -osti

djelovan > djelatan, poslovan
djelovanje
djelovati, djelujem, djelujući
*djelovodni > izvršni, upravni; *djelovodni
 protokol > urudžbeni zapisnik
*djelovodnik > urudžbeni zapisnik
*djelovođa > poslovođa, vođa, zapisničar,
 bilježnik, tajnik
*djelovotkinja > poslovotkinja
djeljač > drvodjelja, obručnjak
djeljača (klupa za djeljanje)
djeljanje
djeljaonica
djeljati, djeljajući
djeljenik V jd. -ičc, N mn. -ici
djeljiv
djeljivost, -ošću i -osti
djeljkanje
djeljkati, djeljkajući
djenuti
djesti, djedem, djedi, djedoh, djeh, djeo, djela
 djeven (zast.) > djenuti
dješin prema dješo
dješo, dješc (hip. od djever)
djetao, -tla, N mn. -tli i -tlovi, G mn. -tlova i
 -tala
djeteći > dječji
djetelina
djetelinište > djetelište
djetelinski
djetelište
djetelinjak (bot.)
djetence > djetešce
djeteo, -cla > djetao
djetešce
djetetina
djetetov
djeti, djedem (zast.) > djenuti
djetić
djetićak, -ćka, N mn. -ćci, G mn. -ćaka
djetinski > djetinjski
djetinstvo > djetinjstvo
djetinjarenje
djetinjarija
djetinjariti
djetinjast
djetinjenje
djetinji (dječji)
djetinjiti (se), djetinjeći
djetinjski
djetinjstvo
djetlić um. od djetao
djetlićev
djéva hip. od djevojka (djevica), drugo je déva

djevac V jd. djevčc, G mn. djevaca
djevački
djevče (pjes. mlada djeva); drugo je devče
djevenica
djeveničar
djevenje
djever
djeverak, -rka, N mn. -rci, G mn. -raka
djeverčić um. od djever
djeverenje
djeveričić (djeverov sin)
djeverična (djeverova kći)
djeverić um. od djever
djeveriti
djeverivati, -rujem, -rujući
djeverov
djeverovati, -rujem, -rujući
djeverski
djeveruša
djeverušin
djevica; Djevica (zviježđe); Djevica Marija
 (vjer.); Djevica Orleanska (pov.)
djevičanski; Djevičanski otoci
djevičanstvo G. mn. -stava
djevičica um. od djevica
djevičin
djevički > djevičanski
djevičnjak N mn. -aci
djevin
djevojački
djevojaštvo G mn. -stava
djevojčar
djevojče, -četa, zb. -čad
djevojčence
djevojčenje
djevojčetina
djevojčetov
djevojčica
djevojčin
djevojčina uv. od djevojka
djevojčiti (se), -čći (se)
djevojčuljak, -ljka, V jd. -ljčc, N mn. -ljci G
 mn. -ljaka
djevojčura
djevojčurak, -rka, V jd. -rčc, N mn. -rci, G mn.
 -raka
djevojčurina uv. od djevojka
djevojka DL jd. -jci, G mn. -jaka i -jki
djevojkin > djevojčin
djevovanje
djevovati, djevujem, djevujući
*dkg > dag
dl ili dL krat. za decilitra
dlačetina

dlačica
dlačina
dlačji > dlačni
dlačni
dlačurina
dlančić
dlančina
dlanić
dlijece, -ca *i* dljeceta, *i* dlijetce, dlijetca, G mn.
  dlijetaca, dlijeca *i* dlijetca
dlijeto
dljetast
dm *znak za* decimetar
d-mol
dne (*zast., dana*)
dnevničar
dnevničarka DL jd. -ki, G mn. -ki
dnevnik V jd. -iče, N mn. -ici
Dnjepar, -pra (*zem.*)
Dnjestar, -tra (*zem.*)
do > dol
do (*glaz.*); do (*prij.*)
doajen
dobacivač
dobauljati (*dopuzati*)
dobavljač
dobavljačica
dobavljački
dobiće (*zast.*) > dobit(ak), pobjeda
*dobijanje > dobivanje
*dobijati > dobivati
dobijeliti, dobijeljen
dobitak, -tka, N mn. -ici *i* -itci, G mn. -itaka
dobiti, dobijem, dobiven
dobitnički
dobitnik V jd. -iče, N mn. -ici
dobivalac, -aoca, V jd. -aoče, G mn. -laca
dobivanje
dobivati, dobivam
dobiven
dobjeći, -egnem, -egni, -egoh, -eže, -egao,
  -egla, -egav(ši)
dobjegalac, -aoca, V jd. -aoče, G mn. -alaca
  (*dobjeglica*)
dobjegavati, dobjegavajući
dobjeglica
dobjegnuti > dobjeći
dobjeljivati, dobjeljujem, dobjeljujući
dobježati
dobježavati
doboga (*pril., veoma, jako, silno,* sve je doboga
  skupo, *ali:* čuje se plač do Boga)
dobolijevati, dobolijevajući
doboljeti, -oli, -olio, -oljela, -oljev(ši)

doboš-torta
Dobra (*rijeka*), DL jd. Dobri
dobrahan, -hna (*pjes.*)
dobrahno (*pjes.*)
dobrano (*pril.*)
dobričak, -čka, V jd. -čku, N mn. -čci, G mn.
  -čaka
dobričica (*bot.*)
dobričina
dobrić (*dobar čovjek, čir*)
dobriković
dobročinac, -nca, V jd. -nče, G mn. -naca
dobročinački
dobročinitelj
dobročiniteljica
dobročinstvo
Dobroćanin N mn. -ani (*čovjek iz Dobrote*)
Dobroćanka DL jd. -ki, G mn. -ki
dobroćudan, -dna
dobroćudno
dobroćudnost, -ošću *i* -osti
dobrodošao, -šla (*prid., dobrodošla prilika*);
  dobro došao! (*pozdrav*)
dobrodušnost, -ošću *i* -osti
dobrohotan, -tna
dobrohotnost, -ošću *i* -osti
dobronamjeran, -mjerna
dobronamjernost, -ošću *i* -osti
Dobroselo, Dobrosela (*selo kod D. Lapca*), Do-
  bro Selo, Dobroga Sela (*sela kod Imotskoga
  i Zadra*)
dobrosretan (*zast., sretan*)
dobrostivost, -ošću *i* -osti
dobrostojeći *i* dobro stojeći
dobrosusjedski
dobrotski *prema* Dobrota
dobrotvornost, -ošću *i* -osti
dobrovoljac, -ljca, V jd. -ljče, G. mn. -ljaca
dobrovoljački
dobrovoljčev
dobrovoljnost, -ošću *i* -osti
Dobrudža (*zem.*)
docentski
docijepiti, docijepim, docijepljen, docije-
  piv(ši)
docjepljenje
docjepljivanje
docjepljivati, -ljujem, -ljujući
docvjetati
docvjetavati
dočarati
dočaravanje
dočaravati
doček N mn. dočeci

dočekač
dočekati
dočekivač
dočekivalo
dočekivanje
dočekivati, -kujem, -kujući
dočekljiv
dočepati se
dočetak, -tka, N mn. -eci i -etci, G mn. -etaka
dočeti, dočnem (dovršiti)
dočić i dolčić
dočim (zast., dok)
dočinjati
dočitati
dočitavati
dočka DL jd. -čki, G mn. -čaka i -ki (lov., čekalište, čeka)
dočuti, dočujem
doći, dođem, dođi, dođoh, došao, došla, došav(ši)
dodačić um. od dodatak i dodatčić
dodatak, -tka, N mn. -aci, i -atci, G mn. -ataka
dodavač
dodavačica
dodavati, dodajem, dodajući
dodekaedar, -dra, G mn. -dara
dodekaneski prema Dodekanez
dodijalost, -ošću i -osti
dodijati, -am
dodijavanje
dodijavati, dodijavajući
dodijeliti, -im, dodijeljen
dodjela
dodjeljivač
dodjeljivanje
dodjeljivati, -ljujem, -ljujući
dodjenuti se (dodirnuti se)
dodola N mn. dodole (folk., osoba koja sudjeluje u dodolama)
dodole, -a, ž r., mn. (folk., nar. običaj)
dodrijeti, dodrem, dodri, dodrijeh, dodrije, dodro, dodrla, dodrt, dodrv(ši) i dodrijev(ši) > dodreati
doduše i do duše, v. § 280. i 327.
dođoš
dofen (pov.)
događaj
događanje
događati se, događajući se
doglavnički
doglavnik V jd. -iče, N mn. -ici
dogmatičan, -čna
dogmatičar

dogmatički
dogmatičnost, -ošću i -osti
dogmatski
dogodine (pril., iduće godine); drugo je do godine, npr. od godine do godine
dogodovština
*dogođaj > događaj
dogorijevanje
dogorijevati, -vam, -vajući
dogorjeti, -rim, -rio, -rjela, -rjev(ši)
dogovarač
dogradak, -atka, N mn. -aci i -adci, G mn. -adaka
dograđivanje
dograđivati, -đujem, -đujući
dogrditi, usp. grditi
dogrdjeti, -dim, -dio, -djela, usp. grdjeti
dograđivati, -đujem, -đujući
dogrepsti, dogrebem
dogrmjeti, -mim, -mio, -mjela, -mjev(ši)
dogrtati, dogrćem, dogrćući
dogustiti, dogustilo mi je
dohađati
dohakati, -ačem
dohitjeti -tim, -tio, -tjela > dohitati (hitro i žurno doći)
dohodak, -otka, N mn. -oci i -odci G mn. -odaka
dohoditi, dohođah, dohodeći
dohodni
dohodovni
dohođenje
dohramati, -mljem
dohrana
dohraniti
dohranjivati, -njujem, -njujući
dohrliti
dohvaćanje
dohvaćati
dohvat
dohvatiti, dohvaćen
dohvatljiv
dohvatljivost, -ošću i -osti
doimanje
doimati se, -mam se, -mljem se, doimajući se
doista (pril.)
*dojača > muzlica
dojahati, dojašem
dojahivati, -hujem, -hujući
dojako > dosad
dojčica um. od dojka i dojkica
dojedan > svaki
dojenački

dojenče, -četa, *zb.* -čad
doježđivati, -đujem, -đujući, *ns. prema* dojez-
diti
dojka DL jd. -jci, G mn. dojaka *i* dojki
dojkica *i* dojčica
dojmljivost, -ošću *i* -osti
dojučerašnji
***dokačiti** > dohvatiti
dokad(a) *i* do kada (*u jačem isticanju*)
dokasna *i* dokasno *i* do kasna ljeta, *i* do kasno
doba
dokazanost, -ošću *i* -osti
dokazivač
dokažljiv
dok god
dokinuće
doklaćenica
doklaćenik V jd. -iče, N mn. -ici
doklaćivati se, -ćujem se, -ćujući se
doklatiti se, -aćen
dokle; dokle god (*kako dugo, daleko*),
doklegod (*donekle, do nekog mjesta*)
dokoličar
dokoličenje
dokoličiti, dokoličeći
dokoljenica
dokoljenka DL jd. -nci, G mn. -naka *i* -nki
dokon (*besposlen*)
dokončanje
dokončati (se)
dokončavati
dokončiti (*besposličiti*)
dokrajčenje
dokrajčiti
dokročiti
doktorčić
doktorčina
doktoričin
dokučiti, -čen
dokučiv
dokučivati, -čujem, -čujući
dokučljiv
dokud(a) > dokle
dokuhati
dokuhavati
dokumentaristički
dokumentić
dokumentiranost, -ošću *i* -osti
dokvačiti
dol
dolac, dolca *i* doca, V jd. dolče *i* doče, G mn.
dolaca; Dolac (*zem.*)
dolazak, -aska, N mn. -asci, G mn. -azaka
dolčić

***dole** > dolje
doletjeti, -tim, -tio, -tjela, -tjev(ši)
doli (*vez., osim, nego*)
doličan, -čna
doličnost, -ošću *i* -osti
dolihocefalan, -lna > dugoglav
dolihocefalija > dugoglavost
doliječiti, -im, doliječen
dolijepiti, -im, dolijepljen
dolijetanje
dolijetati, -ćem, -ći, -ćući
dolijevanje
dolijevati, dolijevajući
dolinka DL jd. -ki, G mn. -ki; Sava Dolinka
(*zem.*)
doliti, dolijem, doliven, dolivši
doliv > doljev
dolivak, -vka, V jd. -vče, N mn. -vci, G mn.
-vaka > doljevak
dolivanje > dolijevanje
dolivati > dolijevati
***dolnji** > donji
dolomitski; Dolomitske Alpe (*zem.*)
***doljača** > udolina, uvala
dolje
dolj, čivati, -čujem, -ljččujući
doljepljivati, -ljujem, -ljujući
doljevak, -vka, V jd. -vče, N mn. -vci, G mn.
-vaka
***doljni** > donji
***doljnji** > donji
domaćenje
dòmâćî (*prid.*)
dòmaći, -aknem, -akni, -akoh, -ače, -akao,
-akla, -aknut, -akav(ši)
domaćica
***domaćička škola** > domaćinska škola
domaćin
domaćinski; domaćinska škola
domaćinstvo > kućanstvo
domaćiti, -ćći
domahati, -ašem
domahivati, -hujem, -hujući
domahnuti
domak, domka, V. jd. domče, N mn. domci, G
mn. domaka (*um. od* dom)
domak, domaka, V jd. domače, N mn. domaci,
G mn. domaka (*dohvat, domašaj*)
domala > domalo
***domali prst** > prstenjak
domalo (*uskoro, ubrzo,* konj se tovi i razliјenio
se pa domalo neće biti za trku, ništa mi ni
treba do malo zdravlja)
dometak, -etka, N mn. -etci *i* -eci, G mn. -etaka

dometati, -cćm, -cćući
domicati, domičem, domiči, domičući
domijesiti, -sim, domiješen
domiješati
domiljeti, -ilim, -ilio, -iljela, -iljev(ši)
dominij
Dominik, -ičc
Dominika (država)
Dominikana (država)
dominikanac, -nca, V jd. -nčc, G mn. -naca
dominikančev
Dominikanska Republika (zem.)
dominion
domišljatost, -ošću i -osti
domjenak, -nka, V jd. -nčc, N mn. -nci, G mn. -naka
domnijevati (se)
domnjeti, domnijem
domobranac, -nca, V. jd. -nčc, G mn. -naca
domoći se, -gnem se, -gni se, -goh se, -gao se, -gla se, -gav(ši)
domoroče, -čcta, zb. -čad
domorodac, -roca i -rodca, V jd. -roče i -rodčc, N mn. -roci i -rodci, G mn. -rodaca
domorodački
domorotka DL jd. -ki, G mn. -rodaka i -tki
don (kao počasni naziv ispred imena katoličkoga svećenika u primorskim krajevima: don Franc Bulić; kao titula uz ime španjolskog plemića velikim slovom: Don Juan, Don Quijote)
Don, -a (zem.)
donalijevanje
donalijevati
donalivati > donalijevati
donde (pril.)
Donec, Donecca (zem.)
donecki
donedavna i donedavno
donekle
donesti > donijeti
donijeti, donesem, donijeh i donesoh, donijev-(ši), donio, donijela, donijet i običnije donesen
Don Kihot, naš lik za šp. Don Quijote (čit. don kihòte)
donkihoterija > donkihotstvo
donkihotski
donkihotstvo G mn. -stava
donle > donde
donosilac, -ioca, V jd. -ioče, G mn. -laca
donošče, -čcta, zb. -čad
donošenje prema donositi
donžuan

donji; kao sastavni dio mjesnih imena piše se velikim slovom: Donji Lapac, Donji Miholjac, Donja Stubica; kad nije sastavni dio imena, nego je slobodan atribut, piše se malim slovom: donja Posavina
donjočeljusni
donjogradski
donjolapački
donjomiholjački
donjostubički
doonda i do onda
doondašnji
dopadljivost, -ošću i -osti
dopeći, -cčcm, -cci, -ckoh, -cčc, -ckao, -ckla, -cčcn, -ckav(ši)
dopicati prema dopeći
dopijevanje
dopijevati > dopjevavati
dopijevka DL jd. -vci, G mn. dopijevaka, dopjevaka i dopijevki
doping N mn. -nzi, doping-kontrola > dopinška kontrola
dopinški
dopisnički
dopisnik V jd. -ičc, N mn. -ici
dopisništvo
dopješačiti
dopjevati (svršiti pjevanje, drugo je dopijevati)
dopjevavati, -vavajući
doplaćivati, -ćujcm, -ćujući
doplatak, -atka, N mn. -atci i -aci, G. mn. -ataka
doplatiti, doplaćen
dopletati, -cćcm, -cći, -cćući
doplitati, -ićcm, -ići, -ićući > dopletati
dopodne, v. § 289.
doprijeti, doprem, dopri, doprijeh, doprije, dopro, doprla, doprv(ši) i doprijev(ši)
doprinašati > pridonašati
doprinesti v. doprinijeti > pridonesti
doprinijeti, -nesem, -nesi, -nijeh, -nije, -nesoh, -nese, -nio, -nijela, -nijevši > pridonijeti
doprinošenje > doprinos
dopumbeni > dopunski
dopusni
dopusnica
dopustiti, -im, dopušten
dopustljiv i dopustiv
dopuštenje
doradak, -atka, N mn. -adci i -aci, G mn. -adaka
dorađivati, -đujcm, -đujući
dorastao, dorasla

dorašćivati, -ćujem, -ćujući
dorečenost, -ošću i -osti
doreći, dorečem i doreknem, doreci i dorekni, dorekoh, doreče, dorekao, dorekla, dorečen, dorekav(ši)
doručak, -čka, N mn. -čci, G mn. -čaka
doručje
doručkovati, -kujem, -kujući
dorzalni
dosad(a) i do sada
dosađivati, -đujem, -đujući
doseći, -egnem, -egni, -egoh, -eže, -egao, -egla, -egnut, -egavši i dosegnuti
dosele (zast., dosad)
doseljenički
doseljenik V jd. -iče, N mn. -ici
dosezati, dosežem, dosežući
dosežan, -žna
dosežnost, -ošću i -osti
dosije, -ea > dosje
dosinoćnji
dosizati > dosezati
dosje, -ea
dosjećati se, dosjećajući se
dosjećivati se, -ćujem se, -ćujući se
dosjelost, -ošću i -osti (prav.)
dosjetiti se
dosjetka DL jd. -ki, G mn. -taka i -tki
dosjetljiv
dosjetljivac, -vca, V jd. -vče, G mn. -vaca
dosjetljivčev
dosjetljivost, -ošću i -osti
doskakati, -ačem, -ači, -av(ši) (svr., skačući doći); -ačem, -ači, -ačući (ns. prema doskočiti)
doskitati se, -itam i -ićem se, -itaj se i -ići se
doskočica
doskočiti
doskora i doskoro (ali: do skora viđenja)
doskoro
doslije (zast., dosad)
dosluh N mn. -usi (tajni dogovor, šurovanje, zast., prijateljstvo)
dosluk N mn. -uci (zast., prijateljstvo)
dosljedan, -dna
dosljednost, -ošću i -osti
dospijeće
dospijevanje
dospijevati, dospijevajući
dospjelost, -ošću i -osti
dospjetak N mn. -tci i -ci, G mn. -taka
dospjeti, -pijem, -pjeh, -pij, -pio, -pjela, -pjev(ši)
dostalac, -aoca, V jd. -aoče, G mn. -alaca

dostavljač
dostavljačica
dostavljački
dostići, -ignem, -igni, -igoh, -iže, -igao, -igla, -ignut, -igav(ši)
dostignuće
dostižan, -žna
dostiživ i dostižljiv
dostižnost, -ošću i -osti
dostojanstvenik V jd. -iče, N mn. -ici
dostojanstvenost, -ošću i -osti
dostojnost, -ošću i -osti
dostupačan, -čna > dostupan
dostupnost, -ošću i -osti
dosuđivati, -đujem, -đujući
dosuti, dospem, 3. l. mn. dospu
došaptati, -pćem, -pći
došašće (zast., dolazak); Advent, Došašće (vjer.)
došetati, -ećem i -etam, -eći i -etaj
došljački
došljak, -aka, V jd. -ače, N mn. -aci
dotaći, -aknem, -akni, -akoh, -ače, -akao, -akla, -aknut, -akav(ši)
dotad(a) i do tada
dotakati, -ačem, -ačući
doteći, -ečem i -eknem, -ekni, -ekoh, -eče, -ekao, -ekav(ši)
dotepenac, -nca, V jd. -nče, G mn. -naca
dotepuh V jd. -uše, N mn. -usi
doteščati
doteščavati
doticaj (dodir)
***doticaj** > dotjecaj
doticanje (dodirivanje)
doticati, -ičem, -ičući (prema dotaknuti)
***doticati** > dotjecati
dotičnik V jd. -iče, N mn. -ici
dotjecaj > dotok
dotjecanje prema dotjecati (dotok)
dotjecati, -ečem, -ečući (prema doteći)
dotjeranost, -ošću i -osti
dotjerati
dotjeravati i dotjerivati
dotjerivač
dotjerivanje
dotjerivati, -rujem, -rujući i dotjeravati
dotkati, dotkam (zast. dočem)
dotle
dotočiti
dotrajalost, -ošću i -osti
dotrčati
dotrčavati

dotučenost, -ošću i -osti
dotući, -učem, -uci, -ukoh, -učc, -ukao, -ukla,
-učen, -ukav(ši)
dotud i do tuda
doučen
doušnički
doušnik V jd. -ičc, N mn. -ici
doušništvo
dovađati, dovađajući
dovde
dovdje > dovdc
doveče > dovcčcr
dovečer > vcčeras
*dovejati > dovijati
dòvesti, -edem, -edi, -edoh, -co, -ela, -eden,
-edav(ši)
dòvesti, -èzēm, -èzi, -èzoh, dòvczc, dòvczao,
dòvczla, -èzcn, -czèna, dòvczāv(ši)
dòvēsti, -ézēm, -ézi, -ézoh, dòvēzc, dòvēzao,
dòvēzla (dovézla), dovézcn, dovézāv(ši)
dovijati se (domišljati se)
dovijek(a) (pril., zauvijek)
dovikati, -ičcm, -ičući
dovikivati, -kujcm, -kujući
doviti, dovijem
dovlačenje
dovlačiti
dovle
dovoče, -čcta, zb. -čad (dovedeno dijete)
dovodac, -oca i -odca, V jd. -očc i -odčc, N
mn. -odci i -oci, G mn. -odaca
dovođenje
dovoljnost, -ošću i -osti
dovoženje
dovratak, -atka, N mn. -aci i -atci, G. mn.
-ataka
dòvrći, dovrgnem > dobaciti
dòvr̄ći, dovršcm (zast.) > dovršiti
dovrijeći, dovršcm (zast.) > dovršiti
dovršenost, -ošću i -osti
dovršetak, -tka, N mn. -cci i -ctci, G mn.
-ctaka
dovrvjeti, -vim, -vi, -vjeh, -vio, -vjela,
-vjcv(ši)
dovući, -učcm, -uci, -ukoh, -učc, -ukao, -ukla,
-učn, -ukav(ši)
doziđivati, -đujcm, -đujući
dozlaboga (pril., preko svake mjere, strašno)
dozlogrditi
dozlogrđivanje
dozlogrđivati, -đujcm, -đujući
doznačiti, -čim, -čcn
doznačivati, -čujcm, -čujući
doznačnica

dozrelost, -ošću i -osti
dozreti, -rim (postati zreo)
dozrijevanje
dozrijevati, -vajući
doživjeti, -vim, -vio, -vjcla, -vljcn
doživljenost, -ošću i -osti
dr. krat. za doktor, drugi, drugo (i dr.); kad se
mijenja, govori se dra, dru, ali je bolje go-
voriti pun oblik, doktora, doktoru, a pisati
doktora, doktoru ... ili samo dr. bez obzira na
padež
drač (korov)
Drač (zem.)
drača (bot.)
dračav
drački prema Drač; Karlo Drački (pov.)
dračosijek N mn. -cci (ono čime se siječe
drač) > kosir
drȃga DL jd. drazi (dolina, uvala); drȃga,
drȃgā, drȃgōj; Draga DL jd. Dragi (ime)
dragac, drakca (zast., dragulj)
Dragica
Dragičin
dragocjen
dragocjenost, -ošću i -osti
dragoća (rijetko, dragost)
dragonja (vol); kao ime volu i Dragonja; Dra-
gonja (zem.)
dragost, -ošću i -osti
dragović, dragoviću moj!
drahma (grč. novac)
dramatičan, -čna
dramatičar
dramatičarev i dramatičarov
dramatičarka DL jd. -ki, G mn. -ki
dramatičarov i dramatičarcv
dramatičarski
dramatično
dramatičnost, -ošću i -osti
dramatski
dramaturški
drap tkanina
drastičan, -čna
drastičnost, -ošću i -osti
draškati
Draško
dražeja
dražesno
dražesnost, -ošću i -osti
dražest, -cšću i -csti
dražestan, -sna
dražica um. od drȃga
dražilac, -ioca,V jd. -iočc, G mn. -ilaca
drečanje

drečati, -čim, -čcći
drečav
drečiti > drcčati
dremčina i drjcmčina
dremežljiv i drjcmežljiv > dremljiv
dremežljivost i drjcmežljivost, -ošću i -osti
dremljiv i drjcmljiv > pospan
dremljivac i drjcmljivac, -vca, V jd. -včc
dremljivica i drjcmljivica
dremljivko i drjcmljivko
dremljivost i drjcmljivost, -ošću i -osti > pos-
panost
dremnuti i drjcmnuti
dremovac i drjcmovac > drijemovac
dremovan i drjcmovan, -vna > drcmljiv
dremovka i drjcmovka > visibaba
dremovnost i drjcmovnost, -ošću i -osti
dremucati i drjcmucati
dremuckati i drjcmuckati
dremucnuti i drjcmucnuti
dren (cijev, cjevčica)
drenčić i drjcnčić (um. od drijcn)
drenić i drjcnić
drenik i drjcnik, V jd. -ičc, N mn. -ici (drje-
nov šumarak)
Drenopolje (zem.)
drenov i drjcnov prema drijcn
drenovac i drjcnovac, -vca, V jd. -včc, G mn.
-vaca (štap)
Drenovac (mjesto)
drenovača i drjcnovača (palica, štap)
drenovački prema Drcnovac
drenovica i drjcnovica > drjcnovača
drenovina i drjcnovina
drenjak > drijcnjak, drijenak
drenjina i drjcnjina
drenjinica i drjcnjinica
drenjinov i drjcnjinov
drenjinovica i drjcnjinovica
Dresden (zem.)
dresina > drezina
dretvić
drevnost, -ošću i -osti
drezina
dreždati
drhat, drhta
drhtanje
drhtati, drščcm i drhćcm, dršći i drhći, dršćući
i drhćući
drhtavac, -vca, V jd. -včc, G mn. -vaca
drhtavica
drhtjeti, drhtim, dršćah, drhtio, drhtjcla,
drhtcći
drhnuti i drhtnuti

drhtuljiti
drhturiti
drijem
drijemak, -mka, N mn. -mci, G mn. -maka
drijemalac, -aoca, V jd. -aočc, G mn. -laca
drijemalica
drijemalo
drijeman, -mna; komp. drcmniji i drjcmniji
> drcmljiv
drijemanje
drijemati, -mam i -mljcm, -majući i -mljući
drijemavac, -vca, V jd. -včc, G. mn. -vaca
> drijcmalac, visibaba, drijcmavica (sova)
drijemavica (bolest, sova)
drijemčina > dr(j)cmčina
drijemež I jd. -žom > drijcm
drijemovac, -vca (bot.)
drijen N mn. drijcnovi
drijenak, -nka, N mn. -nci, G mn. -naka
drijenje (zb. od drijcn)
driješenje
driješiti, -šcn, -šcći
drijeti, drcm (zast.) > dcrati
drijevo (zast.) > drvo, brod
Drinjača (zem.)
dripac, -pca, V jd. -pčc, G. mn. -paca
dripčina
drjemčina i drcmčina
drjemežljiv i drcmežljiv
drjemljiv i drcmljiv
drjemljivac i drcmljivac, -vca, V jd. -včc, G
mn. -vaca
drjemljivica i drcmljivica
drjemljivko i drcmljivko
drjemljivost i drcmljivost, -ošću i -osti
drjemniji i drcmniji (komp. od drijcman)
drjemnuti i drcmnuti
drjemovac i drcmovac > drijcmovac
drjemovan i drcmovan
drjemovka i drcmovka > visibaba
drjemovnost i drcmovnost, -ošću i -osti
drjemucati i drcmucati
drjemuckati i drcmuckati
drjemucnuti i drcmucnuti
drjenčić i drcnčić
drjenić i drcnić
drjenik i drcnik
drjenov i drcnov
drjenovac i drcnovac
drjenovača i drcnovača
drjenovica i drcnovica
drjenovina i drcnovina
drjenjina i drcnjina
drjenjinica i drcnjinica

drjenjinovica *i* drenjinovica
drljač
drljača
drmadžija > drmator
drmeš *(ples)*
drmež > drmeš
drobac, dropca, V jd. dropče, G mn. drobaca
drobak, dropka, N mn. dropci, G mn. drobaka
drobljivost, -ošću *i* -osti
drogerija
dronjak, -njka, V jd. -njče, N mn. -njci, G mn.
 -njaka
dronjčić
dropčac, -aca *(zool.)*
droščić > drozdić
droška DL jd. -ki, G mn. -ki *(kočija)*
drozak, drozga, N mn. drozgovi > drozd
drozdić *um. od* drozd
drozdović *(mali drozd)*
drožđanica
drožđe
drožđenica > drožđanica
drsko *(prema* drzak)
drskost, -ošću *i* -osti
drščić *um. od* držak
drškati *(uckati vičući drž!)*
drugačije *i* drukčije
drugačiji *i* drukčiji
drugarčić
drugarčina
drugaričin
drugdje
drugi put
drugobratučed
drugojačije > drukčije
drugojačiji > drukčiji
drugorazredan, -dna
drugoredaš
drugorođeni
drugovrstan, -sna
druid *(keltski svećenik)*
druidski
drukčije *i* drugačije
drukčiji *i* drugačiji
druškan
društvance
društven
društvenost, -ošću *i* -osti
društvo; Društvo hrvatskih književnika,
 Društvo hrvatskih skladatelja, Hrvatsko
 filološko društvo, Hrvatsko prirodoslovno
 društvo
druželjubiv
druželjubivost, -ošću *i* -osti

druželjublje
druževan, -vna
druževnost, -ošću *i* -osti
družić *um. od* drug
družinče, -četa, *zb.* -čad
drvar *(radnik)*
Drvar *(zem.)*
drveće
drvenjača
drvenjenje *prema* drveniti
drvlje
drvnoindustrijski
drvocjep
drvodjelac, -lca, V jd. -lče, G mn. -laca
drvodjelja
drvodjeljac, -ljca, V jd. -ljče, G mn. -ljaca
drvodjeljstvo
drvojedac, -cca *i* -cdca, N mn. -cci *i* -cdci, G
 mn. -cdaca
drvojetka DL jd. -ctki, G mn. -cdaka *i* -ctki
drvoreščev
drvorezac, -csca, V jd. -cščc, G mn. -czaca
drvorezački *prema* drvorezac *i* drvorczač
drvosječa
drvosjek > drvosječa
drvotoč
drvotočac, -čca, G mn. -čaca
drvotočan > crvotočan
drvotočina > crvotočina
drvotrščev *prema* drvotržac
drvotržac, -ršca, V jd. -ršče, G mn. -ržaca
drzak, drska
drznički
drznik V jd. -iče, N mn. -ici
drzovitost, -ošću *i* -osti > drskost
držač
držak, drška, N mn. dršci, G mn. držaka
državnički
državnik V jd. -iče, N mn. -ici
državništvo
državnoodvjetnički prema državni odvjetnik *i*
 državno odvjetništvo
državnopravni
državnost, -ošću *i* -osti
državotvorac, -rca, V jd. -rče, G mn. -raca
državotvornost, -ošću *i* -osti
držeć
držeći
dualist
dualistički
dubač
dubačac, -čca > dupčac
dúbak, dupka *(uduben, ugnut)*
dúbak, dupka, N mn. dupci, G mn. dubaka

dubem *prema* dupsti
dubenje *prema* dupsti
Dubičanin N mn. -ani
Dubičanka DL jd. -ki, G mn. -ki
dubički; bosanskodubički
dubinomjer
dubiozan, -zna > sumnjiv
dubioznost, -ošću *i* -osti > sumnjivost
dúbiti, dúbīm *(stajati uspravno)*, dubljah,
dubćći
dúbiti, dûbīm > dupsti
dubl *(šport.)*
duble, -ca *(nepravo zlato)*
dublirati *(film., biti dubler)*
dubljenje *prema* dúbiti, dúbīm
dubljina > dubina
duborezac, -esca > rezbar
dubokoumnost, -ošću *i* -osti
Dubravčica
Dubravka DL jd. -ki *(ime)*, -vci *(Gundulićevo djelo)*
Dubravkin
dubrovački; dubrovačka republika *i* Dubrovačka Republika *(pov.)*; Rijeka dubrovačka *(zem.)*; Dubrovačko-neretvanska županija
Dubrovčanin N mn. -ani
Dubrovčanka DL jd. -ki, G mn. -ki > Dubrovkinja
Dubrovnik V jd. -iče
dućan
dućančić
dućandžija
dućandžijski
dućanski
dućkati
dudić *um. od* dud
dudovača
dudukati, -učem, -učući
dùga DL jd. dugi *i* duzi *(na bačvi)*; dúga DL jd. dugi *(na nebu)*
dugačak
Duga Resa *(zem.)*
Dugi Rat *(zem.)*
dugobradić
dugocvjetan, -tna
dugočasan, -sna > dosadan
dugoljetan, -tna > dugogodišnji
dugootočki *prema* Dugi otok
Dugopolje *(zem.)*
dugopoljski
dugoprstić
Dugorešanin N mn. -ani
Dugorešanka DL -ki, G mn. -ki
dugoreški

dugoročan, -čna
dugoročnost, -ošću *i* -osti
Dugoselac, -lca, V jd. -lče, G mn. -laca
Dugoselka DL jd. -ki, G mn. -ki
Dugo Selo *(zem.)*
dugoselski
dugosjen
dugotrajan
dugotrajnost, -ošću *i* -osti
dugoušić
dugovetan, -tna, obično dugi dugovetni
dugovječan, -čna
dugovječnost, -ošću *i* -osti
dugovjek
dugovremen
dugovremenost, -ošću *i* -osti
duh V jd. duše, N mn. dusi *i* duhovi; Duh Sveti *(ime)*, Duhovi *(blagdan)*
duhač > puhač
duhački *(koji se odnosi na duhače)* > puhački
duhaći *(koji se odnosi na duhanje, koji služi za duhanje)* > puhaći
duhalica > puhaljka
duhaljka DL jd. -ljci, G mn. -ljki
duhan
duhandžija
duhanište
duhaniti *i* duvaniti *(nar.)*
duhankesa
duhanski
duhanje > puhanje
duhati, dušem *(glaz.)* > puhati
duhnuti, -nem
duhoborac, -rca, V jd. -rče, G mn. -raca
duhovan, vna
duhovidac, -ica *i* -idca , V jd. -iče *i* -idče, N mn. -ici *i* -idci, G mn. -idaca
duhovit
duhovitost, -ošću *i* -osti
duhovni
duhovnica > redovnica
duhovnički
duhovnik V jd. -iče, N mn. -ici
duhovništvo
duhovnost, -ošću *i* -osti
duhovski
duka DL jd. -ki *(vojvoda)*; Duka DL jd. -ki *(ime)*
dukatić
dukatski
Dukljanin N mn. -ani; Pop Dukljanin *(pov.)*
dulčineja *(šalj., draga, dragana, po junakinji Cervantesova romana)*
duljenje

duljinomjer
dumača
Dumas; Dumas Otac, Dumas Sin
dumdum-metak
dumping > damping
dunđerin (*zast.*, drvodjelja, tesar)
dŭnuti (*iznenada doći*); *drugo je* duhnuti
dunjovača
dupčac (*bot.*)
dupioski *prema* Dupilo
dupke (*pril.*)
dupkom (*pril.*)
duplijer > duplir
duplir
dupsti, dubem (*prodirati u dubinu*), dubljah i dubijah, dubeći, dubao, dubla, duben
dur; dur-akord, dur-ljestvica, C-dur (*glaz.*)
duraluminij
duševnost, -ošću *i* -osti
dušični
dušnički
dušobrižnički
dušobrižnik V jd. -iče, N mn. -ici
dušogupka DL jd. -upci *i* -upki, G mn. -upki *i* -ubaka
duvak N mn. -aci (*folk., koprena, veo*)
duždević
dužinomjer
dužnički
dužnik V jd. -iče, N mn. -ici
dužnosni
dužnost, -ošću *i* -osti
dva, dvaju, dvama (2)
dvadesetača > dvadesetica
dvadesetak, -ctka, N mn. -etci *i* -eci, G mn. -ctaka
dvadesetčetverosatni
dvadesetka, DL jd. -eci, -etci, -etki, G mn. -etaka *i* -etki > dvadesetica
dvadesetogodišnjak V jd. -ače, N mn. -aci
dvadesetogodišnji
dvadesetorica
dvadesettreći
dvanaesnični *prema* dvanaesnik
dvanaesnik N mn. -ici
dvanaest (12)
dvanaesterac, -rca, V. jd. -rče, G mn. -raca
dvanaesterački
dvanaestodnevni
dvanaestogodišnjak V jd. -ače, N mn. -aci
dvanaestogodišnji
dvanaestomjesečni
dvanaestput, dvanaest puta
dvaput *i* dva puta

dvije, dviju, dvjema
dvijetisući i dvijetisućiti (2000.)
dviska DL jd. -sci *i* -ski, G mn. dvizaka *i* -ski > dvizica
dvizac, dvisca, V jd. dvišče, G mn. dvizaca
dvjesta *i* dvjesto (200)
dvjestogodišnji
dvjestogodišnjica
dvjestoti (200.)
dvjestotisući i dvjestotisućiti (200 000.)
dvjestotisućina (1/200 000)
dvjestotnina (1/200)
dvobočan, -čna
dvobračan, -čna
dvobračnost, -ošću *i* -osti
dvobrazdan, -zdni, dvobrazdni plug
dvocijevan, -vna
dvocijevka DL jd. -vki *i* -vci, G mn. -cjevaka, -cijevaka *i* -cijevki
dvocjevac, -vca, G mn. -vaca
dvočetvrtinski
dvočinka DL jd. -nki, G mn. -naka *i* -nki
dvočlan
dvočlanost, -ošću *i* -osti
dvodihalica
dvodijelan, -lna
dvodimenzionalan, -lna
dvodimenzionalnost, -ošću *i* -osti
dvodomnost, -ošću *i* -osti
dvodinarka DL jd. -rci *i* -rki, G mn. -ki
dvoglasnički
dvoglasnost, -ošću *i* -osti
dvogoče, -cta, *zb.* -čad
dvogodac, -oca *i* -odca, N mn. -oci *i* -odci, G mn. -odaca
dvogodišnjak V jd. -ače, N mn. -aci
dvogodišnji
dvogotka DL jd. -otki, G mn. -odaka *i* -otki
dvogupka, -upci, G mn. -ubaka *i* -upki (*zast., duplikat*)
dvojačiti, dvojačeći
dvojajčani
dvojbenost, -ošću *i* -osti
dvojče, -cta, *zb.* -čad > blizanče
dvojčica *um. od* dvojka > blizanka
dvoje G dvojeg(a), dvog(a), D dvojemu, dvomu, L dvojem *i* dvome, I dvojim(a), dvoma, mn. NAV dvoji, dvoje, dvoja, G dvojih, DLI dvojim(a)
dvojezičan, -čna
dvojezičnost, -ošću *i* -osti
dvojica
dvojina
dvojinski

dvojka DL jd. -jci, G mn. -jaka *i* -jki > dvica
(*kao brojka i ono što ona označuje*)
dvojnice
dvojnički *prema* dvojnik
dvojnik V jd. -ičc, N mn. -ici
dvojništvo G mn. -štava
dvojnost, -ošću *i* -osti
dvokolosiječan, -čna
dvoličan, -čna
dvoličiti, -čcći
dvoličje
dvoličnost, -ošću *i* -osti
dvoličnjak, V jd. -ačc, N mn. -aci
dvolučan, -čna
dvoljetac, -cca *i* -ctca, N mn. -cci *i* -ctci, G mn. -ctaka
dvoljetni > dvogodišnji
dvoljetnica (*bot.*)
dvomeč
dvomjesečan, -čna
dvomjesečje
dvomjesečni
dvomjesečnik
dvomjesečno
dvonedjeljni > dvotjedni
dvonoške
dvonožac, -ošca, V jd. -ošcc, N mn. -ošci, G mn. -ožaca
dvoobličan, -čna
dvoobličnost, -ošću *i* -osti
dvopartijski > dvostranački
dvopek N mn. -cci
dvopjev G mn. dvopjcva
dvopreg N mn. -czi
dvorac, -rca, V jd. -rčc, G mn. -raca
dvoredac, -cca *i* -cdca, N mn. -cci *i* -cdci, G mn. -cdaca
dvorišni
dvorodac, -oca *i* -odca, V jd. -očc *i* -odčc, N mn. -oci *i* -odci, G mn. -odaca
dvorožac, -ošca, V. jd. -ošcc, N mn. -ošci, G mn. -ožaca
dvoručan, -čna
dvosedmični > dvotjedni

dvosječan > dvosjckli
dvosjed
dvosjedac, -cca *i* -cdca, N mn. -cci *i* -cdci, G mn. -cdaca
dvosjek > dvosjckli
dvosjekli
dvosjemen
dvosložnost, -ošću *i* -osti
dvosmjeran, -rna
dvosmjernost, -ošću *i* -osti
dvospolac, -lca, V jd. -lčc, G mn. -laca
dvospolan, -lna
dvospolnost, -ošću *i* -osti
dvostih N mn. -isi, G mn. -iha
dvostjen
dvostranački
dvostranost, -ošću *i* -osti
dvostručiti, -čcći
dvostrukost, -ošću *i* -osti
dvostupačni > dvostupčani
dvostupčani (koji ima dva stupca)
dvoškržnjak N mn. -aci
dvotaktan, -tna
dvotočje
dvotočka DL jd. -čki *i* -čci, G mn. -čaka *i* -čki > dvotočjc
dvotračan, -čna
dvotrećinski
dvouška, -ški *i* -šci, G. mn. -šaka *i* -ški
dvovalentnost, -ošću *i* -osti
dvovlađe > dvovlašćc
dvovlasnički (koji sc odnosi na dvovlasnikc)
dvovlasnik V jd. -ičc, N mn. -ici
dvovlasništvo G mn. -štava
dvovlašćc
dvovrstan, -sna
dvoznačan, -čna
dvoznačnost, -ošću *i* -osti
dvozubac, -upca, V jd. -upčc, G mn. -ubaca
dvozupka DL jd. -pci, G mn. -ubaka *i* -upki
dvoženac, -nca, V jd. -nčc, G mn. -naca
dvožičan, -čna
δ-zrake

DŽ

dž (v. § 4. i 134.)
džaba > džabe
džabe > badava, besplatno, uzalud, na dar
*džada > cesta
Džafer
*džak > vreća
džamahirija (republika); Libijska Arapska
    Džamahirija > Libijska Arapska Republika
*džambo (engl. jumbo) > golem, velik, divov-
    ski, slonovski, mamutski
*džambodžet (zrak.) > mamutnjak
džamija; Careva džamija (u Sarajevu)
džamijski
džapati (razg.) > otimati, grabiti
*džardin > đardin
*džaul > džul
*džaveljati > brbljati, čavrljati
džbun > žbun, grm
*džebana > streljivo
džehenem (musl.) > pakao
*džekpot (engl. jack-pot) > bankovnica, glav-
    njak
dželat > krvnik
dželatski
džem (vrsta pekmeza)
džemat (musl. vjerska općina)
džemper
džemzbondovski prema James Bond
dženaza (musl.) > sprovod
dženet (musl.) > raj, nebo
dženetski
džentlmen > gospodin
džentlmenski
džep
džepar
džeparac, -rca
džeparica
džeparoš > džepar
džepić
džepina
džepni
džepokradica > džepar
džepovina
džersej (vrsta tkanine)
*džet > mlažnjak
*džetset > bogataši, mondenci

džetsetovac, -vca, V jd. -vče, G mn. -vaca >
    bogataš, mondenac
džetsetovski > bogataški
džez
džez-bend > džez-sastav, džez-orkestar
džezer > džezist
džez-glazba
džeziranje
džezirati (svirati džez)
džezist
džezistica
džezističin
džezistički
džezmen > džezist
džez-orkestar, -tra
džez-sastav
džezva, G mn. džezava, džezva i džezvi
džezvica
Džibuti, -ija (zem.)
džida (kratko koplje)
džidža > zvečka, nakit
*džigerica > jetra, pluća
džiju-džicu, džiju-džicua (šport.)
džilit (koplje)
džilitati se
džilitnuti se
*džin > div, gorostas
džin (žitna rakija)
Džingis-kan
*džinovski > divovski, gorostasan
džins (engl. jeans; platno, traperice)
džins-hlače > traperice
džinsice > traperice
džins-košulja
džins-moda
džins-odjeća
džins-suknja
džip (automobil)
Dživo (ime)
*džob > posao
*džoger > trkač
*džoging > trčanje
*džogirati > trčati
*džojstik > svesmjer(nica)
džokej
džokejski

*džoker > zamjenjivac
džombovit (*neravan, o putu, livadi*)
džonka > džunka
Džore (*ime*); Džore Držić
džudaš
džudo
džukac > pseto, psina, ćukac
džukela > pas, psina, nitkov

džul (*fiz.*)
džumbus > graja, vreva, zbrka, nered
džungla > prašuma
džunka DL jd. -ki, G mn. -ki (*dalekoistočna brodica*)
džuboks
džus > sok

Đ

đače, -eta
đačić
đački
đak V jd. đače, N mn. đaci, G mn. đaka
đakon
đakonat
đakonija > poslastica
đakonski
đakovački *prema* Đakovo
đakovati, đakujem, đakujući
Đakovčanin, N mn. -ani, *prema* Đakovo
Đakovčanka DL jd. -ki, G mn. -ki
Đakovica (*zem.*)
Đakovičanin N mn. -ani, *prema* Đakovica
Đakovičanka DL jd. -ki, G mn. -ki
đakovički *prema* Đakovica
Đaković; Đuro Đaković (*revolucionar*), "Đuro Đaković" (*tvornica*)
Đakovo
Đakovština (*đakovački kraj*)
Đalski, -koga, v. Gjalski
đardin > vrt, perivoj
đaštvo
đaur(in) *i* kaur(in) > nevjernik
đavao, đavla, G mn. đavala
đavo, -ola; do đavola
đavolak, -lka, V jd. -lče, N mn. -lci, G -laka
đavolan, -a
đavolast
đavolče, -četa, *zb.* -čad
đavolčić
đavolčina
đavolica
đavoličin
đavolić
đavolov
đavolski
đavolji
*đe > gdje
đeđeran, -rna > veseo, pripit
đem, -a, N mn. -ovi (*dio orme*); *drugo je* džem
đeram, đerma *i* đerma, đerme
Đenova > Genova
Đenovežanin > Đenovljanin *i* Genovljanin
Đenovljanin N mn. -ani *i* Genovljanin
Đenovljanka DL jd. -ki, G mn. -ki *i* Genovljanka

đenovski *i* genovski
đerdan
đerdančić
đerdap > brzica; Đerdap (*zem.*)
đerđef
đerđefić
đerđev > đerđef
đerma *i* đeram
đerz > momak, mladić
Đerzelez Alija
đida > junak, razmetljivac
đikan
đikati, -am
điknuti
đilkoš > vjetrogonja, obješenjak
đinđuha > naušnica, biserak
đio (*usklik*)
đipati
đipiti
đipnuti, -nem
đisiti (*naglo skočiti*)
đisnuti (*naglo skočiti*)
đogat (*konj bijelac*)
*đokej > džokej
đon (*potplat*)
đoniti
*đorati > mijenjati, zamjenjivati
Đorđe
đornut > napit
*đozluci, -uka, mn. m. r. > naočale
*đubar, -bra > đubre
đubre, -eta > gnoj, smeće
*đubrenica > gnojnica
*đubrište > gnojište, smetište
*đubriti > gnojiti
*đubrivo > gnojivo
Đuka DL jd. Đuki, V jd. Đuka
Đukičin *prema* Đukica
đul > ruža
đulabija (*crvena slatka jabuka*); Đulabije (*zbirka Vrazovih pjesama*)
*đule, -eta > metak, tane
đulistan > ružičnjak
đumbir (*vrsta mirodije*)
Đurđevac, -vca (*zem.*)
đurđevača (*gljiva*)
đurđevački

Đurđevčanin N mn. -ani
Đurđevčanka DL jd. -ki, G mn. -ki
Đurđevdan > Jurjevo
đurđevdanski
Đurđevo > Jurjevo (*blagdan*)
đurđevski > jurjevski
đurđic *i* đurđica
đurđica *i* đurđic (*bot.*); Đurđica (*ime*)
Đurđičin

Đurmanec, -nca (*zem.*)
Đuro, Đure
đuturaš
đuture > ujedno, poprijeko, jedno s drugim
đuturum
đuveč *i* đuvečc
đuveče, -ča *i* -čcta, *i* đuvcč (*jelo*)
đuvegija > mladoženja, zaručnik

E

e, 9. slovo gajice, E *međunarodna krat. za* istok
(*engl.* East), *hrv. krat.* I
ećim > hećim
eda (*vez., zast.*); eda li
Eden (*bibl.*, kraj na Bliskom istoku), *pren.*
Eden *i* eden (raj)
Edhem (*ime*)
edinburški prema Edinburg (*zem.*)
Edipov kompleks
edmemoar
Eduard
E-dur
EEG *krat. za* elektroencefalogram *i* elektroencefalografiju
efektivnost, -ošću *i* -osti
efendijski
efeški *prema* Efez
Efijalt (*grčki izdajica*)
efijaltski
efijaltstvo
efikasnost, -ošću *i* -osti > uspješnost, djelotvornost
egalizacija
egalizacijski
Egejsko more (*zem.*)
Egidije
egipatski *prema* Egipat
Egipćanin, N mn. -ani
Egipćanka DL jd. -ki, G mn. -ki
egiptološki
egocentričan, -čna
egocentričnost, -ošću *i* -osti
egoist > sebičnjak, samoživac
egoistичan > sebičan
egoistički > sebičan, sebično
egoistično > sebično
egoističnost, -ošću *i* -osti > sebičnost
egoizam, -zma > sebičnost
egzaktan, -tna
egzaktnost, -ošću *i* -osti
egzaltacija
egzaltiranost, -ošću *i* -osti
egzantem
egzarh N mn. -rsi
egzeget
egzegetika DL jd. -ici
egzegeza

egzekucija
egzekucijski
egzekutiva > izvršna vlast
egzekutivni > izvršni
egzekutor > izvršitelj, krvnik
egzem > perutac
egzemplar > primjerak, uzorak
egzercir > vježba
*****egzibicija** > ekshibicija
egzil > progonstvo
egzistencija
egzistencijalist
egzistencijalistički
egzistencijalizam, -zma
egzistencijalni > egzistencijski
egzistencijski
egzistirati > postojati, živjeti, životariti
egzodus > izlazak, istup
egzogamija
egzogen > vanjski
egzorcist
egzorcizam, -zma
*****egzorta** > ekshorta
egzoteričan, -čna
egzotermičan, -čna
egzotičan, -čna
egzotičnost, -ošću *i* -osti
egzotika DL jd. -ici
egzudat > eksudat
ehinokok N mn. -ki > pasja trakavica
ehinokokni
ehkati, -am (*uzvikivati* eh)
eho (*s. r.*) N mn. cha > jeka, odjek, odziv
Eiffelov toranj
eis (*glaz.*)
ekavac, -vca, V jd. -vče, G mn. -vaca
ekcem > egzem
EKG *krat. za* elektrokardiogram *i* elektrokardiografiju
eklektičar > eklektik
eklektički
eklektik V jd. -iče, N mn. -ici
ekliptički
ekliptika DL -ici
ekologija
ekologistica
ekologistički

ekološki
ekonomajzer > predgrijač
ekonomičan, -čna
ekonomički > ekonomski
ekonomičnost, -ošću i -osti
ekonomija
ekonomika DL jd. -ici
ekopatrola > ekološki nadzor
ekorazvoj > ekološki razvoj
ekosustav > ekološki sustav
ekrandžija
*eksaktan > egzaktan
ekscar > rascar
ekscelencija > preuzvišenost; Vaša Ekscelen-
cija, Njegova Ekscelencija
ekscentričan, -čna
ekscentričnost, -ošću i -osti
ekscerpirati
ekscerpt > ispisak, izvadak
eksces > ispad, izgred
ekselencija > ekscelencija
*ekserčić > čavlić
ekshalacija
ekshibicija
ekshibicijski
ekshibicionist
ekshibicionistički
ekshibicionizam, -zma
ekshorta (pouka, kratki govor)
ekshumacija
ekshumirati
ekskavator
eksklamacija
ekskluzivan, -vna
ekskluzivnost, -ošću i -osti
ekskomunicirati > izopćiti
ekskomunikacija > izopćenje
ekskomunikacijski
ekskralj > raskralj
ekskurs > zastranjenje
ekskurzija
ekskurzist
eksodus > egzodus, izlazak, istup
ekspander > rastezaljka
ekspanzer > rastezaljka
ekspanzija
ekspanzivan, -vna
ekspatrijacija
ekspedicija
ekspedicijski
ekspedirati
ekspedit
ekspeditivan
eksperiment > pokus

eksperimentalni > pokusni
ekspert > vještak, stručnjak
ekspertiza > vještačenje
ekspiracija > izdisaj
ekspiratorni > izdisajni
eksplicitan, -tna > izričit, jasan
eksplicite > eksplicitno
eksplicitno > izričito, izrijekom, jasno
eksplikacija > objašnjavanje, tumačenje
eksplikativni > objasnidbeni
eksploatacija > izrabljivanje, iskorištavanje
eksploatacijski
eksploatirati > izrabljivati, iskorištavati
eksplozivnost, -ošću i -osti
eksponat > izložak
eksponencijalni
eksponent
eksponirati
eksport > izvoz
eksportni > izvozni
ekspozej > izvještaj, izlaganje, prikaz
ekspozicija
ekspozit > izložak
ekspozitura > ispostava
ekspres
ekspresija
ekspresionist
ekspresionistički
ekspresionizam, -zma
ekspresivan, -vna > izražajan
ekspresivnost, -ošću i -osti
ekspresni
ekspres-restoran
eksproprijacija > izvlaštenje
eksproprijator > izvlastitelj
eksproprirati > izvlastiti
ekstatičan > ushićen, uznesen
ekstaza > ushit, zanos
ekstenzivan, -vna
ekstenzivnost, -ošću i -osti
eksterijer > vanjština
eksteritorijalan, -lna
eksteritorijalnost, -ošću i -osti
eksterni > vanjski
ekstradicija > predaja, izručenje
ekstradirati > predati, izručiti
ekstradobit > naddobit
ekstrahirati > izvlačiti, izdvajati
ekstrakcija
ekstrakt
ekstraprofit > naddobit
ekstravagancija > neobičnost, nastranost
ekstremistički
eksudat (med.)

Ekvador (zem.)
Ekvadorac, -rca, V jd. -rče
Ekvadorka, DL jd. -ki, G mn. -ki
Ekvatorska Gvineja
ekvilibrij
ekvinocij > ekvinokcij
ekvinokcij > ravnodnevnica
ekvivalentan > jednakovrijedan
elastičan
elastičnost, -ošću i -osti
Eldorado, pren. i eldorado
elejac, -jca, V jd. -jče , G mn. -jaca (fil.)
elejski (fil.)
elegantnost, -ošću i -osti > otmjenost
elegičan, -čna
elegičar
elegičnost, -ošću i -osti
električan, -čna
električar
električarev i elekričarov
električarski
električki > električni
električni
elektrifikacija
elektrifikacijski
elektroakustički
elektroakustika DL jd. -ici
elektroanalitički
elektroanaliza
elektrodinamički
elektrodinamika DL jd. -ici
elektroenergetski
elektrohidraulički
elektroindustrija
elektroinstalater
elektrokemijski
elektrolitski
elektromehanički
elektrometalurgija
elektromotor
elektroničar
elektronički
elektroosmotski
elektronvolt (fiz.)
elektroprivreda
elektrostatički
elektrostatika DL jd. -ici
elektrotehničar
elektrotehnički
elektrotehnika DL jd -ici
elementarnost, -ošću i -osti
elevacijski
elipsoid
eliptičan, -čna

Elizabeta; Elizabeta Portugalska, Elizabeta
    Ugarska
elizejski; Elizejske poljane, Elizejska palača (u
    Parizu)
Elzas > Alsace
Elzašanin N mn. -ani > Alzašanin
Elzašanka DL jd. -ki, G mn. -ki > Alzašanka
elzaški > alsaški i alzaški
emajl i emalj
Emanuel
embrio, -ija > zametak
embrion > zametak
emfatičan, -čna > zanosan, ushićen
emfizem
emigrantski
Emilijan
emisijski
emisioni > emisijski
emocionalan > emotivan
emotivan > osjećajan
emotivnost, -ošću i -osti > osjećajnost
empiričar
empirijski
emporij > trgovište
emu, emua (zool.)
encim > enzim
endemičan, -čna
Eneida
Eneja (junak iz Eneide)
Enejin
energetičar
energetski
energičan, -čna
energičnost, -ošću i -osti
Engleska DL jd. -koj
engleski
Engleskinja
enigmatičan, -čna > zagonetan
enigmatski
enklitičan, -čna
enterijer > interijer
entuzijast
entuzijastički
entuzijazam, -zma
enzim
eocen (geol.)
eolit (arheol.)
eolitski
eozoik N mn. -ici (geol.)
eozojski prema eozoik
epentetski
epičar
epidijaskop
epikureizam, -zma

epikurejac, -jca, V jd. -jče, G mn. -jaca
epileptičan
epileptičar > padavičar
epileptički
episkopija
epizodičan, -čna
epoha DL jd. -osi i -ohi
epohalnost, -ošću i -osti
erbij (kem.)
Eritreja (zem.)
Ero, Erc
erotičan
erotičar
erotički > crotski
erotičnost, -ošću i -osti
erotika DL jd. -ici
erotski
esej, -a
esejist
esejistički
esesovac, -vca, V jd. -včc, G mn. -vaca
eshatologija
espresokava
establišment
establišmentski
estetičan, -čna > ukusan, lijep
estetičar
estetički > cstctski
estetski
Estonac, -nca, V jd. -nčc
Estonija (zem.)
Estonka DL jd. -ki, G mn. -ki
estonski
etablisman
etatistički
eteričan, -čna
eteričnost, -ošću i -osti
etičan, -čna
etičar
etički
etiologija
Etiopija (zem.)
etiopijski > ctiopski
Etiopljanin N mn. -ani
Etiopljanka DL jd. -ki, G mn. -ki
etiopski
etnički
etnogenetski prema etnogeneza
etnopark > ctnološki park
Etrurac, -rca, V jd. -rčc, G mn. -raca
Etrurija (pov.)
Etrurka DL jd. -ki, G mn. -ki
etrurski
Etruščanin N mn. -ani > Etrurac

Etruščanka DL jd. -ki, G mn. -ki > Etrurka
etruščanski > ctrurski
etui, -ija, N mn. ctuiji
Eu kem. znak za curopij; krat. za Europa (obič-
    no na automobilima)
eudemonizam
eufemistički
eufonija
eufonijski
euforičan, -čna
euforija
Eugen
euharistički > cuharistijski
Euharistija
euharistijski
eukaliptus
euklidovski
eunuh V jd. -ušc, N mn. -usi > uškopljcnik
eunuški
Eurazija
eurazijski
Euripid
eurodolar
Europa
europeizacija
europeizam, -zma
europij (kem.)
europijski prema curopij
Europljanin N mn. -ani
Europljanka DL jd. -ki, G mn. -ki
europski; Europska zajcdnica (EZ)
europeizirati
europejština
Eurovizija
Eustahijeva cijev
Euzebije
evanđelist
evanđelistar
evanđelski i cvanđcoski
evanđelje (kršćanska poruka), Evanđcljc (od-
    ređena knjiga), iz Evanđclja po Marku
evanđeoski
evangelički
evangelik N mn. -ici
eventualnost, -ošću i -osti
evidentičar
evidentnost, -ošću i -osti > očitost, očiglednost,
    očevidnost
evolucijski
evolucionirati > cvoluirati
evolucionist
evolucionizam
evoluirati
Evrazija > Eurazija

Evroazija > Euroazija
Evropa > Europa
evropeizacija > curopcizacija
evropeizam, -zma > curopcizam
Evropejac, -jca, V jd. -jčc > Europljanin
Evropejka DLjd. -ki, G mn. -ki > Europljanka
evropejski > curopski
evropij > curopij
Evropljanin N mn. -ani > Europljanin

Evropljanka DL jd. -ki, G mn. -ki > Euro-
    pljanka
evropski > curopski
evropeizirati > curopcizirati
evropejština > curopcjština
Ezop
ezopovski
ezoteričan

F

f (*i* f.) *krat. za* femininum (*kao oznaka za ženski rod u nekim rječnicima, hrv. ž*); (*glaz.*) *četvrti ton glazbene ljestvice*
F (*fiz.*) *znak za* farad, Fahrenheit; (*kem.*) *znak za* fluor
fabrički > tvornički
fabulistički
fačuk > faćuk
faćkati > hvatati, loviti
faćuk > kopile
faeton (*kočija*); Facton (*mit.*)
***fah** > struka, pretinac
***fahman** > stručnjak
fair play *i* ferplej > poštena igra
fajansa
fajansni
fakinčić
fakinčina
faktičan > činjeničan, stvaran
fakultet; Fakultet prometnih znanosti, Katolički bogoslovni fakultet, Medicinski fakultet Sveučilišta u Zagrebu
fakultetski
***fala** > hvala
Falačka (*pov.*)
falački
falake, falaka (*pov., vrsta mučila*)
falangistički
faličan, -čna > pokvaren, lažan
***falinga** DL jd. -gi, G mn. -gi > nedostatak, mana
fáliti > nedostajati, manjkati
***fáliti** > hvaliti
falest (*glaz.*)
Falklandi, -da (mn. m . r.)
falsificirati > krivotvoriti
falsifikacija > krivotvorenje
falsifikat, -a > krivotvorina
falsifikator > krivotvoritelj
falzet > falset
familijarnost, -ošću *i* -osti
fanariot
fanatičan, -čna
fanatički
fanatičnost, -ošću *i* -osti
fanatik V jd. -iče, N mn. -ici
fantastičan, -čna

fantastičnost, -ošću *i* -osti
fantazmagoričan, -čna
farad (*jedinica električnoga kapaciteta, prema fizičaru* Faradayu)
farizej I jd. -jom
farizejski
Farski otoci
fašistica *i* fašistkinja
fašistički
fašistkinja *i* fašistica
fatalistički
fatalnost, -ošću *i* -osti
fatamorgana
fazančić
fazančina
federalistički
felah V jd. -aše, N mn. -asi (*arapski seljak*)
felaški *prema* felah
feldmaršal
feljton
feljtončić
feljtonistički
feministički
Fenicija (*pov.*)
fenič > feniks
Feničanin N mn. -ani
Feničanka DL jd. -ki, G mn. -ki
fenički
fenić-ptica (*pjes., zast.*) > feniks
feniks (*mit.*)
fenomenalnost, -ošću *i* -osti
fenjerčić
fenjerić
fer; fer igra > poštena igra
feralić
feredža
ferijalac, -lca, V jd. -lče G. mn. -laca
ferijalka DL jd. -lki, G mn. -laka *i* -lki
ferijalni; Ferijalni savez
ferije, -ja (mn. ž. r.) > praznici
fermij (*kem.*)
ferplej *i* fair play > poštena igra
fesić
feudalac, -lca, V jd. -lče, G mn. -laca
feudalčev
feudalistički
feudalka DL jd. -ki, G mn. -laka *i* -ki

fić (*usklik*)
fićfirić
fićkati, -am
fićnuti
fićo (*automobil*)
fićuk N mn. -uci > zvižduk
fićukati, -am > zviždati
fićuknuti
fideist
fideistički
Fidži, -ija
Fifa, Fifc; *ako se ne sklanja, piše se i* FIFA (*krat.* za Fédération Internationale de Football Associations - Međunarodni nogometni savez, hrv. *krat.* MNS)
fijaker
fijakeristički
fijasko > slom, propast
fijuk N mn. -uci
fijukati, -učcm, -učući
filatelistički
fildžan
fildžančić
filharmoničar
filharmonija
filijala > područnica
Filip; Filip Makedonski, Filip IV. Lijepi
Filipini, -na (*mn. m. r., zem.*)
filipinski; Filipinsko otočje
Filip-Jakov, -va (*selo*)
filistar, -tra
filozof; Konstantin Filozof
filozofija
filozofski; Filozofski fakultet u Zadru
filtar, -tra
filtarpapir > filtrirni papir
filtrirpapir > filtrirni papir
Finac, Finca, V jd. Finčc, G mn. Finaca
finale, -la, N mn. -li; čctvrt-finalc, polufinalc
financ V jd. -nčc, G mn. -naca
financije, -ja (*mn. ž. r.*)
financijer
financijski
financirati
Finkinja (*žena iz Finske*)
finoća
Finska, DL Finskoj (*zem.*)
finski
*fioka DL jd. -oci > ladica
fiorin
Firenca (*zem.*)
Firentinac, -nca, V jd. -nčc, G mn. -naca
Firentinka DL jd. -ki, G mn. -ki
firentinski

firnis; *razg.* firnajs, firnajz
fizičar
fizički
fiziolog N mn. -ozi
fiziologija
fiziološki
fizionomija
fjord N mn. fjordovi
flamingo N mn. -nzi (*zool.*) > plamcnac
flegmatičan, -čna
flegmatičnost, -ošću *i* -osti
flora (*biljni svijet*); Flora (*ime*)
Florijan
FNRJ *krat. za* Federativna Narodna Republika Jugoslavija (*pov.*)
foaje, -ca, N mn. -ci
Foča (*zem.*)
Fočak N mn. -aci *i* Fočanin
Fočanin N mn. -ani *i* Fočak
Fočanka DL jd. -ki, G mn. -ki
fočanski
foksterijer
folio, -ija, l jd. -ijcm, N mn. -iji
fonetičar
fonetički
fonetski
ford (*auto*); Ford (*prezime*)
formalistički
formalnost, -ošću *i* -osti
fortepijano
fortifikacijski
fosforescentan, -tna
*fosgen > fozgcn
fotoalbum
fotoamater
fotoamaterski
fotoaparat
fotoatelijer
fotoatelje > fotoatelijer
fotoćelija
fotodokumentacija
fotodokumentacijski
fotogeničan, -čna
fotografija
fotokartografija
fotokemija
fotoklub
fotolaboratorij
fotomonografija
fotomontaža
fotomontažni
fotoreportaža
fotoreporter
fotoreporterski

fotorevija
fotorobot
fototerapija
fototerapijski
fototriangulacija
fozgen
fra *krat. za* fratar; fra Marko, fra Marka
frakcija
frakcijski
frakcionaš
fraklić (*razg.*)
framason > slobodni zidar
franački
franak (*novac*); Franak, -nka, -nci (*pripadnik naroda*)
francij (*kem.*)
Francuska DL -koj
francuski; Francuska revolucija, Francusko-
-pruski rat, Francuska Polinezija
Francuskinja
Francuz V jd. -zu
Francuzov
frankopanski; Frankopanska ulica
frankovac, -vca V jd. -včc, G mn. -vaca
frankovački
franjevac, -vca, V jd. -včc, G mn. -vaca
franjevački
franjevčev
frazeologija
frazeološki
frenetičan, -čna
frenetički

frižak, friška (*razg.*) > svjež, nov, skorašnji
frkač
frkati, frčcm, frčući
frktati, frkćcm, frkćući
frontovac, -vca, V jd. -včc, G mn. -vaca (*pov.*)
frontovčev
frontovka DLjd. -vki, G mn. -vaka *i* -vki (*pov.*)
frontovkin
frulač I jd. -čcm
frulačica
Fruška gora (*zem.*)
Fruškogorac, -rca, V jd. -rčc, G mn. -raca
Fruškogorka DL jd. -ki, G mn. -ki
ftizeologija > ftiziologija
fučija (*vrsta bačve*)
fučijica
fućkati, -am
fućnuti, -ncm
fulbrajtovac, -vca, V jd. -včc, G mn. -vaca
funkcijski
funkcionalan, -lna
funkcionar
funkcionarka DL jd. -ki, G mn. -ki
funkcioner > funkcionar
funkcionirati
furiozan, -zna
futač (*zool.*) > pupavac
futavac (*zool.*) > pupavac
futuristički
fuzija
fuzionirati

G

g *krat. za* gram; g. *krat. za* gospodin, godina
(o. g. – ove godine, šk. g. – školska godina);
G *krat. za* genitiv
Gabon
Gabrijel
Gabrijela
Gacka DL jd. -ki (*zem.*)
Gacko, Gacka (*gradić, prid. je* gatački)
Gacko polje (*zem.*)
gačac, -čca (*zool.*)
Gačanin N mn. -ani (*čovjek iz Gacka*)
Gačanka DL jd. -ki, G mn. -ki
gače *i* gadčc, -cta *prema* gad
gaćan (*golub, pijetao*)
gaćanka
gaćast
gaćaš (*golub*)
gaće, gaća (mn. ž. r.)
gaćeša; Gaćcša (*prezime*)
gaćice
gaćnik N mn. -ici
gadče *i* gačc, -cta, *prema* gad
gadić
gadljivost, -ošću *i* -osti
gadolinij (*kem.*)
gadost, -ošću *i* -osti > gnusoba, grdoba
gađač
gađanje
gađati
gađenje *prema* gaditi
gagričav
Gajev; Gajeva ulica
gajica
gajić
gajret > pomoć; Gajret (*naziv musl. ustanove*)
gakati, gačcm, gačući
galamdžija
galanterijski
galantnost, -ošću *i* -osti
gala, gala odijelo, gala predstava, gala ručak,
gala zabava
galebak, -cpka, V jd. -cpčc, N mn. -cpci, G mn.
-cbaka
galebić
Galicija
galicijski
galičast

galični
galij (*kem.*)
galijot
galimatijas
gamaaktivan, -vna
gama-čestica
gamad, l jd. -ađu *i* -adi
gamaradioaktivnost, -ošću *i* -osti
gama-spektar
gamaterapeutski
gama-zraka
Gambija (*zem.*)
Gambijac, -jca, V jd. -jčc, G mn. -jaca
Gambijka DL jd. -ki, G mn. -ki
gambijski
Gana
gangster
ganuće
ganutljivost, -ošću *i* -osti
ganutost, -ošću *i* -osti
garancija > jamstvo
garavac, -vca, V jd. -včc, G mn. -vaca
Garčin (*zem.*)
Garčinac, -nca, V jd. -nčc, G mn. -naca
Garčinka DL jd. -ki, G mn. -ki
garčinski
garderobijer
garderobijerka DL jd. -ki, G mn. -ki
garišni *prema* garište
garsonijera
gasilac, -ioca, V jd. -iočc, G mn. -ilaca
gasilački
gasmaska, DL jd. -sci *i* -ski, G mn. -saka *i* -ski
> plinska maska
gatački *prema* Gacko
gatalac, -aoca, V jd. -aočc, G mn. -alaca
gatalački
gataličin *prema* gatalica
gatalinka DL jd. -nki *i* -nci, G mn. -naka *i* -nki
gataočev
gatka DL jd. -ki, G mn. -ki
gavčica (*riba*)
gavrančić
gavrančina
gavranić
gazdaričin
gazometar

gdje; *razg.* gdc *i* dc
gdje bilo
gdjegdje
gdjegod (*negdje*), gdjc god (*bilo gdje*)
gdjekad(a) > katkad
gdjekakav, -kva
gdjekamo
gdjekoji
gdjekud
gdje mu drago
gdjeno
gdješto, gdjcčcg(a), gdjcčcm(u), gdjcčim(c)
gdjetko, gdjckog(a), gdjckomu, gdjckom(c), gdjckim(c)
gđa *krat. za* gospođa (G gđc, DL gđi, I gđom)
gđica *krat. za* gospođica, G gđicc, DL gđici, I gđicom
gedža *i* gcdžo *pogr. za* srbijanskoga scljaka > prostak, scljačina, scljo
gejzir
gen. *krat. za* gcnitiv
gencijana (*bot.*)
genealogija > rodoslovljc
genealoški > rodoslovni
general; gcncral bojnik, V jd. gcncral bojničc; gcncral pukovnik, V jd. gcncral pukovničc, N mn. -ici; gcncral zbora
generalbas (*glaz.*)
generaličin
Generalski Stol (*mjesto*)
generalštab > glavni stožcr
generalštabni > glavnostožcrni, glavnoga stožcra
generički
genetički *prema* gcnctika
genetski *prema* gcncza
genij
genijalan, -lna
genijalnost, -ošću *i* -osti
Genova (*izg.* /gcnova/) *i* Đcnova
Genovljanin N mn. -ani *i* Đcnovljanin
Genovljanka DL jd. -ki, G mn. -ki *i* Đcnovljanka
genovski (*izg.* /gcnovski/) *i* đcnovski
geobotaničar
geobotanički
geofizičar
geofizički
geoistraživanje
geologija
geološki *prema* gcologija
geopolitički
gerijatrija
germanij (*kem.*)

germanistički
germanofopski
Ges-dur (*glaz.*)
geteovski (*svojstven Goetheu*)
gibak, gipka; *komp.* gipkiji
gibljivost, -ošću *i* -osti
Gibraltar
gibraltarski; Gibraltarski tjcsnac; Gibraltarska vrata
gigavatsat (*znak* GWh)
giljotina
gimn. *krat. za* gimnazija
gimnastičar
gimnastičarka DL jd. -ki, G mn. -ki
gimnastički
gimnazij (*vježbalište*)
gimnazija (*srednja škola*); Gimnazija Ljudcvita Gaja, Klasična gimnazija u Zagrcbu
gimnazijalac, -lca, V jd. -lčc, G mn. -laca
gimnazijalčev
gimnazijalka DL jd. -ki, G mn. -ki
gimnazijalski *prema* gimnazijalac *i* gimnazijalka
gimnazijski *prema* gimnazija
gipkoća
gipkost, -ošću *i* -osti
gitaristički
Gjalski, Ksavcr Šandor Gjalski, K. Š. Gjalskoga
G-ključ (*glaz.*)
glačalica
glačalo
glačanje
glačaonica
glačar
glačarica
glačati
glačina (*zast.*) > glatkost
glad (ž. r.) I jd. glađu *i* gladi (*uz* glad, m. r.)
gladac, glaca *i* gladca, N mn. glaci *i* gladci, G mn. gladaca
gladak, glatka; *komp.* glađi
gladijator
gladiola
gladnjenje *prema* gladnjeti
gladnjeti, -dnim, -dnio, -dnjcla
glađe *pril. prema* glađi
glađenje *prema* gladiti
glađi *komp. od* gladak
glagoljički
glagoljivost, -ošću *i* -osti
glasač
glasačica
glasački

glasić
glasnički
glasnik V jd. -ičc, N mn. -ici
glasovirač
glasovitost, -ošću i -osti
glašenje prema glasiti
glatka prema gladak
glatko (pril.)
glatkoća
glavačke > naglavce, strmoglavce
glavaričin
glavatac, -aca i -atca, N mn. -aci i -atci, G mn.
    -ataca (bot.)
glavatost, -ošću i -osti
glavčina
glavičast
glavičati se
glavičica
glavičina
glavić
glavničar
glavničav (bot.)
Glavnjača (zloglasni beogradski zatvor)
glavoč (riba)
glavočika (bot.)
glavonoščev
glavonožac, -ošca, V jd. -ošče, N mn. -ošci, G
    mn. -ožaca
glavosijek; Glavosijek Ivana Krstitelja (vjer.)
glavosječa
glazba
glazbalo
glazbenički
glazbenik V jd. -ičc, N mn. -ici
glazbenost, -ošću i -osti
glečer > ledenjak
gledac, gleca i gledca, N mn. gleci i gledci, G
    mn. gledaca
gledalac, -aoca, V jd. -aoče, G mn. -alaca
gledalački
gledališni
gledaočev
gledičija (bot.)
gleđ, -i
gležnjača
glibnjača
glicinija (bot.)
glisni prema glista
glodač
glodavac, -vca, V jd. -vče, G mn. -vaca
glođva G mn. glođava i glođvi (vrsta breskve)
glogić i gloščić
glogotati, -oćem, -oćući
glogovac, -vca, V jd. -vče, G mn. -vaca

glogovača
glomaznost, -ošću i -osti
glomotati, -oćem, -oćući
glorijeta
gloščić i glogić
glotokronologija
gluh komp. gluši; razg. gluv
gluhač (biljka)
gluhać (gluh čovjek, običnije gluhak)
gluhak V jd. -ačc, N mn. -aci
gluhoća
gluhonijem
gluhonijemost, -ošću i -osti
gluhonja
glumac, -mca, V jd. -mčc, G mn. -maca
glumački
glumčev
glumčić
glumčina
glumičin
glumišni prema glumište
glupača
glupačina
glupak V jd. -ačc, N mn. -aci, G mn. -aka
glupaštvo
glupiti, -pim, -pljah, -pio, -pila, -pćći (činiti
    glupim)
glupjeti, -pim, -pljah, -pio, -pjela, -pćći (posta-
    jati glup)
glupost, -ošću i -osti
gljivičav
gljivični
gljivnjača
gmizavac, -vca, V jd. -včc, G mn. -vaca
gmizavost, -ošću i -osti
gnijezditi se
gnijezdo
gniježđenje
gnojišni prema gnojište
gnojnjača (zool.)
gnostički
gnu, gnua, N mn. gnuovi (zool.)
gnusan, -sna
gnjatić
gnječenje
gnječilac, -ioca, V jd. -ioče, G mn. -ilaca
gnječilica
gnječilo
gnječiti, gnječeći
gnjesti, gnjetem, gnjco, gnjela, gnjetući
gnjetač
gnjetao, -tla, N mn. -tli i -tlovi i gnjetco (fazan)
gnjetilište (fazanerija)
gnjeteo, -ela i gnjetao (fazan)

gnjev
gnjevan, -vna
gnjeviti se
gnjezdarica
gnjezdast
gnjezdašce, -ca *i* -ccta, G mn. -ašca *i* -ašaca
gnjezdimice
gnjezdište
gnjida
gnjilo, gnjila
gnjiloća
gnjilost, -ošću *i* -osti
gnjiljenje *prema* gnjiljcti
gnjiljeti, gnjilim, gnjilio, gnjiljcla, gnjilcći
gnjiti, gnjijcm
go > gol
god (*pril.*), v. § 307. i 334.
god. *krat. za* godina
godina; Stara godina (31. prosinca), Nova godina (1. sijcčnja), nova godina (npr. 1992. *u opreci prema* staroj godini, 1991.); godina-dvijc, godinu-dvijc
godišni *prema* godište
godišnjak V jd. -ačc, N mn. -aci; 20-godišnjak, dvadesctogodišnjak
godišnji *prema* godina
godište
godovnjača (*slavljenica, svečarica*)
gođenje *prema* goditi
Goethe, Goethea (*njem. pjesnik, čit.* Gctc, Gctca)
Goetheov (*ali* gctcovski)
Gogolj; Nikolaj Vasiljcvič Gogolj
gojaznost, -ošću *i* -osti
gojenac, -nca, V jd. -nčc, G mn. -naca
gojenče, -čcta, *zb.* -čad
gojenje
gojidba G mn. -daba *i* -dbi
gojiti
gol, gola; *komp.* goliji
gol, gola, N mn. golovi (*šport.*)
golać
golemost, -ošću *i* -osti
golet, -i
golfište (*golfsko igralište*)
Golfska struja
Golijat (*ime*); golijat (*velik i jak čovjek*)
golijatski
golijen, -i
golobrače, -čcta, *zb.* -čad
golobradac, -aca *i* -adca, V jd. -ačc *i* -adčc, N mn. -aci *i* -adci, G mn. -adaca
golobradić
golobrče, -čcta, *zb.* -čad

golocijevka DL jd. -ki, G mn. -cjcvaka *i* -cijcvki (*puška*)
goloća
gologlavac, -vca, V jd. -včc, G mn. -vaca
gololedac, -ećca *i* -cdca
golopleć
golosjemen
golosjemenjača
gol-razlika
golotrbac, -rpca, V jd. -rpčc, G mn. -rbaca
golubak, -upka, -upčc, G mn. -ubaka
golubičica
golubičin
golubić
golublji
golubnjača
golupče, -čcta, *zb.* -čad
golupčić
golužderavac, -vca, V jd. -včc, G mn. -vaca
goljenica
goljenični
goljenjača > goljenica
gombač
gombačica
gombački
gomoljača
gomoljić
gondolijer
gondže > (ružin) pupoljak
gonetalac, -aoca, V jd. -aočc, G mn. -alaca
gonetati, -ctam *i* -cćcm, -ctajući *i* -cćući
gonetka, DL jd. -cci, -ctci *i* -ctki, G mn. -ctaka, -ctki
gonič
gonilac, -ioca, V jd. -iočc, G mn. -ilaca
goniometar, -tra
gora; Zagrcbačka gora (*Medvednica*), Crna Gora (*zem.*)
gorak, gorka; *komp.* gorči
*goran > goranin; Goran (*ime*)
Goraždanin N mn. -ani
Goraždanka DL jd. -ki, G mn. -ki
Goražde, -da (s. r.)
gorčanje, *prema* gorčati
gorčati, gorča (*postajati gorak*)
gorčenje, *prema* gorčiti
gorči *komp. od* gorak
gorčika DL jd. -ici (*bot.*)
gorčina
gorčiti, -čim, -čcći (*biti gorak*)
Gordijev čvor
gordijski čvor
gordost, -ošću *i* -osti > ponos, oholost
gore (*na visini*); gorc-doljc, doljc-gorc

gorenje *prema* gorjeti
gori, gora, gore (*komp. od* zao)
gorila (*majmun*); *drugo je* gorjela *prema* gorjeti
goriv (*koji može gorjeti*); gorljiv (*revan*)
gorjeti, gorim, goreći, gorio, gorjela
gorki, odr. oblik prid. gorak; Maksim Gorki, Maksima Gorkoga (Aleksej Maksimovič Pješkov)
gorkoća
gorkost, -ošću *i* -osti
gorljivost, -ošću *i* -osti
gornji; Gornji grad (*dio Zagreba*), Gornja Stubica (*mjesto*), gornja Hrvatska, Gornja Volta (*pov.*) > Burkina Faso
gornjočeljusni prema gornja čeljust
gornjogradski
gornjolužički prema Gornja Lužica
gornjostubički
***gornjovilični** > gornjočeljusni
gorocvijeće
gorocvijet
goropadnik V jd. -iče, N mn. -ici
goropadnost, -ošću *i* -osti
gorosječa
gorski; Gorski kotar
gorštački
gorući (*prid.*); *p. prez. prema* gorjeti
gorušičin > gorušični
gorušični
gosp. *krat. za* gospodin, *i* g.
gospa (*gospođa*), Gospa (*Majka Božja*); Gospa Karmelska, Gospa Trsatska, Velika Gospa, Mala Gospa, Gospa Snježna
gospar; gospar Lukša, gospara Lukše
gosparev *i* gosparov
Gospić (*zem.*)
Gospićanin N mn. -ani
Gospićanka DL jd. -ki, G mn. -ki
gospićki
gospodarev *i* gospodarov
gospodaričin
gospodarov *i* gospodarev
gospodična, DL jd. -ični, G mn. -ična
gospodin, Gospodin (*Bog*)
Gospodnji (*u crkv. jeziku*)
gospodski
gospodstvo G mn. -stava
gospođa
gospođica
gospođičin
gospoja > gospođa
gostionica
gostioničar

gostioničarka DL jd. -ki, G mn. -ki
gostioničica
gostionički
gostiti, gošćah, gosteći, gošćen
gostoljubivost, -ošću *i* -osti
gostoprimac, -mca, V jd. -mče, G mn. -maca
gošća G mn. gošća
gošćenje *prema* gostiti
Got N mn. Goti; Istočni Goti, Zapadni Goti
gotički
Gotovčev
gotovost, -ošću *i* -osti > pripravnost, spremnost
gotski
goveče, -četa, *zb.* -čad
govedarev *i* govedarov
govedaričin
govedarov *i* govedarev
govedski > goveđi
goveđi
govordžija > govornik
govorljivost, -ošću *i* -osti
govornički
govornik V jd. -iče, N mn. -ici
govorništvo
gòzba G mn. gòzbī *i* gózbā
grabancijaš; Matijaš Grabancijaš dijak
grabežljivost, -ošću *i* -osti
grabić
grabilac, -ioca, V jd. -ioče, G mn. -ilaca
grabilički *prema* grabilica
grabljač
grabljačica
grabljivost, -ošću *i* -osti
gracilnost, -ošću *i* -osti
graciozan, -zna
gracioznost, -ošću *i* -osti
Gračac, Gračaca (*zem.*)
gračački *prema* Gračac
Gračačkinja (*žena iz Gračaca*)
Gračanac, -nca, V jd. -nče (*čovjek iz Gračana*)
Gračani, -na (mn. m. r., *zem.*)
Gračanin N mn. -ani (*čovjek iz Gračaca*)
gračanski *prema* Gračani
gradac, gradca *i* graca > gradić; Gradac, Graca *i* Gradca (*zem.*)
gradačac > gradićak; Gradačac, -čca (*zem.*)
Gradačanin N mn. -ani (*čovjek iz Gradačca*)
gradački *prema* gradačac, Gradac
Gradaščević; Husein-beg Gradaščević
gradić
gradićak, -ćka, N mn. -ćci, G mn. -ćaka
gradijent G mn. -nata (*meteo.*)
gradilišni

Gradišćanin N mn. -ani (*čovjek iz Gradiške*)
Gradišćanka DL jd. -ki, G mn. -ki (*žena iz Gradiške*)
Gradišćanac, -nca, V jd. -nče (*čovjek iz Gradišća*)
Gradišćanka DL jd. -ki, G mn. -ki (*žena iz Gradišća*)
gradišćanski; gradišćanski Hrvati
Gradišće (*u Austriji*)
Gradiška DL jd. -ški *i* -šci; Nova Gradiška, Stara Gradiška
gradiški *prema* Gradiška
Gradište (*selo*)
gradonačelnički
gradonačelnik V jd. -iče, N mn. -ici
gradski
gradualan, -lna
graduirati
građa
građanče, -čcta, *zb.* -čad
građanin N mn. -ani
građanka DL jd. -ki, G mn. -ki
građanski
građanskopravni
građenje *prema* graditi
građevina
građevinar
građevinarev *i* građevinarov
građevinarstvo
građevni
grafičar
grafičarev *i* grafičarov
grafički
grafologija
grafološki
grah
grahorast
grahorica
grahoričin > grahorični
grahorični
grahov
grahovište
grakati, gračem, gračući
graktati, grakćem, grakćući
gramatičar
gramatičarka DL jd. -ki, G mn. -ki
gramatički
gramofon
gramziv
gramzivost, -ošću *i* -osti
grančica
grandiozan, -zna
grandioznost, -ošću *i* -osti
graničan, -čni

graničar
graničarev *i* graničarov
graničarka DL jd. -ki, G mn. -ki
graničarov *i* graničarcv
graničarski
graničenje
graničiti
granični
graničnik
granuće *prema* granuti
grape-fruit > limunika
grašak, -ška
gravitacija
gravitacijski
Graz (*zem.*)
grbača
grbačiti
grbavac, -vca, V jd. -včc
grbavčev
grbavičin *prema* grbavica
grbavički *prema* Grbavica (*zem.*)
grbaviti, -vim, -vio, -vila, -vljcn, -vćci (*činiti grbavim*)
grbavjeti, -vim, -vio, -vjcla, -vćci (*postajati grbavim*)
grbavljenje
grbavost, -ošću *i* -osti
grč N mn. grčcvi
Grče, Grčcta, *zb.* Grčad
grčenje
grčevit
grčevitost, -ošću *i* -osti
grči *komp. od* grk
grčina > gorčina
grčiti, grčcći
Grčka DL jd. -koj
grčki
grditi, grdcn
grdjeti, -dim
grđenje *prema* grditi *i* grdjcti
grđi *komp. od* grd
gregorijanski (*npr. kalendar, koral*)
grehota i grjchota
grej (*fiz.*)
grejp, grcjpfrut > limunika
gremij (*zbor, odbor, skup*)
Grenada
grenadski
Grenland
grenlandski
grepkati
grepsti, grcbcm, grcbi, grcbah *i* grcbijah, grcbao, grcbla, grcbcn, grcbući
grešan *i* grjčšan, -šna

grešić *i* grješić
grešina *i* grješina
greška *i* grješka > pogr(j)cška
grešnica *i* grješnica
grešničin *i* grješničin
grešnički *i* grješnički
grešnik *i* grješnik, V jd. -ičc, N mn. -ici
grešnikov *i* grješnikov
grešnost *i* grješnost, -ošću *i* -osti
Gȑga, Gȑgē, DL jd. Gȑgi
grgeč
grgljača
Gȑgo, Gȑgē, DL jd. Gȑgi
grgotati, -oćcm, -oći, -oćući
Grgur; Grgur Ninski
grgutati, -ućcm, -ući, -ućući
grič (*brježuljak*); Grič (*dio Zagreba*)
grijač
grijačica
grijaći (*prid.*)
grijalica
grijalo
grijaonica
grijati, grijcm, grij
grijeh V jd. grijcšc, N mn. grijcsi (*ne* grijchovi)
griješak, -ška, N mn. -šci, G mn. -šaka
griješenje
griješiti
gris (*krupica*), *drugo je* griz
griskati
gristi, grizcm, grizi, grizijah, grizao, grizla, gri-zcn, grizući
griz N mn. grizovi (*ugriz*)
grizak, griska
grizenje
grizli, -ija
grjehota *i* grehota
grješan *i* grcšan
grješić *i* grcšić
grješina *i* grcšina
grješka *i* grcška > pogr(j)cška
grješnica *i* grcšnica
grješničin *i* grešničin
grješnički *i* grešnički
grješnik *i* grešnik
grješnikov *i* grešnikov
grješnost *i* grešnost
grk *komp.* grči (*gorak*)
Grk V jd. Grčc, N mn. Grci
grkoća
grkokatolički
grkokatolik
grkokatolkinja
grkost, -ošću *i* -osti

grlatost, -ošću *i* -osti
grlce, grlca, G mn. grlaca
grličica
grličić
grličin
grličji
grlić
grlosječa
Grmeč l jd. Grmcčom (*zem.*)
grmečak, -čka, N mn. -čci
grmičak, -čka, N mn. -čci
grmić
grmjeti, grmim, grmljah, grmio, grmjcla, grmcći
grmljenje
Grmoščica *i* Grmošćica (*zem.*)
*grnčar > lončar
grnčarija > lončarija, lončarstvo
grnjača
grobak, gropka, V jd. gropčc, N mn. gropci, G mn. grobaka
grobarev *i* grobarov
grobaričin
grobarov *i* grobarcv
grobić
grobišni
grobljanski
grobnički; Grobničko poljc
gȑoce (*čit.* gr'occ) > grlcc
grofičin
grofić
grohnuti
grohot
grohotan, -tna
grohotati, -oćcm, -oćući
Grohote, -ta (mn. ž. r., *zem.*)
grohotnuti
groktati, -kćcm, -kćući
gromača
gromkost, -ošću *i* -osti
gromovnički
gromovnik V jd. -ičc, N mn. -ici
gropčić
groplan > krupni plan
grošić
groteska DL jd. -ski *i* -sci, G mn. -saka *i* -ski
groteskan, -skna
grozdak, groska (> grozdića), N mn. grosci (> grozdići), G mn. grozdaka
grozdić
grozničav
grozničavac, -vca, V jd. -včc, G mn. -vaca
grozničavost, -ošću *i* -osti
groznični

groždani (*npr.* sok, šććcr)
grožđe
grožđica
grstiti se, grstim se, gršćah se, grstio se, grstila
se, grsteći se
grtati, grćem, grćući
grubahan, -hna
grubijan
Grubišno Polje (*zem.*)
grubišnopoljski
grubiti, -bim, -bljah, -bio, -bila, -bći (*činiti grubim*)
grubjeti, -bim, -bljah, -bio, -bjela, -bći (*postajati grub*)
grubljenje *prema* grubiti *i* grubjeti
gruboća
grubost, -ošću *i* -osti
grudnjača
gruhati > gruvati
grumečak, -čka, N mn. -čci, G mn. -čaka
grumenčić
grumičak, -čka, N mn. -čci, G mn. -čaka
gruntovničar
gruntovničarka DL jd. -ki, G mn. -ki
grunuti
grustiti se, grušćah se, grusteći se
grušćenje *prema* grustiti se
gruški *prema* Gruž
Gruzija (*zem.*)
Gruzijac, -jca, V jd. -jče, G mn. -jaca
Gruzijka DL jd. -ki, G mn. -ki
gruzijski
Guadeloupe (*fr. prekomorski departman*)
Guam (*zem.*)
Guatemala (*glavni grad Gvatemale*)
gubac, gupca, V jd. gupče, G mn. gubaca
gubavac, -vca, V jd. -vče
gubavost, -ošću *i* -osti
Gubec, Gupca, V Gupče
gubičast
gubičetina
gubičica
gubitak, -itka, N mn. -ici *i* -itci, G mn. -itaka
gudac, guca *i* gudca, V jd. gučc *i* gudče, N mn.
guci *i* gudci, G mn. gudaca
gudač
gudački
gudaći (*prid.*)
gudalački
gudjeti, gudim, guđah, gudio, gudjela, guđen,
gudeći
guđenje *prema* gudjeti
gugukati, -učem, -uči, -učući
gugutati, -ućem, -ući, -ućući

gukati, gučem, guči, gukao, gukla, gučući
gulašćić
gulaščina
gulašić
gulidba G mn. -daba *i* -dbi
guljač
guljačina
gumijevac, -vca
gunđalo
gunđati
gunđav
Gupčev *prema* Gubec; Gupčeva buna; Gupčeva lipa; Gupčeva zvijezda (*trg u Zagrebu*)
gutac, guca *i* gutca, N mn. guci *i* gutci, G mn.
gutaca
gurikati, -ičem, -ikao, -ičući
guru, gurua, N mn. gurui
gusjenica
gusjeničar
gusjeničav
gusjeničin > gusjeničji
gusjeničji
gusji
guskica *i* guščica
guskin
guslač
guslačica
guslački
guslarev *i* guslarov
gusomača (*bot.*)
gust *komp.* gušći
gustijerna > cisterna
gustiozan, -zna > ukusan
gustiti, gustim, guščah, gustio, gustila, gušćen,
gusteći (*činiti gustim*)
gustjeti, gustim, guščah, gustio, gustjela, gušćen, gusteći (*postajati gust*)
gustoća
gušavost, -ošću *i* -osti
*guščak > gusinjak
guščar V jd. -re *i* -ru, l jd. -rem *i* -rom
guščarica
gušče, -četa, N mn. guščići *i zb.* guščad; *drugo je* gušče
gùščetina (*gusje meso*); guščètina (*velika guska*)
guščevina > gùščetina
guščica *i* guskica
guščji > gusji
gušće (*prid. i pril.*); *drugo je* gušče
gušćenje *prema* gustiti *i* gustjeti
gušći *komp. od* gust
gušterača (*žlijezda*)
gušteračni

gušteričin
Gvadelupa > Guadeloupe
Gvajana
gvardijan
Gvatemala (*država*)
Gvineja (*zem.*)

Gvineja Bisau, Gvineje Bisaua
Gvinejac, -jca, V jd. -jče, G mn. -jaca
Gvinejka DL jd. -ki, G mn. -ki
gvinejski; Gvinejski zaljev, gvinejska struja
gvožde (*zamka, oružje, okovi, inače* željezo)
GWh znak za gigavatsat

H

ha *krat. za hektar*
habati, -am (*derati*)
Habdelić
habilitacija
habilitacijski
Habsburg V jd. -ržc, mn. -rzi
Habsburgovac, -vca, V jd. -ovčc
habsburški
hacijenda
hadži
hadžija (*muslimanski hodočasnik*)
hadžijski
Hadži Lojo
Hadži Omer
hadžiluk
hadžinica
haesesovac *prema* HSS
hafnij (*kem.*)
hagiografija
Haiti DL jd. Haitiju
haitijski
haj! (*usklik*)
hajati, hajam (*spavati*)
hajati, hajcm, hajući (*mariti*)
hajd(e), hajdcmo, hajdctc
hajdučica
hajdučina
hajdučiti se
hajdučki
hajduk V jd. -učc, mn. -uci
Hajduk (*športsko društvo*)
hajduštvo G mn. hajduštava
hajka DL jd. hajci, G mn. hajki
hajkač
hajkački
hajkati, -am, hajkajući
hak (*dah*)
hakati, hakam
haknuti
hala (*dvorana*)
halabučiti, halabučcći
halabuka DL jd. -uci
halal (*blagoslov*)
halaliti, halalcći
halapljiv
halav
halieutika > ribolov, ribarstvo

*halka > alka
halo (*na telefonu*)
haluga DL jd. haluzi
halva
halvadžija
haljetak, -tka, mn. haljcci i haljctci
haljina
ham
hamajlija (*zapis, svetinja*)
hamajlijica *um. od* hamajlija
*hambar > ambar
hamburger
hamburški *prema* Hamburg
*hametice > amcticc
Han Pijesak (*ime mjesta*)
handžar
handžija > gostioničar, svratištar
hanuma
haps (*zatvor*)
hapsiti, hapscći
harač G jd. harača (*glavarina, namet, porez*)
*harač G jd. harča > trošak
haračiti
harakiri G jd. harakirija
harambaša
haran, -rna (*zahvalan*)
haranga D jd. harangi, G mn. harangi
harati, haram, harajući
harčiti, harčcći (*trošiti*)
hardver (cngl. hardwarc) > očvrsjc
harfa
harfistica
*hariš > ariš
harlekin
harmoničan, -čna
harmoničnost, -ošću *i* -osti
harmonij
harmonika DL jd. -ici
Hasanaga
Hasanaginica
hasna > korist
hasniti > koristiti
hasura > rogozina, prostirka
*hat > at
Havaji (*otočje*)
havajski; havajska gitara, Havajsko otočjc
Havana (*grad*); havana (*vrsta cigara*)

havarija
hazard
HAZU *krat. za* Hrvatska akademija znanosti i umjetnosti
H-bomba
H-dur (*glaz.*)
HDZ *krat. za* Hrvatska demokratska zajednica
HE *krat. za* hidroelektrana
hebrejski
hedonistički
hegemonist
hegemonistički
he-he! he-he-he! *uzv.*
heksaedar, -dra
heksametar, -tra
hektolitar, -tra
Helen (*Grk*)
helenistički
helij (*kem.*)
helikopter, -tera
heliocentričan, -čna
heliocentrički
heliofizički
heliofizika DL jd. heliofizici
heliofobija
helioterapija
Helsinki G jd. Helsinkija (*zem.*)
Helvetia (*zem., staro ime za Švicarsku*)
hemodinamički
hemodinamometar, -tra
hemoroidi (*šuljevi, bolest izlaznog crijeva*)
hemung, mn. hemunzi > zapreka, smetnja
Henrik V jd. -iče
hepatitičan, -čna
hepiend
heraldika D jd. heraldici
herceg V jd. -eže, mn. -ezi
hercegbosanski
Herceg Bosna
Herceg Novi G jd. Herceg Novoga
Hercegovac G jd. -vca, V jd. -vče
hercegovački
Hercegovčev (*prid.*)
Hercegovina
Hercegovka DL jd. -ki, G mn. -ki
hercegovski > hercegovački
herceški *prema* herceg
hereditaran, -rna
heretičan, -čna
heretik V jd. -iče, mn. -ici
*hergela > ergela
heriti se
hermafroditski

hermeneutički
hermetičan, -čna
heroin
heroina
heroizam, -zma
heroj V jd. heroju
herojstvo
heterocentrički
heterodinamičan, -čna
heterosilabičan, -čna
heuristički *prema* heuristika
hićenje *prema* hitjeti
hidrauličan, -čna
hidraulika DL jd. -ici
hidroaerodinamičan, -čna
hidroakustičan, -čna
hidroavion > hidrozrakoplov
hidrocentrala
hidrodinamički
hidroelektrana
hidrogenij
hidrogliser
hidrostatički
hidrotehničar
hidrotehnički
hidroterapeutski
hidroturbogenerator
higijena
higijeničar
hihotati, hihoćem, hihoćući
hijat (*zijev*)
hijazam, -zma
hijena
hijerarhičan, -čna
hijerarhija
hijeroglif
Hilandar
hiljada > tisuća
himba
himben
himera
himeričan, -čna
himnički
himnopojac V jd. -ojče
HINA *krat. za* Hrvatska informativna novinska agencija
hinduizam, -zma
hiniti, hinćći
hip
hiperboličan, -čna
hiperbolički
hiperboloid
hiperfunkcija
hiperkatalaktički

hiperosjetljiv > prcosjetljiv
hiperprodukcija
hiperrealizam, -zma
hiperrefleksija
hipersoničan, -čna > nadzvučan
hipi G jd. hipija
hipnagogički
hipnapagogičan, -čna
hipnotički
hipnoza
hipodrom
hipohondar, -dra
hipohondričan, -čna
hipokorističan, -čna
hipokoristik mn. -ici
hipostatičan, -čna
hipotaktičan, -čna
hipoteka DL jd. -cci
hipotenuza
hipotetičan, -čna
hipoteza
hipotoničan, -čna
hir mn. hiri *i* hirovi
histeričan, -čna
historičar > povjesničar
historičarka > povjesničarka
historija > povijest
historijski > povijesni
historiografija
histrion
hitac G jd. hica, mn. hici
hitar, hitra
hitati, hitajući (*bacati*)
hititi (*baciti*)
hitjeti, hitim, hićah, hitio, hitjela (*žuriti se*)
hitnja
hitroća
hitroprelja
hl *krat. za* hektolitar
hlače
hlad
hladak, -tka
hladetina
hladionica
hladionički
hladionik V sg. hladioniče
hladiti (*činiti hladnim*)
hladnoća
hladnjača
hladnjak mn. -njaci
hladnjeti, hladnim, hladnjah, hladnio, hlad-
njela (*postajati hladan*)
hlađahan, -hna
hlađan

hlađen
hlađenje *prema* hladiti
hlaptjeti, hlapim (*isparavati se, vjetriti*)
hlepiti
hlijev mn. hljcvovi
*hlor > klor
hljeb (*oblik kruha, npr.* pet hljebova kruha)
hljebac G jd. hljepca
hljepčić
hljevina *uv. od* hlijev
hmelj
h-mol (*glaz.*)
HNS *krat. za* Hrvatska narodna stranka
hobotnica (*zool.*)
hoćenje *od* hotjeti
hoćeš-nećeš *i* hoćeš-ne ćeš
hod
hodač
hodati, hodam, hodajući
hodočasnica
hodočasnički
hodočasnik mn. -ici
hodočastiti, hodočastim, hodočašćah
hodočašće
hodočašćenje
hodulje mn. ž. r.
hodža; *spaja se spojnicom s osobnim imenom:*
   Nasredin-hodža
hohotati, hohoćem, hohoćući
hohštapler
hohštaplirati
hoj!
hokej
hokejaš
hokus-pokus
Holandija > Nizozemska
holandski > nizozemski
holding N mn. holdinzi
holmij (*kem.*)
homeopatičan, -čna
Homer *ne* *Omir
homerski; homerski stih
homogen
homoseksualac, -lca
Hongkong (*grad*)
hongkonški; hongkonška gripa
honorarčiti
*hor > kor, zbor
hora (*pravi čas, pravo vrijeme*)
Horacije (*rimski pjesnik*)
horan, -rna
horizont > obzor
horizontalan > vodoravan
hortikultura

ho-ruk
hospicij (*konačište za redovnike*)
hotelijer
hotice
hotimice
hotimičan, -čna
hotjeti > htjeti
HPT usluge
hrabar, -bra
hrabriti
hrabrost, -ošću *i* -osti
hračak G jd. hračka, mn. hračci
Hradčani (*dio Praga*)
hrakati, hračcm
hraknuti
hram
hramati, hramljcm, hramljući
hrana
hranič
hranidba
hranilac, -ioca, V jd. -iočc, G mn. -ilaca
hranilački
hranitelj
hraniteljičin
hraniti, hrancći
hranjenički
hranjenik V jd. -ičc, mn. -ici
hranjenje *prema* hraniti
hranjiv
hranjivost, -ošću *i* -osti
hrapav
hrapavjeti, hrapavim, hrapavio, hrapavjcla
   (*postajati hrapav*)
hrast
hrastak G jd. hraska, N mn. hrasci
hrastić
hrastićak, -ćka, mn. -ćci
hrastovača
hrašće
hrbat G jd. hrpta
hrčak G jd. hrčka, mn. hrčci
hrđa
hrđav
hrđati, hrđajući
Hreljin (*mjesto*)
hren
hrenovka DL jd. hrcnovci, G mn. hrcnovki
hrestomatija
hrid
***hridovka** > riđovka
hripati, hripam, hripajući
hripavac, -vca
hriputati, hripućcm
hriputljiv

***hrišćanin** > kršćanin
***hrizantema** > krizantcma
hrkač (*onaj koji hrče*)
hrkački
hrkanje
hrkati, hrčcm, hrčući
hrknuti
hrliti, hrlcći
HRM *krat. za* Hrvatska ratna mornarica
Hrmanj G jd. Hrmnja (*ime samostana*)
hrom (*koji hramlje*)
***hrom** > krom (*kem.*)
hromoća
***hronika** > kronika
***hronologija** > kronologija
hropac, -pca
hroptati, hropćcm, hropćući
hrpa
hrptenica
hrptenični
hrptenjača
hrsak G jd. hrska
hrskati, hrskam
hrskavica
hrskavičan, -čna
hrskavičav
hrsus (*lupež*)
hrt mn. hrtovi (*vrsta psa*)
Hrtkovci G mn. -ovaca (*zem.*)
hrtkovački *prema* Hrtkovci
hrupiti
hruskati, hruskam
hrušt
Hrvace (*zem.*)
hrvač
hrvački
Hrvaćanin mn. -ćani
hrvaćenje *prema* hrvatiti
hrvanje *prema* hrvati sc
Hrvat
Hrvatica
Hrvatičin (*prid.*)
hrvati se
Hrvatov (*prid.*)
Hrvatska; Republika Hrvatska; Banovina Hr-
   vatska (*pov.*)
Hrvatska akademija znanosti i umjetnosti
Hrvatska demokratska zajednica
Hrvatska narodna stranka
Hrvatska ratna mornarica
Hrvatska seljačka stranka
Hrvatska socijalnoliberalna stranka
Hrvatska stranka prava
hrvatski

Hrvatski crveni križ
Hrvatski Leskovac (*mjesto*)
Hrvatski sabor
Hrvatsko filološko društvo
Hrvatsko narodno kazalište
Hrvatsko primorje
Hrvatsko ratno zrakoplovstvo
Hrvatsko zagorje
hrvatstvo (*svojstvo*)
Hrvatstvo (*zajednica Hrvata*)
Hrvoje; Hrvoje Vukčić Hrvatinić
HSLS *krat. za* Hrvatska socijalnoliberalna
 stranka
HSP *krat. za* Hrvatska stranka prava
HSS *krat. za* Hrvatska seljačka stranka
hrzati
htijenje *prema* htjeti
htjednuti, htjednem
htjeti, hoću (*enkl.* ću, *nij.* neću *i* ne ću), htjeh,
 htjedoh, hoteći *i* htijući, htio, htjela, htjevši
HTV *krat. za* Hrvatska radiotelevizija
huckati, huckajući
hučati, hučim, hučeći
hudjeti (*postajati hud*)
hudoća
huđi *komp. od* hud
hugenot
Hugo, -oa (*prezime*)
Hugo (*m. ime*)
hujati, hujim, hujeći
huk
huka DL jd. huci
hukač
hukati, hučem, hučeći
huknuti
huktati, hukćem, hukćući
hula
hulahup-čarape; hulahupke
hulitelj
huliti
huliteljičin
hulnik V jd. -iče, mn. -ici

hulja
huljenje *od* huliti
hum
Hum (*zem.*); Hum na Sutli
humak, humka, mn. humci
humanist
humanistički
humanizam, -zma
humanost, -ošću *i* -osti
humčić
humorističan, -čna
humoristički
hunjavica
hunjavičav
hurija (*dženetska, rajska ljepotica*)
Husein; Husein-beg, Husein-beg Gradaščević
husit (*pristaša Jana Husa*)
huškač
huškački
huškati, huškam, huškajući
HV *krat. za* Hrvatska vojska
hvala
hvalevrijedan
hvalitelj
hvaliteljičin
hvalisati se, hvališem se
hvalisav
hvalisavac, -vca, V jd. -vče
hvalospjev
Hvar
Hvaranin mn. Hvarani
hvarski *prema* Hvar; Hvarski kanal (*zem.*)
hvat
hvatač
hvataljka DL jd. -ljci, G mn. -ljki
hvatanje *prema* hvatati
hvatati, hvatam, hvatajući
hvatiti (*slagati u hvatove*)
HVO *krat. za* Hrvatsko vijeće obrane
hvoja (*grana*)
Hz *krat. za* herc (*el.*)

I

iako (*vez.*)
ib. *krat. za* ibidem (*na istome mjestu*)
Ibrahim (*ime*)
ibričić *um. od* ibrik
Ibsen (*norveški pjesnik*)
Ičanin (*stanovnik Ike*)
Ičići (*zem.*)
ičiji
ići, idem, iđah, idući
ićindija *i* ikindija (*popodnevna muslimanska molitva*)
ideal
idealan, -lna
idealist
idealistički
idealizam, -zma
ideja
idejnopolitički
identičan, -čna (*isti, istovjetan*)
identičnost, -ošću *i* -osti
identifikacija
ideolog V jd. -ože
ideologija
ideološki
idiličan, -čna
idiolatrija
idiom (*narječje, govor*)
idiomatičan, -čna
idiot
idol
idolopoklonički
i dr. *krat. za* i drugi, i drugo
IDS *krat. za* Istarski demokratski savez
idući, idućega
igda
igdje
igličar
igličast
igličica
ignorancija
igrač
igračica
igračka DL jd. -čki, G mn. -čaka
igrački
igračnica
igraći (*prid.*)
igrokaz

ih!
ihtijar (*starac, glavar*)
ihtiofauma
ihtiol
ihtiologija
ihtiološki
-ij (*završetak tuđih imenica:* teritorij, kriterij, *ali:* gimnazija, stipendija)
ijedan (ikakav, ikoji, *ali:* i jedan, i drugi)
ijek. *krat. za* ijekavski
ijekavac, -vca
ijekavica
ijekavka DL jd. -ki, G mn. -ki
ijekavski
ijekavština
ik. *krat. za* ikavski
ikad *i* ikada
ikakav, -kva
ikaki
ikako
ikakov > ikakav
ikamo
ikavac, -vca, V jd. -vče
ikoji
ikoliko
ikonoborac G jd. -rca, V jd. -rče
ikonoborački
ikonopisac V jd. -išče
ikričav
iks-noge (x-noge)
ikud *i* ikuda
Ilača (*zem.*)
ilegalac G jd. -lca, V jd. -lče
ilički *prema* Ilica
ilidža (*toplice);* Ilidža (*zem.*)
Ilijada
Ilijica *um. od* Ilija
ilinštak (*staro ime za mjesec srpanj*)
ilinjača (*biljka*)
Ilir (*stanovnik Ilirika*)
ilirac (*pripadnik ilirskoga pokreta*)
ilirizam, -zma
ilovača
iluzija
iluzionist
iluzionistički
imalac, imaoca, V jd. imaoče, G mn. imalaca

imati, imam *i* imadem (*nij.* nemam), imajući
imendan
imeničan, -čna
imenički
imenjak V jd. -ačc
imetak, -tka, mn. imeci *i* imetci
Imoćanin mn. Imoćani
Imoćanka DL jd. -nki, G mn. -nki
Imotska krajina
Imotski (*mjesto*)
imotski (*prid.*)
imovinskopravni
imovnik mn. imovnici (*popis imovine*)
imperativ
imperfekt
imperfektan, -tna
imperfektivan, -vna
imperij
imperijalistički
imperijalizam, -zma
import > uvoz
importirati > uvoziti
impozantan
impresario, -rija
impresija > dojam
impresionirati
impresionistički
impresionizam, -zma
improvizacija
impuls
impulzivan, -vna
imućan, -ćna
imućnik
imutak, -tka, mn. imuci *i* imutci
inače
inačica
inaćenje *prema* inatiti se
inadžija (*onaj koji se inati*)
inat (*prkos*)
inauguracija
incident
inč
inćun (*riba*)
indeks
Indiana (*država u Americi*)
indigo, -ga; indigo papir
indij (*kem.*)
Indija
Indijac G jd. Indijca, V jd. Indijče
Indijanac, -nca, V jd. -nče
indijanski *od* Indijanac
indijski *od* Indija; Indijski ocean
individualistički
individualizam, -zma

individuum, -duuma
indoeuropeistika
Indoeuropljanin mn. -ani
indoeuropski
Indoevropljanin > Indoeuropljanin
indoevropski > indoeuropski
indukcija
indukcijski
industrijalac, -lca, V jd. -lče
industrijalizacija
industrijski
Inđija (*selo u Srijemu*)
infaman, -mna
infarkt
infekciozan, -zna (*zarazan*)
inferioran
inflacija
inflacijski
influencija
informacija
informacijski
informatički
infrazvuk
ing. *usvojena međunarodna kratica za* inženjer
   (*prema fr.* ingénieur)
ingredijencija (*sastojina, začin*)
inicijal (*početno slovo*)
inicijativa
inicijator
inkognito (*nepoznat*)
inkompatibilan, -lna > nespojiv
inkubacijski
inoča
inoficijelan, -lna
inojezičnost, -ošću *i* -osti
inokorespondent
inorodac, inoroca
inorotka DL jd. inoroci *i* inorotki
inovjerac, -rca, V jd. -rče
inovjeran, -rna
inovjerka DL jd. -ki, G mn. -ki
inovjernik
inovrstan, -sna
inozemac, -mca, V jd. -mče
inspekcijski
inspektor
inspicijent
instalacijski
instancija
instrukcija
instruirati
instrument
insuficijencija
integracijski

intelektualac, -lca, V jd. -lče
interdijalekt
interfolijirati
interijer
interiora mn. s. r.
interjekcija
intermezzo (čit. intermeco)
internacionalan, -lna > međunarodni
internist
internistički
interregnum (međuvlađe)
intervencionistički
intervju G jd. intervjua
intervjuirati
intranzitivan, -vna
intriga DL jd. -gi
intuicija
intuitivan, -vna
invalidski
invarijabilan, -lna
invazijski
investicija
investicijski
investicioni > investicijski
inzistirati
inzulin
inženjer krat. ing.
inženjering mn. -nzi
injekcija
injektor
injicirati
injuktiv
iole
ion
ionako
ionizacija
iracionalan, -lna
Iračanin mn. Iračani
irački
iradijacijski
irealan > nestvaran
iredentistički
iridij (kem.)
ironičan, -čna
ironičnost, -ošću i -osti
isceriti
iscijediti, iscijedim, iscijeđen
iscijeđenost, -ošću i -osti
iscijeliti (izliječiti)
iscijeniti
iscijepati, iscijepam, iscijepan
iscjedina
iscjeđivati, iscjeđujem
iscjelitelj

iscjelivati (izljubiti)
iscjeljenje prema iscijeliti
iscjeljiv
iscjeljivati (liječiti; ns. prema svr. iscijeliti)
iscjeljivost, -ošću i -osti
iscjepkati, -am
iscrpak G jd. iscrpka, V jd. iscrpče, N mn.
  iscrpci
iscrpljenost, -ošću i -osti
iscrpljiv
iscrpljivati, iscrpljujući
iscrpljivost, -ošću i -osti
iscrpnost, -ošću i -osti
iscrpsti, iscrpem
iscrtkati
iscrvotočiti
iscuriti
iscvasti, iscvatem
iscviljeti
iscvjetati
iseliti
iseljenički
iseljenik V jd. -iče, mn. -ici
iseljeništvo
iseljenje
iseljivati, iseljujući
isfućkati
ishađati
isharčiti
isheriti (se)
ishladiti (se)
ishlapiti
ishlapjelost, -ošću i -osti
ishlapljiv
ishod
ishodati se
ishodište
ishoditi
ishođenje prema ishoditi
ishrakati, ishračem
ishrana
ishranjenost, -ošću i -osti
ishrđalost, -ošću i -osti
ishrđati
ishrliti
ishrskati, ishrskam
isijecati (ns. prema svr. isjecati)
isiječem prezent od isjeći
isijati
isijevati
isipati
isisati, isišem
isitniti
isjecati (svr. prema ns. isijecati)

isjeckati, isjeckam
isječak, -čka, mn. -čci
isjeći, isijcčcm
isjek mn. isjeci
iskačkati
iskaditi, iskađen
iskakati, iskačem
iskaliti
iskaljivati, iskaljujući
iskamčiti, iskamčcn
iskamčivati
iskandžijati
iskap; popiti na iskap
iskapčati
iskašljati
iskati, ištem
iskazivati, iskazujući
iskaznica
iskečiti
iskićen
iskihati
iskihnuti
iskipjeti, iskipim
iskititi, iskićen
isklicati, iskličem
iskličan, -čna; isklična cijena
isklještiti
iskliznuće
iskliznuti
iskljucati
isključan, -čna
isključenje
isključice
isključiti
isključiv
isključivati, -čujem
isključivost, -ošću i -osti
iskljudžba
isknjižba
isknjižiti
isknjižnina
iskobečiti
iskòčiti
iskolačiti
iskolčiti
iskončati
iskopčati
iskopčavati
iskopnjeti
iskoračiti
iskorijeniti (ali: iskorjenjivati)
iskorijenjenost, -ošću i -osti
iskoristiti, iskorišten
iskorišćivati, -šćujem

iskorjenitelj
iskorjenjiv
iskorjenjivanje
iskorjenjivati, -njujem
iskosa (pril.)
iskotiti, iskoćen
iskovrčiti
iskraj (prij.)
iskrčenje
iskrčiti
iskrčivati
iskrčmiti, iskrčmljen
iskretati, iskrećem
iskrhati, iskrham
iskričav
iskrivice (pril.)
iskrmačiti
iskrvavljenost, -ošću i -osti
iskućiti
iskuhati
iskupljati
iskusan, -sna
iskušenički
iskvačiti
i sl. krat. za i slično
islam
Islam Grčki (zem.)
Islam Latinski (zem.)
Island (zem.)
islandski
Islanđanin mn. -ani
islikati
*isljednik > istražitelj
Ismail (ime)
Ismet (ime)
ismijati (se)
ismijavati, ismijavajući
ismjehivati
ispaćenost, -ošću i -osti
isparivač
isparivati
ispasti, ispadnem
ispaštanje
ispaštati
ispatiti, ispaćen
ispeći, ispečem
ispeti se, ispnem se
ispičutura
ispijenost, -osti i -ošću
ispijevati (ns. prema svr. ispjevati)
ispirač
ispisivač
ispisivati, ispisujući
ispisnik V jd. ispisniče, N mn. ispisnici

ispitivački
ispitivati
ispjeniti se
ispjevati (*svr.*)
isplaćen
isplaćivati, -ćujem
isplahnuti
isplakati, isplačem
isplatiti, isplatim, isplaćen
isplatni
isplavjeti
ispletati, isplećem
ispličiti se (*dobiti plikove*)
isplijeviti
ispljeti > isplijeviti
ispljuvak, -vka
ispod (*prij.*)
ispodmukla (*pril.*)
ispodprosječan
ispodsljemenski (*prema* Sljeme)
ispodvlačiti
ispodžitni
ispolac, ispolca
ispolijevati
*ispoljavati (se) > pokazivati (se), očitovati
  (se)
ispomoć
ispomoći, ispomognem
ispopriječiti
isporazbolijevati se
ispoređivati, ispoređujući
isporučiti > izručiti
isposijecati
isposnički
isposuđivati
ispotiti, ispoćen
ispovijed I jd. ispovijeđu *i* ispovijedi
ispovijedalac G jd. ispovijedaoca, G mn. ispo-
  vijedalaca
ispovijedati, ispovijedajući
ispovijest I jd. ispoviješću *i* ispovijesti
ispovjedaonica
ispovjedaonički
ispovjediti
ispovjedni
ispovjednički
ispovjednik V jd. -iče, mn. -ici
ispraćaj
ispraćati
isprati, isperem
ispravak mn. ispravci
ispravan, -vna
ispravljač
ispravljački

isprazniti, ispraznim, ispražnjen
ispražnjavati *i* ispražnjivati
isprćiti, isprćen
isprečivati se *i* isprječivati se
ispred (*prij.*)
isprednjačiti
ispregrađivati
ispreko *i* isprijeko (*prij.*)
isprekrižati
isprekrštati
ispremetati, ispremećem
ispremiješati
ispremjeriti
ispremještati
ispremlaćivati
isprepletati, ispreplećem
ispresađivati, ispresađujući
ispresijecati, ispresijecam (*ns. prema svr.* is-
  presjecati)
ispresjecati, ispresjecam (*svr. prema ns.* ispre-
  sijecati)
ispreskakati, ispreskačem
isprevraćati
isprevrtati, isprevrćem
ispričati
ispričavati
ispričnica
ispriječiti
isprijeka (*sa strane*)
isprijeko *i* ispreko
isprika DL jd. isprici
ispripovijedati (*ali:* ispripovjediti)
ispripovjediti (*ali:* ispripovijedati)
isprječivati se *i* isprečivati se
isprosijecati, isprosijecam (*ns. prema svr.* pro-
  sjecati)
isprosjecati, isprosjecam (*svr. prema ns.* ispro-
  sijecati)
isprosjačiti
isprovlačiti
isprovrćivati, -ćujem
isprozebati
isprozepsti, isprozebem
isprsavati se *i* isprsivati se
isprtiti, isprćen
ispručiti
ispružač
isprva (*pril.*)
isprvice (*pril.*)
isprvičan, -čna
ispuhati, ispušem
ispunjavati *i* ispunjivati
ispunjiv
ispunjivati *i* ispunjavati

ispupčen
ispupčenje
ispupčina
ispupčiti
ispuštati, ispuštajući
istaći > istaknuti
istakati, istačem, istačući
istančan
istančati, istančam
istarski; Razvod istarski
Istarski demokratski savez
isteći, istečem (*iscuriti*)
isteći > istegnuti
isticati, ističem, ističući (*ns. prema svr.* istaknuti)
istiještiti
istiha (*pril.*)
istina (*pril.*)
istinabog (*pril.*)
istinoljubiv
istinoljublje
istisnuće
istjecati, istječem (*ns. prema svr.* isteći)
istjerati
istjerivač
istjerivanje
istjerivati
istješćivati
istkati *i* izatkati
istočan, -čna; istočna Europa, istočna Hrvatska
istočiti
istočkati
istočni
istočnik
istočnoeuropski
istočnohrvatski
istočnjački
istočnjak V jd. -ače, mn. -aci
istodoban, -bna
istodopce
istoimen
istok (*strana svijeta*); Istok (*istočne zemlje i narodi*)
istokračan, -čna
istomišljenik V jd. -iče, mn. -ici
***istorija** > povijest
istosmjeran, -rna
istosmjernost, -ošću *i* -osti
istostraničan, -čna
istovarivač
istovjerac, -rca
istovjernik
istovjetan, -tna
istovjetnost, -ošću *i* -osti

istovremen
istovremenost, -ošću *i* -osti
istovrijedan
istovrstan, -sna
istoznačan, -čna
istoznačnica (*sinonim*)
istozvučnica (*homonim*)
Istranka D L jd. -ki, G mn. -ki
istražitelj
istraživač
istraživački
istraživalački
istrčati
istrčavati
istrći > istrgnuti
istrebljavati *i* istrebljivati *i* istrjebljivati
istrebljenje *i* istrjebljenje
istrebljiv
istrebljivati *i* istrebljavati *i* istrjebljivati
istrežnjenje *i* istrježnjenje
istrgnuće
istrijebiti, istrijebim, istrijebljen
istrijeti, istrem *i* istarem
istrijezniti
istriježnjen
istrjebljenje *i* istrebljenje
istrjebljivati *i* istrebljavati *i* istrebljivati
istrježnjenje *i* istrežnjenje
istrorumunjski
istrti, istarem *i* istrem
istruliti
istrunuti
istući, istučem
istumačiti
istupiti (1. *učiniti što tupim*, 2. *izići iz reda*)
isturčiti
isukati, isučem
Isukrst
Isus; Isus Krist
isusovac, -vca, V jd. -vče
isusovački
isušiti
isuti *i* izasuti
išarati
iščačkati
iščašenje
iščašiti, iščašen
iščavrljati se
iščehati, iščeham
iščekati
iščekivati
iščeprkati, iščeprkam
iščerupati
iščešati, iščešem

iščešljati
iščetkati
iščezavati
iščeznuće
iščeznuti
iščiljeti
iščinjati, iščinjam, iščinjajući
iščistiti, iščišćen
iščišćavati
iščitati
iščitavati
iščuditi se
iščuđavati se i iščuđivati se, -đujem se
iščupati
iščupkati
iščeretati se
iščuškati
išetati, išetam i išećem
išibati, išibam
išijas
iškolovati
iškopiti
išmrkati, išmrčem
išokčiti se
išta i išto G ičega
ištetiti, ištetim, ištećen
ištrcati
išunjati se
Italija (ali: Talijan, talijanski)
itd. krat. za i tako dalje
iterbij (kem.)
i te kako
itko G ikoga
itrij (kem.)
Ivan Nepomuk; Ivan Krstitelj; Ivan Grozni
ivan-cvijet
ivančica
Ivančica (zem.)
Ivanić Grad (mjesto) G Ivanić Grada
ivanićgradski i ivanićki
Ivanić Kloštar
Ivan planina; ivanplaninski
Ivanja Reka (zem.)
Ivanje
ivanjski; ivanjski krijesovi
iverak G jd. iverka, mn. iverci
iverčić
izabrati i izbrati
izaći, izađem
izabraničin
izaći, izađem
izadjeti, izadjenem
izadrijeti, izadrem
izagnati i izgnati

Izaija (prorok)
*izakako > pošto, kad
izamljeti i izmljeti
izasijecati, izasijecajući
izasjeći, izasijecem
izasuti i isuti
izatkati i istkati
izazivač
izazivački
izažeti i ižcti
izažimati i ižimati
izbečiti
izbečivati
izberiv
izbezumiti
izbičevati, -čujem
izbijač
izbijeliti (činiti što bijelim)
izbijeljeti, izbijelim, izbijelio, izbijeljela (postati bijel)
izbirač
izbiračica
izbirački
izbirljiv
izbjeći
izbjegavati
izbjeglica
izbjeglički
izbjeglištvo
izbjegnuti
izbjeljivati
izbježiv
izblebetati, izblebećem
izblijediti (učiniti što blijedim)
izblijedjeti (postati blijed)
izbliza (pril.)
izbliže (pril.)
izbljeđivati
izbočen
izbočina
izbočiti
izboljeti
izbornički
izbrati i izabrati
izbrežak i izbrježak
izbrisiv
izbrježak i izbrežak
izbroćine
izbućiti (izbuljiti, npr. oči)
izdahnuće
izdahnuti
izdajica
izdajičin
izdajnički

izdajništvo
izdaleka (pril.)
izdalje (pril.)
izdatak, -tka, mn. izdaci i izdatci
izdavač
izdavački
izdavalac G jd. -vaoca, V jd. -vaočc, N mn.
 -vaoci
izdavalački
izdavati, izdajcm
izdavna (pril.)
izdažditi se i izdaždjeti se
izdići
izdijeliti, izdijeljen
izdijevati (ns. prema svr. izdjcnuti)
izdjeljati
izdjeljavati (ns. prema svr. izdjeljati)
izdjeljivati (ns. prema svr. izdijeliti)
izdjenuti
izdjeti, izdjcncm
izdno (prij.)
izdrijeti, izdrcm, izdro, izdrla
izdržljiv
izdubiti, izdubim, izdubljen
izdupsti, izdubcm, izduben
izginuće
izglačati
izgladniti (učiniti koga gladnim)
izgladnjelost, -ošću i -osti
izgladnjeti (postati gladan)
izglađen
izglađivati
izglodati, izglođcm
izgnanički
izgnanik V jd. -ničc
izgnati i izagnati
izgnječiti
izgonjač
izgorijevati, izgorijevajući
izgorjelica
izgorjelina
izgorjeti, izgorim, izgorio, izgorjela
izgrađenost, -ošću i -osti
izgrađivač
izgrađivati
izgrčiti se
izgrditi, izgrđen
izgrepsti, izgrebcm
izgrijati
izgrmjeti se
izgrtati, izgrćem, izgrćući
izgruhati > izgruvati
izići, izićem
izjahati, izjašcm

izjedanje
izjedipogača
izjednačen
izjednačenje
izjednačiti
izjednačivati, -čujcm
izjelica
izjelički
izjesti, izjedcm, izjeo, izjela
izješa
izješan, -šna
izlagač
izlagački
izlazak G jd. izlaska, N mn. izlasci
izlaziti, izlazcći
izleći, izležcm
izletjeti
izletnički
izliječenost, -ošću i -osti
izliječiti
izlijegati se
izlijeniti se
izlijepiti
izlijetati, izlijećcm
izlijevati, izlijevajući
izlika DL jd. izlici
izlišan, -šna
izliv > izljev
izlokati, izločcm
izložak, izloška, mn. izlošci
izlučak, -čka, mn. -čci
izlučenost, -ošću i -osti
izlučenje
izlučina
izlučiti
izlučivati
izludjeti, izludio, izludjela
izludžba
izluđivati
izlječenje
izlječiv
izljepljivati
izljev
izljubiti
izmaći > izmaknuti
izmahnitati
izmahnuti
izmaknuće
izmala (pril.)
izmalena (pril.)
izmećar (sluga)
između (prij.)
izmetati, izmećcm, izmećući
izmetnuće

izmicati, izmičem
izmijeniti
izmijenjati
izmijesiti
izmiješati
izmiljeti
izminuće
izmišljač
izmjena
izmjence
izmjenice
izmjeničan, -čna
izmjenit
izmjenljiv *i* izmjenjiv
izmjenjivač
izmjenjivački
izmjenjivanje
izmjenjivati, -njujem
izmjeran, -rna
izmjeriti
izmjerljiv
izmlatiti, izmlaćen
izmljeti *i* izamljeti
izmočiti
izmoći, izmognem
izmrčiti
izmučenost, -ošću *i* -osti
izmučiti
izmućkati
izmusti, izmuzem
izmutiti, izmućen
iznad (*prij.*)
iznadprosječan, -čna
iznadosjetan, -tna
iznajmljivač
iznajmljivački
iznajprije (*pril.*)
iznalazak, iznalaska
iznašašće
iznebuha (*pril.*)
iznemoći, iznemognem
iznenada
iznenaditi, iznenađen
iznenađenje
iznenađivati
iznevjeravati
iznevjeriti
iznići > izniknuti
iznijeti, iznesem
izniman, -mna
iznimice
iznimka DL jd. -mci, G mn. -maka
iznojiti
iznova (*pril.*)

iznovice
iznovičan, -čna
iznuđivač
iznuđivački
iznuđivanje
iznuđivati
iznutra (*pril.*)
izobičajiti se
izobijestiti se
izobila (*pril.*)
izoblačiti se
izobličavanje
izobličavati
izobličen
izobličenje
izobličiti
izobušice (*pril.*)
izocijanid
izociklički
izodavna
izodijevati
izodinamičan, -čna
izodjenuti
izodjesti > izodjenuti
izodjeti > izodjenuti
izodsijecati, izodsijecam
izofotometar
izohipsa
izokola (*pril.*)
izokretati, izokrećem
izokromatski > jednakobojan
izolacijski
izolacioni > izolacijski
izolacionizam
izometričan, -čna
izooktan
izopačavati *i* izopačivati
izopačenost, -ošću *i* -osti
izopačiti
izopćavati
izopćen
izopćenica
izopćenik V jd. -iče, mn. -ici
izopćenost, -ošću *i* -osti
izopćenje
izopćiti
izopćivati, -ćujem
izotermički
izrabljivač
izrabljivački
izračunati
izradak G jd. izratka, N mn. izraci *i* izradci
izradati
izrađen

izrađevina
izrađivač
izrađivački
izrađivanje
izrađivati
Izrael (*država*)
Izraelac, -lca
izrana (*pril.*)
izrastak, -ska, mn. -sci
izrašćivati
izrđati > ishrđati
izreći, izrečem *i* izreknem
izreda (*pril.*)
izređati > izredati
izreka DL jd. izreci
izrezak G jd. izreska, N mn. izresci
izričaj
izričan, -čna
izričit
izrijekom (*pril.*)
izrinuće
izručen
izručenje
izručiti
izručivati
izručke (*bacajući iz ruke*)
izrudžba
izučavati
izučiti
izumijevati (*ns. prema svr.* izumjeti)
izumitelj
izumiti (*poumivati*)
izumjeti (*naći umom*)
izumrće
izumrijeti, izumrem, izumrijeh, izumro, izu-
mrla
izupčati
izustiti, izustim, izušćen
izušćivati
izuvač
izuzeće
izuzetak, -tka, mn. izuzeci *i* izuzetci
izvadak, izvatka, mn. izvaci *i* izvadci
izvađač
izvađački
izvađati
izvan (*prij.*)
izvana
izvanbračni
izvanjezični (*čit.* izvan-jezični)
izvannastavni
izvanobičajni
izvanparlamentaran, -rna
izvanpartijski

izvanstranački
izvanjski
izvesti, izvedēm
izvesti, izvēzēm
izvēsti, izvézēm
izvidjeti
izvidnički
izviđač
izviđački
izviđaj
izviđati
izvijač > odvijač
izvijestiti, izvijestim, izviješten
izvikivač
izvikivački
izviše (*prij.*)
izvjesiti
izvjesno
izvjestan, -sna
izvjestitelj
izvjestiteljičin
izvješati
izvješće
izvješćivati, -šćujem
*izvještač > izvjestitelj
izvještačiti, izvještačen
izvještaj
izvještavati
izvještiti (se)
izvjetravati
izvjetriti
izvježbati
izvježbavati
izvlačenje
izvlačiti
izvlakač
izvlastiti, izvlastim, izvlašten
izvlašćivati
izvođač
izvođački
izvođenje
izvolijevati
izvoljeti, izvolim, izvolio, izvoljela
izvorčić
izvor-voda
izvoznički
izvráčati *prema* vráčati (*gatati*)
izvraćati *prema* vráćati
izvrći > izvrgnuti
izvrći > izvršiti
izvreti, izvrim *i* izvrijem
izvrgnuće
izvrh (*prij.*)
izvrijeći > izvršiti

izvrstan, -sna
izvršavati *i* izvršivati
izvršilac, -ioca, G mn. -ilaca
izvršitelj
izvršiti (1. *npr. žito*, 2. *obaviti*)
izvršivati *i* izvršavati
izvrtjeti, izvrtim
izvrvjeti
izvući, izvučem
ižariti
iždrebati > iždrijebati
iždrijebiti
iždikati se
ižeći, ižčem
ižednjeti (*postati žedan*)

iženiti
ižeti, ižanjem (*srpom*)
ižeti, ižmem (*iscijediti, istisnuti*)
ižimač
ižimati (*ns. prema svr.* ižeti)
iživjeti
iživljavati
iživljenost, -ošću *i* -osti
ižlijebiti
ižljebina
ižljebljenje
ižljebljivati
ižmikati, ižmičem
ižvakati, ižvačem

J

jabučan, -čna
jabučar
jabučara
jabučarka
jabučarov
jabučast
jabučica; Adamova jabučica
jabučić
jabučni
jabučnica
jabučnjak mn. -aci
jabukovača
jačanje
jačati, jačam, jačajući
jačina
jaćenje *prema* jatiti se
jadac G jd. jadca, N mn. jadci
jadič (*bot.*)
jadić
jadikovka DL -vci *i* -vki
jadnoća
Jadransko more
jafa naranča
jaganjčići
jagma; na jagmu
*jagnje > janje
*jagnjeći > janjeći
*jagnjetina > janjetina
*jagnješce > janješce
jagodičan, -čna
jagodičast
jagorčevina
jagorčika
jaguar
jahač
jahačica (*ona koja jaše*)
jahački
jahaći (*prid.*)
jahaćica (*zamjena pridjevu jahaći, npr.* mazga
   jahaćica)
jahaonica
jahati, jašem, jašući
jajački *prema* Jajce
Jajčanin mn. -ani
jajčar
jajnjak mn. jajnjaci
jajovod

jak *komp.* jači, *sup.* najjači
jamac G jd. jamca, V jd. jamče
jamačan, -čna
jamačno
Jamaica (*otok*); jamajka rum
jamb
jamčevan, -vna
jamčevina
jamčiti
jamičak
jampski *prema* jamb
jamski *prema* jama
jamstvo
janjčić
janje G jd. janjeta
janjeći
janješce G jd. janješca *i* janješceta
janjičar
jao!
jaoh!
jaoj!
jarac V jd. jarče; Jarac (*zviježđe*)
jarčev; Jarčeva obratnica
jarčevac, -vca (*vrsta trave*)
jarčevina
jarčić *um. od* jarac *i* jarak
jarčiti
jarčji
jarebičar
jarebičji
jarećak, -ćaka, mn. -ćaci (*jareća mješina*)
jareći
jarešce G jd. jarešca *i* jarešceta
jarič (*bot.*)
jarić *um. od* jare
jarki *komp.* jarči
jarmeni *prema* jaram
jasenovača
jasikovača
jaskanski *prema* Jaska
jasnoća
jastog mn. -ozi
jastreb
jastučac, -čca
jastučast
jastučić
jastučnica

jatački *prema* jatak
jauk
jaukati, jaučem, jaučući
javor
jazavčar
jazavčarski
jazavčji
jazz (*čit.* džez); jazz glazba
ječam, ječma
ječanje
ječati, ječim
ječerma
ječmen (*prid.*)
ječmenac, -nca
ječmenica
ječmenište
ječmičak, ječmička, mn. ječmičci, G mn. ječmičaka
ječmište
jedaći (*prid.*)
jedak, -tka; *komp.* jetkiji
jedanaest (11)
jedanaesterac, -rca
jedanaesterački
jedanaestero
jedanaestorica
jedanput; jedanputjedan (*križaljka množenja*)
jedenje *prema* jesti
jedinac V jd. jedinče
jedinčev
jedinični *prema* jedinica
jedinorođen
jedinovjerstvo
jedljiv
jednačak
jednačenje
jednačiti
jednadžba G mn. jednadžaba *i* jednadžbi
jednakodijelan, -lna
jednakodjeljiv
jednakorilac, -lca
jednakosložan, -žna
jednobožac, -bošca
jednobožački
jednobrazdni (*plug*)
jednocijevan, -vna
jednocijevka DL jd. -ki, G mn. jednocjevaka *i* jednocijevki
jednočinka
jednočlan
jednoć
jednogrb; jednogrba deva
jednoimen
jednojezičan, -čna

jednoličan, -čna
jednolučac, -čca
jednoljetan, -tna
jednoljetkinja
jednomjeran, -rna
jednonedjeljni
jednoobrazan, -zna
jednook
jednopostotni
jednosjed
jednosmjeran, -rna
jednostaničan, -čna
jednotjedni
jednotračan, -čna
jednovjerac, -rca, V jd. -rče
jednovjeran, -rna
jednovjerka DL jd. jednovjerci *i* jednovjerki
jednovremen
jednovremenik
jednovremenost, -ošću *i* -osti
jednovrijedan, -dna
jednoznačan, -čna
jednozvučan, -čna
jednožičan, -čna
jednjak mn. jednjaci
jedrenjača
jedričav
jedriličar
jedriličarski
jedriličarstvo
jedro, jedara
jedrenje *prema* jedriti
jeđenje *prema* jediti se
jeftin
jeftinoća
Jejupka
jeka DL jd. jeci
Jelačićev trg
Jelas polje
jelečić *um. od* jelek
je li
jelić
jemač > berač
jenski *prema* Jena; jensko staklo
jenjati
jeremijada (*tužaljka*)
Jeruzalem
jestan, jesna (*potvrdan*)
jestvenik
jeti, -ija
jetra G mn. jetara (mn. sr. r.)
jetren
jetrenjača
*jetrnji > jetren

*jevtin > jeftin
jezgričast
jezgričav
jezičac, -čca
jezičak, -čka, mn. -čci, G mn. -čaka
jezičan, -čna
jezičar
jezičara
jezičast
jezičav
jezičina
*jezički > jezični
jezični
jezikoslovlje
jezuit (isusovac); Jezuitski trg
ježak G jd. ješka, mn. ješci
ježđenje prema jezditi
Joakim
jod tinktura > jodna tinktura
joga DL jd. jogi
jogi G jd. jogija
joha DL jd. johi
jo-jo (igračka)
Josipdol (zem.)
jr. krat. za junior (mlađi)
jubilej
jučer
jučerašnji
jug (strana svijeta); Jug (južne zemlje i narodi)
jugo (s. r. vjetar)
jugoistočni
jugoistočnjak
jugoistok
jugo-jugoistok
jugo-jugozapad
Jugoslavija
jugoslavenski
jugozapad

jugozapadan, -dna
jugozapadnjak
juha DL jd. juhi
*juli, -ja > srpanj
Julija (žensko ime)
Julijan
julijanski prema Julije; julijanski kalendar
Julije
Julijske alpe
*julski > srpanjski
junačan, -čna
junačenje
junačina
junačiti (se)
junački
junak V jd. -ače, mn. -aci
junaštvo
junčić
juneći
*juni, -ja > lipanj
junior
*junski > lipanjski
Jupiter, -cra
Juraj G jd. Jurja
juridički
jurisdikcija
jurist (pravnik)
jurjevski
Justinijan
jutarnji
južni; Južna Amerika (kontinent), južna Hrvat-
    ska (južni dio Hrvatske)
južni Slaveni (po geografskom smještaju)
Južni Slaveni (kao etnička zajednica)
južnoamerički
južnohrvatski
južnoslavenski
južnjački

K

k (*i* ka ispred *k, g*); k vragu!
kabaničar
kabao, kabla
kabel, kabela
kabelogram
kabelopolagač
kablić
kabriolet
kačara
kačica *um. od* kaca
Kačić; Andrija Kačić Miošić G Andrije Kači-
  ća Miošića
kačiti
kačkanje
kačkati
kačkavalj (*sir*)
kačket
kačkavica (*bljuzgavica*)
kaćiperka D L jd. -rki
kaćun (*gomolj*)
kaćuniti se
kad(a)god *i* kad(a) god
kada-tada
kadija (*sudac*)
kadikad
kadilac G jd. kadioca, V jed. kadioče
kadionica
kaditi, kadeći, kađen
kadli (*vez.*)
kadmij (*kem.*)
kadšto
kad-tad
kađenje *prema* kaditi
*kafa > kava
kafić
kaić (*čamac*)
Kain (*sin Adama i Eve*)
Kairac *prema* Kairo
Kairo
kairski *prema* Kairo
kaiš (*remen, pojas*)
kajita
kajkavac V jd. kajkavče
kakadu, -dua, -duu, mn. -dui
kakao, kakaa
kakaovac
kakav, kakva

kakavgod *i* kakav god
kakav-takav
kaki boja (*boja zemlje*)
kakofoničan, -čna
kakogod *i* kako god
kako kad
kako mu drago
kakono
kako-tako
kakotati, kakoćem
kakvoća
kakvoćni
kal G jd. kala
kalača
kalan, -lna (*blatan*)
kalcij (*kem.*)
kalcijev
Kaldeja
kaleidoskop
Kali (mn. ž. r.), G Kali, DLl Kalima
kalibar, -bra
kalif
kalifornij (*kem.*)
kalij (*kem.*)
kalijev
kalinjača (*biljka*)
Kaliopa (*muza epskoga pjesništva*)
kalo
kaloričan, -čna
kalorički *prema* kalorika
kalorimetar, -tra
kalorimetrički
kalp
kaluđer
kaluđerica
kalvinistički
kaljače
kamate (mn. ž. r.)
kamatni
kamčiti
kamečak, -čka, mn. -čci
kameleon
kamen; alem-kamen
kamenčić
kamenčina
Kamengrad
kameničnica (*biljka*)

kamenorezac V jd. kamenorešče
kamenorezački
kamenjarka DL jd. -rci i -rki, G mn. -rki
kamfor
kamgarn (*vrsta tkanine*)
kamičak, -čka, mn. -čci
kamikaze, -ca
kamion
kamogod i kamo god
kamoli
Kanaan (*staro ime Palestine*)
Kanađanin mn. Kanađani
Kana Galilejska (*biblijsko mjesto*)
kanal
kanalčić
kanalić
kanalski
kanatka (*vrsta jabuke*)
kanconijer
kandelabar, -bra
kandilo
kandža
kandžija (*bič*)
kanonički
kanj i kanjac (*riba*)
kaos
kao što
kaotičan, -čna
kapati, kapam, kapajući
kapelnički
kapičast
kapitalistički
kapitel, -tela
kapriciozan, -zna
kapuljača
Karadžić
karakter
karakterističan, -čna
karanfil
karat, karata; 18-karatni
karbid
karbidni
karbon papir
kardiokirurgija
karijatida
karijera
karijeristički
karijes
karikaturistički
karlični; karlična kost
Karlovac, -vca
karlovački *prema* Karlovac
Karlovčanin mn. -ani
Karlo Veliki

karmelićanin N mn. karmelićani
karmelićanka
kartotečni
kartoteka DL jd. -cci
kasač
kasačica
kasnilac G jd. -ioca, G mn. -ilaca
kasno *komp.* kasnije
kasnobarokni
kasnjeti, kasnim, kasnio, kasnjela
Kastav G jd. Kastva
Kastavac, -vca, V jd. -vče
kastavski
Kastavština
kastracijski
kaštel, -cla
Kàštela
kaštelanski
Kaštel Gomilica
Kaštel Kambelovac
Kaštel Novi
Kaštel Stari
Kaštel Sućurac
Kaštel Štafilić
katalektički (*stih*)
katarčica *um. od* katarka
katarinčica
kategoričan, -čna (*bezuvjetan, siguran*)
kateheta (*vjeroučitelj*)
kation (*el.*)
katkad(a)
katoličanstvo
katolički
katolištvo
kauboj
kauč
kaučuk
kaurin (*nevjernik*)
kaustički (*izjedajući*)
kava
kaveni; kaveni mlinac, kavena žlica
kavin; kavin nadomjestak
kavgadžija (*svadljivac*)
kavijar
kavotočje
kavžiti se
kazačok
kazaljka DL jd. -ljci i -ljki, G mn. -ljki
kazivač
kazivačica
kaznenopopravni
kaznenopravni
kaznionica
kazuistički

kažnjavati
kažnjenički
kćer v. kći
kćerka DL jd. kćerki *i* kćerci
kći G jd. kćeri, A jd. kćer
kečiga DL jd. -gi
kemičar
kemičarka
kemičarski
kemija
kemijski
kenozojski *prema* kenozoik
kentum-jezici
Keops; Keopsova piramida
keramičar
keramičarka D jd. -rki
keramički
keramika DL jd. -ici
Kerempuh V jd. -ušc
kesedžija > razbojnik
kg *krat.* za kilogram
Khuen-Héderváry (*prezime*)
kHz *krat.* za kiloherc
kič
kičast
kičica (*biljka*)
*kičma > kralježnica, ali *biti bez kičme*
kićanka (*na fesu*)
kićen
kićenost, -ošću *i* -osti
kićenje *prema* kititi
kielski *prema* Kiel
kihati, kišem
kihavica
kijača
kijamet (*oluja*)
Kijev (*grad*)
Kijevo (*selo*)
kikiriki, kikirikija
kilogrammetar, -tra
kilovatsat
kilovoltamper
kilovoltmetar, -tra
kiljer (*kućerak*)
Kina
kina-vino
kina-srebro
kinđuriti se
kineski
Kineskinja
Kinesko more
Kinez
kinooperator
kinopredstava

kinoreklama
kinjenje
kinjiti
kiosk mn. kiosci
kipjeti, kipim, kipljah, kipio, kipjela
kipljenje *prema* kipjeti
kiptjeti, kiptim
kipuć (*prid.*)
*kipući (*pril.*) > kipćći
kirurgija
kirurški
kiseljača
kiseo, kiscla
kisičan, -čna (*od* kisik)
kisnuće
kišiti
kišnjača (*žaba*)
kišomjer
kišomjerni
kišovit
kitničarka DL jd. -ki, G mn. -ki
kitolovački
kivi, kivija
klačenje *prema* klačiti
klačiti
klaćenje *prema* klatiti
klađenje *prema* kladiti se
klanjalac G jd. -njaoca, G mn. -njalaca
Klanjec (*zem.*)
klanječki *prema* Klanjec
klaonica
klaonički
klasičan, -čna
klasičar
klasić
klasika DL jd. -ici
klatež, -ži
klati, koljem, klah
klaun
klauzula
klavičembalo (*glaz.*)
klavijatura
klečak, -čaka
klečati, klečim
klečećki
klečica (*biljka*)
klečka
*kleći > kleknuti
kleknuti, kleknem
klekovača (*rakija*)
klen (*drvo*)
klepčica
klepetati, klepećem
klerofašistički

klevetati, klevećem
klevetnički
kličak, -čka
kličica *um. od* klica
klijačica
klijent G mn. klijenata
klijentela
kliješta
klijet, klijeti
klijetka DL jd. -ki, G mn. -ki
klik-klak
kliktati, klikćem, klikćući
klimakteričan, -čna
*klima uređaj > klimatski uređaj
klinčac, -čaca (*karanfil*)
klinčanica
Klinča Selo
klinčenjak mn. -aci
klinčić
klinčiti
klin-čorba
klinički
klinika DL jd. -ici
Klio G jd. Klije (*muza povijesne znanosti*)
kliring mn. -nzi
klirinški
klišej
klizač
klizačica
klizački
klizak, -iska
klizaljka DL jd. -ljci *i* -ljki
klizati se, kližem se
klobučac, -čca
klobučar
klobučarica
klobučarnica
klobučast
klobučić
klobučina
klobučnica (*vrsta gljive*)
klokoč, -koča
klokočika
klopotac G jd. klopoca, mn. klopoci
klokotati, klokoćem, klokoćući
klor *ne* *hlor
kloroform
klorovodičan, -čna
klorovodik
Kloštar Podravski (*zem.*)
klubašce *um. od* klupko
klupčast
klupčati
klupče, -cta

klupčica *um. od* klupa
klupčić
klupko G mn. klubaka
kljen (*riba*)
kljenut G jd. kljenuti
klještica *um. od* kliješta
ključ; C-ključ (*glaz.*)
Ključ (*zem.*)
ključanica
ključanje *prema* ključati
ključar
ključarica
ključarski
ključati, ključam
ključić
ključki *prema* Ključ
ključni; ključna kost
ključnjača (*med.*)
kljuka DL jd. kljuki
kljunaš
kljunčić
kljunčina
kljunorožac, -ošca
kljuvati, kljujem
km *krat. za* kilometar; km^2 *krat. za* kvadratni kilometar
kmečati, kmečim
kmetičin
kmetić
kmetski
kmetstvo
kn *krat. za* kuna (*novac*)
kneginja
kneštvo
knez V jd. kneže, mn. knezovi
knežev
knežević
kneževina
knock-out (*šport.*)
knj. *krat. za* knjiga
knjiga DL jd. knjizi
knjigodržač
knjigoveški
knjigoveža
knjigovežnica
knjigovodstvo
knjigovođa
knjigovotkinja
knjiški
knjižara
književnički
književnojezični
književnopovijesni
književnost, -ošću *i* -osti

knjižidba
knjižničar
k. o. *krat. za* knock-out (*šport.*)
koadjutor (*pomoćnik biskupa*)
koalicija
koalicijski
koautor
kobac G jd. kopca, V jd. kopče, G mn. kobaca
kobača
kobačiti
kobalt (*kem.*)
kobasičar
kobasičarnica
kobilični
kocka DL jd. kocki
koča > koća
kočanica (*vrsta blitve*)
kočenje *prema* kočiti (sc)
kóćić *i* kolčić *um. od* kolac
kočija
kočijaš
kočijaški
kočijica
kočina *i* kolčina *uv. od* kolac
kočiti (se)
kočni
kočnica
kočničar
kočnički
kočoperan, -rna
kočoperiti se
koća (*vrsta mreže*)
koćenje *prema* kotiti (sc)
kodein
koeficijent
koegzistencija
kofein
koferčić
kohezijski
koincidencija (*supostojanje*)
kojegdje
kojekad
kojekakav, -kva
kojekako
kojekud(a)
koješta G jd. koječega
kojetko G jd. kojekoga
koji
kojigod *i* koji god
koji mu drago
kojiput *i* koji put
kojot (*stepski vuk*)
kokain
kokoćenje *od* kokotiti sc

kokodakati, kokodačcm, kokodačući
kokošji
kokotac G jd. kokoca, mn. kokoci
kokotati, kokoćcm
kokotić
kolaboracionistički
kolac G jd. kolca i koca, mn. kolci
kolač
kolačić
kolajna
kolan, kolna (*prid.*)
kolce G jd. kolca *um. od* kolo
kolčenje
kolčić *um. od* kolac
kolčina
kolčiti
kolebljiv
koledž
koleđanin *prema* koleda
kolega DL jd. -gi
kolegica
kolegičin
kolegijalan, -lna
kolegij
kolektivan, -vna
kolektivistički
koleričan, -čna
kolesterol
kolibrić
količ (*koji koli vinograd*)
količak, -čka *um. od* kolik
količina
količnik mn. -ici
kolijevčica
kolijevka DL jd. -vci, G mn. kolijcvaka, koljc-
   vaka *i* kolijevki
kolikoća
kolikogod *i* koliko god
koliko mu drago
koliko-toliko
kolni
kolnica
kolnik mn. -ici
Koločep
kolofonij
koloid
kolokvij
kolonijalan, -lna
kolonist
kolonistički
kolonjska voda
kolorfilm > film u boji
kolorsnimka > snimka u boji
kolosiječni

kolosijek mn. kolosijeci
kolotečina
kolotoč (biljka)
koloturić
kolovođa
kolovoski prema kolovoz
kolovrtac, -vrca (biljka)
*kolski > kolni
koludrički
kolutić
koljač
koljački
kolje zb. prema kolac
koljence G jd. koljenca, um. od koljeno
koljenčast
koljenčiti
koljenica
koljenični
koljeno
koljenović
koljenje prema koliti
komadić
komadićak, -ćka, mn. -ćci
komarac, -rca, V jd. -rče
komarča > podlanica (riba)
komasacijski
kombajn
kombinacijski
kombinatorički
kombine, -ca
komedijant > komedijaš
komedijaš
komedijati, komedijam
komediograf
komentirati
komercijalac, -lca, V jd. -lče
komercijalan, -lna
komercijalist
komercijalistički
komesarijat
komešati se
komfor
komičan, -čna
komičar
komičarka
komičiti se
Kominterna (pov.)
komisija
komisijski
komisionalan, -lna
komisioni (posrednički)
komiški prema Komiža
komorač
komornički

komovača (rakija)
kompaktan, -tna
kompanjon
komparacija
kompendij
kompenzacija
kompenzirati
kompilacija
kompjutor i komputor (računalo)
kompjutorski
kompleks
komračiti
komšija > susjed
komunikej
komunist
komunistički; Komunistički manifest (pov.)
konačan, -čna
konačar
konačenje
konačić
konačiti
konačnica
konačno
Konavli, -vala
Konavljanin mn. -ani
Konavoka DL jd. -oci
konavoski
koncentričan, -čna
koncepcijski
koncept
koncern
koncilijantan, -tna
koncipijent
končan, -čana
končar
končati, končam, končajući
končić
kondicionalan, -lna
kondotijer
konfederacija
konfekcijski
konfesionalan, -lna
konfuzan, -zna
konfuzija
kongenijalan, -lna
koničan
konkordancija; kompjutorska konkordancija
konopac, -pca, G mn. -paca
konopčar
konopčić
konoplja
konopljani
konsekutivan
konsignacijski; konsignacijsko skladište

konsonant
konstantan, -tna
konstatacija
konstitucija
konstitucionalan, -lna
konstruirati
kontejner
kontinuitet
kontraadmiral
kontrabas
kontraizjava
kontraobavještajni
kontraofenziva
kontraoktava
kontraprijedlog
kontrastan, -sna
kontrašpijunaža
kontroverzija
konvencionalan, -lna
konzekventan, -tna (dosljedan)
konzerva
konzilij
konzistorij (vijeće kardinala)
konzul
konzum
konjak
konjanički
konjanik V jd. -ičc, mn. -ici
konjaništvo
konjic; Konjic (zem.)
konjičak, -čka, mn. -čci
konjičić
konjički
konjić
konjogojac, -jca
konjotržac, -ršca, -ršcc
konjovodac G jd. konjovoca
Konjščina i Konjšćina (zem.)
konjščinski i konjšćinski prema Konjščina i
  Konjšćina
konjugacija
konjunktivitis
konjunktura
kooperacija
kooptirati
koordinacija
koordinate
kopač
kopačica (žena koja kopa)
kopačina
kopaći (prid.)
kopaćica (zamjena pridjevu kopaći, npr. mo-
  tika kopaćica)
Kopar, Kopra (zem.)

kopča G mn. kopči
kopčanje prema kopčati
kopčati, kopčam, kopčajući
kopčev prema kobac
kopejka DL jd. -jki
kopitac G jd. kopitca (biljka)
kopljača
kopljanički
koplje G mn. kopalja
kopnjenje prema kopnjeti
kopnjeti, kopnim, kopnjah, kopnio, kopnjela
koprena
koprivić (bot.)
koprivnjača
kor (zbor)
koračaj
koračanje
koračati, koračam, koračajući
koračić um. od korak
koračiti
koračnica
korać
korak-dva
koral, -ala
koralni
koralj
koraljni
korbač
korbačić
Korčula
Korčulanin mn. -ani
Korčulanka
korčulanski
Kordiljeri (zem.)
Kordun
Kordunaš
kordunaški
Koreja (zem.)
Korejac, -jca
korejski
korektan, -tna
Koreničanin prema Korenica
korenje prema koriti
koreograf
korepeticija
korepetitorij
korespondencija
korespondent
koričiti
koričnjak mn. -aci
korijandoli
korijen mn. korijeni i korjenovi
korijenak, -nka, mn. -nci
korijenski

korijenje *zb. prema* korijen
Korinćanin *prema* Korint
korisnica
korisnik mn. -nici
korisnost, -ošću *i* -osti
korist, -ošću *i* -osti
korist (*pjevač u koru*)
koristan, -sna
koristica (*pjevačica u koru*)
koristiti, koristim, korišćah, korišten
koristoljublje
koritašce
korječak, -čka, mn. -čci *um. od* korijen
korjenčić
korjenika DL jd. -ici
korjenit
korjenodubac, -upca
korjenjak, -aka, mn. -aci
kornjača
kornjačevina
koromač
korotnički
korporacija
korporativan, -vna
korumpirati
korupcija
Korušac *prema* Koruška
koruški *prema* Koruška (*zem.*)
korzički *prema* Korzika
Korzika DL jd. -ici
korzo, korza
kosac, kosca, mn. kosci
kosačica
kosidba G mn. kosidaba *i* kosidbi
kosilac > kosac
kosinus
kositar, -tra (*kem.*)
kositren
kosmeć, -ćća (*rak*)
kosnik mn. -ici (*brod.*)
kosović
Kosovo; Autonomna Pokrajina Kosovo
Kosovo polje (*polje*)
Kosovo Polje (*mjesto*)
kost I jd. košću *i* kosti
kostajnički *prema* Kostajnica
Kostarika DL jd. -ki (*zem.*)
kostreš (*riba*)
kostrešljiv
kostrešljivost, -ošću *i* -osti
*kostret > kostrijet
kostretan, -tna
kostriješiti se, kostriješim se
kostrijet, -ti

košarač
košarački
košarka DL jd. -rki
koščan *i* koštan
koščat *i* košćat
koščev
koščica *i* košćica (*mlada kost*)
koščina
koščunast *i* košćunast > koštunjav
koščurina *i* košćurina *uv. od* kost
košćura
košić
koštan, -ana
koštica (*bot.*)
koštičav
koštuničav
koštunjača
koštunjav
kotac G jd. koca, mn. koci
kotač
kotačić
kotao, -tla, mn. -tlovi
kotaričica
kotlača
kotlić
kotlokrpa
kotuljač
koturača
koturić
kovač
kovačev
kovačija
kovački
kovačnica
kovčeg mn. -czi
kovčežić
kovrča
kovrčanje
kovrčast
kovrčati, kovrčajući
kovrčica
kovrtač
kozacki
kozak V jd. -ačc, mn. -aci; Kozak (*etn.*)
kozaričin
kozičav
kozjevina
kozlić
kozmetičar
kozmetičarka DL jd. -ki, G mn. -ki
kozmetički
kozmetika DL jd. -ici
kozmički > svemirski
kozmonaut

kozmopolit
kozmos > svemir
kožarnica
kožuh mn. -usi
kračati (*postajati kratak*)
kračina (*kratkoća*)
kračun
kraćahan, -hna
kraćati (*postajati kraći*)
kraćenje *prema* kratiti
kraći *komp. od* kratak
kradljiv
kradljivac, -vca, V jd. -vče
kradljivičin *prema* kradljivica
krađa
krajičak, -čka, mn. -čci, G mn. -čaka
krajišnički
krajišnik mn. -ici
krajiški
krajnost, -ošću *i* -osti
krajnji, -ega
kralješ, -ijcša (*čislo, brojanica*)
kralješnjak, kralježak *i* kralježnjak
kraljevati, -ljujem
Kraljevčanin *prema* Kraljevica
Kraljevica (*zem.*)
kraljevički *prema* Kraljevica
kraljević
kraljevna DL jd. -ni
kralježak, - eška, N mn. -cšci, G mn. -cžaka
kralježnica
kralježnjak mn. -aci
kraljičin
kraljić
Krapinske Toplice (*mjesto*)
krasan, -sna
krasnorječiv
krasnorječivost, -ošću *i* -osti
krasnorječje
krastača
krastavac, -vca, V jd. -vče
krasti, kradem, kradući
Krašić (*zem.*)
kratak, -tka, *komp.* kraći
kratkoća
kratkoročan, -čna
kratkovječan, -čna
kratkovjek
kratkovremen
kratkovremenost, -ošću *i* -osti
kraul (engl. crawl, *šport*)
kravačac, -čca (*bot.*)
Kravaršćanin *prema* Kravarsko
kravlji

krč, krča (*iskrčena ledina*)
krčag
krčanik
Krčanin mn. -ani *od* Krk
krčati, krčim, krčeći
krčažić
krčenik mn. -ici
krčenje *prema* krčiti
krčevina
krčevnjak (*kamen*)
krčidba
krčilac, -ioca, G mn. -ilaca
krčilački
krčitelj
krčiteljski
krčiti
krčki *prema* Krk; Krčki statut
krčma
krčmar
krčmarica
krčmaričin
krčmiti
kreacija
kreč > vapno
krečan, -čna > vapnen
krečana > vapnara
krečanje *prema* krečati
krečati, krečim (*kriještati*)
krečenje *prema* krečiti
krečiti, krečim (*bojiti krečom*)
Krećanin *od* Kreta
kreketati, krekećem, krekećući
kremaljski *od* Kremlj
kremečak, -čka, mn. -čci, G mn. -čaka
kremenčić
kremenjača
kremičak -čka, mn. -čci, G mn. -čaka
Kremlj
krepak, -pka *komp.* krepkiji *i* krjepak *komp.* krjepkiji
krepčina *i* krjepčina
krepilo *i* krjepilo
krepkoća *i* krjepkoća
krepkost *i* krjepkost, -ošću *i* -osti
kreposnica *i* krjeposnica
kreposnik *i* krjeposnik V jd. -iče, mn. -ici
krepost *i* krjepost, -ošću *i* -osti
krepostan *i* krjepostan, -sna
kreppapir
krepsaten
kresati
kresivo
kresnuti
kreševo

Krešimir, Krešimir Veliki, Krešimir Četvrti
kreštalica
kreštati, krcštim, krcštcći
kreštavac, -vca, V jd. -vče
kreštelica > krcštalica
kretač
kretalac, -aoca, G mn. -alaca
krevetac G jd. krcveca i krevetca, mn. krevcci
  i krevetci
kretati, krcćcm, krcćući
krevetić
krhak, krhka; komp. krhkiji
krhati, krham
krhko (pril.)
kričalo
kričati, kričim, kričeći
kričav
krijepiti, krijepim, krijepljah, krijepljen
krijepljenje prema krijepiti
krijes mn. krcsovi
krijesiti se
krijesnica
krijumčar
krijumčariti
krilce, -lca, G mn. -laca
krilonožac, -ošca, V jd. -ošče, N mn. -ošci, G
  mn. -ožaca
kriminalac, -lca
kriminalist
kriminalistički
kriminalistika DL jd. -ici
Krimljanin mn. -ani od Krim
krioce > krilce
kriomice
Krist ne *Hrist; Isus Krist
kristalan, -lna
kristaličan, -čna
kristijanizacija
kristijanija (šport.)
kriščica um. od kriška
Krišpolje (zem.)
kriterij
kriterijski
kriti, krijcm
kriticistički
kriticizam, -zma
kritičan, -čna
kritičar
kritički
kritičnost, -ošću i -osti
kritika DL jd. -ici
kritosjemenjača
kriv komp. krivlji
krivača

kriviičan, -čna
krivičnopravni
krivljenje prema kriviti (se)
krivobožac G jd. -ošca, V jd. -ošče
krivook
Krivopućanin prema Krivi Put (zem.)
krivovjerac, -rca, G mn. -raca
krivovjeran, -rna
krivovjerje
krivovjerka
krivovjernički
krivovjernik V jd. -iče, mn. -ici
krivovjerstvo
krizantema
krizma
križaljka DL jd. -ljci
križanac, -nca
križevački od Križevci
križić
križopuće (raskrižje)
krjepak, -pka komp. krjepkiji i krepak komp.
  krepkiji
krjepčina i krepčina
krjepilo i krepilo
krjepkoća i krepkoća
krjepkost i krepkost, -ošću i -osti
krjeposnica i kreposnica
krjeposnik i kreposnik V jd. -iče, mn. -ici
krjepost i krepost, -ošću i -osti
krjepostan i krepostan, -sna
Krka DL jd. Krki (rijeka)
krkačiti (nositi na leđima)
krletka DL jd. -ki
krljušt, -ti (ljuska u ribe)
krmača
krmak G jd. krmka, V jd. krmče
krmčić
krmeljiv
krmljenje prema krmiti
krnj komp. krnji
krnjiti
kroatist
kroatistički
kroatizam, -zma
kročenje prema kročiti
kročiti
kroćenje prema krotiti
krojač
krojačica
krojački
krojačnica
kroki, -ija (nacrt, skica)
krom; krom-čelik
kromatičan

kroničan, -čna
kroničar
kroničarski
kronika DL jd. -ici
kronologija
kronološki
kronometar
kropiti > škropiti
kros; kroskontri, -ija
krosred (prij.)
*krošto (pril.)
krotak, -tka; komp. krotkiji
krotilac > krotitelj
krotkoća
krović
krovnjača
krpač
krpelj, -elja
krpenjača
krpež, -ža
krsni prema krst; krsni list
krstarički prema krstarica
krstaški prema krstaš
krstić
krstionica
krstitelj
krstiti, krštah, kršten
kršćanin mn. -ani
kršćanka DL jd. -ki
kršćanstvo
krški od krš
*kršljav > kržljav
kršten od krstiti
krštenje prema krstiti
krtičji
krtičin
krtičnjak
krući komp. od krut
krućina > krutost
kruh V jd. kruše
kruhoborac, -rca, V jd. -rče
kruhoborački
krumpir
krumpirača
krunčica
krunidba G mn. -daba
kruniti; ne *krunisati
krunjača (stroj za krunjenje kukuruza)
krunjenje prema kruniti
krupičav
krupnoća
krupnook
krušac, -šca
kruščica

kruščić
kruška DL jd. -ški i -šci, G mn. -šaka
kruškovača
krut komp. krući
krutiti, krućah, krućen
kružić
krvničiti
krvnički
krvnik V jd. -iče, mn. -ici
krvništvo
krvoločan, -čna
krvolok V jd. -oče, mn. -oci
krvološtvo
krvoproliće
krvosljednik
krvotočina
krvotočje
krzmati, krzmajući
kržak, -aka (vrsta duhana)
kržljav
kržljaviti
kržljavost, -ošću i -osti
KS krat. za konjska snaga
Ksantipa
ksenon (kem.)
kubičan, -čna; kubični metar (krat. m^3)
kubist
kubistički
kučad, -di
kučak, -čka, V jd. -čku
kučast
kučati, kučam
kuče, -cta
kučetina uv. od kučka
kučica um. od kuka i kučka
kučine (vlakno konoplje)
kučji
kučka DL jd. -čki
kučkin
kučkić
kučma (vrsta šubare)
kuća
kućanica
kućanski
kućanstvo
kućar
kućarica
kućarina
kućariti
kućedomaćin
kućegazda
kućenje prema kućiti
kućer (koliba)
kućerak, -rka

kućerina
kućetina *uv. od* kuća
kućevan, -vna
kućevlasnica
kućevlasnički
kućevlasnik mn. -ici
kući (*pril.*)
kućica *um. od* kuća
kućište
kućiti
kućni *od* kuća
kućurina
kud *i* kuda
kudagod *i* kud(a) god
kuda mu drago
kudikamo
kudilac, -ioca, V jd. -iočc, G mn. -ilaca
kuenovac (*pristaša Khuen-Héderváryja*)
kudjelja
kudjeljka
kudjeljni
kuđenje *prema* kuditi
kuglični
kuhač
kuhača
kuhar
kuharičin
kuhati
kuhinja
kuhinjski
kujundžija (*zlatar*)
kukac, -kca, V jd. -kčc
kukavičan, -čna
kukavičica
kukavičić
kukavičji
kukavički
kukavičluk
kukčev *prema* kukac
kukčić
kukičanje
kukuljača
kukurijek
kukurijekati, kukurijcčcm, kukuriječući
kukurijekavac *i* kukurikavac
kukurikati *i* kukurijekati
kukurikavac *i* kukurijekavac
kukuruščić
kukuruz
kukuružnjak
kulački
kulen *i* kuljcn
Kulen Vakuf
kuli, -ija (*nosač*)

kulučenje
kulučiti
kuljen *i* kulen (*vrsta kobasice*)
kumčad, -di
kumče, -eta
kumičin *prema* kumica
kumić
Kumova slama (*astr.*)
Kumrovec, -vca
kumrovečki *prema* Kumrovec
kundačenje
kundačić
kundačiti
kunić
kunićar
Kunišćak *i* Kunišćak (*predio i potok u Za-grebu*)
kunjati, kunjam
kupac, -pca, V jd. -pčc
kupač
kupačica
kupaći (*prid.*)
kupališni
kupaonica
kupčev
Kupčina (*zem.*)
kupe, -ca
kupić
kupiti, kupljah, kupljcn
kupka DL jd. -pki, G mn. -paka *i* -pki
kûpljēnje *prema* kûpiti
kupoprodaja
kupoprodajni
Kur'an
kurij (*kem.*)
kuriozan, -zna
kurjačić
kurjačina
kurjački
kurje oko
kurs (*smjer, tečaj*)
kurtoazija
kurziv (*koso tiskano pismo*)
kušač
kušaonica
kutak, -tka, mn. kuci *i* kutci
kutić
kutijica
Kutjevo (*zem.*)
kutjevski *od* Kutjevo
kutomjer
kuverta
kvačica
kvačilo

kvačiti
kvadar, -dra (*mat.*)
kvadrant
kvadratičan
kvadrijenij (*četverogodište*)
kvadrumvirat (*odbor četvorice*)
kvakati, kvačcm, kvačući
kvalifikacija
kvalifikacijski
kvarc; kvarclampa
Kvarnerski zaljev
kvart (*gradska četvrt*)
kvartalni
kvatrilijun

kvatročento
kvaziznanstven
kvečati, kvcčim, kvcčcći
kvičati
kvijentizam (*vjerska sljedba koja teži za mirom*)
kvintilijun (*broj*)
kvislinški *prema* kvisling
kvocati
kvocijent
kvočka DL jd. -čki, G mn. -čaka
kvrčati, kvrčim
kvrga DL jd. -gi *i* -rzi
kvrgavost, -ošću *i* -osti

L

l *krat.* za litra
labijal
labijalan, -lna
Labinac, -nca, V jd. -nče
labiodentalan, -lna
labiovelaran
laboratorij
laboratorijski
labuđi
laburist
laburistički
laćati se
lađa
lađar
lađariti
lafeta (*voj.*)
lagačak, -čka
*lahko > lako
lahor
lahoriti
laički
laik V jd. laiče, N mn. laici
lajdenska boca (*fiz.*)
lak *komp.* lakši
lakaj (*sluga*)
laknuti
lakoatletičar
lakoatletski
lakoća
lakomčina
lakomičina
lakomljenje *prema* lakomiti se
lakorječiv
lakorječivost, -ošću *i* -osti
lakouman, -mna
lakovjeran, -rna
lakovjernost, -ošću *i* -osti
lakozapaljiv
lampion
lančan
lančanik
lančast
lančić
lani
lanjski
Lapac, -pca (*zem.*)
lapački *od* Lapac

Lapad, -da (*zem.*)
lapadski *od* Lapad
Lapađanin *od* Lapad
Lapčanin *od* Lapac
lapsus; lapsus linguae (*pogreška u govoru*),
 lapsus calami (*pogreška u pisanju*)
larifari (*brbljanje, besmislica*)
laringološki
larpurlartistički *prema* l'art pour l'art (*umjet-
 nički pravac*)
lasan, -sna; *komp.* lasniji *i* lašnji
lascivan, -vna
lasičica
lasičić
lasičji
lasnoća
laso, -sa
lastavičji
lastavičnjak
laščev *prema* lažac
Laščina (*dio Zagreba*)
laštenje *prema* laštiti
laštiti, laštcći
latičast
latinični *prema* latinica
latinist
latinistički
Latvija *i* Letonija (*zem.*)
lavež I jd. lavežom
lavić
lavlji
laž I jd. lažju *i* laži
lažac, lašca, V jd. lašče
lažljiv
lažovčina
lebdjelica
lebdjeti, lebdim, lebdah, lebdio, lebdjela
lebdenje *prema* lebdjeti
lebić
leća
lećast
leći, ležem *i* legnem
leći, ležem (*kotiti*)
ledac G jd. ledca, N mn. ledci *i* leci
ledenjača
ledenjački
leđa

leđenje *prema* lediti se
leđni *prema* leđa
leđobran
legalizacija
legija; Legija časti (*odlikovanje*)
legionar
legitimistički
leipziški *prema* Leipzig
leksički
lelekati, lelečem
lelijati se, lelijam se
lelujati se, lelujam se
lemeš l jd. lemešom
Leo G Lea
leontijaza (*bolest*)
Leopardi, -ija; Leopardijev
lepetati, lepećem
leptirić
leš l jd. lešom, mn. leševi
Lešće (*zem.*); Ličko Lešće
lešina
lešinar
let *ne* *lijet
letač
letački
letak, -tka, mn. letci *i* leci
leteći
letenje *prema* letjeti
letilist (*kukac*)
letimičan, -čna
letjelac, -tioca, G mn. -tjelaca
letjelački
letjelica
letjeti, letim, letah, letio, letjela
Letonija *i* Latvija (*zem.*)
leukemija
leut
Levant (*obala Male Azije, Sirije i Egipta*)
Levantinac, -nca (*čovjek iz Levanta*)
levantin(ac) (*vjetar iz Levanta*)
levantski *od* Levant
lezbijka DL jd. -ki
lezbijski
ležački
ležaljka DL jd. -ljci
ležećke
libreto, -ta
licemjer
licemjerac, -rca, V jd. -rče, G mn. -raca
licemjeran, -rna
licemjerčev
licemjeriti
licemjerje
licemjerski

licemjerstvo
licencijat
ličan, -čna *prema* lice; lične kosti
Ličanin mn. -ani
Ličanka
ličar
ličenje *prema* ličiti
ličilac, -ioca, G mn. -ilaca
ličilački
ličilo
ličina
ličinar
ličinka
ličiti
lički *od* Lika; lička janjetina
Ličko Lešće (*zem.*)
Ličko Petrovo Selo
Ličko-senjska županija
ličnost, -ošću *i* -osti
ličnjak (*zub*)
lidžba > ličenje
liftboj
lihnuti (*minuti*)
lihva
liječak, -čka *um. od* lijek
liječenje
liječiti
liječnica
liječnički
liječnik V jd. -iče, mn. -ici
liječništvo
lijeganje *prema* lijegati
lijegati, liježem, liježući
lijeha DL jd. lijehi
lijek mn. lijekovi
lijen *komp.* ljeniji
lijenac, -nca
lijenčina
lijeniti se, lijenim se, lijenjah se
lijenka DL jd. -nci (*motka za podupiranje*)
lijeno (*pril.*)
lijenost, -ošću *i* -osti
lijep *komp.* ljepši
lijepak, -pka
lijepiti, lijepim, lijepljah, lijepljen
lijepljenje *prema* lijepiti
lijepo *komp.* ljepše (*pril.*)
lijepost, -ošću *i* -osti
lijer mn. ljerovi
lijerica (*glaz.*)
lijes mn. ljesovi
lijeska DL jd. -ski *i* -sci, G mn. lijesaka *i* ljesaka
liješčica *um. od* lijeska

*lijet > let
lijetanje *prema* lijetati
lijetati, lijećem, lijećući
lijev
lijevak, -vka, mn. -vci *(naprava za lijevanje)*
lijevanje *prema* lijevati
lijevati
lijevča
lijevi
lijevo-desno
limfa
limfni
limun
linč
linčovati, -čujem
linearan, -rna
lingvist
lingvistički
lingvistika DL jd. -ici
lingvostilistički
linijski
linoleum
linotip *(tisk.)*
linjak *(riba)*
lipanj, -pnja
lipanjski
lipicanac, -nca *(pasmina konja)*
lipovača
Lipovljani *(zem.)*
lipsati, lipšem
liričar
lisac, -sca, V jd. lišče
lisičica
lisičina
lisičine
lisičiti
lisičji
Lisinski, -koga
lisni *prema* list
listak, liska, G mn. listaka
listić
listićav
listićavka *(vrsta gljive)*
listonožac, -ošca, G mn. -ožaca
listopadski *prema* listopad
listorožac, -ošca, G mn. -ožaca
lišajiv
lišce, lišca *um. od* lice
lišće
lišnjača *(lisna kost)*
Lit. *krat. za* talijansku liru
Litavac *od* Litva
litavski *od* Litva
liti, lijem, liven

litij *(kem.)*
litrenjača
Litva
livadnjača *(zmija)*
livanjski *od* Livno
Livno
Livnjak *i* Livnjanin *od* Livno
livreja
lizol
lobodnjača *(biljka)*
loća
loćika DL jd. -ici
loćka DL jd. -ki
loćkav *(uveo)*
lodža *i* lođa *(trijem, terasa, balkon)*
logičan, -čna
logičar
logički
lojan, -ana *prema* loj
lojanica
lokati, ločem, ločući
Lokvarac *od* Lokve
lokvarski *od* Lokve; Lokvarsko jezero
Lokve G Lokava *(zem.)*
lomača
Lombardija *(zem.)*
lombardski *od* Lombardija
Lombarđanin *od* Lombardija
lomljenje *prema* lomiti
lomljiv
lončan, -ana
lončar
lončarski
lončarstvo
lončić
lončićak, -ćka, mn. -ćci
lončina
Lonja *(rijeka)*
lonjski *od* Lonja; Lonjsko polje
loparić
lopatični
lopoč, -ča
lopovčina *prema* lopov
loptač
loptački
Lopud *(zem.)*
lopudski *od* Lopud
Lopuđanin *od* Lopud
lopuh
Lopujka *od* Lopud
lornjet
lovački
Lovas *(zem.)*
Lovašanin *od* Lovas

lovčev
Lovćen
lovljenje *prema* loviti
lovnički
lovor-grana
lovor-vijenac
lozovača
ložač
ložački
ložionica
ložionički
ložnjak
lp *krat. za* lipa (*novac*)
lub
lubanja
lubenica
lubeničan, -čna
lubeničar
lubnjača
luckast
luč, luči
luča (*zraka*)
lučac, lučca *um. od* luk
lučan, lučna *prema* luč *i* luk
lučar (*koji pravi luči*)
lučenje *prema* lučiti
lučevina
lučica *um. od* luka
lučić *um. od* luk
Lučindan *i* Lučinje (*dan sv. Luke*)
lučiti
lučki *prema* luka
lučni *prema* luk
lučnjak mn. -aci
lučonoša
lud *komp.* luđi
ludača
ludačak, -čka

ludak > luđak
ludbreški *prema* Ludbreg
ludjeti, ludim, luđah, ludio, ludjela (*postajati lud*)
luđački
luđak V jd. -ače, mn. -aci
luđenje *prema* ludjeti
lues (*med.*)
luetičan, -čna (*med.*)
luetičar (*med.*)
luka DL jd. luci
Luka DL jd. Luki
lukavost, -ošću *i* -osti
lukijernar (*vrsta svijećnjaka*)
lukovača
lukovičin *prema* lukovica
Luksemburg; luksemburški
luksus
lukšija
lupača
lupeščić
lupeški
lupeština
lupež
lupežić
lurdski *prema* Lurd; Gospa Lurdska
luster, -era (*svijećnjak*)
lutač
lutalac, -aoca, V jd. -aoče, G mn. -alaca
lutalački
lutecij (*kem.*)
lutka DL jd. lutki
lutkica
lutrija
lutrijski
Lužica; Donja (Gornja) Lužica
Lužičanin mn. -ani (*od* Lužica)
lužnjača

LJ

ljcčilišni
ljcčilište
ljckar > lijcčnik
ljckarica
ljckarija
ljckarina
ljckarna
ljckarnica
ljckarnički
ljckarnik
ljckarništvo
ljckarstvo
ljckaruša
ljckovit
ljenčarenje
ljenčariti
ljenguza
ljeniji *komp. od* lijcn
ljenivac, -vca
ljenivica
ljepak, ljcpka *prema* lijcpiti (*koji se lijepi, lje-pljiv*)
ljepenka
ljepilo
ljepljiv
ljepolik
ljepook
ljeporječica
ljeporječiv
ljepota
ljepotan
ljepotica
ljepšati
ljepši *komp. od* lijcp
ljepše *komp. od* lijcpo
ljepušan, -šna
ljepušica
ljepuškast
ljesa
ljesan *prema* lijcs
ljesica
ljeskati se (*blistati*)
ljeskov
Ljeskovac, -vca; Plitvički Ljcskovac
ljeskovača
ljeskovački *od* Ljcskovac
ljeskovina

ljesonoša
ljesovi *mn. od* lijcs
ljestve G ljcstava
ljestvica (*glaz.*); dur-ljcstvica, mol-ljcstvica
ljestvice *um. od* ljcstvc
ljestvični
lješica *um. od* lijcha
Lješnica (*zem.*)
lješnjak
lješnjakov
lještak
lještarka DL jd. -rci
ljeti (*pril.*)
ljetina
ljetište
ljetni
ljetnikovac, -vca, G mn. -vaca
ljeto (*godišnje doba*)
ljetopis; Ljctopis HAZU
ljetopisac, -sca
ljetopisni
ljetorast
ljetos
ljetošnji
ljetovališni
ljetovalište
ljetovanje *prema* ljctovati
ljetovati
ljevač
ljevak, -aka, mn. -aci (*ljevoruk čovjek*)
ljèvaka
ljevaonica
ljevaonički
*ljevati > lijcvati
ljevčić *um. od* lijcvak
ljeven *od* liti (*npr.* ljcvcno žcljczo)
ljevica
ljevičar
ljevičarenje
ljevičariti
ljevičarski
ljevkast
ljevoruk
ljevorukost, -ošću *i* -osti
ljiljak, ljiljka, mn. ljiljci, G mn. ljiljaka
ljiljan
ljosnuti

ljubak, ljupka; *komp.* ljupkiji
ljubavnički
ljubazan *i* ljubezan
ljubica
ljubičast
ljubičica *um. od* ljubica
Ljubljana
ljubljenje *prema* ljubiti
Ljubušak mn. -aci (*od* Ljubuški)
Ljubuški, -koga (*zem.*)
ljubuški *od* Ljubuški
ljućenje *prema* ljutiti
ljući *komp. od* ljut
ljudski
ljudstvo

ljuljačka DL jd. -čci *i* -čki
ljuljati, ljuljajući
ljupčac, -aca
ljupkost, -ošću *i* -osti
ljuska DL jd. -sci *i* -ski
ljuščica *um. od* ljuska
ljuštenje *prema* ljuštiti
ljuštionica
ljuštiti, ljuštim, ljuštah, ljušteći, ljušten
ljut *komp.* ljući
ljutič (*bot.*)
ljutiti, ljućah, ljućen
ljutitost, -ošću *i* -osti
ljuto *komp.* ljuće

M

m *krat. za* metar
M (*rimski znak za 1000*)
ma (*vez.*)
Macao, Macaoa (*zem.*)
Machiavelli, -ija (*ali* makijavelizam)
mač
mačad, -di
mačak, mačka, mn. mačci, G mn. mačaka
mače, -eta
mačetina
mačevalac, -vaoca, V jd. -vaoče, G mn. -valaca
mačevalački
mačevalište
mačevanje
mačevati, -čujem
mačica
mačić *prema* mače
mačji
mačka DL jd. mački, G mn. mačaka
mačkica
mačor
*mačovati > mačevati
mačuga (*toljaga*)
mačurina
Mačva (*zem.*)
maćeha *i* maćuha DL jd. -hi
maći > maknuti
maćuhica (*bot.*)
maćuhinski
mada (*vez.*) > iako, premda
made in Croatia (*proizvedeno u Hrvatskoj*)
madež, -ža
Madriđanin mn. -ani (*stanovnik Madrida*)
Madžar *i* Mađar
Madžarica *i* Mađarica
madžaron *i* mađaron
Madžarska *i* Mađarska
madžarski *i* mađarski
Mađar *i* Madžar
Mađarica *i* Madžarica
mađaron *i* madžaron
Mađarska *i* Madžarska
mađarski *i* madžarski
mađioničar
maestral
maestro (*glaz.*)
magarčev

magarčić
magarčina
magarčiti
magareći
magaričin
magazin
Magdalena
magdeburški *prema* Magdeburg
magičan, -čna
magičar
magija
magijski
magistar, -tra; magistar znanosti
magisterij
magličast
magljenje *prema* magliti
magnetičan, -čna
magnetooptički
magnezij (*kem.*)
mahač
mahagonij, -ija
mahala (*dio grada ili sela*); Donja Mahala (*ime sela*)
mahaljka DL jd. -ljci
maharadža
mahati, mašem, mašući
mahijast
mahnit
mahnitac G jd. mahnica, V jd. mahniče
mahnitati
mahnuti
mahom
mahovina
*mahrama > marama
mahuna
majčica
majčin; Majčin dan
maječak, -čka
Majevica (*zem.*)
majevički *od* Majevica
majka DL jd. majci; Majka Božja; Majka Božja Bistrička
majković
majmunčad, -di
majmunče, -eta
majmunčić
majmunčina

majmuničin
majoneza
majorizirati
majuskula (*veliko slovo*)
majušan, -šna
makao, -kaa (*kartaška igra*)
Makaranin *od* Makarska
Makarska (*zem.*)
Makedonac, -nca, V jd. -nčc
Makedončev (*prid.*)
Makedonija; Republika Makedonija
Makedonka DL jd. -ki, G mn. -ki
maki, -ija (*polumajmun*)
makijavelist *prema* Machiavelli
makijavelistički
makijavelizam, -zma
makljen (*vrsta ukrasnoga drveta*)
makovača *i* makovnjača
makro, -oa
makročestica
maksimalistički
maksimoda
Mala Azija (*zem.*)
Mala braća (*crkveni red, franjevci*)
Mala Gospa (*blagdan*)
malahan, -hna
Mala Kladuša (*mjesto*)
Mala kola (*zviježđe*)
malaričan, -čna
malaričar
malčice *um. od* malko
malečak, -čka
maliciozan, -zna
malić
Mali medvjed (*astr.*)
Mali Uskrs (*nedjelja poslije Uskrsa*)
malne (*pril.*)
maloazijski *od* Mala Azija
malocjen
maločas (*pril.*)
maločekinjaš
maloća
malodobnik V jd. -ičc, mn. -ici
malogradski
malograđanin mn. -ani
malograđanka
malogranični
malokalibarski
malokaloričan
malolitražni
maloljetan, -tna
maloljetnica
maloljetnički
maloljetnik

maloljetnost
malone (*pril.*)
maloobrtnički *prema* maloobrtnik
malo-pomalo
maloprijašnji
maloprije (*pril.*)
maloprodaja
maloprodavač
maloumnički
malovječan, -čna
malovjek
malovjeran, -rna
malovrijedan, -dna; *komp.* malovredniji *i* malovrjedniji
Malta (*zem.*)
malteški *od* Malta
Maltežanin *od* Malta
maltežanin (*pripadnik malteškog reda*)
maljušan, -šna
mamičin
mamilački
mamljenje *prema* mamiti
mamljiv
Mandžurija (*zem.*)
maneken
mangan (*kem.*)
manijački
manijak mn. -aci
manualan, -lna
manuti > mahnuti
Manjača (*planina*)
manje-više
manjkati
marabu G jd. marabua (*ptica*)
marama; *ne* *mahrama
maraskino (*liker*)
Marija; Marija Terezija
Marija Bistrica (*zem.*)
marijabistrički > marijobistrički
Marijan
Marijana
marijaterezijanski
Marijica *um. od* Marija
marijinski *od* Marija
Marijinsko evanđelje
marijobistrički (*prema* Marija Bistrica)
marinistički *prema* marinizam *i* marinist
mariologija
marioneta
marionetski
Marjan (*u Splitu*)
marjaš
markgrofovija
marksist

marksistički
marksizam; marksizam-lenjinizam
marljivost, -ošću i -osti
Marojica od Maroje
marseljeza (francuska himna)
marva i marha
marvinče, -eta
maslačak, -čka, mn. -čci
maslenjača
masnoća
*masohist > mazohist
mason
mast I jd. mašću i masti
mastan, -sna
mastiočev
maščina uv. od mast
maščurina i mašćurina
mašćen
mašćenje prema mastiti
mašćurina i maščurina
mašinovođa > strojovođa
maštalački
matematičar
matematičarka DL jd. -ki
matematički
materijal
materijalan, -lna
materijalist
materijalistički
materijalizam, -zma
materinski
maternični
materoubojica
materoubojstvo
mati; ne *mater
matica; Matica hrvatska
matičar
matični
matičnjak mn. -aci
Matijaš Grabancijaš dijak (komedija)
matineja
matrijarhalan, -lna
matrijarhat
maukati, maučem i mjaukati
mazač
mazga DL jd. mazgi
maziv
mazohist
mazohistički
mazurij
mecena
Mečanin od Medak
mečanje
mečati, mečim

mečiti, mečim (gnječiti)
*mećati > metati
mećava
mećavica
medački od Medak
Medak, Metka (zem.)
medaljon
medenjača
medicina
medičar
medievalan > srednjovjekovan
medij
medijacija
medijalan, -lna
mediokritet
medljika (bot.)
medvjedčad
Medvedgrad (razvaline kraj Zagreba)
Medvednica (Zagrebačka gora)
Medveščak i Medvešćak (predio Zagreba)
medvjed; Veliki medvjed (zviježđe)
medvjedica
medvjedičin
medvjedić
medvjedina
medvjeđi
medvjetka (biljka)
medžilis (vijeće, sabor)
međa
međaš
međašiti
međašni i međašnji
međašnica
međašnji
medica
Međimurac, -rca
Međimurje (zem.)
međiti
međnik
među
međučeljustan, -sna
međučin
međugradski
međuigra
međukat
međumišični
međumjesni
međunarodni
Međunarodni crveni križ
međuopćinski
međupriječnica
međurepublički
međurječje
međustaničan, -čna

međustranački
međutim (pril.)
međuvlašće
međuvremen
međuvrijeme mn. međuvremena
međuzvjezdani
međužupanijski
megafon
megavat (el.)
megavatsat (el.)
megavolt (el.)
megdan
megdandžija
mehaničar
mehanički
mehanika DL jd. -ici
mehanizirati
*mehko > mcko
*mehlem > melem
mek komp. mekši
mekač
mekahan, -hna
meketati, mekećem
mekinjača (bot.)
mekoća
mekousni; mekousna pastrva
meksički od Mcksiko
mekušac, -šca
mekuščev
melankoličan, -čna
melankoličnost, -ošću i -osti
melankolija
melem
Melhior (ime)
melioracija
melioracijski
melodičan, -čna
melodičnost, -ošću i -osti
melodija
melodijski
melodiozan, -zna
melodrama
membrana
memoari
memorija
memorijal
menadžer
menadžerski
menadžerstvo
meni, -ija
mendelevij (kem.)
meningitis
meragdžija
merdžan i merđan (niz bisera, koralji)

meridijan
meridionalan, -lna
merino-ovca
merkantilistički
mesijanistički
mesijanizam, -zma
mesni od meso
mesojeđe
mesosječa
mesožder
metafizičar
metafizički
metaforički
metajezični
metajezik
metak mn. meci; dumdum-metak
metalan, -lna
metalingvistički
metaloglodač
metaloid
metaloprerađivački
metalostrugač
metati, mećem, mećući
meteorologija
meter, metera (slagar u tiskari)
metež, -ža, l jd. -žom
metilni; metilni alkohol
metilj
Metod; Ćiril i Metod
metoda
metodičan, -čna
metodičar
metodologija
metodološki
Metohija
metrički
Metuzalem
mezalijansa
mezanin
mezimac, -mca, V jd. -mče
mezimčad
mezimče, -cta
Mezopotamija (zem.)
mezozoik
mezozojski
mg krat. za miligram
MH krat. za Matica hrvatska
micati, mičem, mičući
mićenica
mićenik
mićenje prema mititi
Mićo
Mihat i Mijat
miholjača (biljka)

Miholjdan
Mijat *i* Mihat
mijazam, -zma
mijeh mn. mjehovi
mijena
mijeniti (se), mijeneći (se)
mijenjati
mijenje *prema* miti
mijesiti
miješak *um. od* mijeh
miješalica
miješanje *prema* mijcšati
miješati
miješenje *prema* mijcsiti
miješnja
mikročestica
mikrofilm
mikroorganizam, -zma
mikrovalan, -lna
mile-lale
milenij
miliamper (*el.*)
milijarda
milijun
milijunaš
mililitar
milimetar
*milion > milijun
militaristički
miloća
milosrđe
milostan, -sna
milozvučan, -čna
milozvučnost, -ošću *i* -osti
Miljacka
Miljenko
miljenje *prema* miljeti
miljeti, milim, miljah, milio, miljela
mimički
mimogred (*pril.*)
mimogredce (*pril.*)
mimoići, mimoiđcm
mimoiđen
mimoilaziti
mimoilaženje *prema* mimoilaziti
mimoza
Minčeta (*kula u Dubrovniku*)
minđuša > naušnica
minijatura
minimalistički
minimoda
minimum
minobacač
minopolagač

minuciozan, -zna
minuend (*mat.*)
minus; minus-vodič
minuskula (*malo slovo*)
minuta
mio, mila; *komp.* miliji
miocen (*geol.*)
miom
miomirisan, -sna
miopija (*kratkovidnost*)
mirisati, mirišem, mirišući
mirisav
mirkovača (*vrsta grožđa*)
mirnoća
mirnodopski
miroljubiv
miroljubivost, -ošću *i* -osti
misao, misli, 1 jd. mišlju *i* misli
misionar
misirača
mislen *prema* misao
mislilac, -ioca, V jd. -ioče, G mn. -ilaca
mislilački
misliti, mislcći, mišljah, mislcn
misnički
Mississippi, -ija (*rijeka u Americi*)
misterij
misteriozan, -zna
mističan, -čna
mišičav
mišičje
mišični *od* mišica
mišić
mišićni *od* mišić
mišji
mišljenje *prema* misliti
miti, mijcm, mijući
mitničar
mitnički
mitraljeski
mitralješčev
mitraljez
mizantrop (*čovjekomrzac*)
mjaukati, mjaučem
mjed, mjedi, 1 jd. mjeđu *i* mjedi
mjeden *od* mjed
mjedenica
mjehovi *mn. od* mijeh
mjehovit
mjehur
mjehurast
mjehurić
mjemben
mjenica

mjeničan, -čna
mjenjač
mjenjačnica
mjera
mjerač
mjeračina
mjerački
mjeraći; mjeraće sprave
mjerenje
mjerica
mjeričica
mjerilac, -ioca, G mn. -ilaca
mjerilački
mjerilo
mjeriti
mjerljiv
mjernički
mjernik mn. -ici
mjerodavan, -vna
mjerov
mjerstvo
mjesaći (prid., u kojem se mijesi)
mjesec V jd. -eče; Mjesec (planet)
mjesečar
mjesečarka
Mjesečev
mjesečić
mjesečina
mjesečni
mjesečnik mn. -ici
mjesečnjak mn. -aci
mjesni
mjesnik
mjestance, -ca i -ceta
mjestašce, -ca
mjestimice
mjestimičan, -čna
mjesto
mješač
mješaj
mješaja
mješajica
mješanac, -nca
mješanija (eks.)
mješaonica
mješavina
mješčić um. od mijeh
mješić um. od mijeh
mješina
mješinar
mješinast
mješinica um. od mješina
mješnica
mješovit

mještanin mn. -ani
mještanka DL jd. -ki
*mjezimac > mezimac
mjuzikl
ml krat. za mililitar
ml. krat. za mlađi
mlačan, -čna
mlačenje prema mlačiti
mlači komp. od mlak
mlačica um. od mlaka
mlačina
mlačiti, mlačeći
mlaćen
mlaćenica
mlaćenje prema mlatiti
mlad komp. mlađi
mlada (nevjesta) DL jd. -doj
mladac, mladca, V jd. mladče, mn. mladci i mlaci
mladčev prema mladac
mladenac, -nca
mladenački
mladež, -ži
mladičin prema mladica
mladić
mladićak, -ćka
*mlađenac > mladenac
mladobosanac (pripadnik pokreta Mlada Bosna)
mladogramatičar (pripadnik njemačke filološke škole Junggrammatiker)
mladoženja
mladunče, -eta
mladunčad
mlađ
mlađahan, -hna
mlađak, -ka
mlađan, -na
mlađarija
mlađenje prema mlađiti (se)
mlađi komp. od mlad
mlak komp. mlači
mlakajica (mlako vrijeme)
mlakoća
mlatac, mlatca, V jd. mlatče, mn. mlatci i mlaci
mlatčev prema mlatac
mlatilački
mlažnjak mn. -aci
Mleci, Mletaka (pov.)
Mlečanin od Mleci
Mlečanka od Mleci
Mlečić (Mlečanin)
mletački od Mleci
mliječ
mliječac, -čca

mliječan, -čna
mliječar, -ra (bot.)
mliječiti
Mliječna staza (astr.)
mliječnica
mliječnjak mn. -aci
mlijeko
mlivo
mljaskati
mlječika
mlječina
mlječkavica
mlječovod
Mljećanin od Mljet
mljekar
mljekara
mljekarica
mljekaričin
mljekarski
mljekarstvo
mljeskati > mljaskati
Mljet (zem.)
mljeti, meljem, meljah, mlio, mljela, mljeven
mljetski od Mljet; Mljetski kanal (zem.)
mljevenje prema mljeti
mm krat. za milimetar
mnemotehnički
mnijenje
mniti, mnim, mnijući
mnogoboštvo
mnogobožac, -ošca
mnogobožački
mnogocijenjeni i mnogo cijenjeni
mnogočekinjaš
mnogočlan
mnogogdje
mnogoličnost, -ošću i -osti
mnogolistan, -sna
mnogopoštovani i mnogo poštovani
mnogoput i mnogo puta
mnogorječiv
mnogostaničan, -čna
mnogostručan
mnogovječan, -čna
mnogovjek
mnogovjerac, -rca
mnogovrstan, -sna
mnogoznačan, -čna
mnogožičan, -čna
množač
mnom (1 od ja), sa mnom
mobilizacija
mobilizacijski
moča

močalina
*močaran > močvaran
močati, močam
močenica
močica um. od motka
močilo
močina
močionica
močiti
močuga
močvara
močvaran, -rna
močvarica
moć, moći, l jd. moću i moći
moćan, -ćna
moći, mogu, možcš, mogući, mogao, mogla
moći (relikvije)
moćnik
moćnost, -ošću i -osti
moderna (književni pokret); hrvatska moderna
modernist
modernistički
modistica
modričast
modričav
modriti (činiti što modrim)
modrjeti, modrim, modrah, modrio, modrjela
    (postajati modar)
modus vivendi G modusa vivendi
moguć
mogućan, -ćna
mogući
mogućnik V jd. mogućnče, mn. -ici
mogućnost, -ošću i -osti
Mohač (zem.); Mohačko polje
Mojsije
mokraća
mokraćevina
mokraćni
mokraćovod
mokroća
mol (glaz.); mol-ljestvica; c-mol
molba G mn. molbi
moleći
molekularan, -rna
molibden (kem.)
Molière, Molièrea
molilac > molitelj
molitelj
moliteljica
moljenje prema moliti
momački
momak, -mka, V jd. -mče, N mn. -mci, G mn.
    -maka

momaštvo
momčad, -di
momče, -cta
momčić
momčina
momčiti se, momčeći se
momčuljak, -ljka
moment (*čas, časak*)
momentan (*časovit, trenutačan*)
monah mn. -asi
monahinja
monarh mn. -rsi
monarhija
monarhijski
monarhist
monarhistički
monaštvo *prema* monah
mongoloidan
monist
monistički
monizam, -zma
monoftong mn. -nzi
monoftonški
monogenetički
monokl
monosilabičan, -čna
monoteist
monoteistica
monoteistički
monoteizam, -zma
monsinjor (*počasni naslov svećenika*)
monstruoznost, -ošću i -osti
morač, -ča (*bot.*)
Morača (*zem.*)
Mòrava (*zem.*)
moravski *od* Morava *i* Moravska
moreplovčev
morfij
morfinist
morfinistica
morfologija
morfološki
Morihovo
morlački *od* Morlak
mornar
mornarički
Moskovljanin mn. -ani
moskovski *od* Moskva
Moskva (*zem.*)
Moslavačka gora
moslavački *prema* Moslavina
mosni *od* most
mostac, mosca
mostić

Mošćenice (*zem.*)
Mošćenička Draga (*zem.*)
mošćenički
mošćenje *prema* mostiti
motač
motačica
motičica *um. od* motika
motičin
motorist
motoristički
motovioce *i* motovilce *um. od* motovilo
motrilac, -ioca, G mn. -ilaca
mozaički
mozaik mn. -ici
mozak, -zga, mn. -zgovi
mozgača
mozgovni
mozolj
možda
moždan *od* mozak
moždani
moždenje *prema* možditi
možebitan, -tna
možebiti (*pril.*)
može biti da ...
mračak, -čka *um. od* mrak
mračan, -čna
mračenje
mračiti
mračnjački
mračnjak
mračnjaštvo
Mramorno more (*zem.*)
mravič (*biljka*)
mravić *um. od* mrav
mravlji
mravojed
mrča (*bot., mirta*)
mrčalj, -alja
mrčan, mrčna (*mrk*)
mrčati, mrčim (*tamnjeti*)
mrčava
mrčina
mrčiti, mrčim, mrčeći (*crniti*)
mrčkati
mrći > mrknuti
mrena
mrestilište *i* mrjestilište
mrestilo *i* mrjestilo
mrestište *i* mrjestište
mreškati
mreža
mrežica
mrežnica (*u oku*); Mrežnica (*rijeka*)

mrežolik
mrežotina
mrgođenje *prema* mrgoditi se
mrijest, mrijesti, l jd. mriješću *i* mrijesti
mrijestiti se
mriješćenje *prema* mrijestiti se
mrijeti, mrem, mrući, mro, mrla
mrjestilište *i* mrestilište
mrjestilo *i* mrestilo
mrjestište *i* mrestište
mrk *komp.* mrkiji
mrkač
mrkao, mrkla
Mrkopalj, -plja *(zem.)*
Mrkopaljac, -ljca *(od* Mrkopalj)
mrkopaljski *od* Mrkopalj
mrmljati
*mrnar > mornar
Mrnjavčević
mrsan, -sna
mršavjeti, mršavio, mršavjela *(postajati mr-šav)*
mršavljenje *prema* mršavjeti
mrtvac, mrtvaca
mrtvačev
mrtvačina
mrtvački
mrtvačnica
Mrtvo more
mrtvorođen
mrtvo puhalo
mrtvorođenčad
mrtvorođenče, -eta
mrtvozorac, -rca
mrvčice *(pril.)*
mrvičak, -čka
mrvičast
mrzak, mrska; *komp.* mrži *i* mrskiji
mrzao, mrzla
mrziti
mrzovoljnost, -ošću *i* -osti
mrženje *prema* mrziti
msgr. *krat. za* monsinjor
mučalica
mučalo
mučaljiv
mučan, -čna
mučati, mučim, mučeći, mučao, mučala
muče *(pril.)*
mučen *prema* mučiti
mučenica
mučenički
mučenik V jd. -iče, mn. -ici
mučeništvo

mučenje *prema* mučiti
mučica *um. od* muka
mučila *(mn. s. r.)*
mučilac > mučitelj
mučilište
mučitelj
mučiteljica
mučiti
mučke *(pril.)*
mučki *(pril.)*
mučnica
mučnina
mučnjak
muć; šuć-muć
mućak, -ćka, mn. -ćci
mućen *prema* mutiti
mućenje *prema* mutiti
mućkanje
mućkati
mućnuti
mudračev
mudračina
mudžahedin
muha DL jd. -hi; muha-kategorija *(šport.)*
*muhadžir > doseljenik
Muhamed
muhamedovac *(pristaša Muhamedov)*
muhamedovski
muhar
muharem; Muharem *(ime)*
muhati se
muhur > pečat
mujezin
mukajet; ni mukajet *(ni da pisne)*
mukao, mukla; *komp.* mukliji
mukati, mučem, mučući
mukotrpan
multimilijunaš
multinacionalan, -lna
mumljati, -am
mumps *(med.)*
musliman *(vjer.)*
Musliman *(etnol.)*
musti, muzem, muzen
mušičav
mušji *od* muha
muškarača
muškarački
muškarčev
muškarčić
muškarčina
muškić
muškoća
mutabdžija > strunar

mutež, -ža
mutiti, mućah, mućen
mutljiv
mutnoća
muzej
muzejski
muzenje *prema* musti
muzeologija
muzeološki
muzičar > glazbenik

muzički > glazbeni
muzika DL jd. -ici > glazba
mužača
muževan
mužić
mužjački
mužjak V jd. -ače, mn. -aci
μ   znak za predmetak mikro- *u mjernim je-*
dinicama

N

nabacivač
nabadač
nabavljač
nabavljački
nabijač
nabijački
nabijel (*ponešto bijel*)
nabijeliti
nabiračiti
nabježati se
nablijed (*ponešto blijed*)
nablizu (*pril.*)
nabočiti se
nabodača
nabojnjača
nabolje (*pril.*)
naboričast
nabrčati, nabrčim (*nagaziti, naletjeti*)
nabrčica (*nasrtljivac*)
nabrčiti (*užlijebiti*)
nabrčko
nabreći
nabređati
nabreknuće
nabrojiti
nabrzo (*pril.*)
nabučiti se
nabuhao, nabuhla
nabuhlost, -ošću i -osti
naceriti se
nacijediti, nacijedim, nacijeđen
nacijepati, nacijepam, nacijepan
nacijepiti, nacijepim, nacijepljen
nacional
nacionalan, -lna
nacionalist
nacionalistički
nacionalizacija
nacionalizam, -zma
nacionalizirati
nacionalnost, -ošću i -osti
nacionalsocijalistički
nacistički
nacjeđivati, nacjeđujem
nacjeljivati se
nacjepkati
nacrpsti, nacrpem

načas (*pril.*)
načastiti se
načečiti se
načekati se
načelan, -lna
načelnica
načelnički
načelnik V jd. -iče, mn. -ici
načelno
načelo
načestiti
načešćivati, načešćujem
načešljati se
načeti, načnem
načetiti se
načetovati se
načetveronožiti se
načičkati se
*načimati > načinjati
način
načiniti
načinski
nàčinjati, načinjem (*ns. prema svr.* načeti)
načínjati, načinjam (*ns. prema svr.* načiniti)
na čistac
načistiti
načisto (*pril.*)
načistu (*pril.*)
načitan (*prid.*)
načitanost, -ošću i -osti
načitati se
*načkati > natiskati
načrčkati
načučati se
načuditi se
načupati
načuti, načujem
načuvati se
naći, nađem, nađoh, našao, našla, nađen
naćuliti (*uši*)
naćvar
naćve G naćava (*mn. ž. r.*)
naćvenice
nadahnuće
nadahnjivač
nadahnjivački
nadahnjivati

nadaleko (pril.)
nadalje (pril.)
nada mnom
nada nj
nadasve (pril.)
nadavati, nadajem
nadbiskupski; Nadbiskupski duhovni stol
nadbradac G jd. nadbradca, N mn. nadbradci
  i nadbraci
nadcarinar
nadcestar
nadčasnički
nadčasnik
nadčaška
nadčovječan, -čna
nadčovječanski
nadčovječji
nadčovjek mn. nadljudi
nadčovještvo
nadčuvar
nadćurlikati
nadćutan, -tna
naddruštven
naddržavni
nadebelo (pril.)
nadesno (pril.)
nadglašavati > nadglasavati
nadgledač
nadglednički
nadgrađe
nadići, nadiđem
nadići > nadignuti
nadigrač
nadijeliti, nadijelim, nadijeljen
nadijevati
nadjačati
nadječati, nadječim
nadjeljati
nadjeljavati prema nadjeljati
nadjeljivati prema nadijeliti
nadjenuti
nadjesti > nadjenuti
nadjeti > nadjenuti
nadjev
nadjevač
nadjevača
nadjevak, -vka, mn. -vci, G mn. -vaka
nadjevavati se
nadjunačiti
nadlaktični
nadletjeti, nadletim, nadletio, nadletjela
nadliječnik mn. -ici
nadlijetanje prema nadlijetati
nadlijetati, nadlijećem, nadlijećući

nadljevnjak (vrsta mlina)
nadmetač
nadmetati se, nadmećem se
nadmoć
nadmoćan, -ćna
nadmoćnost, -ošću i -osti
nadničar
nadničarka DL jd. -ki
nadničarski
nadničiti
nadnični
nadnijeti (se), nadnesem, nadnijeh, nadnesav-
  ši, nadnio, nadnijela, nadnesen
nadno (prij.)
nadočni (koji je iznad očiju)
nadočnjak mn. -aci
nadoći, nadođem
nadodvjetnički
nadodvjetnik
nadodvjetništvo
nadograđivati
na dohvat
nadoknađivati
nadolijevati
nadoliti
nadolje (pril.)
nadoljeti, nadolim (odoljeti)
na domak
nadometati, nadomećem, nadomećući
nadomjeriti
nadomjestak, -ska, mn. -sci, G mn. -staka
nadomjestiti, nadomješten
nadomještati
nadoplaćen
nadoplaćivati
nadosađivati
nadosjetan, -tna
nadovijek (pril.)
nadovlačiti
nadovoljiti (se)
nadrealist
nadrealistički
nadrealizam, -zma
nadređivati
nadrepak, -pka
nadrijemati se
nadrijeti, nadrem, nadrijeh, nadro, nadrla,
  nadrt
nadriknjiga DL jd. -izi (nedoučen čovjek)
nadriliječnički
nadriliječnik V jd. -iče, mn. -ici
nadriobrt
nadripjesnik
nadripolitičar

nadriumjetnički
nadrobno (pril., nasitno)
nadručiti (u gimnastici)
nadrvati > nathrvati
nadsavjetnik V jd. -iče, mn. -ici
nadsijecati
nadsjeći
nadsjenčati
nadskakati
nadskočiti
nadslastičar
nadstaleški
nadstojnički
nadstojništvo
nadstražar
nadstreljivati i nadstrjeljivati
nadstrešnica
nadstrijeliti
nadstrjeljivati i nadstreljivati
nadstroplje
nadsvođen
nadšumar
nadtrčati (pobijediti u trčanju)
nadtutorstvo
nadugo (pril.)
*naduhati > napuhati
na dušak
naduti, nadmem, naduven i nadut
nàdvesti, nadvedem
nàdvesti, nadvèzēm
nàdvēsti, nadvézēm
nadvisivati
nadvlačiti se
nadvođe (pom.)
nadvoje (pril.)
nadvor (pril.)
nadvući se, nadvučem se
nadzemaljski
nadzeman, -mna
nadziđivati
nadzornički
nadzreti (se), nadzrem (se)
nadzvučni
nadždrijelni (čit. nad-ždrijelni)
nadživjeti, nadživim (čit. nad-živjeti)
nadžnjeti > nadžeti (čit. nad-žnjeti, nad-žeti)
nadžak (mlatilo, bojna sjekira)
nadžak-baba (zla, svadljiva žena)
nađen (prid.)
nađikati
nađipati
nađubriti > nagnojiti
naelektrizirati
nafteni i naftni

naftonosan, -sna
nagađati
nagao, nagla
na glas; čitati na glas
naglasak, -ska, mn. -sci
naglašavati i naglašivati
nagluh
nagnijezditi, nagniježđen
nagnuće
nagnječen
nagnječiti
nagnjesti, nagnjetem
nagnjeviti se
nagnjio, -ila
nagnjiti, nagnjijem
nagodbenjački
nagolo (pril.)
nagoničar
nagore (pril.)
nagorijevati
nagorjeti, nagorim
nagovarač
nagovijest, -esti, I jd. -cšću i -esti
nagovijestiti, nagovijestim, nagoviješten
nagoviještati nagovješćivati i nagovještavati
nagovještaj
nagrađen (prid.)
nagrađivati
nagrajisati, nagrajišem
nagrditi, nagrđen
nagrđivati
nagrepsti, nagrebem
nagristi, nagrizem
nagrtati, nagrćem
nagrubo (pril.)
nagusto (pril.)
naheriti
nahero (pril.)
nahija > kotar
nahlada
nahladiti se
nahladivati se
nahlaptati, nahlapćem, nahlapćući
nahočad
nahoče, -eta
nahraniti
nahranka
nahranjivati
nahuckati
nahuditi i nauditi
nahumoriti se (smrknuti se)
nahuškati
nahvalice (hotimice)
nahvaličan, -čna

nahvatati, nahvaćen
naići, naiđem, naiđoh, naišao, naišla
nailazak G jd. nailaska, N mn. nailasci
naimač
naimati; *ne* *najimati
naime (*pril.*); *ne* *najme
na iskap; popiti na iskap
naivac V jd. naivče
naivan
naivčina
naivka DL jd. -ki
naivnost, -ošću *i* -osti
na izgled
naizmak (*pril.*)
naizmjence (*pril.*)
naizmjeničan, -čna
naizgred (*pril.*)
naizust (*pril.*)
naj *u superlativu se piše zajedno s pridjevom:*
 najljepši
najahati, najašem
najako (*pril., čvrsto*)
najamnički
najaukati se, najaučem se
najavljivač
najavljivački
najčešće
najedanput (*pril.*)
najednako (*pril.*)
najedno (*pril.*)
najednoć
najednom
najgore (*pril.*)
najjači
najjasniji
najjednostavniji
najjedriji
najjeftiniji
najjunačniji
najjužniji
najkraći
najlon
najlonka
najlonski
najljepši
najmlađi
najmodavac, -vca, V jd. -vče
najmoprimac, -mca, V jd. -mče
***najpače** > osobito, navlastito
najposlije
najpreči
najprije
najradije; *ne* *najrađe
najširi

najveći
najvećma
najviše
najvoljeti
najzad
nakađivati
nakaniti (se)
nakanjiti se (*namrštiti se*)
nakarađivati
nakazivati
nakićen
nakinđuriti se
nakiselo (*pril.*)
nakiseo, -ela (*prid.*)
nakjučer
nakladnički
naklečati se
naklinčiti
naknadiv
naknađivati
nakoćen *prema* nakotiti
nakon
nakonče *i* nakonjče
nakoso
nakostriješenost, -ošću *i* -osti
nakostriješiti se
nakovanj, -vnja
nakovrčati
nakraj (*prij.*)
nakratko (*pril.*)
nakretati, nakrećem
nakričiti
nakričivati, -čujem
nakrivo (*pril.*)
nakrkačiti
nakrkačke (*pril.*)
nakrupno (*pril.*)
naksutra
nakučiti
nakuhati
nakupljač
nalagač
nalakćivati (se), -ćujem (se)
nalazač
naleći, nalegem
naleći, nalegem *i* nalegnem
nalećke *i* nalegke (*pril.*)
naleđaške (*pril.*)
naleđke *i* nalećke (*pril.*)
naletjeti
naličan, -čna
naličiti (1. *biti sličan*, 2. *prevući bojom*)
naličje
nalijegati, nalijegem, naliježući

nalijep
nalijepiti, nalijepim, nalijepljen
nalijetati, nalijećem, nalijećući
nalijevati, nalijevam, nalijevajući
nalijevo (*pril.*)
nalik
nalivpero
naljepljivati
naljepnica
naljesti, naljezem
naljev
naljevak, -vka, mn. -vci, G mn. -vaka
nalježba (*nalaznina*)
naljućen
naljut (*prid.*)
namaći > namaknuti
namagarčiti
***namah** (*zast.*) > odmah
namahnuti (se)
na malo; prodaja na malo
namamljivati
namatač
namečiti se
nametak mn. nameci *i* nametci
nametati, namećem
nametljiv
nametnički
namijeniti, namijenim, namijenjen
namijesiti
namiješati
namira *od* namiriti
namisao, namisli, I jd. namišlju *i* namisli
namjehuriti se
namjena
namjenski
namjenjivanje
namjenjivati
namjera *od* namjera(va)ti
namjeran, -rna
namjerati
namjeravati
namjerice
namjeriti
namjernik V jd. -iče, mn. -ici
namjerno
namjesni
namjesnica
namjesnički
namjesnik V jd. -iče, mn. -ici
namjestan, namjesna
namjestiti, namješten
namjesto (*prij.*)
namještač
namještaj

namještaljka
namještati
namještenica
namještenički
namještenik V jd. -iče, mn. -ici
namještenje
namlatiti, namlaćen
namljeti, nameljem
namočiti
namotak mn. -oci *i* -otci
namračiti se
namrčiti
namreškati (se)
namrgoditi se, namrgođen
namrijeti, namrem
namršten
namrtvo (*pril.*)
namučenost, -ošću *i* -osti
namučiti
nanašati (*iter.*)
nandu, nandua (*zool.*)
nanijeti, nanijeh, nanese, nanesav(ši), nanio, nanijela, nanesen
nanisko (*pril.*)
nànizbrdo (*pril.*)
naniže
nanositi (*tr.*)
nanovača (*rakija*)
nanovo (*pril.*)
na nj
naoblačiti (se)
naoblučiti
naobručati
naočale *i* naočari
naočare > naočale
naočari *i* naočale
naočarka
naoči (*pril.*)
naočice
na očigled
naočit
naočitost, -ošću *i* -osti
naočnik
naočnjak mn. -aci
naodaće (*pril., na prodaju*)
na odmet; to nije na odmet
naoko (*pril.*)
naokolo (*pril.*)
naokrug
naopačke
naopak *komp.* naopačniji
naopako (*pril.*)
naovamo (*pril.*)
napabirčiti

napaćenost, -ošću i -osti
napadač
napadački
napalm; napalm bomba
na pamet; pasti na pamet
napasnički
napastan, -sna
napatiti, napaćen
napečatiti
napeći, napečem
napijač
napijevka DL jd. -vci, G mn. napjevaka
napinjač
napismeno (pril.)
napitak, -itka, mn. -ici i -itci
nap ješačiti se
napjev
napjevati se
naplaćen
naplaćivati
napletati, naplećem
naplijeniti
naplijeviti
napljačkati
nàpodnogu (pril.)
napokon
napol(a) (pril.)
napoleondor
napolice (pril.)
napoličar
napoličiti
napolje (pril.) > van
napolju (pril.) > vani
napomol (pril.)
napopriječiti
napoprijeko (pril.)
naporedo (pril.)
napose (pril.)
na posljetku
napouzdano (pril.)
napovijed, -edi, I jd. -eđu i -edi
napovijedati
napovjediti
*naprama > prema
naprazno (pril.)
naprčiti se
naprćiti (usne)
naprečac i naprjccac (pril.)
napreći > napregnuti
napredak, -etka, mn. -eci i -etci
napredan, -dna
naprednost, -ošću i -osti
naprednjačiti
naprednjački

naprednjak mn. -aci
naprednjaštvo
napredovati
naprekid (pril.)
naprema (prij.)
napreskokce
naprijed
naprijeko (pril.)
naprijeti, naprem, naprijevši
na priliku
na primjer
naprosjačiti
naprosto (pril.)
naprotiv
naprsnuće
naprstak, -ska, N mn. -sci, G mn. -staka
napršće, -cta
napršnjak mn. -aci
naprtiti, naprćen
naprtnjača
naprvo (pril.)
napučen
napučiti prema puk
napučivati
napući > napuknuti
napućiti (usne)
napućivati prema naputiti
napuhati, napušem
napuhavati
napukao, -kla
napupčenost I jd. napupčenošću i napupče-
nosti
napupčiti
napuštač
napuštati
naputak, -utka, mn. -uci i -utci
naputiti, napućen
narađati
narađivati
naramčić
naranča
narančast
narančevac (oranžada)
naravno (pril.)
narednički
naređenje
naređivati
narezak, -ska, mn. -sci
narijetko (pril.)
narikača
narječje
narječni prema narječje
narkotičan, -čna
naročan, -čna

naročit
narodan, -dna
narodnooslobodilački
narodnjački
narodski
naručaj
naručan, -čna
naručati se
naručitelj
naručiti, naručen
naručivati
naručje
narudžba G mn. -džaba i -džbi
narudžbenica
*narudžbina > narudžba
nasađivati
nasamo (pril.)
naselan, -lna (naseljen)
naseljen
naseljenik
naseljenost, -ošću i -osti
naseljenje
naseobina
nasićen (prid.)
nasigurno (pril.)
nasijecati (ns. prema svr. nasjecati)
nasilan, -lna
nasilnički
nasilnik V jd. -iče, mn. -ici
nasitno (pril.)
nasjecati
nasjeckati
nasjeći, nasiječem
nasjedati
nasjediti se
nasjedjeti se > nasjediti se
nasjesti, nasjedem i nasjednem
naskočiti
naskoro (pril.)
naskroz (pril.)
naslađivati se
naslagač
naslijediti, naslijedim, naslijeđen
naslijeđe
naslijep
naslijepo (pril.)
naslonjač
naslućen
naslućivati
nasljedak, -etka, mn. -ci, G mn. -edaka
nasljedan, -dna
nasljednica
nasljednički
nasljednik V jd. -iče, mn. -ici

nasljedovač
nasljedovati
nasljedstvo
*nasljeđe > naslijeđe
nasljeđivati
nasmiješiti se
nasmjehivati se
nasmješljiv
nasmješljivac, -vca
na smrt; istući na smrt
nasniježiti
nasočiti se
naspjeti, naspijem
nasrčiti se
nasred
Nasredin-hodža
nasrkati, nasrčem, nasrčući
nasrtač
nasrtati, nasrćem, nasrćući
nasrtljivac, -vca, V jd. -vče
nastamba
nastavljač
nastavnički
nastojnički
nastojnik V jd. -iče, mn. -ici
nastrel i nastrjel
nastreljivati i nastrjeljivati
nastrešnica
nastrići, nastrižem
nastrijeliti, nastrijelim, nastrijeljen
nastrijeti, nastrem, nastrijeh, nastro, nastrla
nastrjel i nastrel
nastrjeljivati i nastreljivati
nasuho (pril.)
nasumce
nasumice
nasunčati se
nasuprot (pril. i prij. s D)
nasuprotan
nasvjetovati
našašće (nalazak)
našički prema Našice
naširoko (pril.)
naštedjeti, naštedim, naštedio, naštedjela
našutjeti se
nataći > nataknuti
natajno (pril.)
natašte (pril.)
*natcestar > nadcestar
*natčovjek > nadčovjek
*natćutan > nadćutan
nateći, natečem
nateći, nategnem > nategnuti
nategač

nategača
nathititi, nathićen
nathrvati
naticati, natičem (prema nataknuti)
natiho (pril.)
natikač
natikača
natirati, natirem (prema natrti)
natjecanje
natjecatelj
natjecati se, natječem se
natječaj
natječajni
natjerati
natjerivati
natkoljenica
natkoljenični
natkonobar
natkrilje
natkučiti se
natkučivati se
natlačiti
nato (pril.)
natočiti
natoprćiti se
natpijevati se (natjecati se u pjevanju)
natpjevati (pobijediti u pjevanju)
natpolovičan, -čna
natporučnik
natpričati
natpripovijedati
natprirodan, -dna
natprosječan
natrag (pril.)
natražnjački
natrčati (naići na nešto u trčanju)
natrčavati
natrćiti se > sagnuti se
natrij (kem.)
natrijebiti
natrijev prema natrij
natrijezno (pril.)
natroje (pril.)
natrpjeti se
natruha DL jd. -hi
natruo, natrula
*natšumar > nadšumar
natučenost
natući, natučem
naturalist
naturalistički
nauckati > nahuckati
naučan, -čna > znanstven
naučavati

naučenjak > učenjak
naučiti
naučljiv
naučnica (šegrtica)
naučnički
naučnik (šegrt)
nauditi; ne *nahuditi
nauprt (pril., na leđima)
nausnica
naustice
naušnica
nautičar
nautički; nautička milja
nautika DL jd. -ici
nauvijek (pril.)
nauznačice
nauznak (pril.)
naužiti se, naužijem
navađati (iter.)
navaljivač
navažati (iter.)
na večer
navečerati se
navečerje
na veliko (prodaja)
nàvesti, navedem
nàvesti, navèzēm
nàvēsti , navèzēm
navezak, -cska, mn. -csci, G mn. -czaka
navičaj
navići > naviknuti
navidjeti se, navidim se
navigacijski
navijač
navijača
navijački
navijek (pril.)
navijestiti, navijestim, naviješten
naviještati, navijcštam, navijcštajući
navikao, -kla
naviljak, -ljka, mn. -ljci
naviljčiti
navjera (kredit)
navjesiti
navjesnik
navjestitelj
navješćivati, navješćujem
navještaj
navještavati
navještenje
navlačak, -čka, mn. -čci, G mn. -čaka
navlačenje
navlačilo
navlačiti

navlas (*pril., točno*)
navoditi *prema* navesti
navodljiv
navodnjivati
navođenje
navraćati
navrat-nanos
navrći > navrgnuti
navreti, navrim (*dignuti se do vrenja*)
navrh (*prij.*)
navrijeti, navrem, navrijeh, navro, navrla (*navaliti*)
navrtak mn. navrtci *i* navrci
navrtjeti, navrtim
navrvjeti, navrvim
navući, navučem
nazad (*pril.*)
nazadak, -atka, mn. nazadci *i* nazaci
nazadijevati, nazadijevam
nazadnjački
nazalan, -lna
Nazarećanin *prema* Nazaret
nazbilj (*pril.*)
nazdravičar
nazdravičarski
nazdravljač
na zdravlje!
nazeb, -ba
nazepsti, nazebem
naziđivati
nazimče, -eta
nazlobrz
naznačiti
naznačivač
naznačivati
naznaka DL jd. -aci
nazočan, -čna
nazočnost, -ošću *i* -osti
nazovibrat
nazovirod
nazreti, nazrem, nazreo, nazrela
nazrijevati
nazupčati, nazupčan
nazuti, nazujem
nazuvač
nazuvača
nazuvčar
na žao; učiniti komu (što) na žao
naždrijeti se, naždrem se, naždro se, naždrla se
nažeti, nažanjem
nažigač
nažimati, nažimam
naživičiti
naživjeti se, naživim se

nažnjeti se > nažeti
nažuljiti
nažut
n.d. *krat.* za navedeno djelo
n.e. *krat.* za nove ere, naše ere
ne; *piše se sastavljeno samo s ovim glagolima:* nestati (nestajati), nedostati (nedostajati), nemati (nemoj, nemojmo, nemojte); *za pisanje s ostalim riječima v. u pravilima*
neaktivnost, -ošću *i* -osti
neandertalac, -lca (*pračovjek*)
neartikuliranost, -ošću *i* -osti
nebijeljen
neblag
neboder
nebog (*prid., siromašan*)
neborac, -rca
neborački
nebotičan, -čna
nebraća
nebrat
nebriga DL jd. -izi
nebrodiv
nebrojan, -jna (*malobrojan*)
nebrojen (*prema* ne brojiti); nebrojeno puta
necijenjen
necjelovit
nečast, -asti, I jd. -ašću
nečastan, nečasna
nečastivi (*vrag*)
nečedan, -dna
nečednost, -ošću *i* -osti
nečestit
nečiji, nečijega
nečisnica
nečist, nečisti (*nečistoća*)
nečist *komp.* nečistiji
nečistoća
nečitak, -tka
nečitljiv
nečlan
nečovječan, -čna
nečovječnost, -ošću *i* -osti
nečovjek mn. neljudi
nečovještvo
nečujan, -jna
nečuven
nećački
nećak, nećaka
nećakinja
nećkati se, nećkam se
ne ću, ne ćeš, ne će, ne ćemo, ne ćete, ne će *i* neć0, nećeš neće, nećemo, nećete, neće
nećudoredan, -dna

nećutljiv
nedaća
nedaleko (*pril.*)
nedavno (*pril.*)
nedirnut
neddiscipliniran
nedjelatan, -tna
nedjelo
nedjelja; Sveta Nedjelja (*naselje*)
nedjeljak, -ljka, N mn. -ljci, G mn. -ljaka
nedjeljiv
Nedjeljka DL jd. -ki
nedjeljni
nedogledan, -dna
nedograđen
nedokazan
nedokučiv
nedolazak, -aska, mn. -asci, G mn. -azaka
nedoličan, -čna
nedonesen, -na
nedonoščad
nedonošče, -eta
nedopustiv
nedorađen
nedorastao, nedorasla
nedorečen
nedosjetljiv
nedosljedan, -dna
nedospio, nedospjela
nedospjelost, -ošću i -osti
nedostajati
nedostatak, -atka, mn. -aci, G mn. -ataka
nedostati, nedostanem
nedostižan, -žna
nedostojan, -jna
nedotjeran
nedoučen
nedozreo, nedozrela
nedrag
nedrug
nedug (*prid.*)
nedugo (*pril.*)
nedušljiv
negda
negdašnji i negdanji
negdje
negibak, -pka
negibljiv
negoli (*vez.*)
nego što
negve G negava, mn. ž.r.
nehaj
Nehaj (*tvrđava kod Senja*)
nehajan, -jna

nehar
nehatan > nehajan
nehotičan, -čna
nehrvat
nehtijenje
nehtješa
neimanje
neimaština
ne imati, nemam
neiscjeljiv
neiscrpan, -pna
neiscrpljiv
neiskorjenjiv
neispitljiv
neisplaćen
neisporediv
neistina
neistinit
neistrebljiv i neistrjebljiv
neistrebljivanje i neistrjebljivanje
neistrijebljen
neistrjebljiv i neistrebljiv
neistrjebljivanje i neistrebljivanje
neizbježan, -žna
neizbježiv
neizbrisiv
neizbrojan, -jna
neizbrojiv
neizdržljiv
neizglačan
neizgladiv
neizliječen
neizlječiv
neizmijenjen
neizmjenjiv
neizmjeran, -rna
neizmjerljiv
neizmjernost, -ošću i -osti
neizrabljen
neizračunljiv
neizrađen
neizreciv
neizrečen
neizvjesnost, -ošću i -osti
neizvjestan, -sna
nejač, nejači
nejačak, -čka
nejačica
nejak
nejasnoća
nejednakosložan, -žna
nejednoličan, -čna
neka
nekad i nekada

nekadanji *i* nckadašnji
nekakav, -kva
nekako
nekamo
nekidanji *i* nckidašnji
nekiput *i* ncki put
nekmoli (*vez.*)
nekoć
nekoji > ncki
nekolicina
nekoliko; nckoliko puta
nekrotičan, -čna (*med.*)
nekrst
nekršćanin mn. -ani
nekršćanski
nekršten
nekud *i* nckuda
nelijep
nelomljiv
nelječiv
neljepljiv
neljubazan, -zna
neljudi
neljudski
nemajka
nemalo (*pril.*)
nemati, ncmam (*ali* nc imati)
nemiješanje
nemilo
nemilost, -ošću *i* -osti
nemio, ncmila
nemirnoća
nemjeren
nemoć, ncmoći
nemoćan, -ćna
nemoćnica
nemoćnik V jd. -iče, mn. -ici
nemoguć
nemoguće
nemogućnost, -ošću *i* -osti
nemoj, nemojmo, ncmojtc
nemoral
nenačet
nenadmašan, -šna
nenadmašiv
nenaknadiv
nenamjeran
nenaplaćen
nenapredan
nenapučen
nenatkriljiv
nenavidjeti, ncnavidim, ncnavidio, ncnavidjcla
nenazočan, -čna
neobaviješten

neobaviještenost, -ošću *i* -osti
neobičajan, -jna
neobičan, -čna
neobijeljen
neobjašnjiv
neoblačan, -čna
neobraćen
neobrađen
neobran
neobranjiv
neobučen
neobuzdan
neobvezan, -zna
neobvezatan, -tna
neocijenjen
neocjenjiv
neočekivan
neočišćen
neodgodiv
neodgođen
neodijeljen
neodjeljiv
neodjeven
neodloživ
neodlučan, -čna
neodlučen
neodim (*kem.*)
neodmjeren
neodređen
neodrživ
neodvojiv
neograničen
neokićen
neolitik (*geol.*)
neologizam, -zma
neomeđen
neon (*kem.*)
neonacistički
neopazice
neophodan, -dna
neopisiv
neopjevan
neoplođen
neoporeziv
neoportun
neoprečan *i* ncoprjcčan
neopredijeljen
neopredijeljenost, -ošću *i* -osti
neopredjeljenje
neoprječan *i* ncoprcčan
neopterećen
neorealistički
neorganski
neosjetan, -tna

neosjetljiv
neosporan, -rna
neosvećen
neosviješten
neosvijetljen
neoštećen
neotesan
neotuđenost, -ošću i -osti
neotuđiv
neovjeren
neozlijeđen
neozoik (geol.)
neoženjen
nepamćen
nepar
nepartijac
nepažljiv
nepažljivost, -ošću i -osti
nepce, nepca, G mn. nebaca
nepčan
nepečen
neplaćen
nepobijeđen
nepobjediv
nepočašćen
nepoćudan, -dna
nepodijeljen
nepodjeljiv
nepodmitljiv
nepodnošljiv
nepodopština
nepogrešan i nepogrješan
nepogrešiv i nepogrješiv
nepogrešivost i nepogrješivost, -ošću i -osti
nepogrešnost i nepogrješnost, -ošću i -osti
nepogrješan i nepogrešan
nepogrješiv i nepogrešiv
nepogrješivost i nepogrešivost, -ošću i osti
nepogrješnost i nepogrešnost, -ošću i -osti
nepojmljiv
nepokolebljiv
nepomičan, -čna
nepomiješan
nepomnja
nepomnjiv
nepomućen
nepopravljiv
nepopustljiv
neporeciv
neporečan, -čna
neporemećen
neporočan, -čna
neposredan, -dna
neposrednost, -ošću i -osti

neposvećen
nepošteđen
nepotpun
nepotreban
nepotrebnost, -ošću i -osti
nepovjerenje
nepovjerljiv
nepovredan i nepovrjedan
nepovrediv i nepovrjediv
nepovredljiv i nepovrjedljiv
nepovrednost i nepovrjednost, -ošću i -osti
nepovrijeđen
nepovrjedan i nepovredan
nepovrjediv i nepovrediv
nepovrjedljiv i nepovredljiv
nepovrjednost i nepovrednost, -ošću i -osti
nepraktičan, -čna
neprebrodiv
nepredviđen
nepregledan, -dna
neprekoračiv
neprèlazan i neprijelazan, -zna
neprelaznost i neprijelaznost, -ošću i -osti
nepremjestiv
nepremjestivost, -ošću i -osti
nepremješten
nepremostiv
neprenosiv
neprestan
neprestano
nepresušiv
nepretjeran
neprevreo
nepreživač
neprihvaćen
neprijekoran, -rna
neprijelazan i neprelazan, -zna
neprijelaznost i neprelaznost, -ošću i -osti
neprijeporan komp. nepreporniji i neprjepor-
  niji
nepriličan, -čna
neprimijećen
neprimjeren
neprimjetan
neprimjetljiv
neprireden
nepristojan, -jna
nepristupačan, -čna
neprobavljiv
neprocijenjen
neprocjenjiv
nepročišćen
nepromijenjen
nepromjenljiv

nepromočiv
nepropadljiv
nepropustan, -sna
neprosvijećen
neprovediv
neprovjetren
neptunij (kem.)
nepušač
neradnički
nerado
neranjiv
neraspadljiv
neraščlanjiv
neravnomjeran, -rna
nerazdijeljen
nerazdjelan, -lna
nerazdjeljiv
nerazdruživ
nerazgovijetan, -tna
nerazlučiv
nerazmijenjen
nerazmjenjiv
nerazmjer
nerazmjeran, -rna
nerazoriv
nerazrađen
nerazrijeđen
nerazriješen
nerazrješiv
nerazumijevanje
nerazumljiv
nerealan
Neretva (zem.)
Neretvanin od Neretva
neretvanski od Neretva
neriješen
nerijetko
neritmičan, -čna
nerješiv
nerođen; nerođeno dijete
nerotkinja
nervčik
ne samo
nesavjesno
nesavjesnost, -ošću i -osti
nesavjestan, nesavjesna
nesavladiv
nesebičan, -čna
neshvaćanje
neshvaćen
neshvatljiv
nesiguran, -rna
nesimetričan, -čna
nesječen

nesjenovit
nesklonjiv
neskrućen
neskvrčen
neslaven
neslobodnjački
neslomljiv
neslućen
nesmisao, nesmisla
nesmjelica
nesnošljiv
nesocijalan
nespretnjaković
nesreća
nesređen
nesretan, -tna
nesretnica
nesretnik V jd. -iče, mn. -ici
nestajati, nestajem, nestajući
nestlačiv
nestrpljenje
nestrpljiv
nestručnjački
nestručnjak mn. -aci
nesuđen
nesumnjiv
nesustavan, -vna
nesuvisao, -isla
nesuvremen
nesuvremenica
nesuvremenik V jd. -iče, mn. -ici
nesuvremenost, -ošću i -osti
nesvijest, nesvijesti, I jd. nesviješću i nesvijesti
nesvjesno
nesvjestan, nesvjesna
nesvjestica
neštedimice
neštedljiv
neštićen
nešto, nečega
netaktičan
netko, nekoga
neto; neto-cijena, neto-iznos, neto-težina
netočan, -čna
netom
*neubjedljiv > neuvjerljiv
neučan, -čna
neugasiv
neukoričen
neukroćen
neuljepšan
neuljuđen
neumijeće
neumiješan

neumjeren
neumjerenost, -ošću i -osti
neumjestan, -sna
neumještina
neumoljiv
neuništiv
neuobičajen
neupadljiv
neuporabiv
neupotrebljiv
neupotrebljivost, -ošću i -osti
neupotrijebljen
neupućen
neuračunljiv
neuralgičan, -čna
neurasteničan, -čna
neuređen
neurološki
neuropsihički
neurotičan, -čna
neuroza (med.)
neuručen
neusmjeren
neuspio, neuspjela
neuspjeh
neuspjelost, -ošću i -osti
neuspješan, -šna
neusporediv
neustavan, -vna
neustrašiv
neutaživ
neutjeriv
neutješan
neutješiv i neutješljiv
neutvrđen
neuviđavan, -vna
neuvjerljiv
neuvježban
neuvredljiv i neuvrjedljiv
neuvredljivost i neuvrjedljivost, -ošću i -osti
neuvršten
neuzbuđen
nevaljalac, -lca, V jd. -lče, G mn. -laca
nevaljalstvo
nevaljalština
nevaljao, nevaljala
nevažeći
nevera (oluja)
neveseo, nevesela
Nevèsinje
nevesinjski; Nevesinjsko polje
nevidjelica
nevidljiv
neviđen

nevjenčan
nevjera
nevjerac, -rca
nevjeran, -rna
nevjernica
nevjernički
nevjernik V jd. -iče, mn. -ici
nevjerništvo
nevjernost, -ošću i -osti
nevjerojatan
nevjerovan
nevjerovanje
nevjerstvo
nevjesta
nevjestica
nevješt
nevještina
nevojnički
nevoljnički
nevrijedan komp. nevredniji i nevrjedniji
nevrijednik V jd. -iče, mn. -ici
nevrijednost, -ošću i osti
nevrijeme, nevremena
nezaboravljiv (koji se ne zaboravlja)
nezacijeljen
nezacjeljiv
nezamijenjen
nezamjenjiv
nezamjetljiv
nezapamćen
nezasićen
nezasitljiv
nezavisan, -sna
neznabožac, -ošca, mn. -ošci, G mn. -žaca
neznabožački
neznajša > neznalica
neznalački
neznan
neznančev
nezreo, nezrela
neženja
ni, piše se sastavljeno sa zamjenicama i prilozima: nitko, nigdje; ako pred takvu zamjenicu dolazi prijedlog, zamjenica se rastavlja, a prijedlog umeće između ni i zamjenice: ni od koga, ni o čemu
nicati, ničem, ničući
ničice
ničiji
nićanica (etnol.)
nićenje od nititi
nići > niknuti
nigda
nigdje

nihilistički
nijansa
niječan, -čna
niječno
nijedan, -dna (*nikakav*)
nijedanput
nijek
nijekalac, nijekaoca, G mn. nijekalaca
nijekati, niječem, niječući
nijem *komp.* njemiji
nijemac, -mca (*nijem čovjek*)
Nijemac, -mca, G mn. Nijemaca
nijemčiti
nijemjeti, nijemim, nijemljah, nijemio, nijem-
    jela
nijemljenje *prema* nijemjeti
nijemost
nijesam > nisam
nijetiti > namjeravati, odlučivati
nikad *i* nikada
nikakav, -kva
nikako
nikakov > nikakav
nikal, -kla (*kem.*)
nikamo
niklen
nikogović
nikoji > nikakav
nikoliko
nikud *i* nikuda
nikud-nikamo
nimalo (*pril.*)
nimbus
nimfa
ni mukajet (*ni da pisne*)
niobij (*kem.*)
niodakle
niotkud *i* niotkuda
nipošto (*pril.*)
niskoća
niskogradnja
niskonaponski
nišandžija
ništa, ničega (*ali* ni od čega)
ništić
ništetan, -tna
niti (*vez.*)
nitko, nikoga (*ali* ni od koga)
nitkov
nitković
nitrolak
niukoliko
nivo, nivoa > razina
nizak, niska; *komp.* niži

nizašto (*pril.*)
niz brdo
nizdoli (*pril.*)
Nizozemac, -mca
Nizozemka DL jd. -ki, G mn. -ki
Nizozemska
ni[ž]erazredni
nižoškolac, -lca, V jd. -lče, mn. -lci, G mn. -laca
N.N. oznaka za nepoznatu osobu (*lat.* nomen
    nescio)
noć I jd. noću *i* noći; *ne* *noćju
noćas
noćašnji
noćca
noćenje
noćište
noćiti
noćivati, noćujem
noćni
noćnik
noćobdija
noću (*pril.*)
noćurak, -rka (*bot.*)
noga DL jd. nozi; iks-noge, o-noge
nogači (*nogari*)
nokaut (*šport*)
noktić
nokturno
Norveška
norveški
Norvežanin mn. -ani
nosač
nosačica
noseća (*prid.*)
nosić
nosilac, -ioca, G mn. -ilaca
nositelj
nosni *prema* nos
nosorog mn. -ozi
nostalgičan, -čna
novačenje
novačiti
novački
Nova godina (*blagdan, 1. siječnja*)
novčan
novčanica
novčanik mn. -ici
novčar
novčarka DL jd. -rki *i* -rci
novčić
novčina
novelistički
Novi, Novoga; Novi Vinodolski, Bosanski
    Novi, Herceg Novi (*zem.*)

novicijat
Novigrad (*kod Zadra*)
Novigrad Podravski (*zem.*)
Novigradsko more (*morski kanal kod Novi-grada*)
Novigrađanin mn. -ani *od* Novigrad
Novi Sad (*zem.*)
novi vijek (*pov.*)
Novljanin *od* Novi *i* Novska
novljanski *od* Novi *i* Novska
nov novcat
novogodišnji
Novogradiščanin mn. -ani (*stanovnik Nove Gradiške*)
novogradiški *prema* Nova Gradiška
novogrčki
novoimenovan
novoizabran
novoosnovan
novopostavljen
novorođen
novorođenčad
novorođenče, -cta
novosadski *od* Novi Sad
Novosađanin *od* Novi Sad
novosagrađen
novostečen
novouspostavljen
novovisokonjemački

novovjekovan, -vna
novovjerac, -rca, G mn. -raca
novovremen
novovremenski
novozavjetni
Novozelanđanin mn. -ani (*stanovnik Nove Zelandije*)
nožić
nudistički
nuđati > nuditi
nuđenje
nukati *i* nutkati
nula >ništica
nulti > ništični
numizmatičar
numizmatički
nuncij; papinski nuncij
nuncijatura
nuspojava
nuspostaja
nuspristojba
nusproizvod
nusprostorija
nutarnji
nuzgredan > uzgredan
nuzzanimanje
nuzzarada
nuzzgrada
nuždan, nužna

NJ

nj A od on (*npr. za nj, poda nj*)
njakati, njačem
njedarca
njedra, njedara
njega DL jd. njezi
Njegova Ekscelencija
njegovati
Njegovo Veličanstvo
*njegve > negve
Njemačka
njemački
njemak, -aka (*nijem čovjek*)
njemčati
Njemčina
njemica *od* nijem
Njemica (*ali* Nijemac)
njemoća
njemota
njen > njezin

njetilo
njezin; Njezino Veličanstvo
nježan, nježna
nježnost, -ošću *i* -osti
njihaj
njihaljka DL jd. -ljci
njihati, njišem, njišući
njihov
njisak, -ska, mn. -sci
njiskati
Njivice (*zem.*)
njivički *od* Njivice
njoki mn. m. r.
njorac, -rca (*zool.*)
njuh
*njujorški > newyorški *prema* New York
njuška, -šci, G mn. -šaka
Nj. V. *krat. za* Njegovo (Njezino) Veličanstvo
Nj. Vis. *krat. za* Njegova (Njezina) Visost

O

o. *krat.* za otok, otac (*svećenik*)
oaza
oba, obaju, obama
obaći, obađem
obadva, obadvaju, obadvama
obadvije, obadviju, obadvjema
obadvjeručke
obadvoje
obadvojica
obal *i* obao, obla
obamirati, obamirem
obamrijeti, obamrem, obamro, obamrla
obao *i* obal, obla
obarač
obarački
obasjati
obasjavač
obastrijeti, obastrem, obastro, obastrla, obastrt
obasuti, obaspem
obavijest 1 jd. obaviješću *i* obavijesti
obavijestan, obavijesna
obavijestiti, obaviješten
obaviještenost, -ošću *i* -osti
obàviti, obavijem
òbaviti, obavim (*svršiti*)
obavjesnica
obavješćivati *i* obavještavati
obavještajac G jd. -jca, V jd. -jče
obavještajni
obavještavati *i* obavješćivati
obavještenje > obavijest
obavljač
obazreti se, obazrem se
obdan (*pril.*)
obdjelati
obdjelavati
obečiti (*izbečiti oči*)
obećan
obećanica
obećanik V jd. obećaniče
obećati
obećavati, obećavam, obećavajući
obelisk mn. -sci
obescijeniti, obescijenim, obescijenjen
obescjenjenje
obescjenjivati
obeshrabren

obeskrepljenje *i* obeskrjepljenje
obeskrepljivati *i* obeskrjepljivati
obeskrijepiti, obeskrijepim, obeskrijepljen
obeskrjepljenje *i* obeskrepljenje
obeskrjepljivati *i* obeskrepljivati
obesmrćenost, -ošću *i* -osti
obesnažen
obesplođivati
obesvetiti, obesvećen
obeščastiti, obeščašćen
obeščašćenje *prema* obesčastiti
obeščašćivanje *prema* obeščašćivati
obeščašćivati
obešumljivati
***obezbijediti** > osigurati
***obezbjeđivati** > osiguravati
obeznaniti
obezočiti
obezubiti
obezvređivati *i* obezvrjeđivati
obezvrijediti
obezvrjeđivati *i* obezvređivati
običaj
običajan, -jna
običajnopravni
običan, -čna
običavati, -am
običnost, -ošću *i* -osti
obići, obiđem, obiđoh, obišao, obišla
obići > obiknuti
obijač
obijediti, obijeđen
obijeliti (*učiniti što bijelim*)
obijeljeti (*postati bijel*)
obijesnica
obijesnik V jd. -iče, mn. -ici
obijest 1 jd. obiješću *i* obijesti
obijestan, obijesna
obilan, -lna
obilježavati
obilježba
obilježenost, -ošću *i* -osti
obilježiti
obilježje
obirač
obisnuti
obistinjavati se

objačati (*postati jak*)
objačiti (*učiniti jakim*)
objačivati
objasnidbeni
objašnjavački
objašnjavati *i* objašnjivati
objašnjenje *prema* objasniti
objašnjiv
objašnjivati *i* objašnjavati
obavljenje *prema* objaviti
objavljivač
objavljivati
obje, obiju, objema
objed, objeda
objeda
objednom (*pril.*)
objedovati
objeđivati
objekt
objektivan, -vna
objektivnost, -ošću *i* -osti
objelodaniti
objelodanjivati
objeručke
objesiti
objesti se, objedem se
obješenjački
obješenjak mn. -aci
 obješenjaković
oblačak, -čka
oblačan, -čna
oblačić
oblačina
oblačiti, oblačeći
oblačnost, -ošću *i* -osti
oblast I jd. oblašću *i* oblasti
oblesavjeti, oblesavim
obletavati
obletjeti, obletim
obličan
obličiti
obličivati
obličje
obličke (*pril.*)
oblić (*oblo drvo*)
obligacijski
oblijeniti se
oblijepiti, oblijepim, oblijepljen
oblijetanje
oblijetati, oblijećem, oblijećući
oblijevati
oblučac, -čca
oblučast
oblučje

obluće *zb. od* oblutak
oblutak mn. obluci
obljepljivati
obljetan, -tna
obljetnica
obmanjivač
obmanjivački
obmanjivati
obnaći, obnađem
obnemoći, obnemognem
obnevidjelost, -ošću *i* -osti
obnevidjeti, obnevidim
obnijemjeti
obnijeti, obnesem, obnijeh, obnio, obnijela
obnoć (*pril.*)
obnoćiti se
obnovljenje *prema* obnoviti
oboa, oboe, DL jd. oboi (*glaz.*)
obočić *um. od* obod
obodac G jd. obodca *i* oboca
obogaćenost, -ošću *i* -osti
obogaćivanje
obogaćivati
obogatiti, obogaćen
oboist (*glaz.*)
obojak, -jka, mn. -jci
obojčić
oboje (*muško i žensko*)
obojica (*samo muškarci*)
obol
obolijevati
oboljelost
oboljeti, obolim
obook
oboružati
obospolan
obračun
obračunati
obračunavati
obraćati
obraćenica
obraćenik mn. -ici
obraćenje
obradba
obradiv
obrađivač
obrađivački
obrađivati
obrambeni
obrastao, obrasla
obraščić *um. od* obraz
obraščivati, -šćujem
obratiti, obraćen
obrazac, -asca

*obrćati > obrtati
obreći, obrečem i obreknem
obreðivati
obrezač
òbrezati, obrežem
obrézati, obrezam
obrezivač
obrežak, -ška i obrježak, -ška
obrežina i obrježina
obrežje i obriježje
obrežni i obrježni
obrijedak, obrijetka (ponešto rijedak)
obriježje i obrežje
obrisač
obrježak, -ška i obrežak, -ška
obrježina i obrežina
obrježni i obrežni
obronačan, -čna
obrovački od Obrovac
obrtač
obrtimično
obrtnički
obrtnik V jd. obrtniče
obrubnjački
obruč
obručan, -čna
obručić
obručiti
obručnjak mn. -aci (drvodjeljsko oruđe)
obrvati > ophrvati
obučavati
obučiti
obučenost, -ošću i -osti
obuća
obućar
obući, obučem, obukao, obukla, obučen
obućni
obudovjeti, obudovim, obudovjeh, obudov-
   jev(ši), obudovio, obudovjela
obuhvaćati
obuhvatiti
obujam, -jma
obujmeni (prid.)
obujmiti
obumrijeti, obumrem, obumrijeh, obumro,
   obumrla
obuvača
obuvaći (prid.)
òbvesti, obvedem
òbvesti, obvèzēm
òbvēsti, obvézēm
obveza
obvezanički
obvezanik mn. -ici

obvezatan, -tna
obvezati
obveznica
obveznički
obveznik V jd. -iče, mn. -ici
obvladati
ocal, ocala (čelik)
ocalan, -lna
ocat, octa
ocatni
ocean; Atlantski ocean
oceanografija
oceanski
ocijediti, ocijedim, ocijeđen (svršiti cijeđe-
   njem)
ocijeniti, ocijenim, ocijenjen
ocijepiti, ocijepim, ocijepljen (svršiti cijep-
   ljenjem)
ocjedan, -dna
ocjedina
ocjedine
ocjedit
ocjeđivač
ocjeđivati prema ocijediti
ocjel (čelik)
ocjelni
ocjena
ocjenjivač
ocjenjivački
ocjenjivanje
ocjenjivati, ocjenjujem
ocoubojica
ocoubojstvo
ocrniti (učiniti crnim)
ocrnjelost, -ošću i -osti
ocrnjeti (postati crn)
ocrnjivač
ocrnjivati, -njujem
ocvasti
ocvjetati
očađaviti (učiniti čađavim)
očađavjeti (postati čađav)
očaj
očajan
očajanje
očajati, očajam
očajavati
očajnica
očajnički
očajnik V jd. -iče, mn. -ici
očale > naočale
očaran
očarati, očaram
očaravati

*očari > naočale
očehnuti
očekivač
očekivanje
očekivati
očeličiti
očemeriti se
Očenaš (*molitva*)
očenaši > krunica
očenje (*okuliranje*)
očepiti (*stati komu na nogu*)
očepljivati *prema* očepiti
očerupati, očerupam
očešati, očešem
očešljati, očešljam
očetkati, očetkam
očev
očević
očevid
očevidac, očevica, mn. očevici, G mn. očevidaca
očevidan, -dna
očevidnik
očevina
oči, očiju
očica
očiglece *i* očigledce (*pril.*)
očigledan, -dna
očigledce *i* očiglece
očijukati
očiliti (*postati čil*)
očimiti (*zvati koga ocem*)
očin
očinski
očinstvo
očinji
òčiraviti
očistiti, očišćen
očišćavati *i* očišćivati
očišćenje *prema* očistiti
očišćivati *i* očišćavati
očit
očitati (*svršiti čitanjem*)
očiti (*okulirati*)
očito
očitost
očitovanje
očitovati
očni
očnik
očnjak, očnjaka, mn. očnjaci
očovječiti se
očuh
očupati, očupam

očuvanost, -ošću *i* -osti
očuvati, očuvam
očvarak, -rka, mn. -rci
očvrsje
očvrsnuti
očvrstiti
očvršćivač
očvršćivati
oćelaviti (*učiniti koga ćelavim*)
oćelavjelost, -ošću *i* -osti
oćelavjeti, oćelavim (*postati ćelav*)
oćoravjeti, oćoravim
oćut
oćutjeti, oćućen
oćutkivati
odabirati, -em
odadrijeti, odadrem, odadro, odadrla
odahnuće
odahnuti
odahnjivati, odahnjujući
odakle
odalečiti
odalečivati
odalje
odaljiti
odande
odanle
odapeti, odapnem
odapinjač
odaprijeti, odaprem, odapro, odaprla
odastrijeti, odastrem, odastro, odastrla
odasvud
odašiljač
odašiljački
odatle
odavati, odajem
odavde
odavle
odavna (*pril.*)
odavno (*pril.*)
odavreti, odavrim *i* odavrijem
odazvati *i* odzvati
odbijač
odbitak, -tka, mn. -ici, G mn. -itaka
odbjeći, odbjegnem
odbjeg
odbjegnuti
odbljesak, -ska, mn. -sci, G mn. -saka
odbočiti se
odbornički
odcijediti, odcijedim, odcijeđen
odcijepiti, odcijepim, odcijepljen
odcjedivati
odcjepljenje

odcjepljivati
odcuriti
odčas (*pril.*)
odčepiti (*izvaditi čep*)
odčepljivač
odčepljivati
odčitati
odčitavati
odćupnuti
odćušnuti
oderati, oderem
odgađač
odgađati
odgoj
odgojilišni
odgojilište
odgolićavati *i* odgolićivati
odgrijavati
odgristi, odgrizem
odgrizak, -iska, mn. -isci
odgrtač
odgrtati, odgrćem
odgudjeti, odgudio, odgudjela
odići > odignuti
odijelce
odijeliti
odijelo
odijeljenost, -ošću *i* -osti
odijevanje
odijevati
odio, odjela *i* odjel
odiozan, -zna
odiskona (*pril.*)
odista (*pril.*)
odjeća
odjedanput (*pril.*)
odjednom (*pril.*)
odjek
odjel *i* odio, odjela
odjelan, -lna
odjelit
odjeljak, odjeljka, G mn. odjeljaka
odjeljati
odjeljenje *prema* odijeliti, *običnije* odjel
odjeljivati
odjenuti
odjeti > odjenuti
odjeven
odjeveriti
odjevni
odlanuti
odlazak, -aska, mn. -asci, G mn. -azaka
odleći se, odležem se
odleđen

odleđivati
odletjeti, odletim
odličan, -čna
odličje
odličnik mn. -ici
odličnost, -ošću *i* -osti
odlijegati, odliježem
odlijepiti, odlijepim, odlijepljen
odlijetati, odlijećem, odlijećajući
odlijevanje
odlijevati, odlijevam, odlijevajući
odlučan, -čna
odlučiti
odlučivati, odlučujem
odlučnost, -ošću *i* -osti
odludžba
odljepljivati
odljev
odljevak, odljevka, G mn. odljevaka
odljutiti, odljućen
odmaći > odmaknuti
odmagač
odmah
odmak mn. odmaci
odmeđivati
odmetati, odmećem
odmetnički
odmetnik V jd. -iče, mn. -ici
odmetništvo
odmicač
odmicati, odmičem
odmijeniti, odmijenim
odmila
odmjena
odmjenjivanje *prema* odmjenjivati
odmjenjivati
odmjeranje
odmjerati
odmjeravati
odmjerenost, -ošću *i* -osti
odmjeriti
odmoć
odmoći, odmognem
odmučati
odnarođen
odnarođivati
odnašati > odnositi
odnedavno
odnekle
odnekud *i* odnekuda
odnijeti, odnijeh, odnese, odnesav(ši), odnio, odnijela, odnesen
odnjihati
odojak, -jka, V jd. -jče, mn. -jci, G mn. -jaka

odojčad
odojiti
odoka (*pril.*)
odolijevanje
odolijevati
odoljen
odoljeti, odolim, odoljeh, odoljev(ši), odolio, odoljela
odomaćiti se
odonda
odonud *i* odonuda
odostrag *i* odostraga
odovud *i* odovuda
odozdo *i* odozdol *i* odozdola
odozgo *i* odozgora
odračunati
odrađivati
odrečan > niječan
odreći, odrečem
odreda (*pril.*)
odredba
određivač
određivati
odreknuće
odricati, odričem
odričan, -čna *od* odricati
odrijemati
odriješiti, odriješim
odrijeti, odrem, odro, odrla, odrt
odrješen
odrješenje
odrješit
odrješito
odrješitost, -ošću *i* -osti
odrješivati, odrješujem
odrješljiv
odrješljivost, -ošću *i* -osti
odrješnica
odrođivati se
odručati
odrvati se > othrvati se
odrvenjelost, -ošću *i* -osti
odrvenjeti
odsad(a)
odseliti (se)
odsijecati, odsijecam, odsijecajući
odsijevati
odsjaj
odsjajivati
odsječak, -čka, mn. -čci
odsječan, -čna
odsječen
odsjeći
odsjedati

odsjednuti
odsjek mn. odsjeci
odsjesti, odsjednem, odsjeo, odsjela
odsjev
odskakati
odskočan, -čna
odskočiti
odskočke (*pril.*)
odskočni; odskočna daska
odskočnica
odskok
odskora
odslije (*odsad*)
odsprijeda
odstajati
odstraga
odstraniti
odstranjivati
odstrel *i* odstrjel
odstreljivati *i* odstrjeljivati
odstrići
odstrijeliti
odstrjel *i* odstrel
odstrjeljivati *i* odstreljivati
odstupati
odstupiti
odstupnica
odstupnina
odsuće
odsutan, -tna
odsutnost, -ošću *i* -osti
odsvagda
odsvakud(a)
odsvuda
odšepati
odšetati
odšiti
odškrinuti
odštampati
odštećivati (*nadoknađivati štetu*)
odšteta
odštetiti (*nadoknaditi štetu*)
odštetni; odštetni zahtjev
odšuljati se
odšutjeti
odtok
odtući, odtučem (*odbiti*)
odučavati, odučavam
odučiti
odugačak, -čka
odugovlačiti
odumrijeti
oduprijeti, oduprem, odupro, oduprla
odušak, -ška

oduševljenje
oduvijek
oduzeće
oduzetak mn. oduzeci *i* oduzetci
odvajkada
odvažati (*iter.*)
odveć
òdvesti, odvedem
òdvesti, odvèzēm
òdvēsti, odvézēm
odvići *i* odviknuti
odvijač
odvijak
odvijek
odvijeka
odviše
odvjetak, -tka, mn. odvjeci *i* odvjetci
odvjetnica
odvjetnički
odvjetnik V jd. -iče, mn. -ici
odvjetništvo
odvlačiti
odvlaživač
odvođač
odvoziti (*tr.*)
odvraćati
odvratiti, odvraćen
odvrći > odvrgnuti
odvrgnuće
odvrtač
odvrtati, odvrćem
odvrtjeti, odvrtim, odvrtio, odvrtjela
odvrvjeti
odvući, odvučem
odzada
odzdrav
odzračnik
odzvati *i* odazvati
*odžak > dimnjak
ofenziva
ofenzivan, -vna
oficijal
oficijelan, -lna (*služben*)
oftomološki
o.g. *krat. za* ove godine
ogaditi, ogađen
ogađivati
ogladnjeti, ogladnio, ogladnjela
oglašavač *i* oglašivač
oglašavati *i* oglašivati
oglavičiti se
oglodati, oglođem
ogluhnuti
oglupavjelost, -ošću *i* -osti

oglupavjeti, oglupavim
oglupjelost, -ošću *i* -osti
oglupjeti, oglupim
ognjen
ognjevit
ognjičav
ognjište
ogolićenost, -ošću *i* -osti
ogoliti (*učiniti što golim*)
ogoljeti, ogolim, ogoljeh, ogoljev(ši), ogolio, ogoljela (*postati gol*)
ogorčenost, -ošću *i* -osti
ogorčenje
ogorčiti
ogorčivati
ogorjelica
ogorjelina
ogorjelište
ogorjeti, ogorim
ogovarač
ogovaračica
ogovarački
ogradak, ogratka, mn. ograci *i* ogradci
ograđivanje
ograđivati
ograničavati *i* ograničivati
ograničen
ograničenost, -ošću *i* -osti
ograničenje
ograničiti
ograničivati *i* ograničavati
ogranuće
ogrbavjeti, ogrbavim
ogrebač
ogrebača
ogrebak, ogrepka, mn. ogrepci
ogrepsti, ogrebem
ogrešenje *i* ogrješenje
ogrešivati se *i* ogrješivati se
ogrev > ogrjev
ogrežnjavati
ogrijati, ogrijem
ogriješiti, ogriješim
ogrijevati, ogrijevam, ogrijevajući
ogrizak, ogriska, mn. ogrisci
ogrješenje *i* ogrešenje
ogrješivati se *i* ogrešivati se
ogrjev
ogrjevni
ogrličar
ogrličast
ogrnjač
ogrončati se
ogrozničaviti

ogrtač
ogrtati, ogrćem
ogrubjelost, -ošću *i* -osti
ogrubjeti, ogrubim
ogubavjelost, -ošću *i* -osti
ogubavjeti, ogubavim
ohladiti (*učiniti što hladnim*)
ohladnjeti (*postati hladan*)
ohlađenost, -ošću *i* -osti
ohlađivati
ohol, ohola
oholost, -ošću *i* -osti
ohrapavjelost, -ošću *i* -osti
ohrapavjeti, ohrapavim
Ohrid
ohridski; Kliment Ohridski; Ohridsko jezero
ohromiti (*učiniti koga hromim*)
ohromjeti (*postati hrom*)
*oivičiti > obrubiti
ojačanje
ojačati, -am
ojačavati
ojaditi, ojađen
ojađenost, -ošću *i* -osti
ojađivati
ojaričati se, -am se
ojunačiti se
okačiti > okvačiti
okagača > poprečna greda
okančina
okapač
okazioni > prigodan
Okić
Okić grad
okićen
okidač
oklijevalac, oklijevaoca, G mn. oklijevalaca
oklijevalo
oklijevanje
oklijevati
oklopnički
oklopnjača
okolčiti
okolišati, okolišajući
okolni
okolo
okomičan, -čna
okončati
okončavati
okopnjeti, okopnim
okorio, okorjela
okorjelost -ošću *i* -osti
okorjeti
okračati (*postati kratak*)

okraćati (*postati kraći*)
okrajčiti
okrčiti
okrečiti
okrepa *i* okrjepa
okrepljenica
okrepljenički
okrepljenik
okrepljenje *i* okrjepljenje
okrepljiv *i* okrjepljiv
okrepljivati *i* okrjepljivati
okrepljivost *i* okrjepljivost, -ošću *i* -osti
okresati
okresina (*okresana greda*)
okretač
okretati, okrećem
okrijek (*vrsta alge*)
okrijepiti, okrijepim, okrijepljen
okrjepa *i* okrepa
okrjepljenje *i* okrepljenje
okrjepljiv *i* okrepljiv
okrjepljivati *i* okrepljivati
okrjepljivost *i* okrepljivost, -ošću *i* -osti
okročiti
okrućati, -am
okrugao, okrugla
okrugloća
okrupnjati, -am
okrutnički
oksid
oksidacijski
oksidirati
oktaedar, -dra
*oktobar > listopad
Oktobarska revolucija (*pov.*)
oktroirati (*nametnuti*)
okuč, okuči
Okučani (*zem.*)
okućiti se
okućje
okućnica
okulist
okulistički
okultist
okultistički
okundačiti
okupacijski
okvačiti
olabavjelost, -ošću *i* -osti
olabavjeti
olakoćivati
olakotan, -tna
oleandar, -dra (*bot.*)
oličavati

oličenje
oličiti
oligarhija
olijeniti se
olijepiti, olijepim, olijepljen
Olimp
olimpijac, -jca
olimpijada
olimpijski *od* Olimpija
olimpski *od* Olimp
olovnjača
olučen
oljepljivati
oljetiti se
omaći se > omaknuti se
omađijati
omaha DL jd. omahi
omahivati
omaječak (*pril.*)
omastiti, omašćen *i* omašten
omašćivati
omča G mn. omči
omečiti
omeđač
omeđak G jd. omećka *i* omeđka, mn. omećci
i omeđci
omeđen
omeđiti
omeđivati
omijeniti
omijesiti
omiliti (*učiniti milim*)
omiljeti, omilim, omiljeh, omiljev(ši), omilio, omiljela (*postati mio*)
Omišalj, -šlja
omišaljski *od* Omišalj
o.mj. *krat. za* ovoga mjeseca
omjer
omjeriti
omjerka
omlaćen
omlitavjelost, -ošću *i* -osti
omlitavjeti, omlitavim
omočiti
omodrjeti (*postati modar*)
omogućavati *i* omogućivati
omogućiti
omogućivati *i* omogućavati
omorični
omotač
omrčiti
omrći > omrknuti
omrijestiti se
omršavjeti, omršavim

omučiti se
omudrjeti (*postati mudar*)
omušičaviti se
onamošnji
ončas (*pril.*)
ondan (*pril.*)
ondašnji
ondje
onečistiti
onečišćavati *i* onečišćivati
onečišćen
onečišćivati *i* onečišćavati
onemoćalost, -ošću *i* -osti
onemoćati, -am
onemoći
onemogućavati *i* onemogućivati
onemogućen
onemogućenost, -ošću *i* -osti
onemogućiti
onemogućivati *i* onemogućavati
onesvijestiti se, onesviješten
onesvjesnuti se
onesvješćivanje
onesvješćivati se, onesvješćujem se
onijemjeti, onijemim
onizak, oniska; *komp.* oniži
o-noge
onomadne
onosvjetski
onostranski
onovčiti se
onovremen
oo. *krat. za* oci (*svećenici*)
op. *krat. za lat.* opus (*djelo*)
opačina
opačiti se
opadač
opahnuti
opamećen
opamećivati
opak *komp.* opakiji
opančar
opančarev *i* opančarov
opančarija
opančić
opasač
opatički *od* opatica; Opatička ulica
opatijski *prema* Opatija
opaučiti
opažač
opčarati
opčaravati
opčiniti
opčinjavati

opčinjen
opčuvati
općečovječanski
općedržavni
općeeuropski
općejezični
općelingvistički
općeljudski
općenarodni
općenit
općenje
općeobrazovni
općeobvezatni
općepoznat
općeprihvaćen
općepriznat
općeslavenski
općesvjetski
opći
općina
općinar
općinski
općinstvo
općiti
opeći, opečem, opekao, opekla, opečen
opepeliti
operacijski
opetovničar
ophod
ophođenje
ophrđati
ophrvati
opijelo
opijévati (ns. prema svr. òpjevati)
opijum
opirač
opirnjača
opisivač
opisivačica
opjeniti
òpjevati (svr. prema nesvr. opijevati)
opjevavati
opkoljavati
opkop
opkoračavati i opkoračivati
opkoračenje
opkoračiti
opkoračivati i opkoračavati
opkročiti
oplačina
oplaćivati prema oplata
oplavjeti, oplavim
oplećak, -ćka, mn. -ćci, G mn. -ćaka
oplećje

opletati, oplećem
oplićati (postati plitak)
oplijeniti, oplijenim, oplijenjen
oplijeviti, oplijevim, oplijevljen
opločen
opločenje
opločiti
opločje prema ploča
oploćen prema plot
oplođaj
oplođen
oplođivati
oplošje prema ploha
opljačkati
opljen
opljesniviti se
oplješiviti
opljeti, oplijevem, oplio, opljela, oplijeven
  (oplijeviti)
opnokrilac, -lca, V jd. -lče, G mn. -laca
opočinak, -nka
opočinuti
opočivati
opominjač
oponašač
oporbenjački
oporbenjak V jd. -ačče, mn. -aci
oporečen
oporeći, oporečem
oporicati, oporičem
oportunistički
oporučan, -čna
oporučitelj
oporučiti
oporučivati
oporučno
opotrebiti (postati potreban, potrebit, siro-
  mašan)
opovijedati (ns. prema svr. opovjediti)
opovjediti (obznaniti)
opovrći > opovrgnuti
opovrgnuće
opozicijski
opozicionalac, -lca, V jd. -lče, G mn. -laca
opraznjeti, opraznim, opraznjeh, opraz-
  njev(ši),opraznio, opraznjela
oprčiti se (osjeći se)
oprčito
oprćiti, oprćen (naprćiti usne)
oprečnost, -čna
oprečnost, -ošću i -osti
opredijeliti, opredijelim, opredijeljen
opredijeljenost, -ošću i -osti
opredjeljenje

opredjeljiv
opredjeljivati
opregača
opreka DL jd. -cci
opremač
oprhnuti
oprijeti (se), oprem (se), oprijeh (se), opro,
   oprla (se)
oproljećivati
oproljetiti, oproljećen
oprosnički
opružač
opsadnički
opsađivati
opscen (bestidan, sramotan)
opseći > opsegnuti
opservacija (opažanje)
opservacijski
opservatorij
opsijecati, opsijecam
opsipati
opsjeći, opsiječem
opsjedanje
opsjedati
opsjednutost, -ošću i -osti
opsjena
opsjenar
opsjeniti
opsjenjivač
opsjenjivati
opsjesti
opskočiti
opskrba
opskrbjeti
opskrbni
opskuran
opsočiti
opstrukcija
opstruirati
opšav
opšivati, -am
optakati, optačem
optečen
opteći, optečem
opterećen
opterećenje
opterećivati
opteretiti, opterećen
opticati, optičem
optičan, -čna
optičar
optičarski
optički
optika DL jd. -ici

optimist
optimistički
optjecaj
optjecati, -tječem
optjerati
optjerivati
optočiti
optračiti (opšiti trakama)
optrčati
optrčavati
optuženički
optuženik V jd. -iče, mn. -ici
opučati, opučam
opučiti
opunomoćenica
opunomoćenik V jd. -iče, mn. -ici
opunomoćitelj
opunomoćiti
opunomoćivati
opustiti, opušten (olabaviti)
opustiti, opušćen (učiniti pustim)
opustjelost, -ošću i -osti
opustjeti, opustim, opustjeh, opustio, opustjela
opušćen (ostati pust)
opuštenje prema opustiti (olabaviti)
orač
oračica (ona koja ore)
orački
orati (prid.)
orah mn. orasi
orahovača (rakija)
orahovački od Orahovica
Orahovčanin od Orahovica
Orahovica (zem.)
oraničan, -čna; oranična kultura
orao, orla
orašast
oraščić um. orah
oratorij
orazumiti
orazumljivati
ordinarijat; biskupski ordinarijat
Orebić (zem.)
organist (orguljaš)
organizacija; Organizacija ujedinjenih naroda
organizacijski
organiziranost, -ošću i -osti
orguljar (graditelj orgulja)
orguljaš (svirač na orguljama)
orhideja (bot.)
orićak, orićka
orijedak komp. orjeđi
orijediti
orijent; Orijent (istočne zemlje)

orijentacijski
orijentalac, -lca, V jd. -lče
orijentalan, -lna
orijentalist
orijentalistički
orijentalistika DL jd. -ici
orijentalka DL jd. -ki
orijentir
orijentirati se
Orion (*astr.*)
Oriovac, -vca (*zem.*)
orjeđi *komp. od* orijedak
Orjen
orkestar, -tra
orleanski; Ivana Orleanska
orlić
ormarčić
ormarić
oročiti (*bank.*)
oročivati
orođavati *i* orođivati
oronuo, oronula
Oroslavčanin mn. -ani (*stanovnik Oroslavlja*)
orošavati
ortačiti (se)
ortački
ortogenetički
oruđe
orumenjeti
oružje
oružnički
oružnik V jd. -iče, mn. -ici
oružnjeti, oružnim, oružnjeh, oružnjev(ši),
   oružnio, oružnjela (*postati ružan*)
osakaćen
osakaćivanje
osakaćivati
osamdeset (80)
osamljenički
osamljenost, -ošću *i* -osti
osamnaest (18)
osamnaestero
osamnaestorica
osamsatni
oscilacija
osebičiti
osečan, -čna *prema* oseka
oseka DL jd. -eci (*protivno od plima*)
oseknuti
osički *prema* Osik (Lički Osik)
osigurač
osiguranički
osigurati
osijedjeti, osijedio, osijedjela

Osijek (*zem.*)
Osik; Lički Osik (*zem.*)
osiliti
osim
osion, osiona
osirotiti (*učiniti sirotom*)
osirotjeti, osirotim, osirotjeh, osirotjevši, osi-
   rotio, osirotjela (*postati sirota*)
osječak, -čka
Osječanin mn. -ani *od* Osijek
Osječanka DL jd. -ki *od* Osijek
osječenica
osječenik
osječenost, -ošću *i* -osti
osječina
osječki *od* Osijek
osjećaj
osjećajan, -jna
osjećajnost, -ošću *i* -osti
osjećalo
osjećanje
osjećati
osjeći (se); osiječem (se); *drugo je* odsjeći
osjek (*paušal*)
osjekom (*pril.; paušalno*)
osjen
osjenač
osjenčati
osjenčavati
osjenčiti
osjeniti
osjenjivati
osjet
osjetan, -tna
osjetilo
osjetiti, osjetim, osjećen
osjetljiv
osjetljivost, -ošću *i* -osti
osjetnost, -ošću *i* -osti
osjevine
oskudijevati, oskudijevam
oskupjeti, oskupim, oskupjeh, oskupjev(ši),
   oskupio, oskupjela (*postati skup*)
oskvrnuće
oslabiti (*učiniti slabim*)
oslabjelost, -ošću *i* -osti
oslabjeti, oslabim (*postati slab*)
oslačati, -am
oslačica
oslačiti se
oslađivati
oslić (*riba*)
oslijepiti, oslijepljen (*učiniti slijepim*)
oslijepjeti (*postati slijep*)

oslobađati
oslobodilac, -ioca, V jd. -iče, G mn. -ilaca
oslobodilački
osloboditelj
oslobođavati *i* oslobođivati
oslobođen
oslobođenik
oslobođenje
oslobođivati *i* oslobođavati
osluhivati, -hujem
osluškivač
osluškivati
osljepljenje
osljepljivati
osmerački
osmero
osmerokut
osmerotračan
osmij (*kem.*)
osmijeh *i* osmjeh
osmiješiti se
osmjeh *i* osmijeh
osmjehivati se
osmjehnuti se
osmjeliti se
osmješak
osmočiti se
osmoljetni
osmomjesečni
osmonedjeljni
osmosatni
osmoškolac, -lca
osmotjedni
osmrađivati
osmuditi, osmuđen
osni *prema* os
osniježiti
osnivač
osnivačica
osnivački
osnutak, -tka, mn. osnuci *i* osnutci
osobenjački
osočan, -čna (*sočan*)
osorljiv
ospičav
osporavati
osposoba (*kvalifikacija*)
osprijed (*pril.*)
osramoćen
osramoćenje
osramoćivati
osrčje *i* osrdačje
osredak, -tka, mn. osredci *i* osreci
osrednji

ostanak, -nka, mn. -nci
ostario, ostarjela
ostariti (*učiniti starim*)
ostarjelost, -ošću *i* -osti
ostarjeti, ostarim, ostario, ostarjela (*postati star*)
ostatak, -atka, mn. -aci, G mn. -ataka; ostaci ostataka
ostavljač
ostidjeti se
ostrag
ostrižak, -iška, mn. -išci
ostudjeti se
ostvarivati
osuđen
osuđenica
osuđenički
osuđenik V jd. -iče, mn. -ici
osuđivanje
osudivati
osujećen
osujećenje
osujećivanje
osujećivati
osumnjičiti, osumnjičen
osunčati
osvajač
osvajački
osveć
osvećivanje
osvećivati, osvećujem
osvetiti, osvećen
osvetljiv
osvetnički
osvetoljubiv
osvijestiti (se)
osviješten
osvijetliti, osvijetlim, osvijetljen
osvitak mn. osvitci *i* osvici
osvjedočavati
osvjedočen
osvjedočenost, -ošću *i* -osti
osvjedočiti
osvjesnuti se
osvjestan, osvjesna
osvješćivanje
osvješćivati (se)
osvještenje
osvjetlati
osvjetljavati *i* osvjetljivati
osvjetljenje *prema* osvijetliti
osvjetljivač
osvjetljivati *i* osvjetljavati
osvježen

osvježiti se
osvježivati se
ošamućen
ošamućenost, -ošću i -osti
ošančiti
ošijavati
oštar, oštra
oštećen
oštećenost, -ošću i -osti
oštećivati
oštrač
oštroća
oštrokonđa
oštrolistan, -sna
oštrook
ošutjeti
otac, oca, V jd. očc, mn. oci i očevi; Sveti Otac
otački
otad i otada
otakati, otačući
otančanje
otančati, -am
otančavati
otančiti
otavić
*otcijepiti > odcijepiti
*otčepiti > odčepiti
*otćušnuti > odćušnuti
otečen
oteći, otečem
otegoćivati
oterećenje (rasterećenost)
oterećivati (rasteretiti); drugo je opterećivati
otesan (istesan)
oteščati
otežavati
othraniti
othranjenički
othranjivati
othrvati se
oticati, otičem
otići, otiđem, odem
otijesan (malo tijesan)
otijesniti
otimač
otimačina
otimački
otirač
otjecati, otječem
otječica
otjerati
otjerivati
otješnjati
otkačiti

otkad i otkada
otkako
otkapčati
otkati, otkam
otkidak, -itka, mn. otkidci i otkici
otklečati
otključati
otključavati
otkopčati, -am
otkopčavati
otkračunati
otkračunavati
otkriće
otkučati, otkučam
otkučiti
otkučivati
otkud i otkuda
otkudgod i otkud god
otkukurijekati
otkulučiti
otkvačiti
otle (pril.)
otmičar
otmičarka
otmjen
Otòčac, -čca (zem.)
otočanin od otok; Otočanin od Otok i Otočac
otočić
otočiti
otočje
otočni od otok
otočki od Otok i Otočac
otopljeti, otoplim, otopljeh, otoplio, otopljela (postati topao)
otpadak, -tka, mn. otpaci i otpatci
otpadnički
otpečaćivati
otpečatiti, otpečaćen
otpijevanje prema otpijevati
otpijévati (ns. prema svr. otpjevati)
otpirač
otpisivati, otpisujući
otpješačiti
otpjevanje prema otpjevati
òtpjevati (svr.)
otplaćen
otplaćivati
otpljuvati, otpljujem
otpočeti, otpočnem; ne otpočmem
otpočinak, -nka
otpočinuti
otpočinjati, otpočinjem
otporučiti
otporučivati

otpraćati
otpraćen
otprašivač
otpravljač
otpravnički
otpremač
otpremnički
otprhnuti
otprije
otprijed
otprilike (*pril.*)
otprvo (*pril.*)
otpučiti
otpućen
otpućivati (se)
otpuhati
otpuštati, otpuštajući
otput (*pril.*)
otputiti, otpućen
otraga
otrčati
otrebine
otrebljavati *i* otrjebljavati
otrebljenje *i* otrjebljenje
otrebljivati *i* otrjebljivati
otrežnjavati *i* otrježnjavati
otrežnjenje *i* otrježnjenje
otrežnjivati *i* otrježnjivati
otrgnuće
otrijebiti, otrijebim, otrijebljen
otrijéskati se
otrijezniti (se), otrijeznim; otriježnjen
otrjebljavati *i* otrebljavati
otrjebljenje *i* otrebljenje
otrjebljivati *i* otrebljivati
otrježnjavati *i* otrežnjavati
otrježnjenje *i* otrežnjenje
otrježnjivati *i* otrežnjivati
otrpjeti, otrpim
otučak, -čka, mn. -čci, G mn. -čaka
otučen
otući, otučem (*obiti*, drugo je *odtući*)
otud *i* otuda
otuđenost, -ošću *i* -osti
otuđiti se
otuđiv
otuđivač
otuđivati
otuđivost, -ošću *i* -osti
otupiti (*učiniti što tupim*)
otupjelost, -ošću *i* -osti
otupljen
otupjeti, otupim, otupio, otupjela (*postati tup*)
otustjeti

otvarač
otvrdjelost, -ošću *i* -osti
otvrdjeti
otvrdnuće
otvrdnjavati
OUN *krat. za* Organizacija ujedinjenih naroda
ovaj put (*sada*)
ovamošnji
ovca; merino-ovca
ovčanje (*vrsta veza*)
ovčar
ovčara
ovčarica
ovčarnica
ovčarski
ovčarstvo
ovčetina
ovčica; božja ovčica (*bot.*)
ovčinjak, ovčinjaka
ovčji
ovda-onda
ovdašnji
ovdje; *ne* ovđe
ovdje-ondje
oveći *komp. od* ovelik
òvēsti, ovézē
ovijač
ovitak mn. ovici
oveječiti
ovjekovječen
ovjekovječiti
ovjenčati
ovjera
ovjeravati
ovjeren
ovjerovitelj
ovjeroviti
ovjerovljenje
ovladati
ovlast 1 jd. ovlašću *i* ovlasti
ovlastiti, ovlašten
ovlašćivati
ovnеći
ovnić
ovogodišnji
ovostran
ovosvjetski
ovremeniti se
ovrha DL jd. ovrsi
ovrhovoditelj
ovrijeći > ovršiti
ovršni *prema* ovrha
ozad

ozakonjivati
Ozalj, Ozlja (*zem.*)
Ozaljčanin od Ozalj
ozaljski *od* Ozalj
ozdo
ozdola
ozdravljenje
ozebao, ozebla
ozeblina
ozebličina
ozeleniti (*učiniti što zelenim*)
ozelenjeti, ozelenim, ozelenjeh, ozelenio, ozelenjela (*postati zelen*)
ozgo
ozgora
oziđivati
ozimačan, -čna
ozimčad
ozimče, -cta
ozlijediti, ozlijeđen
ozloćuditi se, ozloćuđen
ozlojediti, ozlojeđen
ozlojeđenost, -ošću *i* -osti
ozlojeđivanje
ozlojeđivati
ozljeda
ozljedenički

ozljeđenik V jd. -iče, mn. -ici
ozljeđivati
označen
označiti
označivati
ozračje
Ozren
ozreti se, ozrem se
ožalostiti, ožalošćen
ožalošćivati, ožalošćujem
oždrebljivati *i* oždrjebljivati
oždrijebiti, oždrijebio, oždrijebljen
ožeći, ožežem
ožedniti (*učiniti žednim*)
ožednjeti, ožednio, ožednjela (*postati žedan*)
ožičar
ožimač
oživiti (*vratiti koga u život*)
oživjeti (*postati živ*)
oživljavati
ožučiti
ožućak, -ćka
ožujak, ožujka
ožujski
ožutjeti, ožutio, ožutjela (*postati žut*)
Ω *znak za* omega

P

p *krat. za para (novčana jedinica, pov.)*; P
kem. znak za fosfor
pabirčar
pabirčiti, -im, pabirčeći
pacemaker > srčani stimulator, srčanik
pacifički *prema* Pacifik
Pacifik > Tihi ocean
pacifistički *prema* pacifist *i* pacifizam
pacijent G mn. -nata
pacijentica
pačati se
pače, -eta, N mn. pačići, *zb.* pačad
pače (*pril.*)
*pače, pača > hladetina
pačempres
pačetina
pačetvorina
pačica *i* patkica, *um. od* patka
pačići, -ća *prema* pačc, -eta
pačinjak N mn. -aci
pačist *u vezi* Pačista nedjelja (*crkv.*)
pačji
paćenica
paćenički
paćenik V jd. -iče
paćeništvo
paćenje
padavičar
padavičarev *i* padavičarov
padavičarka DL jd. -ki, G mn. -ki
padavičarov *i* padavičarev
padavičav
padišah V jd. -hu, N mn. -asi
padobranac, -nca, V. jd -nče, G mn. -naca
padobrančev
Padovanac, -nca, V jd. -nče
padovski *i* padovanski; sv. Ante Padovanski
padski *prema* Pad (rijeka Po); Padska nizina
pagusjenica
pahalica
pahaljka DL jd. -ljci, G. mn. -ki
pahulja
pahuljast
pahuljav
pahuljica
pahuljičav
paketić

paklenjača
paklić
pakosnica
pakosnički
pakosnik V jd. -ičc, N mn. -ici
pakost, -ošću *i* -osti
pakostan, -sna
pakostiti, -im, pakošćah
pakošćenje *prema* pakostiti
Pakračanin N mn. -ani
pakrački
palac, palca, V jd. palčc, N mn. palci, G mn.
    palaca (*prst*); palac, paoca, N mn. paoci, G
    mn. palaca (*šipka u točku*)
palača
palačinka DL jd. -ki, G mn. -ki *i* -ka
palačni > palčani
paladij
palčani
Palčica (*ime iz bajke*)
palčić (*mali palac, ptica*); Palčić (*ime iz bajke*)
paleocen
paleogen
paleografija
paleolitski
paleozoik
paleozojski *prema* paleozoik
paličica
paličnjak N mn. -aci (*kukac*)
Palić (*zem.*)
palićki *prema* Palić; Palićko jezero
palijativ
palijativan, -vna
palikuća
palistić
Palmotićev; Palmotićeva ulica, Ulica Junija
    Palmotića
paljba G mn. paljba *i* paljbi
paljenje *prema* paliti
paljetak, -etka, N mn. -eci *i* -etci, G mn. -etaka
    > pabirak
pamćenje
pamet I jd. -eti *i* -ећu
pametnjak V jd. -ačc, N mn. -aci
pametnjaković
pamtilac, -ioca, V jd. -ioče, G mn. -ilaca
pamtivijek, od pamtivijeka

pamučan, -čna
pamučast
pamučika (bot.)
pamučni
panafrički > sveafrički
Panama (zem.); panama (vrsta platna); panama šešir
panamerički > sveamerički
panamski; Panamski kanal
pandža G mn. pandža i pandži
panegiričan, -čna
panegiričar
panel-ploča
paničan, -čna
paničar
paničariti
paničarka DL jd. -ki, G mn. -ki
Panonac, -nca, V jd. -nče
Panonija
panonski; Panonska nizina
pansion > penzion
panslaven
panslavistički
panteistički
Panteon (građevina u Rimu, u Parizu); panteon (grobnica)
pantomimičar
pantomimički
Pantovčak (ulica u Zagrebu)
panjača (tip šume)
panjevčica
panjić
papatač
papigica
Papini, -ija
Papinijev
Papinov; Papinov lonac
papinski
papinstvo
papirić
papirničar
paprat l jd. -ati i -aću
papratnjača
paprenjača
papričica
Papua Nova Gvineja
papuča
papučar
papučarev i papučarov
papučica
papučić um. od papučar
papučki prema Papuk
paraboličan, -čna
*paradajz > rajčica

parafrastičan, -čna
Paragvaj (zem.)
Paragvajac, -jca, V jd. -jčc, G mn. -jaca
Paragvajka DL jd. -ki, G mn. -ki
paragvajski
paralelnost, -ošću i -osti
paralitičan, -čna
paraliziranost, -ošću i -osti
paranoičan, -čna
paranoik V jd. -iče, N mn. -ici
paranoja
parazit > nametnik
parazitologija
parazitološki
parcijalan, -lna
*parče, -eta > komad(ić)
parić
parionica
paripče, -četa, zb. -čad
Paris (mitska osoba); drugo je Pariz
pariski i pariški
Parisov
pariški i pariski; Pariška komuna
Pariz (zem.)
Parizlija i Parižlija > Parižanin
Parižanin N mn. -ani
Parižanka DL jd. -ki, G mn. -ki
Parižlija i Parizlija > Parižanin
parnaski
parnasovac, -vca, V jd. -včc, G mn. -vaca
parničar
parničarev i parničarov
parničarka DL jd. -ki, G mn. -ki
parničarov i parničarev
parničenje
parničiti se
parnički i parnični
parnjača
parobrodić
parobrodski
paroh V jd. -oše, N mn. -osi
parohija
parohijski
paromjer
paroščić
parožak, -oška, N mn. -ošci, G mn. -ožaka
partija > stranka
partijac, -jca, V jd. -jče, G mn. -jaca
partijka DL jd. -ki, G mn. -ki
partijnost, -ošću i -osti
partijski > stranački
partneričin
parveni, -ija > skorojević
parvenijski > skorojevićki

pasha DL jd. -hi (*žrtva*); Pasha (*vjer.*)
pasić *um. od* pâs; *drugo je* psić
pasijans (*kart.*)
pasioniran > strastven
pasivnost, -ošću *i* -osti
pasjača
pasji
paska DL jd. -ki
paskal (*fiz.*)
pastirče, -čcta, N mn. -čići, *zb.* -čad
pastirčić
pastiričin
pastirčić
pastirić
pastorak, -rka, V jd. -rčc, N mn. -rci, G mn. -raka
pastorče, -čcta, *zb.* -čad
pastorčica
pastrvčica
pastuh V jd. -ušc, N mn. -usi, G mn. -uha
pastuharnica
pastušast
pašanac, -nca, V jd. -nčc, G mn. -naca
pašče, -čcta, *zb.* -čad
pašić (*pašin sin*); Pašić (*prezime*)
paški *prema* Pag
patak, patka, V jd. patku, N mn. paci *i* patci, G mn. pâtākā (*usp.* patka)
patetičan, -čna
patetičnost, -ošću *i* -osti
patilac, -ioca, V jd. -iočc, G mn. -ilaca
patka DL jd. patki, G mn. pâtākā (*usp.* patak)
patkica *i* pačica
patlidžan
patničin *prema* patnica
patnički
patnik V jd. -ičc, N mn. -ici
patološki
patrijarh V jd. -ršc, mn. -rsi, G mn. -rha
patrijarhalan, -lna
patrijarhalnost, -ošću *i* -osti
patrijarhat
patrijaršija
patrijaršijski
patriot > rodoljub
patriotizam, -zma > rodoljubljc
patriotski > rodoljubiv(o)
Patroklo
patuljak, -ljka, V jd. -ljčc, N mn. -ljci, G mn. -ljaka
patuljčić
paučenje
paučina
paučinast

paučiti se
paučljivost, -ošću *i* -osti
paučni
paučnjak N mn. -aci
pauk V jd. -učc, N mn. pauci *i* paukovi
paunče, -čcta, *zb.* -čad
pauničin
paunić
pauspapir
pauza > stanka
Pauzanija
Pavao, Pavla
pavečera
pavečerje
Pavičin *prema* Pavica
pavijan (*majmun*)
paviljon
paviljončić
paviljončina
pavjenčić (*bot.*)
pazdrenovina *i* pazdrjenovina
pazdrijen
pazdrjenovina *i* pazdrenovina
pazikuća
pazl, v. puzzlc
pazuho N mn. -uha, DL1 mn. -usima
pazušni
paženje *prema* paziti
pažljiv
pažljivost, -ošću *i* -osti
pážnja G mn. pážnjā *i* pažnji
pčela
pčelac, -lca, V jd. -pčclčc, G mn. -laca
pčelar
pčelarenje
pčelarev *i* pčclarov
pčelarica
pčelariti
pčelarnik N mn. -ici > pčelinjak
pčelarov *i* pčclarcv
pčelčev
pčelica
pčeličin
Pčelić (*zem.*)
pčelinjak N mn. -aci
pčelinji
pecač
peča (*komad, rubac*)
pečaćenje
pečal, -li (*bol, tuga*)
pečalan, -lna
pečalba
pečalbar
pečalbariti

pečat
pečatiti, pečaćen, pečaćeći
pečatni
pečatnik
pečatnjak
pečatorezac, -csca, V jd. -cšče, G mn. -czaca
pečatorezački
Pečeneg N mn. -czi
pečeneški
pečenica
pečenka DL -nci, G mn. -ki
pečenjak N mn. -aci
pečenjar
pečenjara
pečenjarka DL jd. -rci i -rki, G mn. -ki
pečenjarnica
pečenje
pečica *um. od* pcča; *drugo je* pcćica
Pečuh (madž. Pccs)
pečurka DL jd. -rci, G mn. -raka, -rka i -rki
pečurkast
pečuški *prema* Pcčuh
peć; Pcć (*zem.*)
Pećanin N mn. -ani (*čovjek iz Peći*)
Pećanka DL jd. -ki, G mn. -ki
pećar
pećarev i pcćarov
pećarica
pećarija
pećarnica
pećarov i pcćarcv
peći, pcčcm, pecijah i pcčah, pcci, pckao, pckla, pckući
pećica (*mala peć*)
pećina
pećinar
pećinarka DL jd. -ki, G mn. -ki
pećinast
pećinski
pećki *prema* Pcć; pcćka patrijaršija i Pcćka patrijaršija
pećni *prema* pcć
pećnica
pećnjak N mn. -aci
ped I jd. pcdi i pcđu
pedagogija
pedagoški
pedantnost, -ošću i -osti
pedesetak, -tka, N mn. -cci i -ctci, G mn. -ctaka
pedesetka DL jd. -ctki, G mn. -ctaka i -ctki > pcdcsctica
pedesetogodišnjak V jd. -ačc, N mn. -aci
pedesetogodišnji

pedijatar, -tra
pedijatrija
pedijatrijski
Pegaz V jd. -zc (*mit.*)
pehar
peharčić
peharčina
peharnički
peharnik V jd. -ičc, mn. -ici
pejgamber (*poslanik Božji*); Muhamcd-pcjgambcr; Pcjgambcr (*Muhamed*)
pejorativan, -vna > pogrdan
pejsaž > krajolik, krajobraz
pejsažist
pejsmejker > srčani stimulator, srčanik
pejzaž > pcjsaž
pekinški *prema* Pcking
Pelazgi (mn. m. r.), -ga (*prastanovnici Grčke*)
pelazgički
Pelister (*zem.*)
pelivan
peloponeski
Peloponez
Pelješac, -šca, V jd. -ščc
Pelješčanin N mn. -ani (*čovjek s Pelješca*)
Pelješka DL jd. -ki, G mn. -ki (*žena s Pelješca*)
pelješki
*pendžer > prozor
penzija > mirovina
penzijski > mirovinski
penzion
penzionat
penzioner > umirovljcnik
penzioni > pcnzijski
penzionirati > umiroviti
penjač
penjačica
pepelnica (*bot.*); Pepelnica (*blagdan*)
pepeljuga DL jd. -uzi; Pepeljuga DL jd. -gi
pepita tkanina
perač
peračica
perački
peraći (*prid.*)
perajica
peraški *prema* Pcrast
Peraškinja (*žena iz Perasta*)
Peraštanin N mn. -ani
percepcija
percipijent G mn. -nata
perčin
perec, -a
perecar
perecarev i pcrccarov

perečar
perečarov *i* perečarev
perečić
peretac, -cca *i* -ctca, N mn. -cci *i* -ctci, G mn.
  -ctaca > perec
perfektivnost, -ošću *i* -osti
perfektnost, -ošću *i* -osti
Peričin *prema* Pcrica
periferijski
perifrastičan, -čna
perihel
Periklo
perilac, -ioca, V jd. -iočc, G mn. -laca
period
periodičan, -čna
periodičnost, -ošću *i* -osti
*perionica > praonica
peripatetički
peristaltički
perjaničar
perjanički
perjanik V jd. -ičc, mn. -ici
perjaništvo
perničica
perovođa (*pov.*)
persiflaža
personal > osoblje
peršin
Peru, Pcrua (*zem.*)
Peruanac, -nca, V jd. -nčc, G. mn. -naca
Peruanka DL jd. -ki, G mn. -ki
peruanski
peruščica *um. od* peruška
Perušić (*zem.*)
Perušićanin N mn. -ani
Perušićanka DL jd. -ki, G mn. -ki
perušićki
perutac, -uca *i* -utca, N mn. -uci *i* -utci, G mn.
  -utaca (cgzcm)
perutka DL jd. -utki, G mn. -utaka *i* -utki
  (*krilati plod*)
Perzej
Perzija
Perzijanac, -nca, V jd. -nčc, G mn. -naca
Perzijanka DL jd. -ki, G mn. -ki
perzijski
pesimističan, -čna
pesimistički
pesnica
pesničati se
pest l jd. pcsti *i* pcšću
pestić (*bot.*)
Peščenica *i* Pcščcnica
peščenički *i* pcščcnički

petača
pétak, pctka, V jd. pcčc *i* pctčc, N mn. péci *i*
  pétci, G mn. pêtäkä; Vcliki pctak
pètāk, -áka, N mn. -áci, G mn. -ákä
Petar, Pctra
peteljčica
peteljka DL jd. -ljci, G mn. -ljaka *i* -ljki
peteročlan
peterolistan, -sna
petični
petljanac, -nca, V jd. -nčc, G mn. -naca
petnaest (15)
petnaesti (15.)
petnaestica
petnaestina (1/15)
petnaestodnevni
petnaestogodišnji
petnaestogodišnjica
petnaestorica
petodinarka DL jd. -rci, G mn. -ki
petogodišnji
petogodišnjica
petokolonaštvo
petoljetka DL jd. -eci, -ctci *i* -ctki, G mn. -ctaka
  i -ctki
petoljetni
petomjesečni
petorka DL jd. -rci, G mn. -raka *i* -rki
petoškolac, -lca, V jd. -lčc
petoškolka DL jd. -ki, G mn. -ki
petovjekovan, -vna
petparački
petpostotan, -tna
petput, pct puta
Petrarca, Pctrarkc, Pctrarki, Pctrarku
Petrarkin
petrarkist
petrarkistički
Petrinjac, -njca, V jd. -njčc, G mn. -njaca
Petrinjčica
Petrinjka DL jd. -ki, G mn. -ki (*žena iz*
  Petrinje)
Petrograd (*pov.*)
petrogradski
petrokemija
petrolej
petrolejka DL jd. -jci, G mn. -ki
petrovac (*bot.*); Pctrovac, -vca, V jd. -včc
  (*zem.*); Bosanski Pctrovac
petrovača
petrovački *prema* Pctrovac *i* Pctrovci
Petrova gora
Petrovaradinac, -nca, V jd. -nčc
Petrovaradinka DL jd. -ki, G mn. -ki

Petrovci, -vaca, mn. m. r. (zem.)
Petrovčanka DL jd. -ki, G mn. -ki
petrovčica
Petrovdan > Petrovo
petrovski prema Petrovo
petsto (500)
petstogodišnji
petstogodišnjica
petstoti (500.)
pet-šest
pettisućiti
pianissimo (glaz., veoma tiho)
Pićan, Pićna (mjesto u Istri)
piće
pH-vrijednost
pidžama
*pihtije, -ja > hladetina
pijača
pijaći (prid.)
pijan
pijanac, -nca, V jd. -nče, G mn. -naca
pijančenje
pijančev
pijančevanje
pijančevati, -čujem, -čujući > pijančiti
pijančina
pijančiti, -im, -čći
pijančovati, -čujem > pijančiti
pijandura
pijaničin prema pijanica
pijanički
pijanino
pijanist (glaz., glasovirač)
pijanistica
pijanistički
pijanka DL jd. -ki, G mn. -ki
pijáno (glazbalo, drugo je pijano, sr. r. od pijan)
pijanost, -ošću i -osti
pijanstvo G mn. -stava
pijaster, -cra (novac)
pijavica
pijedestal
pijehati (teško disati, dahtati)
Pijemont
Pijemontez V jd. -zu
pijemontski
pijenje prema piti
pijesak, -ska, mn. -sci; Han Pijesak (zem.)
pijetao, -tla, N mn. -tli i -tlovi
pijetet
pijetlov
Pijev prema Pio
pijevac, -vca, V jd. -vče, G mn. -vaca

pijevčev
pijevčiti se, -čim se, -čći se (ponašati se kao pijevac)
pijevnica
pijucati
pijuckati
pijuk
pijukati, pijučem, pijuči, pijučući
pijukavac, -vca, V jd. -vče, G mn. -vaca
pijun
pikantnost, -ošću i -osti
*piktije, -ja > hladetina
pilac, pilca, V jd. -lče, G mn. -laca
pileći
pilićar
pilići
pilotski
piljarev i piljarov
piljaričin prema piljarica
piljarički
piljarov i piljarev
piljenje prema piliti i piljiti
piljiti, -im (netremice gledati)
pinč N mn. pinčevi (pas)
ping-pong > stolni tenis
Pinocchio (hrv. izg. Pinokijo), -ija, I jd. -ijem
Pinocchijev
Pio, Pija, I jd. Pijem
pion > pijun
pionir
pionirčić
pionirka DL jd. -ki, G mn. -ki
pionirkin
pipavost, -ošću i -osti
pipničar
pipničarev i pipničarov
pipničarstvo
piratski
Pireneji, -ja (mn. m. r., zem.)
pirenejski; Pirenejski poluotok
*pirinač, -nča > riža
pirotehničar
pirotehnički
pirueta
pisac, pisca, V jd. pišče, G mn. pisaca
pisač
pisarčić
pisarev i pisarov
pisaričin
pisarnički
pisarov i pisarev
piskavost, -ošću i -osti
piskutati, -ućem, -ućući
pismenost, -ošću i -osti

pišćev
pištoljčić
pištoljčina
pištoljić
pitač
pitačica
Pitagorin *prema* Pitagora; Pitagorin poučak
pitagorist
pitagorovac, -vca, V jd. -vče
pitalac, -aoca, V jd. -aoče, G mn. -alaca
pitanče, -čcta, *zb.* -čad
piti, pijem, pijah, pij, pio, pila, pijen, pijući
pitkost, -ošću *i* -osti
pitomac, -mca, V jd. -mče, G mn. -maca
Pitomača
pitomački *prema* pitomac *i* Pitomača
pitomčev
pitomičin *prema* pitomica
pitomost, -ošću *i* -osti
pivdžija > pivopija
pivničar
pivničarev *i* pivničarov
pivničarstvo
pivnički
pivopija
pivotočje
pizza
pizzerija
pjan > pijan
pjega DL jd. pjcgi *i* pjczi, G mn. pjêgā
pjegast
pjegav
pjegavac, -vca, V jd. -vče, G mn. -vaca
pjegavica
pjegaviti
pjegavljenje *prema* pjegaviti
pjegavost, -ošću *i* -osti
pjegica *i* pjcžica
pjehe > pjcšicc
pjena G mn. pjênā
pjenav
pjenavac, -vca, V jd. -vče
pjenast
pjenica
pjenišnik V jd. -ičc
pjeniti, pjencći
pjenušac, -šca
pjenušati se
pjenušav
pjenušavost, -ošću *i* -osti
pjenušiti se
pjesan, pjcsni (*zast., pjesma*)
pjesanca (*zast., pjesmica*)
pjeskar

pjeskarica
pjeskarnica
pjeskarski
pjeskavica (*bot.*)
pjeskovit
pjeskovitost, -ošću *i* -osti
pjeskulja
pjeskuša
pjesma G mn. pjcsama
pjesmarica
pjesmica
pjesmotvor
pjesmotvorac, -rca, V jd. -rčc, G mn. -raca
pjesnički
pjesnik V jd. -ičc, N mn. -ici
pjesnikinja
pjesnikinjin
pjesnikov
pjesništvo
pjestinja > dadilja, njcgovateljica
pjestovati, -ujcm > njcgovati
pješac, -šca (*zast., pješak*)
pješačiti, -čim, -čcći
pješački
pješadija > pjcšaštvo
pješadijski > pjcšaštvcni
pješak V jd. -ačc, N mn. -aci
pješakov
pješaštvo
pješaštveni
pješčan
pješčanica
pješčanik mn. -ici
*pješčar (geol.) > pjcščcnjak
pješčara
pješčarica (*pčela*)
pješčarka DL jd. -ki, G mn. -ki (*ptica*)
pješčenik (*geol.*) > pjcščcnjak
pješčenjački
pješčenjak N mn. -aci
pješčina
pješice
pješke
pjetlešina
pjetlić
pjêv
pjevač
pjevačev
pjevačica
pjevački
pjevalište
pjevalo
pjevanka DL jd. -nci, G mn. -nki *i* -naka
pjevanje

pjevati, -vam, -vajući
pjevčić
pjevčina
pjevčji
pjevica
pjevidrug V jd. -užc, N mn. -uzi
pjevnuti
pjevuckati
pjevucnuti
pjevušiti, -šim, -šćći
pježica *i* pjcgica
plač
plačan, -čna
plačevan, -vna
plačidrug V jd. -užc, N mn. -uzi
plačinjati
plačkav > plačljiv
plačko
plačkunjav > plačljiv
plačljiv
plačljivac, -vca, V jd. -včc, G mn. -vaca
plačljivica
plačljivko
plačljivo
plačljivost, -ošću *i* -osti
plaća
plaćalac, -aoca, V jd. -aočc, N mn. -aoci, G mn. -alaca
plaćanje
plaćati, -am
plaćen *prema* platiti
plaćenica
plaćenički
plaćenik V jd. -ičc, N mn. -ici
plaćevni > platni
plaćica
plagijat
plagijator
plah
plahost, -ošću *i* -osti
plahovati, -hujcm, -hujući
plahovit
plahovitost, -ošću *i* -osti
plȁhta G mn. plȃhtā *i* plahti
plahtica
plakati, plačcm, plači, plačući
plaméenje *prema* plamtjeti
plamečak, -čka, V jd. -čku, N mn. -čci
plamenac, -nca, V jd. -nčc, G mn. -naca
plamenčić
plamenik N mn. -ici
plamenjača
plamičak, -čka, V jd. -čku, N mn. -čci, G mn. -čaka

plamtjeti, -mtim, -mćah, -mtio, -mtjcla, -mtcći
planetarij
planetoid
planetski
planinarev *i* planinarov
planinčica
plastak, plaska, N mn. plasci, G mn. plastaka
>*plastić*
plastičan, -čna
plastičnost, -ošću *i* -osti
plastić
plastiti, -im, plašćcn
Plaščanin N mn. -ani (*čovjek iz Plaškoga*)
Plaščanka DL jd. -ki, G mn. -ki (*žena iz Plaškoga*)
plašće *prema* plast
plašćenje *prema* plastiti
plaški
Plaški, -koga (*zem.*)
plašljivac, -vca, V jd. -včc, G mn. -vaca
plašljivčev
plašljivičin
plašljivost, -ošću *i* -osti
plaštić
platac, placa *i* platca, V jd. plačc *i* platčc, N mn. placi *i* platci, G mn. plataca; jamac − platac
platiti, -im, plaćcn
plativost, -ošću *i* -osti
platni *prema* platiti *i* plaća
plato, -toa, N mn. -toi
plavac, -vca, V jd. -včc, G mn. -vaca
plavčica
plavičast
plȁviti, -im (*Lonja plȁvī*)
plȃviti, plȃvim, plavila (*činiti plavim*)
plȃvjeti, plȃvim, plavio, plavjcla (*postajati plav*)
plȃvljēnje *prema* plȃviti *i* plȃvjcti; plȁvljēnjc *prema* plȁviti
plavoća
plavojčica
plavojka DL jd. -jci *i* -jki, G mn. -jaka *i* -jki
plavojkin
plavook
plazmatičan, -čna
plazmodij
plaženje *prema* plaziti
plebejac, -jca, V jd. -jčc, G mn. -jaca > pučanin
plebejčev
plebejka DL jd. -ki, G mn. -ki > pučanka
plebs, plcbsa > puk
plećća
plećaš
plećat

plećatost, -ošću i -osti
pleće G jd. plèća, N mn. plèća i plèći, G mn.
  plécā i plèćī, DLl mn. plèćima
plećka
plećni
pledoaje, -ea, N mn. -ci
*pleh > lim
*plehnat > limen
plemenitost, -ošću i -osti
plemenština
plemić
plemićki
pleonastičan, -čna
plesač
plesačev
plesačica
plesački
plesti, pletem, pleo, plela, pletući
pletač
pletačev
pletačica
pletački
pletaći (prid., pletaći stroj)
pletenjača
Pleterničanin N mn. -ani
Pleterničanka DL jd. -ki, G mn. -ki
pleternički
pličina i plićina
plićak N mn. -aci
plići komp. od plitak
plićina i pličina
plijen N mn. pljenovi
plijenak, -nka, N mn. -nci, G mn. -naka
plijeniti, -im, plijenjen, plijenćei
plijesan, -sni, l jd. plijesni i plijęšnju
plijeviti, -im, plijevljen (odstranjivati korov)
plijevljenje
plijevnja
Plinije Mlađi
plinomjer
pliocen (geol.)
plitak, -tka; komp. plići
plitičara
plitičast
plitkoća
plitkost, -ošću i -osti
plitkoumnik V jd. -iče, N mn -ici
plitkoumnost, -ošću i -osti
plitvički prema Plitvice, Plitvička jezera (jeze-
  ra); Plitvička Jezera, Plitvički Ljeskovac
  (naselja)
Pliva (rijeka); ,,Pliva" (tvornica, kad je potpu-
  no jasno da je riječ o tvornici, može i Pliva,
  v. § 437.)

plivač
plivačica
plivački
plivaći (prid.)
Plivin prema ,,Pliva"
plivski prema Pliva; Plivsko jezero
ploča; spomen-ploča
pločar
pločara
pločast
Ploče (zem.)
pločica
pločnik N mn. -ici
plodić
plodnički prema plodnica
plodnost, -ošću i -osti
plođenje prema ploditi
ploha DL jd. -hi
plosan, -sna
ploščica
ploštimice
plotić
plovidba G mn. -daba i -dbi
plovućac, -ćca
plúća, plúćā (mn. s. r., med. i jd.: desno pluće,
  lijevo pluće)
plućaš
plućašica
plućevina
plućica mn. s. r.
plućni
plućnica
plućnina
plućnjak
plus-pol
plus-vodič
plutača
plutokracija
plutokratski
plutonij
pluvijal
pljačka DL jd. -čki, G mn. -čki i -čaka
pljačkaš
pljačkašica
pljačkaški
pljačkati, -am
pljenidba G mn. -daba i -dbi
pljenitelj
pljesak, -ska
pljeskati, pljeskam i pljeśćem, pljeskaj i
  pljèšći, pljeskajući i pljèšćući
pljeskavica
pljesniv
pljesnivjeti, -vim, -vio, -vjela, -vćei

pljesnivljenje
pljesnivost, -ošću i -osti
pljesnoća
pljesnuti
plješa
Plješevica (gora u Lici)
Plješivica (gora kraj Samobora)
pljeti, plijevem > plijeviti
pljetva
pljeva
pljevač
pljevačica
pljevaljski prema Pljevlja
pljevidba G mn. -daba i -dbi
pljevika
Pljevlja, Pljevalja, Pljevljima (mn. s. r., zem.)
Pljevljak V jd. -ače, N mn. -aci
Pljevljanka DL jd. -ki, G mn. -ki
pljevurina
pljuštati, -tim
pljuvač
pljuvačka DL jd. -čki, G mn. -čki i -čaka
pljuvačni (pljuvačne žlijezde)
pljuvačnica
pneumatičan, -čna
po (prij.)
pô > pol (polovica)
Po, Poa (rijeka u Italiji, prid. padski)
*poanta > poenta
pobačaj
pobačen prema pobaciti
pobaučke
pobijač
pobijati
pobijediti, -im, pobijeđen, pobijediv(ši)
pobijeliti, -ijelim, -ijelio, -ijelila, pobijeljen
   (učiniti bijelim)
pobijeljeti, -ijelim, -ijelio, -ijeljela (postati bijel)
pobilježiti
pobirač
pobiti, pobijem, pobijen
pobjeći, -egnem, -egni, -egoh, -eže, -egao,
   -egla, -egav(ši)
pòbjeda G mn. pòbjēdā
pobjedan, -dna
pobjeditelj
pobjediteljica
pobjedljiv
pobjednica
pobjedničin
pobjednički
pobjednik V jd. -iče, N mn. -ici
pobjedništvo G mn. -tava
pobjeđivati, -đujem, -đujući

pobjeg N mn. -czi
pobjegljiv
pobjegnuti
pobjegulja
pobjesniti, -im i pobjesnjeti
pobjesnjeti, -snim, -snio, -snjela, -snjev(ši)
poblijed komp. pobljeđi
poblijediti, -im, poblijeđen, poblijedio, pobli-
   jedila (učiniti blijedim)
poblijedjeti, -dim, -dio, -djela (postati blijed)
pobliže (pril., on to zna pobliže)
pobljeđi komp. od poblijed
pobočan, -čna
pobočke
pobočnica
pobočničin
pobočnički
pobočnik V jd. -iče, N mn. -ici
pobogu (pril.)
pobolijevati, -am, pobolijevajući
pobornički
pobožićni
pobožnjački
pobožnjak V jd. -ače, N mn. -aci
pobratiti, -im, pobraćen
pobrđe
pobreguša i pobrjeguša
pobrežje, pobrježje i pobrježje
pobrjeguša i pobreguša
pobrstiti, pobršten
pobuditi, pobuđen
pobuđivati, -đujem, -đujući
pobunjenički
pobunjenik V jd. -iče, N mn. -ici
pocigančiti
pocijepanost, -ošću i -osti
pocijepati, -am, pocijepan
pocinčati
pocjepkanost, -ošću i -osti
pocjepkati
pocrniti, -rnim, -rnjen, -rnila, -rniv(ši) (učiniti
   crnim)
pocrnjeti, -rnim, -rnio, -rnjela, -rnjev(ši) (pos-
   tati crn)
pocrveniti, -cnim, -cnjen, -cnila, -cniv(ši) (uči-
   niti crvenim)
pocrvenjeti, -cnim, -cnio, -cnjela, -cnjev(ši)
   (postati crven)
počađaviti, -im, počađavila
počađiti
počakaviti, -vljen
*počam(ši) > počev(ši)
počarkati se
počasni

počasnica (*pjesma u počast*)
počast
počastan, -sna
počastiti, -im, počašćen
počašćivati, -ćujem, -ćujući
poček N mn. -eci
počekati
počelo
počem (*vez.*, *pokr.*, *pošto*)
počeprkati
počerupati
počest *komp.* počešći
počesto
počešati
počešće
počeškati
počešljati
početak, -tka, N mn. -eci *i* -etci, G mn. -etaka
početi, počnem, počni, počeh, počeo, počela, počet, počev(ši)
početkati
početni
početničin *prema* početnica
početnički
početnik V jd. -iče, N mn. -ici
početništvo
početveronoške
početverostručenje
početverostručiti
*počimati > počinjati
počinak, -nka, N mn. -nci, G mn. -naka
počinitelj
počiniteljica
počiniti
počinuti
počinjač
počinjanje
pòčinjati, -njem (*ns.* prema početi)
počìnjati, -njam, (*ns.* prema počiniti)
počist
počistiti, -im, počišćen
Počitelj (*zem.*)
počiteljski
počivališni
počivalište
počivalo
počivaljka DL jd. -ljci, G mn. -ljaka *i* -ljki
počivanje
počivati
počivka DL jd. -vci, G mn. -vki *i* -vaka > počinak
počovječiti
počupati
počurlin (*zool.*)

počuti, počujem
poćenje *prema* potiti se
*poćerati > potjerati
poći, pođem, pođi, pođoh, pođe, pošao, pošla, pošav(ši)
poćudan, -dna
poćutjeti, -tim, poćućen > osjetiti
podalek *komp.* podalji
podalje (*pril.*)
podanički
podaništvo
podao, podla
podastirač
podastrijeti, -rem, -ri, -rijeh, -rije, -ro, -rla, -rt, -rijev(ši), -rv(ši)
podašnost, -ošću *i* -osti
podatak, -tka, N mn. -aci *i* -atci, G mn. -ataka
podatljivost, -ošću *i* -osti
podatnost, -ošću *i* -osti
podaždjeti, -ždi, -ždio, -ždjela, -ždjev(ši)
podbačaj
podbadač
podbadački
podbijač
podbiti, -bijem
podbjel (*bot.*)
podbočiti
podbogom (*pril.*)
podbradak, -atka, N mn. -aci *i* -adci, G mn. -adaka
podbrežje, podbrježje *i* podbriježje
podbuhao, -hla
podbuhlost, -ošću *i* -osti
podbuhnuti
podcijeniti, -cijenim, -cijenjen, -cijeniv(ši)
podcikivati, -kujem, -kujući
podciknuti
podcjenjivati, -njujem, -njujući
podcrtati
podcrtavati
podčasnički
podčasnik V jd. -iče, N mn. -ici
podčiniti
podčinjavati
podčinjenost, -ošću *i* -osti
poddijalekt
poddakon > subdakon
podebeo, -ela; *komp.* podeblji
Podgorač (*zem.*)
podgovarač
podgovaračica
podgrade
podgrađivati, -đujem, -đujući
podgrijati, -jem

podgrijavati
podgristi, -izem
podgrlac, -lca (*jamica pod grlom*)
podgrtati, -rćem, -rćući
Podhum (*selo*) *i* Pothum
podičiti se
pòdići, podignem
pòdīći, podiđem
podignuće
podij
podijeliti, -im, podijeljen, podijeliv(ši)
podijeljenost, -ošću *i* -osti
podijevati
podivljačiti se
podizač
podjačati
podjarivač
podjarmljivač
podjednak
pòdjela G mn. pòdjēlā
podjeljenik V jd. -iče, N mn. -ici
podjeljenje
podjeljivati, -ljujem, -ljujući
podjenuti
podjetinjiti
podlačev
podlačina
podlački
podlaktični
Podlapača (*zem.*)
podlapački *prema* Podlapac *i* Podlapača
podlaštvo G mn. -tava, *prema* podlac
podleći, -egnem, -egni, -egoh, -eže, -egao,
   -egla, -egav(ši)
podletjeti, -tim, -tio, -tjela, -tjev(ši)
podlijeganje
podlijegati, -žem
podlijetanje
podlijetati, -lijećem, -lijeći, -lijećući
podlijevanje
podlijevati
podlistak, -ska, N mn. -sci, G mn. -staka
podliti, -lijem
podlivati > podlijevati
podlivnjača (*bot.*)
podlost, -ošću *i* -osti
podložak, -oška, N mn. -ošci, G mn. -ožaka
podložnički
podložništvo
podložnost, -ošću *i* -osti
podljevnjak N mn. -aci (*vrsta mlina*)
podmaći, -aknem, -akni, -akoh, -ače, -akao,
   -akla, -akav(ši)
podmetač

podmetački
podmetak, -ctka, N mn. -eci *i* -etci, G mn.
   -etaka
podmetati, -ećem, -ećući
podmicati, -ičem, -ičući
podmićenik V jd. -iče, N mn. -ici, G mn.
   -ika
podmićivač
podmićivački
podmićivanje
podmićivati, -ćujem, -ćujući
podmititi, -im, -mićen
podmitljivost, -ošću *i* -osti
podmjestiti, -estim, -ešten
podmještanje
podmladak, -atka, N mn. -aci *i* -adci, G mn.
   -adaka
podmornički
podmukao, -kla
podmuklost, -ošću *i* -osti
podnapiti se, -pijem se
podnarednički
podnarednik V jd. -iče, N mn. -ici
podnašati
podne, podneva, prije podne (*prije 12 sati*), pri-
   jepodne (*dio dana*)
podnijeti, -nesem, -nesi, -nijeh, -nije, -nio, -ni-
   jela, -nijev(ši), -nesav(ši)
podnipošto (*pril.*)
podno (*prij.*)
podnosilac, -ioca, V jd. -ioče, N mn. -ioci, G
   mn. -ilaca
podnoška DL jd. -ošci *i* -oški, G mn. -ožaka *i*
   -oški > podnožak
podnošljiv
podnošljivost, -ošću *i* -osti
podnožac, -ošca, N mn. -ošci, G mn. -ožaca
podnožak, -oška, N mn. -ošci, G mn. -ožaka
podnožje
podobnost, -ošću *i* -osti
podobrano (*pril.*)
podočje
podočni
podočnjak N mn. -aci
pododjeljak, -ljka, N mn. -ljci, G mn. -ljaka
pododsjek N mn. -eci, G mn. -eka
podojiti, -im, podoj
podomaćiti se
podosta (*pril.*)
*podozrenje > sumnja
*podozrijevati > sumnjati, sumnjičiti
*podozrivost > sumnja, sumnjičavost
Podravac, -vca, V jd. -vče, G mn. -vaca
Podravka DL jd. -ki, G mn. -ki

podravski; Novigrad Podravski, Podravski Podgajci
podrazdio, -djela *i* podrazdjel
podrazumijevati
podrazumjeti, -mijem, -mio, -mjela, -mjev(ši)
*podražavalac > nasljedovatelj, oponašatelj
*podražavati > nasljedovati, oponašati
podređenost, -ošću *i* -osti
podređivati, -đujem, -đujući
podrhtavati, -am
podrijemati, -mam *i* -mljem
podrijetlo
podrobak, -opka, N mn. -opci, G mn. -obaka
podrška DL jd. -šci > potpora, pomoć
područan, -čna
područje
podružnički
podsaditi, -im, podsađen
podsađivati, -đujem, -đujući
podsekretar > podtajnik
podsekretarev *i* podsekretarov >podtajnikov
podsekretarski > podtajnički
podsijati, -jem, podsij
podsijecanje
podsijecati, -am, podsijecan, podsijecajući
podsjećati
podsjeći, -siječem, -sijeci, -sjekao, -sjekla, -sječen, -sjekav(ši); podsjećen je prema podsjetiti
podsjedatelj
podsjedati
podsjek
podsjesti, podsjednem
podsjetiti, -im, podsjećen; podsječen je prema podsjeći
podsjetnica
podsjetnik V jd. -iče, N mn. -ici
podsmijavati se
podsmijeh *i* podsmjeh, N mn. -esi
podsmjehivati se
podsmjehnuti se
podsmješljiv
*podstaći > potaći
*podstaknuti > potaknuti
podstanar
podstanarev *i* podstanarov
podstanarka DL jd. -ki, G mn. -ki
podstanarov *i* podstanarev
podstava
podstavak
podstaviti
*podsticaj > poticaj
*podsticati > poticati
*podstrek > poticaj

*podstrekač > poticatelj
podstrešje
podstrići, -ižem, -izi, -igoh, -iže, -igao, -igla, -ižen, -igav(ši)
podstubište (*prostor ispod stuba*)
podsudac, -uca, V jd. -uče, N mn. -uci, G mn. -udaca
podsuknja
Podsused (*mjesto kraj Zagreba*)
podsvijest l jd. -csti *i* -cšću
podsvjestan, -sna
podšav, -šava
podšišati
podšiti, -šijem
podšivati
podtajnički
podtajnik N mn. -ici (*drugo je* potajnik)
podtekst
podtlak
podučavati (*instruirati, drugo je* poučavati)
podučiti
podudarnost, -ošću *i* -osti (*geom. je* sukladnost)
podugačak, -čka
*poduhvat > pothvat
poduka DL -uci (*instrukcija, drugo je* pouka)
Podunavac, -vca, V jd. -vče, G mn. -vaca
Podunavka DL jd. -ki, G mn. -ki
Podunavlje
podunavski
podupirač (*potporanj*)
poduprijeti, -prem, -prijeh, -pri, -pro, -prla, -prt, -prv(ši) *i* -prijev(ši)
poduzeće
poduzetnički
poduzetnik V jd. -iče, N mn. -ici
poduzetnost, -ošću *i* -osti
poduzimač
poduže
podvađati
podvaldžija > podvaljivač
podvaljivač
podvaljivački
po dvaput *i* po dva puta
pòdvesti, -edem, *usp.* dòvesti, -edem
pòdvesti, -edem, *usp.* dòvesti, -èzēm
pòdvēsti, -ézēm, *usp.* dòvēsti, -ézēm
podviti, -vijem
podvlačenje
podvlačiti
podvlastiti, podvlašten
podvođač > svodnik, zavodnik
podvođač > svodnik, zavodnik
podvođačica > svodilja

podvođenje *prema* podvoditi
podvojenost, -ošću *i* -osti
podvojiti, -im, podvoj
podvoljčić
podvoljčina
podvorničin *prema* podvornica
podvornički
podvostručavati, -am
podvostručiti
podvraćati *prema* podvratiti
podvratak, -atka, N mn. -aci *i* -atci, G mn.
  -ataka
podvrći, -rgnem, -rgni, -rgoh, -ržc, -rgao, -rgla,
  -rgnut, -rgav(ši), -rgnuv(ši)
podvrgnuće
podvrtati, -rćem, -rći, -rćući
podvući, podvučem, podvučen
podziđivati, -đujem, -đujući
podžariti
podždrijelni
podžeći, -čžem, -czi, -cgoh, -cžc, -cgao, -cgla,
  -cžen, -cgav(ši)
podželudnjača
podželudnjačni
podžeti, -žanjem
podžupan
pođačiti se
pođenje *prema* poditi
pođipati
pođoniti
poema
poen
poenta
poentirati
poet(a) > pjesnik
poetičan, -čna
poetičnost, -ošću *i* -osti
poetika DL jd. -ici
poetizacija
poetizirati
poetski > pjesnički
poezija > pjesništvo
pogača
pogačica
pogađač
pogađačica
pogađački
pogađati
pogančina *prema* poganac
pogdjegdje
pogdjekad > pokatkad
pogdjetko
pogdjekoji *i* po gdjekoji
pogibao, -bli, I jd. -bli *i* -blju

pogibija
poglavaričin *prema* poglavarica
poglavičin *prema* poglavica
poglavički
pognojiti, -im, pognoj
pognutost, -ošću *i* -osti
pognječiti
pogodak, -otka, N mn. -oci *i* -odci, G mn.
  -odaka
pogodba G mn. -daba *i* -dbi
pogodnost, -ošću *i* -osti
pogonič > gonič
pogorijevanje
pogorijevati
pogorjelac, -lca, V jd. -lče
pogorjeti, -rim, -rio, -rjela, rjev(ši)
pogospoditi se, -odim se, -ođen
pogostiti, -ostim, -ošćen
pogotovo *i* pogotovu
pogranični
pogrbljenost, -ošću *i* -osti
pogrčiti (*učiniti* Grkom)
pogrditi, -rdim, -rdio, -rdila, -rđen, -rdiv(ši)
  (*učiniti grdnim, nagrditi, osramotiti*)
pogrdjeti, -dim, -dio, -djela, -djev(ši) (*postati*
  grdan, ružan)
pogrđivati, -đujem, -đujući
pogrebnički
pogrepsti, pogrebem
pogrešan *i* pogrješan, -šna
pogrešiv *i* pogrješiv
pogrešivanje *i* pogrješivanje
pogrešivati *i* pogrješivati, -šujem, -šujući
pogrešivost *i* pogrješivost, -ošću *i* -osti
pogreška *i* pogrješka, DL jd. -šci, G mn. -šaka
pogrešljiv *i* pogrješljiv
pogrešljivost *i* pogrješljivost, -ošću *i* -osti
pogrešnost *i* pogrješnost, -ošću *i* -osti
pogrijati, pogrijem
pogrijavati
pogriješiti, -im
pogristi, pogrizem
pogrješan *i* pogrešan, -šna
pogrješiv *i* pogrešiv
pogrješivanje *i* pogrešivanje
pogrješivati *i* pogrešivati
pogrješivost *i* pogrešivost, -ošću *i* -osti
pogrješka *i* pogreška, DL jd. -šci, G mn.
  -šaka
pogrješljiv *i* pogrešljiv
pogrješljivost *i* pogrešljivost, -ošću *i* -osti
pogrješnost *i* pogrešnost, -ošću *i* -osti
pogristi, pogrizem
pogrmjeti, -mim, -mio, -mjela, -mjev(ši)

pogrubiti, -bim, -bio, -bila, -bljen, -biv(ši)
(*učiniti grubim*)
pogrubjeti, -bim, -bio, -bjela, -bjev(ši) (*postati grub*)
pogubnost, -ošću *i* -osti
pogurenost, -ošću *i* -osti
pohabati > istrošiti, iznositi
pohađač
pohađati
pohajdučiti se
pohapsiti, -psim, -pšen > pouhićivati
poharati
poharčiti (*potrošiti*)
pohitati, -am (*požuriti, pobacati, pohvatati*)
pohitjeti, -tim, -tjeh, -tio, -tjela, -tjev(ši) (*požuriti*)
pohladan, -dna
pohlaptati, -pćem, -pćući
pohlepa
pohlepan, -pna
pohlepnica
pohlepničin
pohlepnik V jd. -iče, N mn. -ici
pohlepnost, -ošću *i* -osti
pohod
pohoditi
pohodni
pohota
pohotan, -tna
pohotljiv
pohotljivac, -vca, V jd. -vče, G mn. -vaca
pohotljivica
pohotljivost, -ošću *i* -osti
pohotnost, -ošću *i* -osti
pohrana
pohraniti, -anim, -anjen
pohranjivati, -njujem, -njujući
pohrđati
pohrliti
pohrskati
pohrvaćivati, -ćujem, -ćujući
pohrvati se
pohrvatiti, -atim, -aćen
pohuliti, -ulim, -uljen
pohumlje
***pohvaćati** > pohvatati
pohvala
pohvalan, -lna
pohvaliti, -alim, -aljen
pohvalnica
pohvaljivati, -ljujem, -ljujući
pohvatati
poimanje
poimati, -mam *i* -mljem

poimence
poimenice > poimence
poimeničan, -čna
poimeničavati
poimeničiti
poisijecati, -am
poiskakati, -ačemo
poiskati, poištem *i* poišćem
poispadati
poispoklanjati
poispravljati
poisprekidati
poisprelamati
poispremetati, -ećem, -ećući
poispremještati, -am
poisprepletati, -ećem, -ećući
poispresijecati, -am
poisprevrtati, -rćem, -rćući
poistovjećenje *prema* poistovjetiti
poistovjećivati, -ćujem, -ćujući
poistovjetiti, -ctim, -ećen
poizbliže
poizdaleka
poizdalje
poizrazbolijevati se, -amo se
poizrazdjeljivati, -ljujem, -ljujući
pojac, -jca, V jd. -jče, G mn. -jaca > pjevač
pojačaj
pojačajan, -jna
pojačalo
pojačanje
pojačati
pojačavanje
pojačavati
pojahati, pojašem
pojasić
pojatak, -atka, N mn. -aci *i* -atci, G mn. -ataka
po jedan
po jedanput
pojedinac, -nca, V jd. -nče, G mn. -naca
pojedinačan, -čna
pojedinačnost, -ošću *i* -osti
pojedinost, -ošću *i* -osti
po jednom
pojeftiniti
pojeftinjenje
pojeftinjivati, -njujem, -njujući
pojiti
pojmiti
pojmljiv
pojunačiti
pokadšto
pokajnički
pokasno

pokatkad
pokatoličiti
pokazivač
pokazivački
pokćeriti
pokćerka
pokipjeti, -pi, -pio, -pjela, -pjev(ši)
poklečke
pokleknuće *prema* pokleknuti
poklič > poklik
poklonički
pokloništvo
poklopčić
pokoji *i* po koji, v. § 305.
pokoji put (*katkad, prema* po koji put to već govorim)
pokojničin *prema* pokojnica
pokojnički
pokolčiti
pokoljenje > naraštaj
pokornički
pokornost, -ošću *i* -osti
pokosnični *prema* pokosnica
pokožični
pokraćenje *prema* pokratiti
pokraći
pokraćivati, -ćujem, -ćujući
pokraj (*prij.*)
pokrajina
pokratak, -atka; *komp.* -aći
pokratiti, -im, -aćen
pokrečiti
pokrepa *i* pokrjepa
pokrepljenje *i* pokrjepljenje
pokrepljivati *i* pokrjepljivati, -ljujem, -ljujući
pokretač
pokretačica
pokretački
pokretati, -ćem, -ćući
pokretljivost, -ošću *i* -osti
pokretnost, -ošću *i* -osti
pokrhati, -am
pokriće
pokrijepiti, -im, pokrijepljen
pokriti, pokrijem
pokrivač
pokrivački
pokrivalac, -aoca, V jd. -aoče, G mn. -alaca
pokrivalački
pokrivenost, -ošću *i* -osti
pokrjepa *i* pokrepa
pokrjepljenje *i* pokrepljenje
pokrjepljivati *i* pokrepljivati
pokročiti

pokrojiti
pokrotiti, -otim, -oćen
pokrovčić
pokrstiti, -im, pokršten
pokrštavati
pokrštenica
pokrštenje
pokrupno (*pril., ali* po krupno kamenje)
pokučiti > pružiti, dati
pokućar
pokućarac, -rca, V jd. -rče, G mn. -raca
pokućarčev
pokućarica
pokućaričin
pokućariti
pokućarski
pokućstvo
pokuhati
pokunjenost, -ošću *i* -osti
pokupski; Pokupsko, -oga (*zem.*)
pokurjačiti
pokvarenjaković
pokvarljivost, -ošću *i* -osti
pol (*polovica*); pol, -a (*krajnja točka*); Sjeverni pol, Južni pol (*zem.*) sjeverni pol, južni pol (*na magnetu*), plus-pol, minus-pol
polagač
polagačica
polako
polapski *prema* Polablje; Polapski Slaveni
*polaptati, -pćem, -pćući > pohlaptati
polarizacija
polarizacijski
polarni; polarni krug, polarna svjetlost, Polarno more, Polarna zvijezda (*Polarnica*)
Polarnica
polarnik (*polarni krug*)
polazak, -aska, N mn. -asci, G mn. -azaka
poleći, -egnem, -egni, -ezi, -egoh, -eže, -egao, -egla, -egnut, -egav(ši) (*polegnuti*)
poleći, polezem
polećke *i* poleđke (*poleđice*)
poleđice (*pril.*)
poleđina
polemičan, -čna
polemičar
polemički
poletarac, -rca, V jd. -rče, G mn. -raca
poletarče, -četa, *zb.* -čad
poletjeti, -tim, -tio, -tjela, -tjev(ši)
poliamid
poliandrija (*mnogomuštvo*)
policajac, -jca, V jd. -jče, G mn. -jaca
policajčev

policija
policijski
policist
poličica *um. od* polica
polić
polićni
poliedar, -dra
polifonijski
polihistor (*sveznadar, sveznalica*)
polijegati, polijčžem
polijen (*pomalo lijen*)
polijep
polijepiti, -im, polijepljen
polijetanje
polijetati, -cćcm, -cćući
polijevanje
polijevati
Polinezija
polinezijski
Polinežanin N mn. -ani
Polinežanka DL jd. -ki, G mn. -ki
poliptih N mn. -isi
politehničar
politehnički
političar
političarev *i* političarov
političarka DL jd. -ki, G mn. -ki
političarov *i* političarcv
politički
politra G mn. -tara (*boca od pola litre*)
polivač > poljcvač
polivati > polijevati
polnoć > ponoć
polnoćka *i* ponoćka, DL jd. -ki, G mn. -ki
polokati, -očcm
polonij
polovičǎn, -čna
polovičnost, -ošću *i* -osti
polubraća
polučiti > dobiti, postići
polučovjek
poludjeti, -dim, -dio, -djela, -djcv(ši)
polugodišnji
polulijevo
polumastan, -sna (polumasni sir); polumasna slova > poludcbcla slova
polumjer
polumjera (*polovična mjera*)
polumjesec; Crvcni polumjescc (*naziv ustanove*)
polumjesečast
polumjesečni
polumjesečnik N mn. -ici
polumračan, -čna

poluotok N mn. -otoci; Balkanski poluotok
*polupriječnik > polumjer
polusvijest I jd. -cšću *i* -csti
polusvijet N mn. -svjctovi
polutka DL jd. -ki, G mn. -taka *i* -tki; Sjcvcrna polutka, Južna polutka (*zem.*)
poluvrijeme, -vrcmcna
Poljačić *um. od* Poljak
poljački > poljski
poljeće (*polugodište*)
poljepšati
poljepšavati
poljevač
poljevačica
Poljičanin N mn. -ani, *prema* Poljica
poljički *prema* Poljica; Poljički statut (*pov.*)
poljodjelac, -lca, V jd. -lčc, G mn. -laca
poljodjelčev
poljodjelka DL jd. -ki, G mn. -ki
poljodjelski
poljodjelstvo G mn. -tava
poljoprivreda
poljoprivredni
Poljska DL jd. -koj
poljski *prema* polje *i* Poljska
poljubac, -upca, V jd. -upčc, G mn. -ubaca
poljupčić
pomaći, -akncm, -akni, -akoh, -ačc, -akao, -akla, -aknut, -akav(ši)
pomadžariti *i* pomađariti
pomagač
pomagačica
pomagački
pomagarčiti se
pomahnitati, -am
pomajčiti (*uzeti za pomajku*)
pomajka DL jd. -jci, G mn. -jki
pomaknuće
pomalo (*pril.*), *ali* po malo boljcm planu; malo-pomalo
pomamnost, -ošću *i* -osti
pomast I jd. -asti *i* -ašću
pomastiti, -im, pomašćcn *i* pomaštcn
pomazanik V jd. -ičc, N mn. -ici; Pomazanik (*Isus*)
pomediti, pomeđcn (*namazati, zasladiti medom*); *drugo je* pomjediti
pometač
pometak, -tka, N mn. -cci *i* -ctci, G mn. -ctaka
pometati, -cćcm
pometenost, -ošću *i* -osti
pometnuće (*pobačaj*)
pomicati, pomičcm, pomiči, pomičući
pomičan, -čna

pomičnost, -ošću *i* -osti
pomijenjati
pomiješati, -am, pomiješaj, pomiješao, pomiješan, pomiješav(ši)
pomiljeti, -ilim, -ilio, -iljela, -iljev(ši)
pomisao, -isli, I jd. -isli *i* -išlju
pomisliti, -im, pomišljen
pomišljaj
pomišljati
pomjediti, -im, pomjeđen (*prevući, okovati mjeđu*); *drugo je* pomediti
pomjer > pomak
pomjerati > pomicati, kretati
pomjeriti > pomaknuti; pomjeriti pamćcu
pomjestiti, -im, pomješten
pomještati
pomlačiti
pomladak, -atka, V jd. -ače *i* -adče, N mn. -aci *i* -adci, G mn. -adaka
pomlatiti, -im, pomlaćen
pomljeti, pomeljem
pomnost, -ošću *i* -osti
pomnjiv
pomnjivost, -ošću *i* -osti
pomočiti
pomoć I jd. pomoću *i* pomoći, s pomoću
pomoći, pomognem, pomozi
pomoćni
pomoćnica; Marija Pomoćnica (*majka Božja*)
pomoćničin *prema* pomoćnica
pomoćnički
pomoćnik V jd. -iče
pomoću > s pomoću
pomodriti, -rim, -rio, -rila, -riv(ši) (*učiniti modrim*)
pomodrjeti, -rim, -rio, -rjela, -rjev(ši) (*postati modar*)
pomorac, -rca, V jd. -rče, G mn. -raca
pomorački
***pomoranča** > naranča
***pomorandža** > naranča
pomorskopravni *prema* pomorsko pravo
pomozbog (*u izreci*: ni rod ni pomozbog)
Pompej (*rimski državnik*)
Pompejev
Pompeji, -ja (mn. m. r., *grad što ga je zasuo Vezuv*)
pompejski *prema* Pompeji
pompozan, -zna > sjajan, raskošan, naduven
pomraznost, -ošću *i* -osti
pomračenje (pomračenje uma); *pomračenje sunca > pomrčina sunca
pomračiti
pomrčanje

pomrčati
pomrčina
pomrčiti (*učiniti tamnim, mrkim*)
pomrijeti, pomre, *aor.* pomrijeh, pomrije; pomro, pomrla, pomrv(ši)
pomučan, -čna (*prilično mučan*)
pomučati, -čim
pomučiti se
pomućenost, -ošću *i* -osti
pomućenje
pomućivati, -ćujem, -ćujući
pomusti, pomuzem, pomuzen
pomutiti, -im, pomućen
ponabiti, -bijem, -bijen
ponačiniti
ponad (*prij.*)
ponadijevati
ponajbješnji *i* -esniji
ponajčešći
ponajgušći
ponajljepši
ponajprije
ponajtješnji *i* -esniji
ponajveći
ponajvećma
ponajžešći
ponamjestiti, -estim, -ešten
ponamještati
ponaticati, -ičem, -ičući
ponavljač
ponavljačica
ponavljački
ponedjeljak, -ljka, N mn. -ljci, G mn. -ljaka
ponegdje
ponekad > katkad, kadšto, pokatkad
poneki *i* po neki, v. § 305.
ponesrećiti se
ponešto (*zam. i pril.*), ponečega; po nešto, v. § 305.
ponetko
poni, ponija, N mn. poniji
ponići, -iknem, -ikni, -ikoh, -iče, -ikao, -ikla, -ikav(ši)
ponijemčiti, -im, ponijemčen
ponijeti, -nesem, -nesi, -nijeh *i* -nesoh, -nese *i* -nije, -nio, -nijela, -nesen, -nijev(ši), -nesav(ši)
ponikao, -kli
ponisko (*pril.*)
ponizak, -iska
poniznost, -ošću *i* -osti
ponižavati
poniže (*pril.*)
ponoć

ponoćka *i* polnoćka
ponoćni
ponoćnica
ponositost, -ošću *i* -osti
ponovno
ponovo
ponudilac, -ioca, V jd. -ioče, G mn. -ilaca
po nj
ponjavčina
ponjemčenje
ponjemčivanje
ponjemčivati, -čujem, -čujući
pooblačiti
poočim
poodavna *i* poodavno
poodmaći, -aknem -akni, -akoh, -ače, -akao, -akla, -aknut, -aknuv(ši)
poodsijecati, -am
poopćavanje
poopćavati
poopćenje
poopćiti
pootplaćivati, -ćujem, -ćujući
popabirčiti
popamtiti, -mtim, -mćen
pop-art (*popularna umjetnost*)
Pop Dukljanin; Ljetopis Popa Dukljanina
popče (*mlad pop*); *zb.* -čad *i* N mn. -čići
popčić *um. od* pop
popečak, -čka, N mn. -čci, G mn. -čaka, kosani popečak; *usp.* popćak
popećak, -éka, N mn. -éci, G mn. -ćaka > žarač
popeći, -čem, -cci, -ckoh, -čče, -ckao, -ckla, -čcen, -ckav(ši)
pop-glazba
popić
popijevati (*popjevavati*), *drugo je* popjevati
popijevčiti se (*pooholiti se*)
popijevka DL jd. -vci, G mn. popijevka, pop-jevaka *i* popijevki
popisivač
popisivačica
popiti, popijem, popij, popit *i* popijen
popjevati (*malo zapjevati*); *drugo je* popije-vati
poplaćati
poplahnuti
poplahnjivati, -njujem, -njujući
pòplaviti, pòplavim, pòplavio, pòplavila, pò-plaviv(ši) (*pokriti vodom*)
poplàviti, pòplāvim, poplàvio, poplàvila, po-plàviv(ši) (*učiniti plavim*)
poplàvjeti, poplāvim, poplàvio, poplàvjela, poplàvjēv(ši) (*postati plav*)

poplijeniti, -im, poplijenjen
poplijeviti, -im, poplijevljen
popločati
popločavanje
popločavati
popločiti
poplućnica
popljeskati, -skam *i* -cšćem
popljesniviti
pop-muzika (popularna glazba) *i* pop-glazba
popodne v. § 289.
popola (*pril.*) *i* po pola, podijelio je jabuku popola *i* svakomu dao po pola jabuke
popov; Popovo polje (*polje*), Popovo Selo (*mjesto*); Popov toranj (*zgrada u Zagrebu*)
popovača (*vrsta kruške*); Popovača (*zem.*)
popratiti, -atim, -aćen
popravilišni *prema* popravilište
popravljač
popravljačica
poprečan *i* poprječan, -čna
poprečice *i* poprječice
poprečivati *i* poprječivati, -čujem, *prema* po-prij-čiti, *drugo je* popr(j)ećivati
poprečke *i* poprječke
poprečnica *i* poprječnica
poprečnost *i* poprječnost, -ošću *i* -osti
poprećivati *i* poprjećivati, -ćujem, -ćujući, *prema* poprijetiti, *drugo je* popr(j)ećivati
popričati
poprijéčiti, -im, poprijęčen
poprijeko
poprijetiti, -im
po prilici
popriličan, -čna
poprječan *i* poprečan
poprječice *i* poprečice
poprječivati *i* poprečivati *prema* poprijęčiti, *drugo je* popr(j)ećivati
poprječke *i* poprečke
poprječnica *i* poprečnica
poprječnost *i* poprečnost, -ošću *i* -osti
poprjećivati *i* poprećivati *prema* poprijetiti, *drugo je* popr(j)ećivati
pop-song (*popularna pjesma američkih Cr-naca*)
popudbina
popuhati, popušem, popuši
popuhivati, -hujem, -hujući
popuhnuti
populacijski
popularnost, -ošću *i* -osti
popunjavati, -am
popustiti, -im, popušten

popustljiv
popustljivost, -ošću i -osti
porađati (se)
porajnski
Porajnje (*kraj uz Rajnu*)
porano (*pril.*) i po rano, došao je porano i došao
je po rano grožđe
porazbolijevati se, -lijeva se
porazdaleko (*pril.*)
porazdijeliti, -im, porazdijeljen
porazmetati, -ećem, -ećući
porazmjestiti, -estim, -ešten
porazmještati
poraznost, -ošću i -osti
porazvješati
porculan
porculanača (*zemlja*)
porđati > pohrđati
porebarke
poreč (*boražina, bot.*); Porec (*zem.*)
porečki *prema* Poreč
poreći, -čćem i -eknem, -cci i -ckni, -ckoh, -cčc,
-ckao, -ckla, -cčen, -ckav(ši)
poredak, -tka, N mn. -cci i -cdci, G mn. -cdaka
poređenje > (us)poredba, stupnjevanje
poremećaj
poremećenost, -ošću i -osti
poremećenje
poremećivati, -ćujem, -ćujući
poremetiti, -im, -cćen
poreski > porezni
porezni
poreznički
poreznik V jd. -iče, N mn. -ici (*porezni či-
novnik*)
poreznikov
porezovnik V jd. -iče, N mn. -ici (*porezni ob-
veznik*)
porežđžija (*eks.*, poreznik)
Porfirogenet (*pov.*)
poricati, poričem, poričući
poriječje i porječje
porijedak, -tka (*ponešto rijedak*); *komp.* porjeđi
porijeklo > podrijetlo
porijetko (*pril.*, *ali*: otišao je po rijetko sito)
porinuće
porječje i poriječje
porječkati se
porjeđi *komp. od* porijedak
porobljivač
porobljivački
poročan, -čna
poročnost, -ošću i -osti
porodični

porođaj
porođajni
porotnički
portabl > (pre)nosivi; portabl televizor
> (pre)nosivi televizor
portlandski *prema* Portland; portland-cement
> portlandski cement
Portoriko
portret
portretistički
portretni
portretski > portretni
Portugal
Portugalac, -lca, V jd. -lče, G mn. -laca
Portugalka DL jd. -ki, G mn. -ki
portugalski; Elizabeta Portugalska
portugizac, -isca, V jd. -išče (*vino*)
poručati (*pojesti ručak*)
poručiti (*poslati poruku*)
poručivati, -čujem, -čujući
poručnički
poručnik V jd. -iče, N mn. -ici
porudžbina > narudžba, poruka
porugljivac, -vca, V jd. -vče, G mn. -vaca
porugljivost, -ošću i -osti
porumeniti, -enim, -enjen, -enio, -enila,
-eniv(ši) (*učiniti rumenim*)
porumenjeti, -enim, -enio, -enjela, -enjev(ši)
(*postati rumen*)
poružniti, -im, -žnjen, -žnio, -žnila, -žniv(ši)
(*učiniti ružnim*)
poružnjeti, -žnim, -žnio, -žnjela, -žnjev(ši)
(*postati ružan*)
porvati se > pohrvati se
posamce (*pril.*)
posavjetovati
posavski; Ljudevit Posavski (*pov.*); Posavski
Bregi (*selo*)
posebnički
poseljačiti
poseljačivati, -čujem, -čujući
posezati, -ežem, -eži, -egoh, -egao, -egla,
-ežući
posigurno
posijati, posijem, posij
posijecati *prema* posjeći
posijediti, posjedim, posjeđen, posijedio, po-
sijedila, posijediv(ši) (*učiniti sijedim*)
posijedjeti, posjedim, posijedio, posijedjela,
posijedjev(ši) (*postati sijed*); *drugo je* posje-
djeti
posijelo
posinački
posipač

posirotjeti, -tim, -tio, -tjela, -tjev(ši) (*postati si-
rota*)
posiviti, -vim, -vljen, -vio, -vila, -viv(ši) (*uči-
niti sivim*)
posivjeti, -vim, -vio, -vjela, -vjev(ši) (*postati
siv*)
posječen *prema* posjeći
posjećen *prema* posjetiti
posjećenost, -ošću i -osti
posjeći, posiječem, posjekoh, posiječe, posje-
kosmo, posijeci, posječen, posjekav(ši)
posjećivati, -ćujem, -ćujući
posjed G mn. posjeda
posjedak, -etka, N mn. -edci i -eci, G mn.
-edaka > posijelo
posjedati
posjediti, -dim, -dio, -dila, -div(ši) i posjedjeti
posjedjeti i posediti, -dim, -dio, -djela,
-djev(ši) (*malo sjediti*); *drugo je* posijedjeti
posjednica
posjedničin
posjednički
posjednik V jd. -iče, N mn. -ici
posjednikov
posjedništvo
posjedovati, -dujem, -dujući
posjedovni
posjeklica (*oštra sablja*)
posjeklina
posjekotina
posjesti, posjednem
posjet, -a
*posjeta, -e > posjet
posjetilac, -ioca, V jd. -ioče, N mn. -ioci, G mn.
-ilaca
posjetitelj
posjetiti, -im, posjećen (*drugo je* posječen)
posjetnica
posjetnički
posjetnik V jd. -iče
poskakati, -ačem
poskočan, -čna
poskočica
poskočice (*pril.*)
poskočiti
poskočke
poskočljiv
poskočnica
poskrbjeti, -bim, -bio, -bjela, -bjev(ši)
poskupiti, -pim, -pljen, -pio, -pila, -piv(ši)
(*učiniti skupim*)
poskupjeti, -pim, -pio, -pjela, -pjev(ši) (*postati
skup*)
poskupljenje

poslanički
poslaništvo
*poslastičar > slastičar
poslati, pošaljem, pošalji, poslah, poslao, po-
slan, poslav(ši)
poslije
poslijediplomski i posljediplomski
poslijeoperacijski i posljeoperacijski
poslijepodne (*vrijeme od 12 sati do sumraka*);
poslije podne (*poslije 12 sati*)
poslijepodnevni i posljepodnevni
poslijeratni i posljeratni
poslijetati, posljeće
poslodavac, -vca, V jd. -vče, G mn. -vaca
poslodavački
poslodavčev
posloprimac, -mca, V jd. -mče, G mn. -maca
posloprimački
posloprimčev
poslovičan, -čna
poslovodstvo
poslovođa
poslovotkinja
posluh
poslušnost, -ošću i -osti
posljedak, -etka, N mn. -eci i -edci, G mn.
-edaka
posljedica
posljedični
posljediplomski i poslijediplomski
posljednji
posljeoperacijski i poslijeoperacijski
posljepodnevni i poslijepodnevni
posljeratni i poslijeratni
*posmatrač > promatrač
posmicati, -ičem, -icao, -icav(ši)
posmijeh i posmjeh, N mn. posmijesi i pos-
mjesi
posmjehivati se, -hujem, -hujući
posmjehnuti se
posmrče, -četa, *zb.* -čad
posni *prema* postan i post
pospjeh > hitnja, žurba
pospješiti
pospješivati, -šujem, -šujući
posrećiti se
posrećivati se, -ćuje se, -ćujući se
posred (*prij.*)
posredan, -dna
posrednica
posrednički
posrednik V jd. -iče, N mn. -ici
posrednost, -ošću i -osti
posredništvo G mn. -tava

posredovati, -dujem, -dujući
posredstvo
posrijedi (*pril.*), *npr.* posrijedi je mala šala,
  drugo je po srijedi je četvrtak
posrkati, posrčem, posrči, posrkao, posrkav(ši)
posrnuće
posrtati, posrćem, posrćući
postan, posna
postarati se (*postati star*)
postarati se > pobrinuti se
postariti, -rim, -rio, -rila, -riv(ši) (*učiniti starim*)
postarjeti, -rim, -rio, -rjela, -rjev(ši) (*ostarjeti*)
postava (*npr.* postava nogometne momčadi);
  drugo je podstava
postdiplomski > posl(i)jediplomski
posthuman, -mna > postuman, posmrtni
postići, -ignem, -igni, -igoh, -iže, -igao, -igla,
  -ignut, -igav(ši)
postiditi, -idim, -iđen, -idio, -idila, -idiv(ši)
  (*učiniti da se tko stidi*)
postidjeti se, -dim se, -dio se, -djela se, -djev(ši)
  (*osjetiti stid*)
postignuće
postižljiv
postijenak, -nka (*bot.*), *i* postjenak
postiti, postim, pošćah, posteći
postjen (*koji je po stijeni*, puzavac postjeni)
postjenak *i* postijenak, -nka (*bot.*)
posto (*pril.*, %); jedan posto, dva posto, sto
  posto
postojanost, -ošću *i* -osti
postojati, -im, postoj, postojeći
postojnski *prema* Postojna; Postojnska špilja
postoperativan, -vna > posl(i)jeoperacijski
postostručavati
postostručiti
postostručivati, -čujem, -čujući
postotak, -otka, N mn. -oci *i* -otci, G mn. -otaka
postotni; jednopostotni (1%-tni), dvopostotni
  (2%-tni), dvadeset četveropostotni (24%-tni),
  stopostotni (100%-tni)
postrani (*pokrajnji*)
postrići, -ižem, -izi, -igoh, -iže, -igao, -igla,
  -igav(ši)
postrijeljati, -am, postrijeljan
postrojiti
postudjeti, -di, -dio, -djela, -djev(ši)
postuman, -mna > posmrtni
posuditi, -im, posuđen
posuđe
posuđenica
posuđivač
posuđavački
posuđivati, -đujem, -đujući

posunetiti, -etim, -ećen
posustalost, -ošću *i* -osti
posuvratak, -atka, N mn. -aci *i* -atci, G mn.
  -ataka
posvaditi, -adim, -ađen
posvađati
posve (*pril.*)
posvećenost, -ošću *i* -osti
posvećenje
posvećivati, -ćujem, -ćujući
posvema > posve
posvetiti, -im, posvećen
posvijetliti, -im, posvijetljen
posvjedočavati, -am
posvjedočiti
posvojče, -četa, *zb.* -čad
posvud(a)
pošast I jd. -asti *i* -ašću
pošćenje *prema* postiti
pošećeriti
pošiljač
pošiljalac, -aoca, V jd. -aoče, N mn. -aoci, G
  mn. -alaca
pošljunčiti
pošmrkati, -rčem, -rčući
pošokčiti
poštarev *i* poštarov
poštaričin *prema* poštarica
poštarov *i* poštarev
poštedjeti, -edim, -edio, -edjela, -eđen,
  -edjev(ši)
poštedivati, -đujem, -đujući
poštenjačina
poštenjaković
pošto (*vez.*, *pril.*), *i* po što, v. § 305. i 331.
poštovalac, -aoca, V jd. -aoče, G mn. -alaca
pošutjeti, -tim, -tio, -tjela, -tjev(ši)
potaći, -aknem, -akni, -akoh, -ače, -akao, -akla,
  -aknut, -akav(ši)
potajnički
potajnik V jd. -iče, N mn. -ici (*zast.*, detektiv)
potajnost, -ošću *i* -osti
potalijančiti
potalijančivati, -čujem, -čujući
potalijaniti
potalijanjivati, -njujem, -njujući
potamniti, -mnim, -mnjen, -mnio, -mnila,
  mniv(ši) (*učiniti tamnim*)
potamnjelost, -ošću *i* -osti
potamnjenje *prema* potamniti *i* potamnjeti
potamnjeti, -mnim, -mnio, -mnjela (*postati
  taman*)
potančati
potankost, -ošću *i* -osti

*potc... > podc...
*potč... > podč...
pòteći, -cčem *i* -cknem, -eci *i* -ckni, -ckoh, -cčc,
  -ckao, -ckla, -ckav(ši)
pòtēći > -egnem, -egni, -egoh, -egao, -egla,
  -egav(ši)
poteferičiti
potegača
Potemkin
Potemkinov; Potemkinova sela
potencijal
potencijalan, -lna
potepuh V jd. -ušc, N mn. -usi, G mn. -uha
  (*skitnica*)
poteškoća > teškoća
pothodnik
pothraniti
pothranjivati, -njujcm, -njujući
Pothum (*selo*) *i* Podhum (*ako je tako uobiča-
  jeno*)
pothvaćati
pothvat
pothvatiti, -atim, -aćcn
pothvatnički
poticaj
poticajni
poticalo
poticatelj
poticateljica
poticati, -ičcm (*prema* potaknuti, *drugo je* pot-
  jecati)
potihano (*pril.*)
potiho (*pril.*); *komp.* potišc
potijesan (*prilično tijesan*); komp. potjcšnji *i*
  potjesniji
potijesniti, -im, potijcšnjen
potiskivač
potištenost, -ošću *i* -osti
potjecati, -cčem (*prema* tcći, *drugo je* poticati)
potjera G mn. potjera
potjerati
potjerivati
potjerni
potjernica > tjeralica
potjernički
potjernik V jd. -ičc, N mn. -ici, G mn. -ika
potjesniji *i* potjcšnji, *komp. od* potijesan
potješiti
potješnjavati
potješnji *i* potjcsniji, *komp. od* potijesan
potka DL jd. potki, G mn. potaka *i* potki (*niti
  što se utkivaju u osnovu*)
potkaditi, -adim, -ađcn
potkazivač > doušnik

potkivač
potkivački
potkoljenica
potkoljenični
potkopati
potkopavati
potkornjak N mn. -aci
potkova
potkovica
potkovičast
potkožan, -žna
potkožiti se
potkožnjak N mn. -aci
potkraćivati, -ćujem, -ćujući
potkradati
potkralj
potkrasti se, -adem se
potkrepa *i* potkrjepa
potkrepljenje *i* potkrjepljenje
potkrepljivati *i* potkrjepljivati, -ljujem, -ljujući
potkresati, -cščem
potkrijepiti, -im, potkrijepljen
potkrilje
potkrjepa *i* potkrepa
potkrjepljenje *i* potkrepljenje
potkrjepljivati *i* potkrepljivati
potkrovlje
potkrovni
potkrovnica
potkrovnjača
potkućnica
potkupiti
potkupljiv
potkupljivač
potkupljivati, -ljujcm, -ljujući
potkupljivost, -ošću *i* -osti
potlačenost, -ošću *i* -osti
potlačiti
potleušica
potmulost, -ošću *i* -osti
potmuo, -ula
potoč (*potjera, progon*)
potočar (*rak*)
potočara (*mlin na potoku*)
potočarka (*mahovina*)
potočić
potočina
potočni
potočnica
potočnjak N mn. -aci
potom *i* po tom(e)
potomak, -mka, V jd. -mčc, N mn. -mci, G mn.
  -maka
potpadati, -dncm

potpala
potpaliti
potpalublje
potpalubni
potpaljivač
potpaljivati, -ljujem, -ljujući
potpasač
potpasati, potpašem
potpasti, -adnem, -adni, -adoh, -ao, -ala, -av(ši)
potpetak, -tka, N mn. -eci *i* -etci, G mn. -etaka
potpetica
potpiliti, -ilim, -iljen
potpirač
potpirivač
potpis
potpisati
potpisivati, -sujem, -sujući
potpisnik V jd. -iče, N mn. -ici, G mn. -ika
potplaćivati, -ćujem, -ćujući
potplat
potplatiti, -atim, -aćen
potpomagač
potpomagati, -ažem
potpomoći, -ognem, -ogni *i* -ozi, -ogoh, -ože, -ogao, -ogla, -ognut, -ogav(ši)
potpora
potporanj, -rnja
potporni
potporodica (*zool.*)
potporučnički
potporučnik V jd. -iče, N mn. -ici, G mn. -ika
potprašiti
potpredsjednica
potpredsjedničin
potpredsjednički
potpredsjednik V jd. -iče, N mn. -ici, G mn. -ika
potpredsjedništvo
potpukovnički
potpukovnik V jd. -iče, N mn. -ici, G mn. -ika
potpun
potpunce (*pril.*)
potpunice (*pril.*)
potpuniti
potpunost, -ošću *i* -osti
potpunjavati
potpuri, -ija (*glaz.*)
potratiti, -atim, -aćen
potraživač
potrčati
potreba
potreban, -bna
potrebit
potrebitost, -ošću *i* -osti

potrebnica (*sirota*)
potrebnik V jd. -iče, mn. -ici (*siromah*)
potrebnost, -ošću *i* -osti
potrebnjak V jd. -ače, mn. -aci (*siromah*)
potrepština
potresenost, -ošću *i* -osti
potričar (*onaj koji učini poljsku štetu*)
potrijebiti, -im, potrijebljen
potrk N mn. -rci
potrkač
potrostručavati
potrostručiti
potrošač
potrošački
potrpjeti, -pim, -pio, -pjela, -pjev(ši)
pots... > pods...
potš... > podš...
potući, -učem, -ukoh, -uče, -ukao, -ukla, -učen, -ukav(ši)
poturčenica
poturčenik V jd. -iče, N mn. -ici, G mn. -ika
poturčenjak V jd. -ače, N mn -aci, G mn. -aka
poturčiti (se)
poturičin *prema* poturica
potvrditi, -rdim, -rđen
potvrđivati, -đujem, -đujući
poučak, -čka, N mn. -čci, G mn. -čaka
poučan, -čna
poučavati
poučiti
poučljiv
poučljivost, -ošću *i* -osti
poučnost, -ošću *i* -osti
pouhićivati, -ćujem, -ćujući
pounijatiti, -atim, -aćen
pounski *prema* Pounje
Pounjanin N mn. -ani
pouticati, -ičemo (*pozabadati*)
poutjecati, -cčemo (*pobjeći*)
poutješiti
poutka D L jd. poutki, G mn. poutaka *i* poutki > potka
pouzdanički
pouzdanik V jd. -iče, N mn. -ici, G mn. -ika
pouzdaništvo
pouzdanost, -ošću *i* -osti
pouzeće
povađati
povazdan
povečerati
povečerje
povećalo
povećati
povećavati

poveći (*komp. od* povelik)
povelik *komp.* poveći
povenuti, -nem, -nuo
pòvesti, -edem, *usp.* dòvesti, -edem
pòvesti, -èzēm, *usp.* dòvesti, -èzēm
pòvēsti, -ézēm, *usp.* dòvēsti, -ézēm
povezača
povezanost, -ošću *i* -osti
povijati, povijam
povijest I jd. -ešću *i* -esti
povijestan, -sna
povijuša (*bot.*)
povikati, povičem
povitak, -itka, N mn. -ici *i* -itci, G mn.-itaka
poviti, povijem
povjeravati
povjerenica
povjereničin
povjerenički
povjerenik V jd. -iče, N mn. -ici, G mn. -ika
povjereništvo G mn. -tava
povjerenstvo G mn. -tava
povjerenje
*povjerilac, -ioca, V jd. -ioče, G mn. -ilaca
   > vjerovnik
povjeritelj
povjeriti
povjerljiv
povjerljivost, -ošću *i* -osti
povjerovati, -rujem
povjesamce, -mca *i* -mceta, G mn. -maca *i* -mca
povjesmo G mn. -sama
povjesnica
povjesničar
povjesničarev *i* povjesničarov
povjesničarka DL -ki, G mn. -ki
povjesničarkin
povjesničarov *i* povjesničarev
povjesničarski
povjesnički
povjesništvo
povjestica
povješati
povjetarac, -rca, V jd. -rče, G mn. -raca
povjetarce > povjetarac
povlačiti
povlađivati, -đujem, -đujući
povlastiti, povlastim, povlašten
povlašćivati, -ćujem, -ćujući
povlaštenost, -ošću *i* -osti
povlaštenje
povodac, -oca *i* -odca, N mn. -oci *i* -odci, G
   mn. -odaca
povođenje *prema* povoditi

povojče, -četa, *zb.* -čad (*dijete u povoju*)
povojničiti
povraćaj
povraćanje
povraćati
povratak, -tka, N mn. -aci *i* -atci, G mn. -ataka
povratič > buhač
povratiti, -atim, -aćen
povrćar
povrće
povrći, -rgnem, -rgni, -rgoh, -rže, -rgao, -rgla,
   -rgav(ši)
povreda *i* povrjeda
povrediv *i* povrjediv
povredivost *i* povrjedivost, -ošću *i* -osti
povredljiv *i* povrjedljiv
povredljivost *i* povrjedljivost, -ošću *i* -osti
povredni *i* povrjedni
povređenik *i* povrjeđenik, V jd. -iče, N mn.
   -ici, G mn. -ika
povređenje *i* povrjeđenje
povređivati *i* povrjeđivati, -đujem, -đujući
povremen
povremenost, -ošću *i* -osti
povrh (*prij.*)
povrhuša (*riba*)
povrijediti, -im, povrijeđen
povrijeđenost, -ošću *i* -osti
povrjeda *i* povreda
povrjediv *i* povrediv
povrjedivost *i* povredivost, -ošću *i* -osti
povrjedljiv *i* povredljiv
povrjedljivost *i* povredivost, -ošću *i* -osti
povrjedni *i* povredni
povrjeđenik *i* povređenik
povrjeđenje *i* povređenje
povrjeđivati *i* povređivati
površnost, -ošću *i* -osti
povrvjeti, -vim, -vio, -vjela, -vjev(ši)
povuci-potegni
povučenost, -ošću *i* -osti
povući, -učem, -ukoh, -uče, -ukao, -ukla, -učen,
   -ukav(ši)
povukodlačiti se
pozadijevati
pozadrijemati, -amo *i* -mljemo
pozaimati > pozajmljivati
pozajmljivati, -ljujem, -ljujući
pozauna (*glaz.*)
pozavidjeti, -dim, -dio, -djela, -djev(ši)
pozeleniti, -enim, -enjen, -enio, -enila, -eniv(ši)
   (*učiniti zelenim*)
pozelenjeti, -enim, -enio, -enjela, -enjev(ši) (*po-
   stati zelen*)

pozepsti, pozebem
pozicija
pozicijski
pozicioni > pozicijski
pozitivist
pozitivistički
pozitivnost, -ošću *i* -osti
pozivač
pozlaćenje
pozlaćivati, -ćujem, -ćujući
pozlatiti, -atim, -aćen
pozlijediti, -im, pozlijeđen
pozlijeđenost, -ošću *i* -osti
pȍzljeda G mn. pȍzljēdā
pozljeđivati, -đujem, -đujući
poznavalac, -aoca, V jd. -aoče, G mn. -alaca
pozornički *prema* pozornica *i* pozornik
pozornost, -ošću *i* -osti
pozvijeriti se (*postati zvijer*)
pozviždač (*ptica*)
požapke (*pril.*)
požarčiti
požarnički
požderuh V jd. -ušе, N mn. -usi, G mn. -uha
požeći, -ežem, -ezi, -egoh, -eže, -ežen, -egav(ši)
požednjeti, -dni, -dnio, -dnjela, -dnjev(ši)
požegača
poželjan, -ljna
poželjeti, -elim, -elio, -eljela, -eljev(ši)
poželjnost, -ošću *i* -osti
požeški *prema* Požega; Požeški Brestovac, Požeške Sesvete, Požeška kotlina; Požeško-slavonska županija
Požeškinja *i* Požežanka
požeti, požanjem
Požežanin N mn. -ani
Požežanka DL jd. -ki, G mn. -ki
poživinčenost, -ošću *i* -osti
poživinčiti
poživiti, -vim, -vljen, -vio, -vila, -viv(ši) (*podržati u životu*)
poživjeti, -vim, -vio, -vjela, -vjev(ši) (*provesti dio života*)
požnjeti > požeti
požrtvovnost, -ošću *i* -osti
požudjeti, -dim, -dio, -djela, -djev(ši)
požudnost, -ošću *i* -osti
Požun (*pov.*, Bratislava)
požućivati, -ćujem, -ćujući
požutiti, -utim, -ućen, -utio, -utila, -utiv(ši) (*učiniti žutim*)
požutjeti, -tim, -tio, -tjela, -tjev(ši) (*postati žut*)
požvakati, -ačem

prabiće
pračovjek N mn. praljudi
praćak, -a, N mn. -aci, G mn. -aka
praćakati se
praćenje
praćka DL jd. -ki, G mn. -ćaka *i* -ćki
praćkar
praćkati se
praćkica
praćnuti se
pradjed N mn. pradjedovi *i* pradjedi
pradjedovina
pradjedovski
prag (*dio vrátā*); Prag (*češki grad*)
pragmatičan, -čna
pragmatički; Pragmatička sankcija (*pov.*)
prah
prahati, -am
prahistorija > prapovijest
prahistorijski > prapovijesni
prahrvatski
prahulja
praiskonski > iskonski
prajezični
prajuha (*astr.*)
prakičmenjak > prakralječnjak
prakljača (*praćak*)
prakolijevka DL jd. -vci, G mn. -ljevaka, -lijevaka *i* -lijevki
prakršćanski
prakršćanstvo
praktičan, -čna
praktičar
praktičarka DL jd. -ki, G mn. -ki
praktički
praktičnost, -ošću *i* -osti
pramaljeće
pramaljetni
pramčani
pramečak, -čka, N mn. -čci, G mn. -čaka
pramičak, -čka, N mn. -čci, G mn. -čaka
praonica
praonički
praotac, praoca, V jd. praoče, N mn. praoci, G mn. praotaca
praotački
prapočetak, -ctka, N mn. -cci *i* -etci, G mn. -ctaka
praporčić
prapovijesni
prapovijest
prapradjed N mn. -djedovi *i* -djedi
prapraunuče, -četa, *zb.* -čad
prapredak, -tka, N mn. -cci *i* -edci, G mn. -edaka

prasac, -sca
praseći
praseodim > prascodimij
prasičica
prasjedilac *i* prasjedjelac, -dioca, V jd. -dioče,
  G mn. -dilaca *i* -djelaca
prasjedilački *i* prasjedjelački
praslavenski
praščevina
praščić
prašidba G mn. -idaba *i* -idbi
prašilac, -ioca, V jd. -ioče, G mn. -ilaca
praški *prema* Prag; Praški listići (*pov.*)
prašnički *prema* prašnik
pratetka DL -etki, G mn. -etaka
pratilac, -ioca, V jd. -ioče, N mn. -ioci, G mn.
  -ilaca
pratilački
pratiti, -im, praćah, praćen, pratcći
pratljača (*praćak*)
praunuče, -četa, *zb.* -čad *i* mn. -čići
praunučica
pravdadžija > pravdaš
pravednički
pravednik V jd. -iče, N mn. -ici, G mn. -ika
pravednost, -ošću *i* -osti
pravičan, -čna > pravedan
pravičnost, -ošću *i* -osti > pravednost
pravijek N mn. pravjekovi
pravječan, -čna
pravničin *prema* pravnica
pravnički
pravnik V jd. -iče, N mn. -ici, G mn. -ika
pravobranilac, -ioca, V jd. -ioče, N mn. -ioci,
  G mn. -ilaca
pravobranilaštvo
pravodobnost, -ošću *i* -osti
pravomoćan, -ćna
pravorijek N mn. -rijeci (*presuda*)
pravosuđe
pravoužitnički
pravoužitnik V jd. -iče, N mn. -ici, G mn. -ika
pravoužitništvo G mn. -tava
pravovaljanost, -ošću *i* -osti
pravovjerac, -rca, V jd. -rče, G mn. -raca
pravovjeran, -rna
pravovjerje
pravovjerka
pravovjernica
pravovjernički
pravovjernik V jd. -iče, N mn. -ici, G mn. -ika
pravovjernost, -ošću *i* -osti
pravovjerski
pravovjerstvo G mn. -tava

pravovremen > pravodoban
pravovremenost, -ošću *i* -osti > pravodobnost
pravozastupnički
pravozastupnik V jd -iče, N mn. -ici, G mn. -ika
prazametak, -etka, N mn. -eci *i* -etci, G mn.
  -etaka
prazan, -zna
praznički
praznina *i* praznoća
prazniti, -im, pražnjah, pražnjen
praznoća *i* praznina
praznoglavac, -vca, V jd. -vče, G mn. -vaca
praznoglavić
praznoglavost, -ošću *i* -osti
praznorječiv
praznorječje
praznovjerac, -rca, V jd. -rče, G mn. -raca
praznovjeran, -rna
praznovjerica
praznovjerje
praznovjerka
praznovjernost, -ošću *i* -osti
Pražanin N mn. -ani
Pražanka DL jd. -ki, G mn. -ki
pražnjenje *prema* prazniti
prč > jarac
Prčanj, Prčanja (*zem.*)
prčenje *prema* prčiti se (*drugo je* prćenje)
prčiti se (*oholiti se, dizati nos*)
prčkarija
prčkanje
prčkati
prčvarnica
prćast (o nosu *i* usnama)
prćenje *prema* prćiti se *i* prtiti (*drugo je* prčenje)
prćija
prćiti (*stiskati usne*)
prdac, prdca, V jd. prdče, N mn. prdci, G mn.
  prdaca
prebacivač
prebačaj
prebdjeti, -dim *i* -dijem, -dio, -djela, -djev(ši)
prebijati, -am
prebijel
prebirač
prebiračica
prebiti, -bijem
prebivalac, -aoca, V jd. -aoče, N mn. -ioci, G
  mn. -alaca
prebivališni *prema* prebivalište
prebjeći, -egnem, -egoh, -eže, -egao, -egla,
  -egav(ši)
prebjeg V jd. -eže, N mn. -ezi, G mn. -ega
prebjegavati, -am

prebjeglica
prebježati, -žim
preblijed
preblizu (pril.)
prebojiti, -im, preboj
prebol
prebolijevati
preboljeti, -olim, -olio, -oljela, -oljev(ši)
prebroditi, -im, prebrođen
prebrodljiv
prebrođavati
prebrojavati
prebrojiti
preci i predci prema predak
precijediti, -im, precijeđen
precijeniti, -im, precijenjen
precijepiti, -im, precijepljen
precioza > kaćiperka, dragocjenost, pretjera-
nost
preciozan, -zna > dragocjen, pretjeran
precizan, -zna (točan)
precjeđivati, -đujem, -đujući
precjenjivati, -njujem, -njujući
precjepljivati, -ljujem, -ljujući
precviljeti, -ilim, -ilio, -iljela, -iljev(ši)
precvjetalost, -ošću i -osti
precvjetati, -am
preča (gimnastička sprava)
prečac i prječac, -čca i -čaca
*prečaga (anat.) > ošit
prečan i priječan, -čna > popr(j)ečan
prečanin i prječanin, N mn. -ani
prečanka i prječanka, DL jd. -ki, G mn. -ki
prečanski i prječanski
prečastan -sna
preče i prječe (pril.)
prečest
preči i prječi; komp. od prijek
prečica i prječica
prečice i prječice (pril.)
prečist
prečka DL jd. -ki, G mn. -čaka i -čki
Prečko, -oga (zem.)
*prečnik > promjer
prečuti, -čujem
preći > prijeći
predački prema predak
predah N mn. -asi
predahnuti, -nem
predajni
predajnik N mn. -ici
predak, pretka, N mn. preci i predci G mn. pre-
daka, DLI precima i predcima
predan prema predati

pred; pred mrak, pred večer; v. i § 280. i 330.
predavač
predavački
predavaonica
predbilježavati
predbilježba G mn. -žaba i -žbi
predbilježiti
preddržavni
predebeo, -ela
predenje prema presti
predgradski
predgrađe
predgrijač
predio i predjel, -djela
predionica
predionički
predispitni
predjel i predio, -djela
predjelati
predjelavati
predjelni prema predio, predjel
predjelo
predjenuti, -nem
predlagač
predlagačica
predložak, -oška, N mn. -ošci, G mn. -ožaka
predložiti
predmetak, -tka, N mn. -cci i -ctci, G mn.
-ctaka
predmnjevati
predmnjeva
prednost, -ošću i -osti
prednjačiti
prednjački
prednjak V jd. -ače, N mn. -aci, G mn. -aka
prednjojezični
prednjonepčani
predobiti, -bijem
predočavati i predočivati
predočenje
predočiti
predočivati, -čujem, -čujući i predočavati, -am
predočnik
predodređenost, -ošću i -osti
predodređenje
predodređivati, -đujem, -đujući
predodžba G mn. -džaba i -džbi
predodžbeni
*predohrana > (pred)zaštita, profilaksa
predosjećaj (slutnja)
predosjećati (slutiti)
predosjetiti (naslutiti)
predožujski
predračun

predračunski
predradnički *prema* predradnik
predrag (*prid.*); Predrag V jd. -aže (*ime*)
predratni
predrijemati, -mam *i* -mljem
predsezona
predsjedatelj
predsjedati
predsjedavati
predsjednica
predsjedničin
predsjednički
predsjednik V jd. -iče, N mn. -ici, G mn. -ika;
    Predsjednik (*određeni vrhovni državni po-
    glavar*)
predsjednikov *prema* predsjednik; Predsjed-
    nikov *prema* Predsjednik
predsjedništvo
*predskazati > pretkazati, proreći
predsmrtni
predsoblje
predsobni
predsrčje
predstava (*npr.* kazališna predstava), *inače*
    predodžba
predstaviti
predstavka DL jd. -vci, G mn. -vaka *i* -vki
predstavljač
predstavljačica
predstavljački
predstavljanje
predstavljati
predstavnica
predstavnički
predstavnik V jd. -iče, N mn. -ici, G mn. -ika
predstavništvo
predstojeći
predstojnica
predstojnički
predstojnik V jd. -iče, N mn. -ici, G mn. -ika
predstojništvo
predstraža
predšasnik > prethodnik
predškolski
predtakmičenje > prednatjecanje
predtaložnica
predtelevizijski
predtlak
predturski
*predubijeđenost > predrasuda
*predubjeđenje > predrasuda
predugačak, -čka
preduhitriti
preduimati, -mam *i* -mljem > predujmljivati

predujmiti
predujmljivati, -ljujem, -ljujući
*preduprijediti > spriječiti, doskočiti, pre-
    teći
predusresti > spriječiti, ukloniti, zabraniti
preduvjet (*glavni, osnovni uvjet*)
*preduzeće > poduzeće
predvečerje
predvečernji
predvidjeti, -dim, -dio, -djela, -djev(ši)
predviđanje
predviđati
predvodilac, -ioca, V jd. -ioče, N mn. -ioci,
    G mn. -ilaca
predvodnički
predvojnički
predvraće
predziđe
pređa
pređašnji > prijašnji, prošli, bivši
pređi (*predci*)
preferans (*kart.*)
preferencijal > povlastica, prednost
prefiks (*predmetak*)
pregača
pregačica
pregalac, -aoca, V jd. -oače, N mn. -aoci, G
    mn. -alaca
pregalački
pregalaštvo G mn. -tava
pregaočev
pregib
prȅgibak, -ipka (*prid.*)
prȅgibak, -ipka, N mn. -ipci, G mn. -ibaka
preglačati
pregladnjelost, -ošću *i* -osti
pregladnjeti, -dnim, -dnio, -dnjela, -dnjev(ši)
preglas > prijeglas
preglasiti, preglašen
preglašavati *i* preglašivati
pregled *i* prijegled
pregledač
pregledačica
pregledavač
preglednik V jd. -iče, N mn. -ici, G mn. -ika
preglednički
preglednost, -ošću *i* -osti
pregnijezditi se
pregnuće
pregojiti, pregojim, pregoj
pregorijevanje
pregorijevati
pregorjeti, -rim, -rio, -rjela, -rjev(ši)
pregovarač

pregovarački
pregračić *um. od* pregradak
pregrada; Pregrada (*zem.*)
pregradak, -atka, N mn. -aci *i* -adci, G mn.
-adaka
pregraditi, -adim, -ađen
Pregrađanin N mn. -ani
pregrađivati, -đujem, -đujući
pregrešan *i* pregrješan
pregrijati
pregrijavati
pregristi, -rizem, -rizi, -rizen, -rizav(ši)
pregrješan *i* pregrešan
pregrmjeti, -mim, -mio, -mjela, -mjev(ši)
pregršt l jd. -šću *i* -šti
pregrtati, -grćem, -grćući
prehititi, prehićen
prehlada
prehladiti, -im, prehlađen
prehlađivati, -đujem, -đujući
prehrambeni
prehrambenoindustrijski
prehrana
prehraniti, -im, prehranjen
prehranjivati, -njujem, -njujući
*preimućstvo > premoć, prednost
preinačenje
preinačiti
preinačivati, -čujem, -čujući
preispitati
prejahati, -jašem
preječati, -čim
prejeftin
prekaljenost, -ošću *i* -osti
prekid *i* prijekid
prekidač
prekipjeti, -pim, -pio, -pjela, -pjev(ši)
prekiseo, -ela
prekjučer
prekjučerašnji
preklani (*pril.*)
preklapač
preklop *i* prijeklop
preko (*prij.*), preko mjere; *drugo je* prijeko
(otišao je preko rijeke *i* sad je prijeko)
prekomjeran, -rna
prekomjernost, -ošću *i* -osti
Prekomurac, -rca, V jd. -rče
Prekomurje
Prekomurka DL jd. -ki, G mn. -ki
prekomurski
prekonačiti
prekonoć (*pril.*); preko noći
prekooceanski

prekoračavati
prekoračenje
prekoračiti
prekoravati
prekoriti
prekorječica (*poslovica*)
prekorjek
prekosinoć > preksinoć
prekosutra *i* preksutra
prekovremen
prekraćivati, -ćujem, -ćujući
prekratiti, -im, prekraćen
prekretnica
prekrivač
prekrojavati
prekrojiti
prekrstiti, -im, prekršten
prekrštavati
prekrštenički
preksinoć
preksinoćnji
preksutra *i* prekosutra
prekuhati
prekuhavati
prekup *i* prijekup
prekupac, -pca, V jd. -pče, G mn. -paca
prelac, prelca
prelamač
prelastiti, -im, prelašten
prelatski
prelazak, -aska, N mn. -asci, G mn. -azaka
prelazan *i* prijelazan, -zna
prelaziti
prelaznica *i* prijelaznica
prelaznik V jd. -iče, N mn. -ici, G mn. -ika
prelaznost *i* prijelaznost, -ošću *i* -osti
prelaženje
prelažljiv
prelčev
prelest, -ešću *i* -esti > draž(est), milina
prelestan, -sna
prelet
preletavati
preletjeti, -etim, -etio, -etjela, -ećen, -et-
jev(ši)
prelijen
prelijep
prelijetanje
prelijetati, -ećem, -ećući
prelijevanje
prelijevati
preliti, prelijem
preliv > preljev
prelivati > prelijevati

prelom > prijelom
prelomljivost, -ošću i -osti
preludij
preljev G mn. preljeva
preljub
preljubak, -upka (prid.)
preljubnički
preljubnik V jd. -iče, N mn. -ici, G mn. -ika
preljubočinac, -nca, V jd. -nče, G mn. -naca
premac, premca, V jd. premče, G mn. -maca
premaći, -aknem, -akni, -akoh, -ačc, -akao,
     -akla, -aknut, -akav(ši), -aknuv(ši)
premaljeće > proljeće
premastan, -sna
premastiti, -im, premašćen i premašten
premašćivati, -ćujem, -ćujući
premaz
premda (vez.)
premetač
premetačica
premetačina
premetati, -ećem, -ećući
premija
premijer
premijera
premijerni prema premijera
premijerski prema premijer
premijesiti, premijesim, premiješen
premijski prema premija
premio, -ila
premišljač
premjer
premjerati
premjeravati
premjeriti
premjestiti, -im, premješten
premjestiv
premjestivost, -ošću i -osti
premještaj
premještanje
premještati
premještenje
premlaćivati, -ćujem, -ćujući
premlatiti, -atim, -aćen
premljeti, premeljem
premoć I jd. -ću, i -ći
premoćan, -ćna
premorenost, -ošću i -osti
premostiti, -im, premošćen i premošten
premostiv
premostivost, -ošću i -osti
premostljiv
premostljivost, -ošću i -osti
premošćivati, -ćujem, -ćujući

premrijeti, premrem, premrijeh, premrije,
     premro, premrla, premrijev(ši) i premrv(ši)
premúćati, -čim (prešutjeti)
prèmučiti, -čim
prenačiniti > preinačiti, preurediti
prenačitanost, -ošću i -osti
prenapučenost, -ošću i -osti
prenapučiti
prenasititi, -im, prenasićen
prenavljač
prenavljačica
prenavljački
preneraziti, -im, preneražen
prenesti i prenijeti
prenijeti, -nesem, -nesi, -nijeh i -nesoh, -nije i
     -nese, -nio, -nijela, -nijet i -nesen, -nijev(ši)
prenizak, -iska
prenoćišni
prenoćište
prenoćiti
prenoćivati, -ćujem, -ćujući
prenoćnik
prenoćnina
prenos > prijenos
prenosilac, -ioca, V jd. -ioče, N mn. -ioci, G
     mn. -ilaca
prenositelj
prenositi
prenosiv i prenošljiv
prenosnica > prijenosnica
prenosnik > prijenosnik
prenuće
preoblačiti
preobličiti
preobličivati, -čujem, -čujući
preobraćati
preobraćenje
preobratiti, -im, preobraćen
preobraziti, -im, preobražen
preobražaj
preobražajni
preobući, -bučem, -buci, -bukoh, -bukao,
     -bukla, -bučen, -bukav(ši)
preobuti, -bujem
preobuvati
preodijevati
preodjenuti
preodjeti, preodjenem, preodjeven
preokretati, -ećem, -ećući
preokupacija
preopterećenost, -ošću i -osti
preopterećenje
preopterećivati, -ćujem, -ćujući
preopteretiti, -im, preopterećen

preorijentacija
preorijentirati
preosjetljiv
preosjetljivost, -ošću i -osti
preostatak, -atka, N mn. -aci i -atci, G mn.
-ataka
prepad
prepadati
prepečatiti, -im, prepečaćen
prepečenac, -nca, V jd. -nče, G mn. -naca
prepečenica
prepeći, -ečem, -eci, -ekoh, -eče, -ekao, -ekla,
-ečen, -ckav(ši)
prepeličar
prepeličica
prepeličić
prepeličji
prepicati, -ičem, -ičući (ns. prema prepeći)
prepijevati > prepjevavati
prepirač
prepirka DL jd. -rci, G mn. -raka i -rki
prepisati, prepišem
prepisivač
prepisivačica
prepisivački
prepjecati > prepicati
prepjev
prepjevati
prepjevavati
preplaćivati, -ćujem, -ćujući
preplakati, -plačem
preplata; drugo je pretplata
preplatiti, -im, preplaćen (previše platiti, dru-
go je pretplatiti)
preplesti, -pletem
preplet i prijeplet
prepletati, -ećem, -ećući
preporučati i preporučivati
preporučeno
preporučiti
preporučiv
preporučivati, -čujem, -čujući, i preporučati
preporučljiv
preporuka DL jd. -uci
prepovijati
prepoviti, -vijem
preprečivati, -čujem, -čujući
prepredenost, -ošću i -osti
prepredenjak V jd. -ače, N mn. -aci, G mn.
-aka
prepredenjaković
prepreka DL jd. -eci
prepričati
prepričavati

prepriječiti, -im, prepriječen
preprodavač
preprodavačica
preprtiti, -im, preprćen
prepući, -uknem, -ukoh, -učc, -ukao, -ukla,
-ukav(ši)
prepustiti, -im, prepušten
prepuštati
preračunati
preračunavati
preraditi, -im, prerađen
prerađevina
prerađivač
prerađivačica
prerađivački
prerađivanje
prerađivati, -đujem, -đujući
prerasti, -astem, -astao, -asla, -ašten, -astav(ši)
preraščivati, -ćujem, -ćujući
prerez i prijerez
prerijediti, -im, prerijeđen
prerijski
preris
presada
presadak, -atka, N mn. -aci, -adci, G mn.
-adaka
presađivati, -đujem, -đujući
presahnuti, -nem
presavijati
presaviti, -vijem
preseći, -egnem, -egni, -egoh, -eže, -egao,
-egla, -egnut, -egav(ši)
preseljenički
preseljenik V jd. -iče, N mn. -ici, G mn. -ika
presenećenje
presenećivati, -ćujem, -ćujući
presenetiti, -im, presenećen
presezati, -ežem
presićenost, -ošću i -osti
presijecanje
presijecati
presjeći, -ijecem, -ijeci, -sjekoh, -siječe,
-sjekao, -sjekla, -sječen, -sjekav(ši)
presjedati (iz vozila u vozilo > prelaziti)
presjedjeti i presjediti, -dim, -dio, -dila i
-djela, -djev(ši)
presjek i prijesjek
presjeka DL jd. -eci, i prijesjeka
presjesti (iz vozila u vozilo > prijeći)
preskakač
preskakati, -ačem, -ačući
preskočiti
preskok N mn. -oci, i prijeskok
preslačak, -čka, N mn. -čci, G mn. -čaka

presladak, -atka
presličica (bot.)
presniji i prjesniji, komp. od prijesan
presnoća i prjesnoća
prespanski prema Prespa; Prespansko jezero
presretan, -tna
presretati, presrećem
prestarjelost, -ošću i -osti
prestarjeti, -rim, -rio, -rjela, -rjev(ši)
prestići, -ignem, -igoh, -iže, -igao, -igla, -ignut, -igav(ši)
prestiž > ugled
prestolonasljednica
prestolonasljednički
prestolonasljednik V jd. -iče, mn. -ici
prestup i prijestup
prestupak, -pka
prestupan i prijestupan, -pna, pr(ij)estupna godina
prestupnica i prijestupnica
prestupnički i prijestupnički
prestupnik i prijestupnik, V jd. -iče, N mn. -ici
presuda
presudan, -dna
presuditi, -im, presuđen
presuđivati, -đujem, -đujući
presuh
presukati, -učem
presumpcija > vjerojatnost
presvijetao, -tla
presvijetlost, -ošću i -osti
presvlačiti
presvoditi, -im, presvođen
presvođenje
presvući, -učem, -uci, -ukoh, -uče, -ukao, -ukla, -učen, -ukav(ši)
prešao, prešla, prema prijeći
prešavši prema prijeći
prešućen prema prešutjeti
prešućivati, -ćujem, -ćujući
prešutan, -tna
prešutjeti, -utim, -ućen, -utio, -utjela, -utjev(ši)
pretaći, -taknem, -takni, -takoh, -tače, -takao, -takla, -taknut, -takav(ši)
pretati, prećem, prećući (pokrivati pepelom)
preteča
prèteći, -cknem i -cčem, -ckni i -cci, -ckoh, -cče, -ckao, -ckla, -cčen, -ckav(ši)
prètēći, -cgnem, -cgni, -cgoh, -cže, -cgao, -cgla, -cgnut, -cgav(ši)
pretenciozan, -zna > zahtjevan, umišljen
pretereriti, -im, pretererćen
preteško (pril.)

pretežak, -cška
prethistorija > pretpovijest
prethodan
prethoditi
prethodnica
prethodnički
prethodnik V jd. -iče, N mn. -ici, G mn. -ika
preticati, -ičem, -ičući (prema pretaknuti, drugo je pretjecati)
pretičak, -čka, N mn. -čci, G mn. -čaka
pretijesan, -sna
pretinac -nca, V jd. -nče, G mn. -naca
pretio, -ila; komp. pretlji i pretilji (debeo, tust)
pretjecati, -ečem, -ečući (prema preteći, drugo je preticati)
pretjeranost, -ošću i -osti
pretjerati
pretjeravati i pretjerivati
pretkazati, -kažem (proreći)
pretkazivač
pretkazivati, -zujem, -zujući
pretkinja
pretklijetka DL jd. -tki, G mn. -taka i -tki i pretkljetaka
pretkomora
pretkongresni
pretkućnica
pretlji i pretiliji prema pretio
pretočiti
pretok (transfuzija)
pretorijanac, -anca, V jd. -anče, G mn. -anaca
pretpjev G mn. pretpjeva
pretplaćivati, -ćujem, -ćujući
pretplata
pretplatiti, -im, pretplaćen
pretplatni
pretplatnica
pretplatnički
pretplatnik V jd. -iče, N mn. -ici, G mn. -ika
pretpodne, -dneva (dio dana), pred podne (prije 12 sati)
pretpodnevni
pretposljednji
pretpostaviti, -vim, -vljen
pretpostavka DL jd. -vci, G mn. -vaka i -vki
pretpostavljati
pretpostavljeni, -nog(a)
pretpotopni
pretpranje
pretpraznični
pretprošli
pretprošlogodišnji
pretrčati, -čim
pretrčavati

pretrći, -rgnem, -rgni, -rgoh, -ržc, -rgao, -rgla, -rgnut, -rgav(ši)
pretres
pretrpjeti, -pim, -pio, -pjela, -pljen, -pjev(ši)
pretržac, -ršca, V jd. -ršćc, G mn. -ržaca
*prets ... > preds ...
*pretš ... > predš ...
pretući, -učcm, -uci, -ukoh, -učc, -ukao, -ukla, -učcn, -ukav(ši)
pretvarač
pretvaračica
pretvaralac, -aoca, V jd. -aočc, G mn. -alaca
pretvaralački
pretvaralaštvo
pretvoran i prijetvoran, -rna > licemjeran
pretvorba
pretvorica
pretvorički
pretvorljiv
pretvorljivost, -ošću i -osti
pretvornica
pretvornički
pretvornik V jd. -ičc, N mn. -ici
pretvornost i prijetvornost, -ošću i -osti
preuređivati, -đujem, -đujući
preuveličanost, -ošću i -osti
preuveličati
preuveličavati
preuzak, -uska
preuzimač
preuzvišenost, -ošću i -osti; Vaša Preuzvišc-nost
prevađati
prevara i prijevara
prevaran i prijevaran, -rna
prevarljiv
*prevazići > nadmašiti, prijeći, prerasti
prevažati
preveć (pril., previšc)
prèvesti, -edem, usp. dòvesti, -edem
prèvesti, -èzēm, usp. dòvesti, -èzēm
prèvēsti, -ézēm, usp. dòvēsti, -ézēm
previdjeti, -dim, -dio, -djela, -djev(ši)
previjač
previjan > prepreden, lukav
previjanac, -nca, V jd. -nčc > prepredenjak, lu-kavac
previjati, previjam
previrač (ferment)
previtak, -itka, N mn. -ici i -itci, G mn. -itaka
previti, previjem
prevjera
prevjeravati
prevjeriti

prevjernik V jd. -ičc, N mn. -ici
prevjes i prijevjes
prevlačiti
prevlast l jd. -asti i -ašću
prevodilac, -ioca, V jd. -iočc, N mn. -ioci, G mn. -ilaca
prevodilački
prevodiočev
prevoditelj
prevoditi, -im, prevođen
prevodljiv
prevodljivost, -ošću i -osti
prevođenje
prevozač
prevozilac, -ioca, V jd. -iočc, N mn. -ioci, G mn. -ilaca
prevoznički i prijevoznički
prevoznik i prijevoznik, V jd. -ičc, N mn. -ici
prevoznina
prevraćati
prevrat
prevratnički
prevratnik V jd. -ičc
prevratništvo
prevrći, -rgnem, -rgni, -rgoh, -ržc, -rgao, -rgla, -rgav(ši)
prevreo, -cla
prevreti
prevrijedan, -dna
prevrtač
prevrtača
prevrtati, -rćem, -rćući
prevrtljivac, -vca, V jd. -včc
prevrtljičev
prevrtljivica
prevrtljivičin
prevruć
prevući, -učcm, -uci, -ukoh, -učc, -ukao, -ukla, -učcn, -ukav(ši)
prezasićenost, -ošću i -osti
prezasititi, -im, prezasićcn
prezbiterijanac, -nca, V jd. -nčc, G mn. -naca
prezent
prezentirati
prezentski
prezidij > predsjedništvo
prezidijalni > predsjednički
prezijevati
prezimenjača
prezir i prijezir
preziran i prijeziran, -rna
prezirač
preziračica
prezirati, -rem

prezirnost *i* prijezirnost, -ošću *i* -osti
prezrelost, -ošću *i* -osti
prezreo, -ela
prezreti, -zrem (*ne poštovati*)
prezreti, -zrim *i* -zrijem (*previše sazreti*)
prezrijevanje
prezrijevati
prezriv
prezrivost, -ošću *i* -osti
prežalostan, -sna
preživač
preživački
preživjelost, -ošću *i* -osti
preživjeti, -vim, -vio, -vjela, -vjev(ši)
prežvakati, -žvačem
prgavac, -vca, V jd. -vče, G mn. -vaca
prgavost, -ošću *i* -osti
prhak, prhka; *komp.* prhkiji (*sipak*)
prhao, prhla
prhati, pršem
prhkoća
prhkost, -ošću *i* -osti
prhlad (*trulo drvo*)
prhli, od prhao
prhlica
prhljuša
prhnuti
prhut > perut
prianjaljka DL -ki, G mn. -ki
prianjati
pribadača
pribadaljka DL jd. -ljci, G mn. -ki
pribavljač
pribijač
pribijati
pribilješka > bilješka
pribilježiti
pribiti, pribijem
pribjeći, pribjegnem
pribjegar
pribjeglica
pribjegavati
pribježište
*pribrežni *i* pribrježni > obalni, priobalni
pribrojiti
pricijepiti, -im, pricijepljen
pricjepljivati, -ljujem, -ljujući
priča
pričalac, -aoca, V jd. -aoče, N mn. -aoci, G mn. -alaca
pričalački
pričalica
pričalo
pričanje

pričati
priček
pričekati
pričekivati, -kujem, -kujući
pričepiti, -im, pričepljen
pričesnica
pričesnički
pričesnik V jd. -iče, N mn. -ici
pričest l jd. -ešću *i* -esti
pričestiti, -im, pričešćen
pričešćivati, -ćujem, -ćujući
pričešljati
pričešljavati
pričica
pričiniti
pričinjati
pričinjavati
pričljiv
pričljivost, -ošću *i* -osti
prična (*drvena klupa za spavanje, obično u zatvorima*)
pričuti, pričujem
pričuva
pričuvati
pričuvni
pričvrljiti
pričvrsni
pričvrstiti, -im, pričvršćen
pričvršćenje
pričvršćivati, -ćujem, -ćujući
prićaknut
prići, priđem, priđi, priđoh, priđe, prišao, prišla, prišav(ši)
pridići, -ignem, -igni, -igoh, -iže, -igao, -igla, -ignut, -igav(ši)
pridijeliti, -im, pridijeljen
pridijevati
pridjeljivati, -ljujem, -ljujući
pridjenuti
pridjev
pridjevak, -vka, N mn. -vci, G mn. -vaka
pridjevni
pridjevski > pridjevni
pridobiti, pridobijem
pridoći, -ођem, -ођi, -ођoh, -ође, -ošao, -ošla, -ošav(ši)
pridodatak, -atka, N mn. -aci *i* -atci, G mn. -ataka > dodatak, dopuna
pridonesti > pridonijeti
pridonijeti, -nesem, -nijeh, -nijev(ši), -nesen *i* -nijet
pridrijemati, -mam *i* -mljem
pridržak, -rška, N mn. -ršci, G mn. -ržaka
priglavčić

priglavčina
priglednički
priglednik V jd. -ičc, N mn. -ici
prigluh
prignječiti
prigodničar
prigorac, -rca, V jd. -rčc; Prigorac (čovjek lz
Prigorja)
prigorijevanje
prigorijevati
prigorje (kraj pri gori); Prigorje (kraj od Okića
do Žumberka)
prigorjeti, -ri, -rio, -rjela
prigorka DL jd. -ki, G mn. -raka i -rki; Prigorka
(žena iz Prigorja)
prigorski
prigovarač
prigrijati
prigrijavati
prigristi, prigrizem
prigrizak, -iska, N mn. -isci, G mn. -zaka
prigrtati, -rćem, -rćući
prigušivač
prihod
prihraniti
prihranjivati, -njujem, -njujući
prihvaćati
prihvat
prihvatiti, -im, prihvaćen
prihvatljiv
prihvatljivost, -ošću i -osti
prihvatni
prija, prije, V jd. prijo; prija Mara, prije Mare
prijahati, prijašem
prijak V jd. prijače, N mn. prijaci
prijam, prijma, N mn. prijmovi > primitak, pri-
hod
Prijam, Prijama (trojanski kralj)
prijamni; prijamni ispit
prijamnik N mn. -ici > primač
prijan (prijatelj)
prijašnji
prijateljevati, -ljujem, -ljujući
prijateljičin
prijavljivač
prijazan, -zna (ljubazan)
prijazan, -zni, l jd. -ažnju i -azni (ljubaznost)
prijaznost, -ošću i -osti
prije
priječan i prečan, -čna > popr(j)ečan
priječenje prema priječiti (drugo je prije-
ćenje)
priječiti, priječeći, priječen
priječnica

*priječnik > promjer, dobro u značenju dijago-
nala
prijećenje prema prijetiti (drugo je priječe-
nje)
prijeći, prijeđem, prijeđoh, prijeđi, prešao,
prešla, prijeđen, prešav(ši)
prijedlog N mn. -ozi
prijedložni
prijedor; Prijedor (zem.)
Prijedorac, -rca, V jd. -rčc
Prijedorka DL jd. -ki, G mn. -ki
prijedorski
prijeđen od prijeći
prijeglas
prijegled i pregled
prijegor
prijegoran, -rna; kom. pregorniji
prijek komp. prcči i prječi
prijekid i prekid
prijeklet (pregradak)
prijeklop i preklop
prijeko (pril., drugo je preko)
prijekop
prijekor
prijekoran, -rna; komp. prekorniji
prijekornik V jd. -ičc, N mn. -ici, G mn. -ika
prijekost, -ošću i -osti
prijekup i prekup
prijelaz prema prelaziti (drugo je prilaz)
prijelazan i prelazan, -zna
prijelaznica i prelaznica
prijelaznost i prelaznost, -ošću i -osti
prijelom
prijeloman, -mna; komp. prelomniji
*prijem > primanje, primitak, prihvat, prijam
prijemčiv > sklon, osjetljiv
prijemčivost, -ošću i -osti > sklonost, osjetlji-
vost
prijemljiv > osjetljiv, prihvatljiv; primljiv
prijemni > prijamni, primaći
prijemnik > prijamnik, primač
prijenos
prijenosan, -sna
prijenosnica
prijenosnik V jd. -ičc, N mn. -ici, G mn. -ika
prijepis
prijeplet i preplet
prijepodne, -dneva (dio dana); prije podne
(prije 12 sati), npr. došao je prije podne i
ostao je cijelo prijepodne
prijepodnevni
prijepor
prijeporan, -rna; komp. preporniji
prijeratni

prijerez *i* prerez
prijesad
prijesan, -sna; *komp.* presniji (*sirov, drugo je* prisan)
prijesjek, N mn. prijesjeci, G mn. prijesjeka, *i* presjek
prijesjeka *i* presjeka
prijeskok *i* preskok
prijesnac, prijesnaca
prijestol > prijestolje
prijestolni
prijestolnica
prijestolnički
prijestolje
prijestup *i* prestup
prijestupan, -pna, *i* prestupan
prijestupnica *i* prestupnica
prijestupnički *i* prestupnički
prijestupnik V jd. -iče, N mn. -ici, G mn. -ika, *i* prestupnik
prijetiti
prijetnja
prijetvor
prijetvoran *i* pretvoran, -rna > licemjeran
prijetvornost *i* pretvornost, -ošću *i* -osti > licemjernost
prijevara *i* prevara
prijevaran, -rna; *komp.* prevarniji, *i* prevaran
prijevjes *i* prevjes
prijevod
prijevodni
prijevoj
prijevojni
prijevor
prijevornica
prijevoz
prijevozni
prijevoznički *i* prevoznički
prijevoznik V jd. -iče, N mn. -ici, G mn. -ika, *i* prevoznik
prijevremen
prijevremenost, -ošću *i* -osti
prijezir *i* prezir
prijeziran *i* preziran, -rna
prijezirnost *i* prezirnost, -ošću *i* -osti
prijin *prema* prija
*prikačiti > prikvačiti, prikopčati, pričvrstiti, privezati
prikapčati
prikazivač
prikazivačica
priklliještiti, -im, prikliješten
priključak, -čka, N mn. -čci, G mn. -čaka
priključiti

priključivati, -čujem, -čujući
prikočiti
prikopčaj
prikopčati
prikopčavati
prikraćivati, -ćujem, -ćujući
prikratiti, -im, prikraćen
prikriti, prikrijem
prikučiti
prikučivati, -čujem, -čujući
prikupljač
prikvačiti
prilagač
prilagačica
prilagoditi, -im, prilagođen
prilagodljiv
prilagođavati
prilaz *prema* prići, prilaziti; Prilaz Đure Deželića, Prilaz Slave Raškaj (*ulica*)
prilazak, -aska, N mn. -asci, G mn. -azaka
prileći, -egnem, -egni *i* -czi, -egoh, -ežc, -egao, -egla, -egavši
priletjeti, -tim, -tio, -tjela, -tjev(ši)
*priležan, -žna > marljiv, ustrajan
priležnica
priležničin
priležnički
priležnik V jd. -iče, N mn. -ici, G mn. -ika
priležništvo
*priležnost > marljivost, ustrajnost
priličan, -čna
priličiti
prilijegati, -žem, -ži, -žući
prilijen
prilijepiti, -im, prilijepljen
prilijetati, prilijećem, prilijećući
prilijevati
priliti, prilijem
priliv > priljev, prirast
prilivati > prilijevati
*priloški > priložni
priložni
priljepak, -pka, N mn. -pci, G mn. -paka
priljepčiv > priljepljiv, zarazan
priljepljiv
priljepljivati, -ljujem, -ljujući
priljev
*prilježan, -žna > marljiv, ustrajan
primabalerina
primaći, -aknem, -akni, -akoh, -ače, -akao, -akla, -aknut, -akavši
primalac, -aoca, V jd. -aoče, G mn. -alaca
primamljivač
primamljivačica

primarij *i* primarijus (*prvi, glavni liječnik u bolnici*)
primatelj
primateljica
primetak, -etka, N mn. -eci *i* -etci, G mn. -etaka
primetati, primećem, primećući
primicač
primicati, -ičem, -iči, -ičući
primijećen *prema* primijetiti
primijeniti, -im, primijenjen
primijesiti, -im, primiješen
primiješati, -am, primiješan
primijetiti, -im, primijećen
primisao, -sli, I jd. -isli *i* -išlju, G mn. -isli
primitak, -itka, N mn. -ici *i* -itci, G mn. -itaka
primitivac, -vca, V jd. -vče
primitivistički
primitivnost, -ošću *i* -osti
primjećivati, -ćujem, -ćujući
primjedba G mn. -daba *i* -dbi
primjena G mn. primjena
primjenjiv
primjenjivati, -njujem, -njujući
primjenjivost, -ošću *i* -osti
primjer, prímjera, G mn. prímjērā; na primjer, *krat.* npr.
primjerak, -rka, N mn. -rci, G mn. -raka
primjeravati
primjerenost, -ošću *i* -osti
primjerice
primjeriti
prìmjesa G mn. prìmjēsā
primjetan, -tna
primjetljiv
primjetljivost, -ošću *i* -osti
primjetnost, -ošću *i* -osti
primopredaja
primopredajnik V jd. -iče, N mn. -ici
primorac, -rca, V jd. -rče (*čovjek iz primorja*); Primorac (*čovjek iz Hrvatskog primorja, pov., prezime*)
primorčica *um. od* primorka
primorje (*kraj uz more*); Hrvatsko primorje (*pov.*), hrvatsko primorje
primorski; Primorsko-goranska županija
primozak, primozga
prinašati
princ V jd. prinče, N mn. prinčevi
princip > načelo
principijelan, -lna > načelan
prinčev
prinesti, -esem, *usp.* prinijeti

prinijeti, -esem, -esi, -nijeh *i* -nesoh, -nije *i* -nese, -nio, -nijela, -nesen *i* -nijet, -nijev(ši)
prinosnik V jd. -iče, N mn. -ici
prionuće
prionuti
priopćaj
priopćavanje
priopćavati *i* priopćivati
priopćenje
priopćiti
priopćivati, -ćujem, -ćujući, *i* priopćavati
prior (*samostanski poglavar nekih redova*)
prioritet > prednost, prvenstvo
prioritetni
pripadak, -atka, N mn. -aci *i* -adci, G mn. -adaka
pripadnik V jd. -iče, N mn. -ici
pripasač
pripasivati, -sujem, -sujući
pripašnjača
pripeći, -ečem, -eci, -ekoh, -eče, -ekao, -ekla, -ečen, -ekavši
prìpeka DL jd. -eci, G mn. prȉpēkā
pripicati, -ičem, -ičući
pripijevati > pripjevati
pripijevka DL jd. -vci, G mn. -vaka, -vki *i* pripjevaka
pripjecati > pripicati
pripjev G mn. pripjeva
pripjevak, -vka, N mn. -vci, G mn. -vaka
pripjevati (*zapjevati uz što*)
pripjevavati
priplodak, -otka, V jd. -očc *i* -odče, N mn. -oci *i* -odci, G mn. -odaka
pripomoć
pripomoći, -ognem, -ogni *i* -ozi, -ogoh, -ože, -ogao, -ogla, -ognut, -ogav(ši)
pripovječica *um. od* pripovijetka
pripovijedalac, -aoca, V jd. -aoče, N mn. -aoci, G mn. -alaca > pripovjedač
pripovijedalački > pripovjedački
pripovijedalo
pripovijest I jd. -šću *i* -sti
pripovijetka DL jd. -vijetki, -vijeci *i* -vijetci, G. mn. -vijedaka, -vjedaka *i* -vijetki
pripovjedač
pripovjedačica
pripovjedački
pripovjediti, -im, pripovjeđen
pripovjedni
pripravljač
pripravljačica
pripravnički

pripravnik V jd. -ičc, N mn. -ici
pripravništvo
pripravnost, -ošću i -osti
priprečivati i priprječivati, -čujcm, -čujući,
    prema priprječiti, drugo je pripr(j)ečivati
pripreći, -cgncm, -cgni, -cgoh, -cžc, -cgao,
    -cgla, -cgnut, -cgav(ši)
priprečivati i priprječivati, -čujem, prema
    priprijetiti, drugo je pripr(j)ečivati
priprječiti, -im, priprječcn
priprijetiti
pripustiti, -im, pripuštcn
pripuštenje
priračunati
priračunavati
priraslica
prirastak, -ska, N mn. -sci, G mn. -staka
prirasti, -astcm, -asti, -astoh, -astc, -astao,
    -asla, -astav(ši)
prirašćivati, -ćujcm, -ćujući
priraštaj
priređivač
priređivačica
priređivački
priređivati, -đujcm, -đujući
pririječje i prirjcčjc
pririjcčni i prirjcčni
prirječje i prirjcčje
prirjcčni i pririjcčni
priročni prema prirok
prirodnjački prema prirodnjak
prirodnjaštvo G mn. -tava
prirodoslovac, -vca, V jd. -včc
prirodoslovčev
prirođen
prirođenost, -ošću i -osti
priručan, -čna
priručnik N mn. -ici
prisan, -sna (prijateljski povjerljiv); drugo je
    prijesan
priseći, -cgncm, -cgni, -cgoh, -cžc, -cgao,
    -cgla, -cgnut, -cgav(ši)
priselac, -lca, V jd. -lčc
prisezati, priscžcm
prisijati, prisijcm
prisilan, -lna
prisjećanje
prisjećati se
prisjedanje
prisjedati
prisjenak, prisjcnka
prisjesti, prisjcdncm
prisjetiti se
priskakati, priskačcm, priskačući

priskočiti
priskrbljivati, -ljujcm, -ljujući
prisluhnuti
prismakati, -ačcm, -ačući
prismočiti
prismrdjeti, -dim, -dio, -djcla, -djcv(ši)
prisnost, -ošću i -osti
prispijeće
prispijevati
prispjelost, -ošću i -osti
prispjeti, -pijcm, -pij, -pjch, -pio, -pjcla, -pjcv(ši)
pristalost, -ošću i -osti
pristanišni
pristao, -ala
pristići, -igncm, -igni, -igoh, -ižc, -igao, -igla,
    -ignut, -igav(ši)
pristojnost, -ošću i -osti
pristranost, -ošću i -osti
pristrešje
pristupačan, -čna
pristupačnost, -ošću i -osti
prisuće
prisukati, -učcm
*prisustvo > prisutnost, nazočnost
prisutnost, -ošću i -osti
prisvajač
prisvijetliti
prisvjetljavati i prisvjctljivati
prišapnuti
prišaptati, -pćcm
prišaptavati
prištedjeti, -dim, -dio, -djcla, -djcv(ši)
prišteđevina
prišteđivati, -đujcm, -đujući
prištić
pritaći, -akncm, -akni, -akoh, -ačc, -akao,
    -akla, -aknut, -akav(ši)
pritajenost, -ošću i -osti
pritajiti (se)
priteći, -cknem i -čcm, -ckoh, -čc, -ckao,
    -ckla, -ckav(ši)
pritéći, -cgncm, -cgni, -cgoh, -cžc, -cgao, -cgla,
    -cgnut, -cgav(ši)
priticati, -ičcm, prema pritaknuti; drugo je prit-
    jccati
pritijesniti, -im, pritjcšnjcn
pritiješnjenost, -ošću i -osti
pritiskač
pritiskati, -iskam i -išćcm, -iskaj i -išći,
    -iskajući i -išćući
pritiskivač
pritjecati, -čcm, prema pritéći; drugo je
    priticati
pritjerati

pritjeravati *i* pritjerivati
pritješnjavati *i* pritješnjivati
pritka DL jd. pritki *i* pritci, G mn. pritaka *i* pritki
pritočica
pritočić *um. od* pritok
pritočiti
pritom (*pril.*) *i* pri tom(e), što li je on pritom mislio?, on ostaje pri tome mišljenju
pritrčati
pritrčavati
pritrijemak, -mka, N mn. -mci, G mn. -maka
pritrkati, -trčem
pritvorenički
priučavati
priučenost, -ošću *i* -osti
priučiti
priuštiti, priuštim, priušten
privađati
privatnopravni
privažati
privesti, -edem, *usp.* dovesti, -edem
privesti, -ēzēm, *usp.* dovesti, -ēzēm
privēsti, -ézēm, *usp.* dovēsti, -ézēm
privezač
privezak, -eska, N mn. -esci, G mn. -zaka
privezivač
privići, -iknem, -ikoh, -ičc, -ikao, -ikla, -iknut, -ikav(ši)
pividjeti se, -di, -djelo, -djev(ši)
prividnost, -ošću *i* -osti
priviđanje
priviđati se
priviđenje
privijati, privijam
privilegij > povlastica
privilegiranost, -ošću *i* -osti
privitak, -itka, N mn. -ici, -itci, G mn. -itaka
priviti, privijem
privjenčati
privjesak, -ska, N mn. -sci, G mn. -saka
privjetrina
privlačan, -čna
privlačenje
privlačiti
privlačljiv
privlačljivost, -ošću *i* -osti
privlačnost, -ošću *i* -osti
privlastiti, -im, privlašten
privlaštenje
privolijevanje
privolijevati
privoljeti, -olim, -olio, -oljela, -oljev(ši)
privoziti, privožen

privrći, -rgnem, -rgni, -rgoh, -rže, -rgao, -rgla, -rgav(ši)
privreda
privredljiv
privrednički
privrednik V jd. -iče, N mn. -ici
privrednopravni
privređivati, -đujem, -đujući
privremen
privremenost, -ošću *i* -osti
privrijediti, -im, privrijeđen
privrženik V jd. -iče, N mn. -ici
privrženost, -ošću *i* -osti
privući, -učem, -uci, -ukoh, -uče, -ukao, -ukla, -učen, -ukav(ši)
prizivač
prizmatičan, -čna
prizreti, prizrem (*malo sazreti*)
prižeći, -čem, -czi, -egoh, -eče, -egao, -egla, -ečen, -egav(ši)
prječac *i* prečac, -čca *i* -čaca
prječanin *i* prečanin
prječanka *i* prečanska, DL-nki, G mn. -naka *i* -nki
prječanski *i* prečanski
prječe *i* prečе
prječi *i* preči; *komp. od* prijek
prječica *i* prečica
prječice *i* prečice
prječka *i* prečka
prjesniji *i* presniji; *komp. od* prijesan
prjesnoća *i* presnoća
prkosnik V jd. -iče, N mn. -ici, G mn. -ika
prkoždžija (*eks.*) > prkosnik
pr. Kr. *krat. za* prije Krista
prljavčev
prljavičin
pr. n. e. *krat. za* prije nove ere, prije naše ere > pr. Kr.
*prnuti > prhnuti
probadač
probančiti
probavljivost, -ošću *i* -osti
probdijevati
probdjeti, -dim *i* -dijem, -dio, -djela, -djeven, -djev(ši)
probećariti se
probesjediti
probijač
probijati, probijam
probijeliti, -elim, -elio, -elila, -eliv(ši) (*učiniti bijelim, progovoriti*)
probijeljeti, -elim, -elio, -eljela, -eljev(ši) (*postati bijel*)

probirač
probiračica
probirački
probisvijet N mn. -i
probisvjetski
probitačan, -čna
probitačnost, -ošću i -osti
probitak, -itka, N mn. -ici i -itci, G mn. -itaka
problematičan, -čna
problematičnost, -ošću i -osti
problijedjeti, problijedim, -dio, -djela, -djev(ši)
probljeđivati, -đujem, -đujući
probrčkati
procent > postotak
procijediti, -im, procijeđen
procijeniti, -im, procijenjen
procijep i procjep, N mn. procijepi, procjepi i procjepovi
procijepiti, -im, procijepljen
procjedak, -etka, N mn. -eci i -edci, G mn. procjedaka
procjedina
procjeđivati, -đujem, -đujući
procjemba
procjena
procjenitelj
procjenjiv
procjenjivač
procjenjivati, -njujem, -njujući
procjep i procijep
procjepak, -pka, N mn. -pci, G mn. -paka
procjepljivati, -ljujem, -ljujući
procviljeti, -ilim, -ilio, -iljela, -iljev(ši)
procvjetati
procvjetavati
procvrčati
pročačkati
pročelnica
pročelničin
pročelnički
pročelnik V jd. -iče, N mn. -ici, G mn. -ika
pročelništvo G mn. -tava
pročelje
pročeprkati
pročešati
pročešljavanje
pročešljati
pročistiti, -im, pročišćen
pročišćavati
pročišćenje
pročitati
pročitavati
pročupati
pročuti, pročujem

proćaskati
proćerdati (spiskati, rasuti)
proćeretati
proći, prođem, prođi, prođoh, prođe, prošao, prošla, prošav(ši)
proćućenost, -ošću i -osti
proćutjeti, -tim, proćućen
prodavač
prodavačica
prodavački
prodavalac, -aoca, V jd. -aoče, N mn. -aoci G mn. -alaca
prodavaonica
prodavati, prodajem
prodičiti
prodijevati
prodjenuti
prodjesti > prodjenuti
prodjeti > prodjenuti
prodol
prodornost, -ošću i -osti
prodrijemati, -mam i -mljem
prodrijeti, -rem, -ri, -rijeh, -rije, -ro, -rla, -rv(ši) i -rijev(ši)
produbiti, -bim, prema dubok
produhoviti
produhovljenost, -ošću i -osti
produkcija > proizvodnja
produkt > proizvod
produpsti, produbem
produžak, -uška, N mn. -ušci, G mn. -užaka
produžetak, -etka, N mn. -eci i -etci, G mn. -etaka
produživati, -žujem, -žujući
prođa
prof. krat. za profesor
profesionalac, -lca, V jd. -lče, G mn. -laca
profesionalizam, -zma
profesoričin prema profesorica
profilaktičan, -čna
profilaktički
profućkati
proglašavati i proglašivati
prognanički
prognostičar
prognostički
prognječiti
progonilac, -ioca, V jd. -ioče, N mn. -ioci, G mn. -ilaca
progoniteljičin
progorjeti, -rim, - rjeh, -rio, -rjela, -rjev(ši)
progresistički
progristi, -izem, -izi, -izoh, -izao, -izla, -izen, -izav(ši)

progrmjeti, -mi, -mio, -mjela, -mjev(ši)
progukati, progučem
progunđati
proha DL jd. prohi, *i* proja
prohibicija
prohibicijski
prohibicionist
prohibicionistički
prohibicionizam, -zma
prohin *i* projin
prohod
prohodan, -dna
prohodati
prohodnost, -ošću *i* -osti
prohrđati
prohrvati se
prohtijevati
prohtjeti, -tije *i* -tjedne, -tio, -tjela, -tjev(ši)
prohtjev G mn. prohtjeva
prohučati
prohujati, -jim
proigrati
proigravati
proishoditi
proisteći, -ečem *i* -eknem, -eci, -ekoh, -eče, -ekao, -ekla, -ekav(ši)
proistjecati, -ečem
proizaći, -ađem, -ađi, -ađoh, -ađe, -ašao, -ašla, -ašav(ši)
proizići, -iđem, -iđi, -iđoh, -iđe, -išao, -išla, -išav(ši)
proizvađati
proizvesti, -edem, -edi, -edoh, -eo, -ela,-eden, -edav(ši) *i* -cv(ši)
proizvodnost, -ošću *i* -osti
proizvođač
proizvođenje
proja *i* proha
projahati, projašem
projahivati, -hujem, -hujući
proječati
projekcija
projekcijski
projektant
projicirati
projin *i* prohin
projunačiti se
prokazivač
prokihati, -išem
prokipjeti, -pim, -pio, -pjela, -pjev(ši)
prokletac, -cca *i* -etca, N mn. -eci *i* -etci, G mn. -etaca
prokletstvo G mn. -tava
proklitički

prokrčiti
prokrijumčariti
prokuhati
prokuhavati
prolazak, -aska, N mn. -asci, G mn. -azaka
prolaznički
prolet *prema* proletjeti; *drugo je* prolijet *i* proljet
proletarijat
proleterkin
proletjeti, -tim, -tio, -tjela, -tjev(ši)
proliće (*prolijevanje*)
prolijeniti se
prolijetati, -ećem, -ećući
prolijetanje
prolijet *prema* prolijetati; *drugo je* prolet *i* proljet
prolijevanje
prolijevati
proliti, prolijem
proliv > proljev
prolivati > prolijevati
Proložac, -ošca (*zem.*)
proložački *prema* Proložac
proložak, -oška, N mn. -ošci, G mn. -ožaka
proljećar
proljeće, na proljeće, s proljeća
proljepšati se
proljepšavati se
proljet (*pjesn.,* proljeće); *drugo je* prolet *i* prolijet
proljetni
proljetos
proljetošnji
proljev G mn. proljeva
proljevni
promaći, -aknem, -akni, -akoh, -ače, -akao, -akla, -aknut, -akav(ši)
promaha > propuh
promaja > propuh
promaknuće
promatrač
promatračica
promatračnica
promećuran, -rna
promećurnost, -ošću *i* -osti
promemorij(a) > spomenica, podsjetnik
Prometej
Prometejev, Prometejev oganj
prometejski
prometnik V jd. -iče, N mn. -ici
promicati, -ičem
promidžba G mn. -džaba *i* -džbi
promijeniti, -im, promijenjen

promijesiti, -im, promiješen
promiješati, -am, promiješan
promiljeti, -ilim, -ilio, -iljela, -iljev(ši)
promisao, -sla (*m. r.*) *i* -sli (*ž. r.*), I jd. -slom *i*
-sli *i* -šlju
promišljati
promišljavati
promišljenost, -ošću *i* -osti
prȍmjena G mn. prȍmjēnā
promjenit
promjenljiv *i* promjenjiv
promjer G mn. promjera
promljeti, -meljem, -melji, -mljeh, -mlio,
-mljela, -mljeven
promočiti
promočiv
promomčiti se
promučati
promučiti
promući, -uknem, -ukni, -ukoh, -uče, -ukao, -
ukla, -ukav(ši)
promućkati
promućuran, -rna
promućurnost, -ošću *i* -osti
promukao, -kla
promuklost, -ošću *i* -osti
pronaći, -ađem, -ađi, -ađoh, -ađe, -ašao, -ašla,
-ađen, -ašav(ši)
pronalazač > izumitelj
pronašašće
pronašati
prȍnevjera G mn. prȍnevjērā
pronevjeravati
pronevjerenje
pronevjeritelj
pronevjeriteljica
pronevjeriti
pronicati, -ičem, -iči, -ičući
pronicavost, -ošću *i* -osti
pronići, -iknem, -ikni, -ikoh, -iče, -ikao, -ikla,
-iknut, -ikav(ši)
propadljivost, -ošću *i* -osti
propagandistica
propagandistički
propagandni
propaličin *prema* propalica
propalički
propast I jd. propasti *i* propašću
propasti, -adnem, -adni, -adoh, -ade, -ao, -ala,
-av(ši)
propeće *gl. im. prema* propeti
propeći, -čem, -cci, -ckoh, -če, -ckao, -ckla,
-čen, -ckav(ši)
propedeutički

propedeutika (*prednaobrazba*)
propijančiti
propijati se
propijevati > propjevavati
propijukati, -učem
propisivač
propiti, propijem
propjevati
propjevavati
proplakati, -ačem
propletati, -cćem
proporcionalan, -lna
proporcionalnost, -ošću *i* -osti
propovijed I jd. -edi *i* -eđu
propovijedalac, -aoca, V jd. -aoče, N mn. -aoci,
G mn. -alaca
propovijedati
propovjedaonica
propovjediti
propovjedni
propovjednica
propovjedničin
propovjednički
propovjednik V jd. -iče, N mn. -ici
propovjednikov
propovjedništvo G. mn. -tava
propozicija
propuh
propuhati, propušem
propuhivati, -hujem, -hujući
propuhnuti
propusnost, -ošću *i* -osti
propustan, -sna
propustiti, -im, propušten
propustljiv
propuštati
proračun
proračunanost, -ošću *i* -osti
proračunati
proračunavati
proračunski
prorahliti
prorašćivati
prorđati > prohrđati
prorcći, -eknem *i* -ečem, -eci *i* -ckni, -ckoh,
-eče, -ckao, -ckla, -ečen, -ckav(ši)
proricati, -ičem, -ičući
prorijediti, -im, prorijeđen
prorijeđenost, -ošću *i* -osti
prorjeđivanje
prorjeđivati, -đujem, -đujući
proročanski
proročanstvo G mn. -tava
proročica

proročišni
proročište
proročki
prorok V jd. proroče, N mn. proroci; Prorok
(Muhamed)
proroštvo G mn. -tava
prorupčati
prorvati se > prohrvati se
prosac, -sca, V jd. prošče
prosački
proscenij (prednji dio pozornice)
prosidba G mn. -daba i -dbi
prosijati, -jem (propustiti kroz što)
prosijati, -jam > prosjati
prosijavati
prosijecati
prosiječ, -i (vrsta bačve)
prosijed
prosijeliti (proboraviti na sijelu)
prosijevati > prosijavati
prosilac, -ioca, V jd. -iočc, N mn. -ioci, G mn.
  -ilaca
prosilački
prosinački prema prosinac
prosiočev
prosjače, -čcta, zb. -čad
prosjačina
prosjačiti
prosjački
prosjajivati, -jujem, -jujući
prosjak V jd. -ačc, N mn. -aci
prosjaštvo G mn. -tava
prosječan, -čna
prosječnost, -ošću i -osti
prosjeći, -siječem, -sijeci, -sjekoh, -siječe,
  -sjekao, -sjekla, -sječen, -sjekav(ši)
prosjediti i prosjedjeti
prosjek N mn. -cci
prösjeka G mn. prösjēkā
prosjelina
prosjev G mn. prosjeva
proslijediti, -im, proslijedjen
prosljedenje
prosljedivati, -dujem, -dujući
prostačina
prostački
prostak V jd. -ačc, N mn. -aci
prostaštvo G mn. -tava
prostirač
prostiti, -im, prošten
prostodušnost, -ošću i -osti
prostolatičnica
prostoručan, -čna
prostrel i prostrjel

prostreljivati i prostrjeljivati, -ljujem, -ljujući
prostrijeti, -rem, -ri, -rijeh, -rije, -ro, -rla, -rt,
  -rv(ši) i -rijev(ši),
prostrjel i prostrel
prostrjeljivati i postreljivati, -ljujem, -ljujući
prosuće prema prosuti
prosudba G mn. -daba i -dbi
prosuditi, -im, prosuđen
prosuđivač
prosuđivati, -đujem, -đujući
prosuh (malo suh)
prosukati, prosučem
prosvijećen komp. prosvjeććniji
prosvijećenost, -ošću i -osti
prosvijetliti, -im, prosvijetljen
prosvijetljenost, -ošću i -osti
prosvjećeniji komp. od prosvijeććen
prosvjećenje
prosvjećivati, -ćujem, -ćujući
prosvjed G mn. prosvjeda
prosvjedni
prosvjedovati, -dujem, -dujući
prosvjeta; Prosvjeta (društvo)
prosvjetar
prosvjetitelj
prosvjetiteljica
prosvjetiteljstvo G mn. -tava
prosvjetljenje
prosvjetljivati, -ljujem, -ljujući
prosvjetni
prošaptati, -pćem
prošaputati, -ućem
prošćev prema prosac
prošćak N mn. -aci (vrsta plota, noža)
prošće, prošća
prošetati, -ćem i -ctam
prošiti, prošijem
prošivač
prošivača (igla)
prošivaljka DL jd. -ljci, G mn. -ki
prošlogodišnji
prošlost, -ošću i -osti
pròšnja G mn. próšnjā i pròšnjī
proštac, prošca i proštaca, G mn. proštaca
proštenje
protaći, -aknem, -akni, -akoh, -ačc, -akao,
  -akla, -akav(ši)
protagonistica
protakati, protačem
protaktinij (kem.)
pròtēći, -cčem i -cknem, -cci i -ckni, -ckoh,
  -cčc, -ckao, -ckla, -ckav(ši)
pròtēći, -egnem, -egni, -egoh, -cžc, -cgao,
  -cgla, -cgnut, -cgav(ši)

protein > bjelančevina
proteinski
Protejev *prema* Protej (*mit.*)
protekcija
protekcionaš
protekcionaštvo G mn. -tava
protekcionist
protekcionistica
protekcionistički
protekcionizam, -zma
protestantica
protestantkinja > protestantica
protestantski
protestni
proticati, -ičem, *prema* protaknuti; *drugo je*
  protjecati
protiv (*prij.*)
*protiv(u)... (*kao prvi dio složenice*) > protu...
protivničin *prema* protivnica
protivnički
protivnik V jd. -ičc, N mn. -ici
protivnost, -ošću *i* -osti
protjecati, -ečem, *prema* proteći; *drugo je* pro-
  ticati
protjeranica
protjeranik V jd. -ičc, N mn. -ici
protjerati
protjeravati
protjerivati, -rujem, -rujući
protkati, protkam
protočan, -čna
protozoe, -zoa (*praživotinje*)
protozojski
protrčati, -čim
protrčavati
protuavionski
protublokovski
protudjelovanje
protudržavni
protufašistički
protuha
protukandidat
protukršćanski
protulijek N mn. -lijekovi
protuljeće > proljeće
protumačiti
protumačiv
protumjera
protunapad
protunaredba G mn. -daba *i* -dbi
protunarodan, -dna
protunožac -ošca, V jd. -ošče, N mn. -ošci, G
  mn. -ožaca
protuobrana

protupapa
protupartijski
protuprijedlog N mn. -ozi
protureformacija
protureformacijski
proturječan, -čna
proturječiti
proturječje
proturječnost, -ošću *i* -osti
protuslovlje
protutenkovski
protuudar
protuusluga DL jd. -uzi
protuustavan, -vna
protuuteg N mn. -czi
protutijelo
protuvibracijski
protuvjerski
protuvrijednost, -ošću *i* -osti
protuzahtjev
protuzakonitost, -ošću *i* -osti
proučavati
proučiti
prouzročavati
prouzročiti
prouzrokovač > uzročnik
provađati
provalija
provalijica
provalnički
provalnik V jd. -ičc, N mn. -ici
provaljivač
Provansa (*francuska pokrajina*)
Provansalac, -lca, V jd. -lče, G mn. -laca
provansalski
provedba G mn. -daba *i* -dbi
provedljiv
provedljivost, -ošću *i* -osti
*provejati, -jem > provijati
*provejavati > provijavati
provenijencija > podrijetlo
pròvesti, -edem, *usp.* dòvesti, -edem
pròvesti, -èzēm, *usp.* dòvesti, -èzēm
pròvēsti, -ézēm, *usp.* dòvesti, -ézēm
providjeti (se), -di (se)
providnost, -ošću *i* -osti (*prozirnost, provide-
  nje*); Providnost (*Bog*)
proviđenje; Providenje (Bog)
provijant > hrana, opskrba
provijati, -jem (*provjetriti, prožeti*)
provijavati (*provjetravati, prožimati*)
provincijal (*crkv.*)
provincijalac, -lca, V jd. -lče
provincijalan, -lna

provincijalizam, -zma
provincijalka DL jd. -ki, G mn. -ki
provincijski
provizija
provizorij
provjekovati, -kujem, -kujući
provjera
provjeravati (*ispitivati*)
provjeriti (*ispitati*)
provjetravanje
provjetravati
provjetriti
provlačiti
provodadžija > prosac, snubok, svodnik
provodadžijin
provodadžinica > snubiteljica, svodilja
provodič
provrći, -rgnem, -rgni, -rgoh, -ržc, -rgao, -rgla, -rgav(ši)
provreti, -rim *i* -rijem, -reh, -re, -rio *i* -reo, -rela, -rev(ši)
provrijedniti se
provrtati
provrtjeti, -tim, -tio, -tjela, -tjev(ši)
provrvjeti, -vi, -vio, -vjela, -vjev(ši)
provući, -učem, -uci, -ukoh, -uče, -ukao, -ukla, -učen, -ukav(ši)
prozaičan, -čna
prozaičnost, -ošću *i* -osti
prozaik V jd. -iče, N mn. -ici
prozaist
prozba > prošnja
prozepsti, -ebem, -ebi, -eboh, -ebe, -ebao, -ebla, -ebav(ši)
prozijevati
prozirnost, -ošću *i* -osti
prozodija
prozodijski
prozorčić
prozorčina
prozračiti
prozračivati, -čujem, -čujući
prozreti, -rem, -ri, -reh, -re, -reo *i* -rio, -rela, -rev(ši)
prozviždati, -dim
proždrijeti, -rem, -ri, -rijeh, -rije, -ro, -rla, -rt, -rijev(ši) *i* -rv(ši)
proždrlčina
proždrljivac, -vca, V jd. -vče, G mn. -vaca
proždrljivost, -ošću *i* -osti
prožeći, -ežem, -ezi, -egoh, -eže, -egao, -egla, -egav(ši)
prožeti, -žmem, -žmi, -žeh, -žeo, -žela, -žet, -žev(ši)

prožeti, -žanjem, -žanji, -žeh, -žco, -žela, -žev(ši)
prožetost, -ošću *i* -osti
proživjeti, -vim, -vio, -vjela, -vjev(ši) (*živeći, provesti*)
prožvakati, -ačem
prslučac, -čca > prslučak
prslučak, -čka, N mn. -čci
prslučić
prslučina
prsni *prema* prsa *i* prsi
prstac, prstaca
prstenčić
prstić
*prstni > prstovni, prstiju
prstohvat, -a
prstovet, -ccu *i* -cti
pršić (*sitan snijeg*)
pršnjak
prtenjača
pruće *prema* prut
pruđe
Prusija
pruski
prutak, -tka, N mn. pruci *i* prutci, G mn. prutaka
prutić
prutka DL jd. prutki, G mn. prutaka *i* prutki
prvačiti
prvenac, prvjenac *i* prvijenac, -nca, V jd. -nče, G mn. -naca
prvenački
prvenče, -četa, *zb.* -čad
prvenstvo G mn. -tava
prvi; Prvi svibnja; prvi put
prvijenac, prvjenac *i* prvenac, -nca
prvobitnost, -ošću *i* -osti
prvoborac, -rca, V jd. -rče
prvoborački
prvomučenica
prvomučenički
prvmučenik V jd. -iče, N mn. -ici
prvooptuženi, -nog(a)
prvorazrednost, -ošću *i* -osti
prvorodstvo G mn. -tava
prvorođenac, -nca, V jd. -nče
prvorođen, -nog(a)
prvorotkinja
prvosjedilac *i* prvosjedjelac, -ioca, V jd. -ioče, N mn. -ioci, G mn. -sjedilaca *i* -sjedjelaca
prvostepeni > prvostupanjski
prvostolni
prvostolnica
prvosvećenica

prvosvećenički
prvosvećenik V jd. -ičc, N mn. -ici
prvoškolac, -lca, V jd. -lčc
prvotoč
pržionica
P. S. *krat. za lat.* post scriptum („poslije napi-
sanoga", *hrv.* poslije svega)
psalam, psalma, G mn. psalama
pseći
pseudodemokracija
pseudoklasičan, -čna
psić; *drugo je* pasić
psiha DL jd. psihi
psihički > dušcvni
psihijatar, -tra
psihijatrija
psihijatrijski
psihoanalitičar
psihoanalitički
psihoanaliza
psihofizički
psihologija
psihologijski > psihološki
psihološki *prema* psihologija *i* psiholog (*usp.*
psihički)
psihometrija
psihometrijski
psihopat
psihopatija
psihopatologija
psihopatološki
psihopatski
psihoterapeutski
psihoterapija
psihoterapijski
psihoza
psikač
psikati, psičcm, psičući
psoglavac, -vca, V jd. -včc, G mn. -vaca
psovač
psovačica
psovački
pšeničan, -čna
pšeničica
pšeničište
pšenični
pšeničnik
pšeničnjak (*pšenični kruh*)
ptica
ptičar
ptičarev *i* ptičarov
ptičarica
ptičariti
ptičarov *i* ptičarcv

ptičarski
ptiče, ptičeta, N mn. ptičići, *zb.* ptičad
ptičetina
ptičica
ptičina
ptičji
ptičurina
ptić
pubertetski
publicistički
pucač
pucačica
pucački
puč, puča, N mn. pučcvi (*udar*); puč, puči
(*pora*)
pučanin N mn. -ni
pučanka DL jd. -ki, G mn. -ki
pučanski
pučanstvo
pučić > putašcc (*malo puce*)
pučina
pučinski
pučist
Pučišća (mn. sr. r.), G Pučišća, DL l Pučišćima
pučiški *prema* Pučišća
pučkaš (pov., pripadnik pučkc strankc)
pučki
pučkoškolac, -lca, V jd. -lčc
pučkoškolka DL jd. -ki, G mn. -ki
pučkoškolski
puć; puć-puć (*usklik*)
pućenje *prema* pućiti sc *i* putiti
pući, pukncm, pukni, pukoh, pučc, pukao, pu-
kla, puknut, pukav(ši)
pućiti (se) (*isticati usne, oholiti se*)
pućkati
pućnuti
pućpulik
pućpulikati, -ičcm, -ičući
Puerto Rico > Portoriko
puh V jd. pušc, N mn. puhovi (*zool.*)
puhač (*onaj koji puše, drugo je* puhać)
puhački
puhać (*vrsta puha, drugo je* puhač)
puhaći; puhaća glazba
puhalac, -aoca, V jd. -aočc, N mn. -aoci, G mn.
-alaca
puhalački
puhalica
puhalo
puhaljka DL jd. -ljci, G mn. -ljki
puhati, pušcm
puhnuti
puhor (*sitan pepeo*)

puk V jd. pučc, N mn. puci *i* pukovi
pukovnički
pukovnijski *prema* pukovnija
pukovnik V jd. -ičc, N mn. -ici
puktati, pukćem, pukćući
puls N mn. pulsovi > bilo
pulsirati *i* pulzirati
punačak, -čka; *komp.* punačkiji
punahan, -hna
punanost, -ošću *i* -osti
punč N mn. punčcvi
punđa
puničin *prema* punica
punički
punoća
punoglavac, -vca, V jd. -včc
punoljetan, -tna
punoljetnica
punoljetnik V jd. -ičc, N mn. -ici
punoljetnost, -ošću *i* -osti
punomastan, -sna
punomoć l jd. -ći *i* -ću
punomoćje
punomoćnik > opunomoćcnik
punovrijedan, -dna; *komp.* -vredniji *i* -vrjed-
niji
punovrijednost, -ošću *i* -osti
pun puncat
punjač
punjenje *prema* puniti
pupčani
pupčanica
pupčanični
pupčast
pupčić *um. od* pupak
pupčiti > pupati

pupoljčić
puričica *um. od* purica
purići N mn. *od* purc
puristički
purji
pustahija
pustahijin
pustinjački *prema* pustinjak
pustinjaštvo
pùstiti, pûstim, pušten, pustiv(ši) (*ostaviti*)
pústiti, pûstīm, -tio, -tila, pûstēći (*činiti pustīm*)
pústjeti, pústīm, -tio, -tjcla, pústēći (*postajati pust*)
pustopašnost, -ošću *i* -osti
pušač
pušačev
pušačica
pušački
pušaći (*prid.*)
puščani
puščetina
puščica
puščina
Pušća (*zem.*)
púšćēnje *prema* pústiti *i* pústjeti
pušionica
put(a) (*pril.*), v. § 308. i 314.
putić
putnički
putopiščev *prema* putopisac
putujući
puzačica
puzećke *i* puzććki
puzzle > slagalica, slagaljka, slagaćica
pužić
pužnični *prema* pužnica

R

r. *krat. za* razred
rabijatan, -tna > surov, naprasit
racionalan, -lna
racionalist
racionalistički
racionalizacija
racionalizam, -zma
racionalizator
racionalizirati
racionalnost, -ošću *i* -osti
racionirati
račar
račić
račina
račiti se
račji
Rački, Račkoga
račlati
račun
računač (*čovjek i stroj*)
računalac
računalo
računalni
računaljka DL -ki, G mn. -ki
računanje
računar (*čovjek koji računa*)
računarac, -rca, V jd. -rče
računarski
računati, -am, računan
račundžija
računica
računovodstvo
računovođa
računovotkinja
računski
računstvo G mn. -tava
račva > račve
račvast
račvati se
račve, račava (mn. ž. r.)
radič (bot.) > maslačak, vodopija
Radič (*ime, zast.*)
Rádić (*prezime*); **Ràdić** (*ime*)
radićevac, -vca, V jd. -vče
radićevka DL jd. -ki, G mn. -ki
radićevski
radij

radijacija
radijalan, -lna
radijan (*fiz.*)
radijaran, -rna
radijator
radije (*pril., razg.* rađe)
radijski
radijus > polumjer
radikalsocijalist
radikalsocijalistički *prema* radikalsocijalist;
   radikal-socijalistički (*koji se odnosi na radikale i socijaliste*)
radio, -ija, l jd. -ijem, N mn. -iji
radioaktivan, -vna
radioaktivnost, -ošću *i* -osti
radioamater
radioamaterski
radioaparat
radioastronom
radioastronomija
radiocijev
radiodifuzija
radiodrama
radiodramski
radioelektroničar
radioelektronički
radioelektronika
radioemisija
radiofoničan, -čna
radiofoničnost, -ošću *i* -osti
radiofonija
radiofonijski
radiofrekvencija
radiografija
radiografski
radiogram
radioigra
radiointervju, -ua, N mn. -ui
radiokomentar
radiokomentator
radiokoncert
radiologija
radiološki
radiomehaničar
radiomehanika DL jd. -ici
radionica
radionički

radioodašiljač
Radio Osijek
radiopostaja
radiopredajnik
radiopretplata
radiopretplatnik
radioprijenos
radioprogram
radiopromet
radioreklama
radioreportaža
radiosignal
radioskopija
radioskopski
Radio Sljeme
Radio Split
radiostanica
radiotehničar
radiotehnički
radiotehnika
radiotelefonija
radiotelevizija
radioterapija
radioval
radioveza
Radio Zagreb
radišnost, -ošću *i* -osti
radius > radijus (polumjer)
radnički
radosnica
radost, -ošću *i* -osti
radostan, -sna
radoznalac, -lca, V jd. -lče
radoznalost, -ošću *i* -osti
radšta
radža (*manji indijski vladar*)
rađa (*pokr., rad*)
rađanje
rađaonica
rađati
***rađe** > radije
rađenje *prema* raditi
Rafael
ragu, ragua, N mn. ragui
rahal *i* rahao, rahla
rahatlokum (*istočnjačka poslastica*)
rahitičan, -čna
rahitičar
rahitičarka DL jd. -ki, G mn. -ki
rahitis
rahliti
rahlost, -ošću *i* -osti
rahljenje
rahmetli (*prid.*) > pokojni

rahmetlija > pokojnik
rajčica
Rajna (*rijeka Rhein*)
rajnski *prema* Rajna
rajon > četvrt, područje
rak V jd. rače, N mn. raci *i* rakovi; Rak
(*zviježđe*)
raketodržač
raketonosač
rakiće (rakitnjak)
rakidžinica > rakijašnica
rakija
rakijašnica
rakijica *um. od* rakija
rakijski
Rakitje (*selo kod Samobora*)
rakitnjača
rakovički *prema* Rakovica
rak-rana
ramenonožac, -ošca, V jd. -ošče, N mn. -ošci,
G mn. -ožaca
ramenjača
ramenjačni
ranarnički *prema* ranarnik
ranč N mn. rančevi
rang N mn. rangovi; rang-lista
ranilac, -ioca, V jd. -ioče, N mn. -ioci, G mn.
-ilaca
ranilački
ranoljetni
ranoranilac, -ioca, V jd. -ioče, N mn. -ioci, G
mn. -ilaca
ranoranilački
ranjenički
ranjivost, -ošću *i* -osti, *prema* raniti; *drugo je*
hranjivost
Rapkinja (*žena s otoka Raba i iz mjesta Raba*)
rapski *prema* Rab
rasadnički *prema* rasadnik
rasađivati, -đujem, -đujući
rasahnuti se
rascar N mn. rascarevi
rascariti
rascičati se
rascijepanost, -ošću *i* -osti
rascijepati, -am, rascijepan
rascijepiti, -im, rascijepljen
rascijepljenost, -ošću *i* -osti
rascjep
rascjepkanost, -ošću *i* -osti
rascjepkati
rascjepkavati
rascjepljenje
rascjepljivati, -ljujem, -ljujući

rascopati se
rascvasti se
rascvijeliti > rascviliti
rascviliti
rascvjetati se
rascvjetavati se
rasedlati
rasedlavati
raseliti (se)
raseljavanje
raseljavati (se)
rasformirati
rasfratar, -tra
rasfratriti se
rashladiti, rashlađen
rashlađenje
rashlađivati, -đujem, -đujući
rashod > izdatak
rashodati se
rashodni
rashodovati > otpisati
*rasijanac V jd. -nče > rastresenjak
rasijanost, -ošću i -osti > rastresenost
rasijati (posijati na više strana), pren. > rastresti
rasijavati
rasijecanje
rasijecati
rasip
rasipač
rasipan, -pna
rasipati, -pam i -pljem
rasipnica
rasipnički
rasipnik V jd. -iče, N mn. -ici, G mn. -ika
rasipništvo
rasipnost, -ošću i -osti
rasistički prema rasist i rasizam
rasjeckati
rasjeći, rasiječem, rasijeci, rasjekoh, rasiječe, rasjekao, rasjekla, rasječen, rasjekav(ši)
rasjedati se
rasjelina
raskalašenik V jd. -iče, N mn. -ici
raskalašenost, -ošću i -osti
raskapati
raskapčanje
raskapčati
raskašiti se
raskid
raskidač
raskidljiv
raskinuće
raskinuti

raskiseliti, raskiseljen
rasklapati
rasklepetati se, -ećem se
rasklitati se, -kćem se
rasklimati
rasklopiti
raskokodakati se, -ačem se
raskol
raskolačiti
raskoliti
raskolnički
raskolnik V jd. -iče, N mn. -ici
raskolništvo G mn. -tava
raskomadanost, -ošću i -osti
raskomadati
raskomoćivati se, -ćujem se, -ćujući se
raskomotiti se, -im se, raskomoćen
raskopati
raskopavati
raskopčati
raskopčavanje
raskopčavati
raskoračiti se
raskorak N mn. -aci
raskoš
raskovati, -kujem
raskralj
raskraviti
raskrčiti
raskrčivati, -čujem, -čujući
raskrčmiti, raskrčmljen
raskrebečiti > raskrečiti
raskrečiti
raskrečivati, -čujem, -čujući
raskrhati
raskriliti, raskriljen
raskrinkati
raskrinkavati
raskriti, -rijem, -ri, -rih, -ri, -rio, -rila, -riven, -riv(ši)
raskrivati
raskrižje
raskrsnica
raskrstiti, -im, raskršten
raskršće
raskrštati
raskrštavati
raskrvaviti
raskućiti (rasuti kuću)
raskuhati se
raskuhavati se
raskukurikati se, -iče se
raskužba G mn. -žaba i -žbi
raskužiti

raskuživač
raslina
raslinstvo
raslinje
raslojavati se
raslojiti se
*rasmotriti > razmotriti
rasohast
rasohat
rasohe, rasoha (mn. ž. r., *rašlje, račve*)
rasol
raspačati
raspačavač
raspačavati
raspad
raspadati se
raspadljiv
raspadljivost, -ošću *i* -osti
raspaliti
raspaljiv
raspaljivati, -ljujem, -ljujući
rasparač
rasparati
*rasparčati > raskomadati, raskidati
raspariti
rasparivati, -rujem, -rujući
raspečaćivati, -ćujem, -ćujući
raspečatiti
raspeće (*raspinjanje*)
raspelo (*križ*)
raspeti, raspnem
raspijevati > raspjevavati
raspikuća
raspikućki
raspikućstvo
raspinjač
raspinjača
raspinjati
raspiriti
raspirivač
raspirivati, -rujem, -rujući
raspis
raspisati, -pišem
raspištoljiti se
raspitati se
raspitivati se, -tujem se, -tujući se
raspjevati (se)
raspjevavati (se)
rasplakati, -ačem
rasplamćivati, -ćujem, -ćujući
rasplamsati
rasplamsavati
rasplamtjeti, -tim, -tio, -tjela, -tjev(ši)
rasplastiti, rasplašćen

rasplesti, -etem, -eti, -etoh, -eo, -ela, -eten, -etavši *i* -ev(ši)
rasplet
raspletati, -ećem, -ećući
rasplinuće
rasplinuti
rasplinjač
rasplinjati se
rasplinjavati se
rasplinjivati, -njujem, -njujući
rasplitati > raspletati
rasplod
rasploditi se
raspljeskati, -eskam *i* -ešćem
raspljoštiti
raspodijeliti, -im, raspodijeljen
raspodjela
raspodjeljivati, -ljujem, -ljujući
raspojasanost, -ošću *i* -osti
raspoklanjati
raspolagati, -ažem
raspoloviti, raspolovljen
raspoloženost, -ošću *i* -osti
raspoloženje
raspoložiti
raspoloživ
raspolutiti, raspolućen
raspon
raspop
raspopiti
raspor
rasporak, -rka, V jd. -rče, N mn. -rci, G mn. -raka
raspored
rasporediti, -eđen
raspoređivač
raspoređivanje
raspoređivati, -đujem, -đujući
rasporiti
raspra G mn. raspra *i* raspri
rasprašivač
rasprava
raspravljač
rasprčkati
raspreći, -egnem, -egni, -egoh, -eže, -egao, -egla, -egnut, -egav(ši)
raspredati
raspregnuti
raspresti, -edem, -edi, -edoh, -eo, -ela, -eden, -edav(ši) *i* -ev(ši)
raspretati, -ećem, -ećući
rasprezati, -ežem
raspričati se
raspripovijedati se

rasprodaja
rasprodati
rasprodavati
rasprostirati
rasprostrijeti, -rem, -ri, -rijeh, -rije, -ro, -rla,
-rt, -rijev(ši), -rv(ši)
rasprskač
rasprskati se
rasprskivač
rasprskivati se, -kujem se, -kujući se
rasprsnuće
raspršivač
rasprtiti, -im, rasprćen
raspucati se
raspučiti
raspuće
raspući se, -uknem, -ukni, -ukoh, -uče, -ukao,
-ukla, -uknut, -uknuv(ši)
raspuhati, -ušem
raspuklina
raspuknuće
raspuknuti
raspupati se
raspusnica > razvratnica, raspuštenica
raspusnički > razvratnički, raspuštenički
raspusnik V jd. -iče, N mn. -ici > razvratnik,
raspuštenik
raspustiti
raspuštanje
raspuštenica
raspuštenički
raspuštenik V jd. -iče, N mn. -ici
raspuštenost, -ošću i -osti
rasputica
rasrditi, rasrđen
rast prema rasti, drugo je hrast
rastaći, -aknem, -akni, -akoh, -ače, -akao,
-akla, -akav(ši)
rastakati, -ačem, -ači, -ačući
rastaknuti
rastanak
rastao, rasla
rastapati
rastava
rastaviti, rastavljen
rastavljač
rastavljati
ràsteći, -čečm i -cknem, -ckoh, -čče, -ckao,
-ckla, -ččen, -ckav(ši)
ràstēći, -cgnem, -cgni, -cgoh, -čče, -cgao,
-cgla, -cgnut, -cgav(ši)
rastegljiv
rastegljivost, -ošću i -osti
rastegnuti

rastenje prema rasti > rast, porast
rastepati, -pam i-pljem
rastepsti, -pem, -pi, -poh, -pe, -pao, -pla,
-pav(ši)
rasterećenost, -ošću i -osti
rasterećenje
rasterećivati, -čujem, -čujući
rasteretiti, rasterećen
rastežljiv > rastegljiv
rasti, rastem, rasti, rastijah, rastao, rasla, rástūći
(drugo je ràstūći)
rasticanje prema rasticati, drugo je rastje-
canje
rasticati, -ičem, -iči, -icao, -icala, -ičući, pre-
ma rastaći
rastjecati, -čečm, -čči, -ccao, -ccala, -ččući,
prema rasteći
rastjecanje prema rastjecati, drugo je rasti-
canje
rastjerati
rastjeravati
rastjerivati, -rujem, -rujući
rastočiti
rastopina
rastopiti, rastopljen
rastopljiv
rastrčati se
rastrčavanje
rastrčavati se
rastrganost, -ošću i -osti
rastrgati
rastrgnuti
rastrebljivati i rastrjebljivati, -ljujem, -ljujući
rastresenost, -ošću i -osti
rastresti, -csem, -csi, -csoh, -csao, -csla, -csen,
-csav(ši)
rastrežnjavati i rastrježnjavati > rastr(j)cžnji-
vati
rastrijebiti, -im, rastrijebljen
rastrijezniti se, rastrijcžnjen
rastrjebljenje i rastrebljenje
rastrjebljavati i rastrebljavati > rastr(j)cblji-
vati
rastrjebljivati i rastrebljivati, -ljujem, -ljujući
rastrježnjavati i rastrežnjavati > rastr(j)cžnji-
vati
rastrježnjivati i rastrežnjivati, -njujem,
-njujući
rastrti, -rem, -ri, -rh, -r, -ro, -rla, -rt, -rv(ši)
rastrubiti, rastrubljen
rastrubljivati, -ljujem, -ljujući
ràstūći, -učem, -uci, -ukoh, -uče, -ukao, -ukla,
-učen, -ukav(ši) (rástūći je od rasti)
rastumačiti

*rastur > rasip, gubitak
*rasturač > raspačavač
*rasturanje > raspačavanje
*rasturati > raspačavati, razbacivati, razbijati
rasuće
rasuda
rasudan, -dna
rasuditi
rasudljiv
rasudljivost, -ošću i -osti
rasuđivač
rasuđivati, -đujem, -đujući
rasúlo; râsûlo je od rasuti
rasuti, raspem, raspi, rasuh, rasuo, rasula, râsūlo, rasut, rasuv(ši)
rasvanuti se
rasvijetliti, -im, rasvijetljen
rasvitak, -itka, N mn. -ici i -itci, G mn. -itaka
rasvitati, -ićem, -ićući
rasvjeta
rasvjetni
raščarati
raščehati
raščehnuti
raščepiti se
raščepljivati se, -ljujem se, -ljujući
raščeprkati
raščerečiti
raščerupati
raščešljati
raščešljavati
raščetvoriti
raščihati
raščijati
raščiniti
raščinjati
raščinjavati
raščistiti, -im, raščišćen
raščišćavati, -avam
raščišćenje
raščišćivati, -ćujem, -ćujući > raščišćavati
raščitati se
raščlaniti
raščlanjavati i raščlanjivati
raščlanjivati, -njujem, -njujući
raščovječiti
raščovjek
raščupanko
raščupanost, -ošću i -osti
raščupati
raščupavanje
raščupavati
raščuti se, raščuje se

rašće (ono što raste, drugo je hrašće)
rašćenje > rastenje, (po)rast
rašćerdati
rašćeretati se
raširiti
rašiti, rašijem
rašivati
rašljičice
rašta > radšta
raštrkati se
ratifikacija
ratifikacijski
Ratka DL jd. -ki
Ratko
ratnički
ratnik V jd. -iče, N mn. -ici
ratnopravni
ratobornost, -ošću i -osti
ravnateljičin
ravničar
ravničarski
ravnički
ravnodušnost, -ošću i -osti
ravnomjeran, -rna
ravnomjernost, -ošću i -osti
ravnopravnost, -ošću i -osti
ravnovjesje > ravnoteža
ravnjača
razarač
razastrijeti, -trem, -ri, -rijeh, -rije, -ro, -rla, -rt, -rijev(ši), -rv(ši)
razasuti, -spem, -spi, -suh, -suo, -sula, -sut, -suv(ši)
razašiljač
razbijač
razbijački
razbijeliti, -im, razbijeljen
razbitak, -itka, N mn. -ici i -itci, G mn. -itaka
razbiti, razbijem
razbjeći se
razbjeljivati, -ljujem, -ljujući
razbjesniti, -esnim, -esnio, -esnila, -ešnjen, -esniv(ši) (učiniti bijesnim)
razbjesnjeti se, -snim se, -snio se, -snjela se, -esnjev(ši) se
razbješnjavati se
razbježati se, -žim se
razbojničin
razbojnički
razbojnik V jd. -iče, N mn. -ici
razbojništvo > razbojstvo
razbojstvo
rabolijevanje
razbolijevati se

razboljeti se, -olim se, -olio se, -oljela se, -oljev(ši) se
razbučiti
razbućkati
razbuditi, razbuđen
razbuđivanje
razbuđivati, -đujem, -đujući
razbuktati, -ktam *i* -kćem, -kći *i* -ktaj
razbuktjeti, -tim, -tio, -tjela, -tjev(ši)
razdavač
razdijeliti, -im, razdijeljen
razdijeljenost, -ošću *i* -osti
razdio *i* razdjel
razdioba
razdjel *i* razdio
razdjelan, -lna
razdjeljak, -ljka, G mn. razdjeljaka
razdjeljiv
razdjeljivač
razdjeljivanje
razdjeljivati, -ljujem, -ljujući
razdremljivati *i* razdrjemljivati, -ljujem, -ljujući
razdrešivati *i* razdrješivati, -šujem, -šujući
razdrijemati se
razdriješiti
razdrijeti, -rem, -ri, -rijeh, -rije, -ro, -rla, -rt, -rijev(ši) *i* -rv(ši), *i* razderati
razdrjemljivati *i* razdremljivati, -ljujem, -ljujući
razdrješivati *i* razdrešivati, -šujem, -šujući
razgaćiti se
razgnječiti
razgnjeviti
razgodak, -otka, N mn. -oci *i* -odci, G mn. -odaka (*rečenični znak*)
razgolićavanje
razgolićavati *i* razgolićivati
razgolićenost, -ošću *i* -osti
razgolićenje
razgolićivati, -ćujem, -ćujući *i* razgolićavati
razgolititi, -im, razgoličen
razgorijevanje
razgorijevati se
razgorjeti se
razgovijetan, -tna; *komp.* razgovjetniji
razgovijetnost, -ošću *i* -osti
razgovorljiv
razgrađivati, -đujem, -đujući
razgraničavati *i* razgraničivati
razgraničiti
razgraničivati, -čujem, -čujući, *i* razgraniča-vati
razgrepsti, razgrebem

razgrijati, -jem
razgrijavati
razgrijevati > razgrijavati
razgristi, razgrizem
razgrmjeti se, -mim se, -mio se, -mjela se, -mjev(ši) se
razgrtati, razgrćem, razgrći, razgrćući
razići se, -iđem se, -iđi se, -iđoh se, -iđe se, -išao se, -išla se, -išav(ši) se
razilazak, -aska, N mn. -asci, G mn. -azaka
razjačati
razječati se
razjedati
razjednačavati *i* razjednačivati
razjednačiti
razjednačivati, -čujem, -čujući
razlagač
razletjeti se, -tim se, -tio se, -tjela se, -tjev(ši) se
različak, -čka, N mn. -čci, G mn. -čaka
različan, -čna
različit
različitost, -ošću *i* -osti
različnost, -ošću *i* -osti
razlijegati se, razliježe se
razlijeniti se
razlijetati se, razlijećem se
razlijevati
razlivati > razlijevati
razlomački
razložnosti, -ošću *i* -osti
razlučiti
razlučiv
razlučivati, -čujem, -čujući
razljutiti, razljućen
razmaći, -aknem, -akni, -akoh, -ače, -akao, -akla, -aknut, -akav(ši)
razmahati se
razmahivati, -hujem, -hujući
razmahnitati (se)
razmahnuti
razmeđe
razmeđiti
razmetati, razmećem
razmijeniti, -im, razmijenjen
razmijesiti, -im, razmiješen
razmiješati
razmiljeti se, -ile se, -ilio se, -iljela se, -iljev(ši)
***razmimoići** > mimoići, razići
***razmimoilaziti se** > mimoilaziti se, razilaziti se
***razmimoilaženje** > mimoilaženje, razilaže-nje

râzmjena i **râzmjena**, G mn. **râzmjēnā** *i* **râz-**
mjēnā
razmjenljiv
razmjenjiv
razmjenjivati, -njujem, -njujući
razmjer
razmjeran, -rna
razmjerati
razmjeravati
razmjeriti
razmjerje
razmjernost, -ošću *i* -osti
razmjestiti, -im, razmješten
razmještaj
razmještati
razmještavati
razmlačiti
razmlaćivati, -ćujem, -ćujući
razmočiti
razmućivati, -ćujem, -ćujući
razmućkati
razmutiti, -im, razmućen
raznašati
raznesti i raznijeti
raznijeti, -nesem, -nijeh, -nio, -nijela, -nesen *i*
-nijet, -nijev(ši)
raznobojnost, -ošću *i* -osti
raznojezični
raznoličan, -čna
raznoličje
raznoličnost, -ošću *i* -osti
raznolikost, -ošću *i* -osti
raznorodnost, -ošću *i* -osti
raznosač
raznosačica
raznosilac, -ioca, V jd, -iočc, N mn. -ioci, G
mn. -ilaca
raznostraničan, -čna
raznovjeran, -rna
raznovrsnost, -ošću *i* -osti
raznovrstan, -sna
raznježavati se
raznježenost, -ošću *i* -osti
raznježiti
raznježivati, -žujem, -žujući
razobličavati > raskrinkavati
razobličiti > raskrinkati
razočaranost, -ošću *i* -osti
razočaranje
razočarati
razočaravati
***razočarenje** > razočaranje
razodijevati
razodjenuti

razonođivati, -đujem, -đujući
razortačiti (se)
razr. *krat. za* razred
razračunati
razračunavati
razrašćivati, ćujem, -ćujući
razrediti (*razvrstati u redove, razrede, drugo*
je razrijediti)
razredničin *prema* razrednica
razrednički
razrednik V jd. -ičc, N mn. -ici, G mn. -ika
razredništvo
razreðenje *prema* razrediti (*drugo je* razrje-
đenje)
razreðivanje *prema* razreðivati
razreðivati, -đujem, -đujući (*razvrstavati u*
razrede, redove, drugo je razrjeđivati)
razrijediti, -im, razrijeđen
razrijeðenost, -ošću *i* -osti
razriješiti, -im, razriješen
razrjediv
razrjeðenje *prema* razrijediti
razrjeðivač
razrjeðivanje
razrjeðivati, -đujem, -đujući (*činiti rjeđim,*
drugo je razreðivati)
razrješavati
razrješenje
razrješiv
razrješivati, -šujem, -šujući
razrješivost, -ošću *i* -osti
razrješni
razrješnica
razrogačiti
razrogačivati, -čujem, -čujući
razrokost, -ošću *i* -osti
razrožnost, -ošću *i* -osti
razručiti se (*razvrgnuti zaruke*)
***razuđenost** > razvedenost
razularenost, -ošću *i* -osti
razumijevanje
razumijevati
razumjeti, -mijem, -mij, -mjeh, -mje, -mio,
-mjela, -mjev(ši)
razuvjeravati
razuvjeriti
razvaðač
razvažač
razvedenost, -ošću *i* -osti
ràzvesti, -edem, *usp.* dòvesti, -edem
ràzvesti, -ezem, *usp.* dòvesti, -èzēm
ràzvēsti, -ézēm, *usp.* dòvēsti, -ézēm
razviće > razvoj, razvitak
razvidjeti, -idim, -idio, -idjela, -iðen, -idjev(ši)

razviđati
razvijač
razvíjati, ràzvījām, razvijaj (*prema* razviti)
ràzvijati, ràzvijēm, razvij (*prema* vijati)
razvijávati *prema* ràzvijati
razvijenost, -ošću i -osti
razvikati, -ičem
razvitak, -itka, N mn. -ici i -itci, G mn. -itaka
razvjenčati
razvješati
razvlačiti
razvlastiti, -im, razvlašten
razvlašćivati, -ćujem, -ćujući
razvodnički
razvodniti, -nim, -nih, -nio, -nila, -niv(ši) (*razrijediti vodom*)
razvodnjeti se, -dni se, -dnio se, -njela se, -njev(ši) (*postati voden*)
razvođe
razvojačiti
razvraćati
razvraćenost, -ošću i -osti
razvraćivati, -ćujem, -ćujući
razvratiti, -atim, -aćen
razvratnički
razvratnik V jd. -iče, N mn. -ici, G mn. -ika
razvratnost, -ošću i -osti
razvrći, -rgnem, -rgni, -rgoh, -ržc, -rgao, -rgla, -rgav(ši)
razvrednjenje i razvrjednjenje
razvrednjivati i razvrjednjivati
razvreženje i razvrježenje, *prema* razvriježiti
razvreživati (se) i razvrježivati (se)
razvrgnuće
razvrijediti
razvrijedniti
razvriježiti se
razvrjednjenje i razvrednjenje
razvrjednjivati i razvrednjivati, -njujem, -njujući
razvrježenje i razvreženje
razvrježivati (se) i razvreživati (se), -žujem (se), -žujući (se)
razvrstač
razvrtjeti, -tim, -tio, -tjela, razvrćen, -tjev(ši)
razvučenost, -ošću i -osti
razvući, -učem, -uci, -ukoh, -uče, -ukao, -ukla, -učen, -ukav(ši)
ražaliti se
ražalostiti, -im, ražalošćen
ražalošćivati, -ćujem, -ćujući
ražariti
ražarivati, -rujem, -rujući
ražđipati se

ražeći, ražčžem, ražczi, ražcgoh, ražcgao, ražcgla, ražcgav(ši)
raženiti se
raženjivati, -njujem, -njujući
ražestiti
ražešćivati, -ćujem, -ćujući
ražnjić
ražvakati, ražvačem
ražvaliti
ražvaljivati
rbast (krnj)
rbina > krhotina, okrnjak
rđa > hrđa
rđanje > hrđanje
rđati > hrđati
rđav > hrđav
rđavost, -ošću i -osti > hrđavost
reakcija
reakcijski
reakcionar
reakcionaran, -rna
reakcionarka DL jd. -ki, G mn. -ki
reakcionarnost, -ošću i -osti
reakcionarski
reakcionarstvo G mn. -tava
reakcioner > reakcionar
realac, -lca, V jd. -lče, G mn. -laca
realist
realističan, -čna
realistički
realističnost, -ošću i -osti
realizacija
realizam, -zma
realnost, -ošću i -osti
rebić (*zool.*)
rebrača
recipijent G mn. -nata
recipročan, -čna > uzajaman, međusoban
recipročnost, -ošću i -osti > uzajamnost, međusobnost
recitacija
recitacijski
rečenica
rečenični
Rečica (*selo kod Karlovca*), Rečica Kriška (*selo kod Ivanić Grada*)
reći, rečem i reknem, rekoh, reče, reci i rekni, rekao, rekla, rečen, rekav(ši), v. i § 329.
redak, retka, V jd. reče i redče, N mn. reci i redci, G redaka, DLI recima i redcima
redakcija (*priređivanje, obrada, obilježje*) > uredništvo
redakcijski
redatelj

redati
redoslijed N mn. -i i -sljedovi
redoslijedni
redovničin *prema* redovnica
redovnički
redukcija > ograničenje, smanjenje
redukcijski
ređenje *prema* rediti, *drugo je* rjeđenje
refektorij > blagovaonica
reformacija
reformacijski
reformistički
regača > gatalinka
regetača
regetati, -ećem, -ećući
regionalan, -lna
regionalist
regionalistički
regionalizam, -zma
regrutacija > novačenje
regrutacijski > novačenja
regrutski > novački
regulacija
regulacijski
rehabilitacija
rehabilitacijski
rehabilitirati
reinkarnacija
reis-ul-ulema
Reka (*selo kod Koprivnice*)
rekapitulacija
rekapitulacijski
rekla-kazala
reklamacija
reklamacijski
rekreacija
rekreacijski
rekurs > utok, priziv, žalba
rekvijem
relativistički
relativnost, -ošću i -osti
religija > vjera
religijski > vjerski, crkveni
religiozan, -zna (*pobožan*)
religioznost, -ošću i -osti (*pobožnost*)
Relković > Matija Antun Reljković
reljef
reljefnost, -ošću i -osti
Reljković, Matija Antun Reljković
remećenje *prema* remetiti
remek-djelo
remenčić
remetiti, -im, remećen
remi, remija

remiza > spremište, kolnica
remizirati
renesansa
renij (*kem.*)
renome, renomea > ugled, slava
rengen (*aparat*)
rengenizirati
rengenolog N mn. -ozi
rengenologija
rengenološki
rengenski
renomiranost, -ošću i -osti
rentabilnost, -ošću i -osti
rentijer
rentijerka DL jd. -ki, G mn. -ki
reometar, -tra
repača > repatica (*zvijezda*)
reparacija
reparacijski
repatrijacija
repatrijacijski
repatrirac, -rca, V jd. -rče, G mn. -raca
repatrirati
repertoar
repertorij (*priručni popis*)
repetitorij (*podsjetnik*)
repičar (*zool.*)
repični *prema* repica
repić
repnjača (*med. i bot.*)
repromaterijal > sirovina, poluprerađevina
republički
repuh
resičar
resični
reska *prema* rezak
reskati (*rezuckati*)
reskav
reskoća
reskost, -ošću i -osti
resorbirati
resorpcija
respicijent > priglednik, nadglednik, nadzornik
restauracija
restaurant > restauracija
restaurator (*stručnjak za obnovu*)
restitucija
restitucijski
restoran > restauracija
restrikcija
rešetka DL jd. -ci, -ctci i -tki, G mn. -taka i -tki
rešo, rešoa > kuhalo

retor > govornik
retoričan, -čna
retoričar (*tko se bavi retorikom*)
retorički
reumatičan, -čna
reumatičar
reumatičarka DL jd. -ki, G mn. -ki
reumatički
reumatičnost, -ošću *i* -osti
Réunion (*otok*)
revers > obveznica, potvrda, priznanica
reverzija > povrat(ak)
reverzibilan, -lna > obratljiv, povratan
revijalan, -lna
revizija
revizijski
revizionist
revizionistički
revnost, -ošću *i* -osti
revolucija; Francuska revolucija
revolucijski
revolucionar
revolucionaran, -rna
revolucionarka
revolucionarnost, -ošću *i* -osti
rezac, resca, V jd. rešče, N mn. resca, G mn. rezaca
rezač
rezački
rezak, rcska
rezbarija
rezerva
rezervacija
razerviranost, -ošću *i* -osti
rezervirati
rezervoar
rezidencija
rezignacija
rezignirati
rezime, -mca > sažetak
rezimirati > sažeti
rezistentan, -tna > otporan
rezolucija; Riječka rezolucija (*pov.*)
rezonancija
rezonator
rezonirati
rezultat
rezultirati
režija
režijski
režnjić
režuha DL jd. -hi (*bot.*)
Rh-faktor
ribača

ribarče, -četa, *zb.* -čad
ribarčetov
ribarčić *um. od* ribar
ribaričin *prema* ribarica
ribič (*ribolovac*)
ribičica
ribički
ribić
ribiz
riblji
ribnjački
ribogojilišni
ričet
rićka *i* riđka (*riđa životinja*)
rîd, ríđa, N mn. ríđi, *odr. oblik* rîđī, *komp.* rìđī
riđan
riđast
riđeša
riđin
riđka i rićka (*riđa životinja*)
riđo
riđobrad
riđoglav
riđoglavac, -vca, V jd. -vče, G mn. -vaca
riđogrivac, -vca, V jd. -vče, G mn. -vaca
ridokos
riđovka
riduša
rijač
riječ l jd. riječi *i* riječju
Riječanin N mn. -ani
Riječanka DL jd. -ki, G mn. -ki
riječca (*mala riječ, usp.* rječica)
riječje *prema* rijeka
riječki *prema* Rijeka
riječni *prema* rijeka
rijedak, rijetka; *komp.* rjeđi
rijediti, rijedim, rijeđen
rijek N mn. rjekovi (*izreka*)
rijeka DL jd. rijeci; Rijeka dubrovačka (*zem.*), Rijeka Crnojevića (*zem.*); Rijeka (*grad*), *usp.* Reka
rijenje *prema* riti
riješenost, -ošću *i* -osti (*osobina onoga što je riješeno, inače* odlučnost, spremnost)
riješiti, riješen
rijeti (*pokr.*) > reći
rijetko (*pril.*); *komp.* rjeđe; rijetko kad
rijetkost, -ošću *i* -osti
rikati, ričem, ričući
rilce, rilca *i* rilceta, N mn. rilca, G mn. rilca *i* rilaca, *i* riocc
riličar
riličica

rilični
rimokatolički
rioce, rioca, G mn. rilaca, i rilce
Rio de Janeiro, u Rio de Janeiru
Ripač, Ripča
risač
risaći (prid.)
risaonica
risić um. od ris
riskantnost, -ošću i -osti
riskirati
risnjački prema Risnjak
Risnjak (zem.)
ritak, ritka, N mn. rici i ritci, G mn. ritaka
ritmičan, -čna
ritmički
ritmičnost, -ošću i -osti
rivijera
rizičan, -čna
rizičnost, -ošću i -osti
rizrički
Rizvanbegović
rječetina (ružna riječ, usp. rječina, rječurina)
rječica um. od rijeka i riječ, usp. rijčeca, usp. Rečica
rječina uv. od rijeka
rječit
rječitost, -ošću i -osti
rječkati se
rječni prema riječ (riječni je prema rijeka)
rječnički
rječnik N mn. -ici
rječoborstvo G mn. -tava
rječotvorac, -rca, V jd. -rče, G mn. -raca
rječotvorje
rječotvorni
rječurina uv. od rijeka i riječ
rjeđi komp. od rijedak
rješavač
rješavačica
rješavanje
rješavati
rješenje
rješidba G mn. -daba
rješiv
rješivost, -ošću i -osti
rjetkoća
rjetkosija (rijetko rešeto)
rkt. krat. za rimokatolik
robak, ropka, V jd. ropče, N mn. ropci, G mn. robaka
robija
robinjičin prema robinjica
robovlasnički

robovlasnik V jd. -iče, N mn. -ici
robovlasništvo G mn. -tava
robustan, -sna
robusnost, -ošću i -osti
rock; rock pjevač
Roč (zem.)
Ročanin N mn. -ani
Ročanka DL jd. -ki, G mn. -ki
ročenje prema ročiti; drugo je roćenje
ročišni prema ročište
ročište
ročiti
ročki prema Roč
ročni prema rok
roćenje prema rotiti se, drugo je ročenje
roćko i rođko hip. od rođak; Roćko i Rođko hip. od Rodoljub
rodac, roca i rodca, V jd. roče i rodče, N mn. roci i rodci, G mn. rodaca
rodičin prema rodica
rodij (kem.)
rodilišni
rodnost, -ošću i -osti
rodoljubac, -upca, V jd. -upče, N mn. -upci, G mn. -ubaca > rodoljub
rodoljubivost, -ošću i -osti
rodoljupka DL jd. -ki, G mn. -ki
rodoskvrnitelj
rodoskvrnuće
rođački
rođak V jd. -ače
rođaka > rođakinja
rođakinja
rođaštvo
rođen
rođendan
rođenje prema roditi; Rođenje Ivana Krstitelja (blagdan)
rođin
rođko i roćko hip. od rođak; Rođko i Roćko hip. od Rodoljub, Rođo
rođo
rogač (bot. i zool.); Rogač (dio naselja kod Splita)
rogačić
*rohav > ospičav, kozičav
rojalistica
rojalistički
rojić (mali roj)
rojidba G mn. -daba i -dbi
rok glazba
rokoko, rokokoa, N mn. rokokoi
rokovački prema Rokovci (zem.)
Rokovčanin N mn. -ani (čovjek iz Rokovaca)

roktati, rokćem, rokćući
romanički *prema* romanika
romanijski *prema* Romanija (*zem.*)
romanistica
romanistički
romanopisac, -isca, V jd. -išče, G mn. -isaca
romansijer (*romanopisac*)
romansijerski
romantičan, -čna
romantičar
romantičnost, -ošću *i* -osti
rombičan, -čna
romboid
romboidan, -dna
rompski *prema* romb
rȍndo, rȍnda, N mn. rȍndi (*pjesmica, skladba, ples*); rȍndȏ, -òa, N mn. -òi (*okrugli nasad,* rondela)
ronac, ronca,V jd. ronče, G mn. ronaca
rončić
ronilac, -ioca, V jd. -ioče, N mn. -ioci, G mn. -ilaca
ronilački
ronilaštvo
roniočev
Röntgen (*prezime, usp.* rengen)
ropče, ropčeta, *zb.* ropčad
ropkinja
ropotati, ropoćem, *i* hropotati (*bučati, tandrkati*), *inače* > hroptati
ropski
ropstvo
*roptati > hroptati; gunđati, mrmljati, prigovarati
rostočki *prema* Rostock
roščić *i* rožić, *um. od* rog
rotacija
rotacijski
rotacioni > rotacijski
rotiti se, roćah se, roteći se
rotkinja (*žena koja može rađati, koja mnogo* rađa)
Rousseau, Rousseaua, Jean Jacques (*čit.* Rusò, Rusòa, Žan Žak)
Rousseauov (*čit.* Rusoov)
rovčica
rović
rovokopač
rovokopački
rožac, rošca, V jd. rošče, N mn. rošci, G mn. rožaca
rožić *i* roščić, *um. od* rog
rožićak, -ćka
rožnični

rožnjača > rožnica
*rpa > hrpa
rsak > hrsak
*rskati > hrskati
*rsuz > hrsuz
rt N mn. rtovi, (*zem., drugo je* hrt); Sjeverni rt, Rt dobre nade
rtić
Ruanda
ruandski
rubac, rupca, G mn. rubaca
rubač > pljenitelj, ovrhovoditelj
rubača > košulja, rubac
rubidij (*kem.*)
ručak, ručka, N mn. ručkovi, *i* ručci, G mn. rûčākā (*usp.* ručka)
ručanica
ručanje
ručati
ruče, ruča (mn. ž. r.)
ručerda
ručetina
ručica
ručina
ručka DLjd. ručki *i* ručci, G mn. rûčākā *i* ručki (*usp.* ručak)
ručkonoša
ručni
ručničić *um. od* ručnik
ručnik N mn. -ici
ručurda
ručurina
rudača
ruditi, rudim, rudi, rudio, rudila, rudeći (*činiti što* rudim)
rudjeti, rudi, rudio, rudjela, rudeći (*postajati rud*)
rudnički
ruđenje *prema* ruditi *i* rudjeti
rugač
rugačina
rugalac, -aoca, V jd. -aoče, N mn. -aoci, G mn. -alaca
ruho
Ruhr (*čit.* Rûr)
ruhrski (*čit.* rûrskī)
ruina > razvalina, ruševina
ruinirati
rukavičar
rukavičarka DL jd. -ki, G mn. -ki
rukavičarnica
rukavičarski
rukavičarstvo
rukavić
rukodjelac, -lca, V jd. -lče, G mn. -laca

rukodjelja
rukovalac, -aoca, V jd. -aočc, N mn. -aoci, G mn. -alaca
rukovalački
rukovet l jd. -cću *i* -cti
rukovodilac, -ioca, V jd. -iočc, N mn. -ioci, G mn. -ilaca > voditelj, upravitelj, ravnatelj; -ioci > uprava, vodstvo
rukovodilački
rukovodiočev
rukovodstvo > uprava, vodstvo
rukuničar
rumeniti, -enim, -enio, -enila, -eneći (*činiti što rumenim*)
rumenjeti, -enim, -enio, -enjela, -eneći (*postajati rumen*)
Rumljanka DL jd. -ki, G mn. -ki (*žena iz Rume*)
Rumunj
Rumunjka
Rumunjska
rumunjski
rundovčina *uv. od* rundov
rupčaga
rupčati
rupčić
rupčina *uv. od* rubac (od rupa je rupetina *i* rupčaga)
rupičar
rupičara
rupičast

rupičati
rupičav
rupičavost, -ošću *i* -osti
rupičica *um. od* rupica
Rusija V jd. Rusijo
ruski
ruskoslavenski
rusomača
ruševnost, -ošću *i* -osti
rušilac, -ioca, V jd. -iočc, N mn. -ioci, G mn. -ilaca
rušilački
rutavac, -vca, V jd. -včc, G mn. -vaca
rutavčev *prema* rutavac
rutavost, -ošću *i* -osti
rutenij (*kem.*)
ruža (*bot.*); Ruža (*ime*); Ruža Limska
ružičast
ružičica
ružični
ružičnjak N mn. -aci
ružnoća
rvač > hrvač
rvačev > hrvačcv
rvačica > hrvačica
rvački > hrvački
rvalište > hrvalište
rvanje > hrvanje
rvati se > hrvati se
rzati, ržcm > hrzati
***rž** > raž

S

s *u rječnicima krat. za* srednji rod; S *krat. za* sjever (*hrv.*), *za* jug (*međunarodna, engl.* south); *znak za* sumpor (*kem.*); *oznaka za* skakača (konja, *šah.*)

sabah > jutro, zora; sabah-namaz (*musl. jutarnja molitva*)

sabahile > zorom

sabajle > zorom

Sabaot (*Bog nad vojskama*)

sabijač

sabijenost, -ošću *i* -osti

sabirač

sablasnost, -ošću *i* -osti

sablast, -ašću *i* -asti

sablastan, -sna

sablazan, -zni, I jd. -azni *i* -ažnju

sablažnjiv

sablažnjivost, -ošću *i* -osti

sabljičica *um. od* sabljica

sabor; Sabor Republike Hrvatske; Hrvatski sabor; Dalmatinski sabor (*pov.*)

sabranost, -ošću *i* -osti

sač > pek(v)a

sačekati > pričekati

sačiniti > načiniti

sačma

sačmara

sačmarica

sačmeni

sačuvanost, -ošću *i* -osti

sačuvati

saćast

saće

saći, sađem, sađi, sađoh, sađe, sašao, sašla, sašav(ši)

SAD *krat. za* Sjedinjene Američke Države

sadejstvo > sudjelovanje, suradnja

sadijevati

sadistički

sadjestvo > sudjelovanje, suradnja

sadjenuti

sadrijeti, -rem, -ri, -rijeh, -rije, -ro, -rla, -rijev(ši), -rv(ši)

sadžak N mn. -aci (*željezni tronog za kotlušu*)

sađenica

sađenik N mn. -ici

sađenje *prema* saditi

sagnjiti, sagnjijem

sagorijevati

sagorjeti, -rim, -rio, -rjela, -rjev(ši)

sagrađivati, -đujem, -đujući

sagrešenje *i* sagrješenje

sagrešivati *i* sagrješivati, -šujem, -šujući

sagriješiti

sagrijevati > sagrijavati, zgrijavati

sagrješenje *i* sagrešenje

sagrješivati *i* sagrešivati, -šujem, -šujući

sahadžija > urar

sahan (*bakreni tanjur*)

Sahara (*zem.*)

saharin

saharoza

sahat > sat; sahat-kula

sahib > gospodar

sahnuće

sahnuti, sahnem

sahrana > pogreb, pokop

sahraniti

sahranjivati, -njujem, -njujući

sajdžija > urar

sajmišni

sakaćenje *prema* sakatiti

sakatiti, sakaćen

sako, sakoa, N mn. sakoi

sakriti, sakrijem

saksofonistica

Saksonac, -nca, V jd. -nče, G mn. -naca

Saksonija

sakupljač > skupljač

sakupljačica > skupljačica

saletavati

saletjeti, -tim, -tio, -tjela, -tjev(ši)

salijetati, salijećem, salijećući, salijetan

salijevati

salitak, -itka, N mn. -ici, -itci, G mn. -itaka

salutak, -utka, N mn. -uci *i* -utci, G mn. -utaka

samački *prema* samac

samardžija > sedlar

samarićanin (*milosrdan čovjek*)

samarij (*kem.*)

Samarijac, -jca, V jd.

Samaritanac, -nca, V jd. -nče (*čovjek iz Samarije*)> Samarijanac > Samarijac; samaritanac, samarićanin (*milosrdan čovjek*)

Samaritanka DL jd. -ki, G mn. -ki (*žena iz Samarije*) > Samarijanka > Samarijka; samaritanka, samarićanka (*milosrdna žena*)
samaštvo
samilost, -ošću *i* osti
samilostan, -sna
samljeti, sameljem
sa mnom
samobitnost, -ošću *i* -osti
Samoborac, -rca, V jd. -rče (*čovjek iz Samobora*); samoborac (*vlak na pruzi Zagreb – Samobor*)
Samoborka DL -ki, G mn. -ki (*žena iz Samobora*)
samoborski; samoborski kolodvor (*u Samoboru*), Samoborski kolodvor (*u Zagrebu*); Samoborsko gorje
samoća
samo da, samo što (*vez.*)
samodrštvo G mn. -tava
samodržac, -ršca, V jd. -ršče, N mn. -ršci, G mn. -ržaca
samodržački
samoglasnički
samohran
samohranost, -ošću *i* -osti
samohvala (*hvaljenje samoga sebe, drugo je* samo hvala, *npr.* samohvala ništa ne vrijedi; to je samo hvala i ništa više)
samohvalisavac, -vca, V jd. -vče, G mn. -vaca
samoistrebljenje *i* samoistrjebljenje
samokritičan, -čna
samokritički
samokritičnost, -ošću *i* -osti
samoobrana
samoodređenje
samoodricanje
samoodržanje
samoposlužnica
samoopredjeljenje
samoopredjeljivanje
samopomoć
samoprevara *i* samoprijevara
samoprijegor
samoprijegoran, -rna; *komp.* samopregorniji
samoprijevara *i* samoprevara
samopročišćenje
samosvijest I jd. -esti *i* -cšću
samosvjestan, -sna
samosvjesnost, -ošću *i* -osti
samosvojnost, -ošću *i* -osti
samotnički
samoubilački
samoubojica

samoubojičin
samoubojstvo
samouče, -čcta, *zb.* -čad
samouk V jd. -uče, N mn. -uci
samouprava
samoupravljač
samoupravljački
samoupravni
samouvjeren
samouvjerenost, -ošću *i* -osti
samovlade
samovlasnički
samovlasnost, -ošću *i* -osti
samovlašće
samozasićenje
samrijeti, -rem, -ri, -rijeh, -rije, -ro, -rla, -rijev(ši), -rv(ši)
samrt I jd. samrti *i* samrću
sam samcat
sanacija
sanacijski
sanatorij
sanatorijski
sančić *um. od* san
sandučak, -čka, N mn. -čci, G mn. -čaka
sandučić
sandučina
sandžački
sandžak N mn. -aci (*pov.*); Sandžak (*zem.*); sandžak-beg
sangviničan
sangvinički
sangviničnost, -ošću *i* -osti
*sanijeti > snijeti
sanitetski
sankcija; Pragmatička sankcija (*pov.*)
sankcionirati
San Marino
sanmarinski
sanskrt
sanskrtski
San Tome i Prinsipe, San Tomea *i* Prinsipea
sanjač
sanjačica
sanjalački
sanjarija
sanjivost, -ošću *i* -osti
sanjkač
sanjkačica
sanjkati se
sanjke
saobraćaj > promet
saobraćajac > prometnik
saobraćajni > prometni

saobraćajnica > prometnica
saobraćati > voziti, prometovati, općiti
saonice
saonički
saopćavati > priopćavati
saopćenje > priopćenje, izjava
saopćiti > priopćiti
sapetost, -ošću i -osti
sapinjač
sapinjača
sapunaričin prema sapunarica
sapundžija > sapunar
sapunjač
sapunjača
sarač > sedlar
Sarajevo
Sarajlija
Sarajka DL jd. -ki, G mn. -ki
sardela > srdela
sarkastičan, -čna
sarkastični
sarkastičnost, -ošću i -osti
sasijecanje
sasijecati (sjeći na komadiće)
sasjecati (isjeći na komadiće)
sasjeckati
sasjeći, sasiječem, sasijeci, sasijekoh, sasiječe, sasjekao, sasjekla, sasječen, sasjekav(ši)
sastavljač
sastavljačica
*sastrag > odostrag, straga
sastrići, -ižem, -izi, -igoh, -iže, -igao, -igla, -ižen, -igav(ši)
sasvim (pril., posve, ali sa svim svojim snagama)
sašiti, sašijem
sat; sat-dva
satelitski
satić
satiričan, -čna
satiričar
satirički
satiričnost, -ošću i -osti
satirik V jd. -iče, N mn. -ici
satisfakcija > zadovoljština
satjerati > stjerati
satnijski prema satnija
satnik V jd. -iče, N mn. -ici, G mn. -ika
saučesnica > sudionica, sudjelovateljica
saučesnik > (su)dionik, ortak
saučešće > sućut, sudjelovanje
Saudijska Arabija
saudijski
savezničin prema saveznica

saveznički
savezništvo G mn. -tava
savijač
savijača
savijačica
savijati
savijenost, -ošću i -osti
savijutak, -tka, N mn. -uci i -utci, G mn. -utaka
savitak, -tka, N mn. -ici i -itci, G mn. -itaka
savitljivost, -ošću i -osti
saviti, savijem
savjesnost, -ošću i -osti
savjest, -cšću i -csti
savjestan, -sna
savjet
savjetnica
savjetničin
savjetnički
savjetnik V jd. -iče, N mn. -ici
savjetnikovica
savjetništvo G mn. -tava
savjetodavac, -vca, V jd. -vče, G mn. -vaca > savjetnik
savjetovalište
savjetovanje
savjetovati, -tujem, -tujući
savkolik
savlađivati, -đujem, -đujući
Savoja
savojski; Eugen Savojski (pov.); Savojske Alpe (zem.)
savrh (prij.)
savrijeti, -rijem i -rem, -ri, -rijeh, -rije, -ro, -rla, -rijev(ši)
savski prema Sava (rijeka); savski most (most na Savi)
sazivač
sazivačica
sazreti, -rem i -rim, -ri, -rch, -re, -reo i -rio, -rela, -rev(ši)
sazrijevanje
sazrijevati
*sazviježđe > zvijezde
sažalijevati, -vam, -vajući
sažeći, -ežem, -eži, -egoh, -žče, -egao, -egla, -ežen -egav(ši)
sažetak, -tka, N mn. -cci i -ctci, G mn. -ctaka
sàžeti, sažanjem
sȁžeti, sažmem, sažmi, sažeh, sažco, sažela, sažct, sažev(ši)
sažetost, -ošću i -osti
saživjeti se, -vim se, -vio se, -vjela se, -vjev(ši) se
sažvakati, sažvačem

scenerija
scenografija
scenografski
scenski
sceptar, -tra > žezlo
scijeniti > misliti, držati
Scila
sebeljubac, -upca, V jd. -upče, G mn. -ubaca
sebeznalost, -ošću i -osti
sebeznao, -ala
sebičan, -čna
sebičnost, -ošću i -osti
sebičnjak V jd. -ačc, N mn. -aci, G mn. -aka
secesija
secesijski
secesionistica
secesionistički
sečentist
sečentistički
sečento
sećija
sedamdesetogodišnjak V jd. -ačc, N mn. -aci
sedamdesetogodišnji
sedamnaest (17)
sedamnaestak
sedamnaesti (17.)
sedamnaestica
sedamnaestina (1/17)
sedamnaestogodišnji
sedamnaestogodišnjica
sedamnaestorica (za muškarce)
sedam-osam
sedampostotni (7%-tni)
sedamsto i sedam stotina (700)
sedamstogodišnji
sedamstogodišnjica
sedamstoti (700.)
sedmerački
sedmogodac, -oca i -odca, N mn. -oci i -odci, G mn. -odaca
sedmogodišnjak V jd. -ačc, N mn. -aci
sedmogodišnji
sedmogodišnjica
sedmokrak
sedmoljetan, -tna
sedmoljetka DL jd. -etki, -etci, -eci, G mn. -etaka i -etki
sedmomjesečni
sedmoškolac, -lca, V jd. -lče
sedmoškolka DL jd. -ki, G mn. -ki
sefardski
seiz > konjušar
seizmički
seizmograf

seizmografski
seizmologija
seizmološki
Sejšeli, -la (mn. m. r.)
sekcija
sekcijski
sekičin prema sckica
sekstilijun (broj)
seksualnost, -ošću i -osti
selac, sclca, V jd. sclčc
selački
selce, sclca, G mn. sclaca, i scocc; Sclca, Sclaca (mn. s. r., zem.)
Selčanin N mn. -ani
Selčanka DL jd. -ki, G mn. -ki
seldžučki
Seldžuk
Seldžukinja
selekcija
selekcijski
selekcionirati
selidba G mn. -daba
selidbeni
selišni prema sclištc
selski; samo u složenicama i kad postoje posebni razlozi, inače scoski: dugosclski, novosclski, pustosclski, Sclska ccsta (u Zagrebu), ali scoska ccsta (svaka cesta u selu)
seljače, -čcta, zb. -čad
seljačić
seljačina
seljački; Scljačka buna (kad je riječ o buni Matije Gupca)
seljak V jd. -ačc, N mn. -aci
seljanče, -čcta, zb. -čad
seljančica
semantički
semasiologija > scmaziologija
semaziologija
semaziološki
semiologija
semitski
senatski
sendvič
senilnost, -ošću i -osti
senior
sentencionalan, -lna
senzacionalan, -lna
senzacionalistički
senzacionalnost, -ošću i -osti
senzibilan, -lna > osjećajan, osjetljiv, tankoćutan
senzualan, -lna

seoce, scoca *i* scocta, N mn. scoca, G mn. sc-
laca, DLl mn. scocima, *i* selce
seoski *prema* selo (*usp.* selski)
separatistički
separe, -rca, N mn. -rci
sepetak, -ctka, N mn. -cci *i* -ctci, G mn. -ctaka
(*sepetić*)
sepetić
septičan, -čna
septički
septilijun (*broj*)
serijski
seriozan, -zna > ozbiljan, svečan
servijeta > ubrus
servis (*služba, usluga*)
serviz > stolno posuđe
servomehanizam
sesija > sjednica, zasjedanje
sestričić
sestrična
sestrić
sestroubojica
sestroubojstvo
Sesvete mn. ž. r. (*zem.*)
sesvetski; Scsvctski Kraljevec
sevdah
sevdalija
sevdalijski
sevdalinka DL jd. -ki, G mn. -ki
sevdalinski
sezati, sežem (*ne* sizati)
sferičan, -čna
sferoid
SFRJ *krat. za* Socijalistička Federativna Re-
publika Jugoslavija (*pov.*)
Shakespeare, Shakcspcarca (*čit.* šckspir, šck-
spira)
Shakespeareov (*čit.* šckspirov)
sharčiti
shema
shematičan
shematski
shizma > raskol
shizofreničar
shizofrenički
shizofrenija
shizofrenik V jd. -ičc, N mn. -ici
shlaptati, -pćem, -pćući
shodan, -dna > primjeren, u skladu s, prema
shodnost, -ošću *i* -osti
shrvati
SHS *krat. za* Kraljevina Slovenaca, Hrvata i
Srba *i* Kraljevina Srba, Hrvata i Slovenaca
(*pov.*)

shvaćanje
shvaćati
shvatiti, -im, shvaćen
shvatljiv
shvatljivost, -ošću *i* -osti
SI *krat. za* sjeveroistok
Sibirac, -rca, V jd. -rče
Sicilija
Sicilijanac, -nca, V jd. -nče
Sicilijanka DL jd. -ki, G mn. -ki
sicilski
sičan, sičana > mišomor
sičanski *prema* Sičc
Siče, Siča (mn. ž. r., *zem.*)
Sičice, Sičica (mn. ž. r., *zem.*)
sić (*vrsta posude*)
sićan (*pjes., sitan*)
sići, sidem, siđi, siđoh, siđe, sišao, sišla,
sišav(ši)
sićušan, -šna
sićušnost, -ošću *i* -osti
Sidonija
sienski *prema* Sicna (*zem.*); Bernardin Sicn-
ski, Katarina Sicnska
sifilitičan, -čna
sifilitičar
sifilitičarka DL jd. -ki, G mn. -ki
Sigečica (*zem.*)
sigetski *prema* Sigct
sigurnost, -ošću *i* -osti
sijač
sijača (*sprava*)
sijačica (*žena*)
sijačina
sijački
sijaći (*prid.*)
sijalica (*sprava za sijanje*) > žarulja
Sijam
sijamski
sijanac, -nca
sijati, sijem, sijući; sijati, sijam (*sjati*)
siječanj, siječnja
siječanjski
sijed, sijeda; *komp.* sjeđi
sijediti, -dim, -dio, -dila, -deći (*činiti sijedim*)
sijedjeti, -dim, -dio, -djela, -deći (*postajati si-
jed, drugo je* sjedjeti)
sijedost, -ošću *i* -osti
sijeđenje *prema* sijedjeti *i* sijediti
sijek N mn. sjekovi
sijelo, sijela
sijence, sijenca *i* sijenceta, *um. od* sijeno
sijeno
sijer (*prid., siv, žućkast*)

sijer N mn. sjerovi > osvit
sijerak, sijerka > sirak
Sijera Leone
sijesta > popodnevni odmor
sijev N mn. sjevovi
sijevak, -vka
sijevanje
sijevati, sijevam, sijevajući
sijevnuti
sikati, sičem, sičući
siktati, sikćem, sikćući
silabički
silazak, -aska, N mn. -asci, G mn. -azaka
siledžija > nasilnik
siledžijski
silicij
silnički
silništvo
silogistički
Silvestar, -tra
simbioza
simboličan, -čna
simens (fiz.)
simetričan, -čna
simfoničar
simfonija
simfonijeta
simfonijski
simpatičan, -čna
simpatičnost, -ošću i -osti
simpatija
simpozij
simptomatičan, -čna
sinčić
sindžir > lanac, verige
sinegdoha DL jd. -hi
sinkroničan, -čna
sinkronija
sinkronijski
sinkronizacija
sinkronizirati
sinoć
sinoćni i sinoćnji
sinodski
sinoptičar
sinoptički
sinoubojica
sinoubojstvo G mn. -tava
sinovac, -vca, V jd. -vče
sinovčev
sinovičin prema sinovica
sintaktički (i sintaksni)
sintetičan, -čna
sintetički

sintetičnost, -ošću i -osti
sinus
sipljiv
sipljivost, -ošću i -osti
Sirač, Sirača (zem.)
sirak, sirka (bot.)
sirčani prema sirak
sirčić um. od sir
*sirće > ocat
*sirćetni > octeni
Sirija
sirijski
sirišni prema sirište
Sirius (astr.)
Siriusov; Siriusov pratilac (astr.)
siroče, -četa, zb. -čad, N mn. -čići
siromah V jd. -ašc, N mn. -asi
siromašak, -ška, V jd. -ašku, N mn. -ašci, G
    mn. -ašaka
siromaški
siromašnost, -ošću i -osti
siromaština
siromaštvo
sirotičin prema sirotica
sirotišni prema sirotište
sirutka DL jd. -utki, -utci i -uci, G mn. -utaka
    i -utki
sisač (teh.)
sisački prema Sisak; Kvirin Sisački; Sisačko-
    -moslavačka županija
sisaći (prid.)
sisavac, -vca, V jd. -vče
sistematičan, -čna > sustavan
sistematičnost > sustavnost
Siščanin N mn. -ani
Siščanka DL jd. -ki, G mn. -ki
sititi, sićen
sitničar
sitničarev i sitničarov
sitničarija
sitničariti
sitničarov i sitničarev
sitničarstvo
sitničav
sitničavost, -ošću i -osti
sitnoća
sitnopjegav
sitost, -ošću i -osti
situacija
situacijski
situacioni > situacijski
situirati
sivac, sivca, V jd. sivče
sivčev

sivert (fiz.)
siviti, sivim, sivio, sivila, sivcći (činiti sivim)
sivjeti, sivim, sivio, sivjela, sivcći (postajati siv)
sivoća
Sizif
sizifovski
siže, sižca, N mn. sižci
sjahati, sjašcm
sjahivati, -hujcm, -hujući
sjecalica
sjecalo
sjecati (sjeckati)
sjecišni
sjecište
sjeckalica
sjeckati
sjêča G mn. sjêčă
sječenje
*sječivo > oštrica
sječimice (oštrimice)
sječina
sječka DL jd. sječki, G mn. sjcčaka i sjcčki
sječkalica
sjećanje
sjećati (se)
sjeći, sijcčcm, sijecijah, sijcci, sjekao, sjckla, sjcčcn, sijckući
sjedaći
sjedalica
sjedalo
sjedati
sjedeći
sjedećke
sjedećki
*sjedeljka > sijclo
sjedenje
sjedilac, -ioca, V jd. -ioče, N mn. -ioci, G mn. -ilaca
sjedilački
sjedine (mn. ž. r.)
sjediniti, -im, sjcdinjcn; Sjedinjenc Američke Državc
sjedinjavanje
sjedinjavati
sjedinjenje
sjedišni
sjedište
sjediti
sjedjelac > sjcdilac
*sjedjeljka > sijclo
sjedjeti > sjcditi
sjednica
sjedničiti

sjednički
sjednuti > sjcsti
sjedobrad
sjedobradac, -aca i -adca, V jd. -ačc i -adčc, N mn. -aci i -adci, G mn. -adaca
sjedoća
sjedoglav
sjedoglavac, -vca, V jd. -včc
sjedokos
*sjeđenje > sjcdcnjc
sjedi komp. od sijcd
sjek
sjekač
sjekira
sjekirčina
sjekiretina
sjekirica
sjekirište
sjeknuti
sjekotina
sjekutić
sjeme, sjcmcna
sjemenar
sjemenarnica
sjemenarski
sjemenarstvo G mn. -tava
sjemence, -cnca i -cnccta, N mn. -cnca, G mn. -cnaca
sjemeni
sjemenica
sjemenik N mn. -ici
sjemenišni
sjemeništarac, -rca, V jd. -rčc
sjemenište
sjemenit
sjemeniti se
sjemenka DL jd. -nci, G mn. -naka i -nki
sjemenovod
sjemenski
sjemenjača
sjemenjak N mn. -aci
sjemenje
sjemešce, -cšca i -cšccta, N mn. -cšca, G mn. -cšaca
sjen > sjcna
sjena
sjenar
sjenara
sjenast (kao sjena)
sjenat (pun sjene)
sjenčati
sjenica; Sjcnica (zem.)
sjeničji prema sjcnica (ptica)
sjenički prema Sjcnica

sjenik N mn. -ici
sjenilo
sjenina *uv. od* sijeno
sjeniti
sjenka DL jd. -nci, G mn. -naka *i* -nki
sjenokos
sjenokoša
sjenomjer
sjenovit
sjenjenje
sjesti, sjednem, sjedi *i* sjedni, sjedoh, sjede, sjeo (sio), sjela, sjedav(ši)
sjeta
sjetan, -tna
sjetilan, -lna
sjetilnost, -ošću *i* -osti
sjetilo > osjetilo
sjetiti (se)
sjetnost, -ošću *i* -osti
sjetva
sjetveni
sjever; Sjever (*sjeverne zemlje i narodi; npr.* rat između Sjevera i Juga u Americi)
sjeverac, -rca
sjeverni; sjeverna Hrvatska (*sjeverni dio Hrvatske*); Sjeverna Amerika (*kontinent*); sjeverna Azija (*sjeverni dio Azije*), Sjeverni pol (*zem.*) *i* sjeverni pol (*na magnetu*); Sjeverni rt (*zem.*); Sjeverno ledeno more; Sjeverno more
sjevernoamerički
sjevernoazijski
Sjevernjača (*zvijezda*)
sjevernjački
sjevernjak V jd. -ače, N mn. -aci
sjevernjakinja
sjeveroistočni
sjeveroistočnjak N mn. -aci
sjeveroistok (*krat.* SI)
sjeverozapad (*krat.* SZ)
sjeverozapadni
sjeverozapadnjak N mn. -aci
sjutra > sutra
SK *krat. za* Savez komunista (*pov.*)
Skadarka DL jd. -ki, G mn. -ki (*žena iz Skadra*); skadarka (*vrsta vinove loze*)
skadarski; Skadarsko jezero
Skadranin N mn. -ani
skakač
skakačica
skakaonica
skakati, skačem
skakavac, -vca, V jd. -vče; Skakavac (*selo kod Karlovca*)

skakavački *prema* Skakavac
skakavčev *prema* skakavac (*zool.*)
skakutati, -ućem, -ućući
skandij (*kem.*)
Skandinavac, -vca, V jd. -vče
Skandinavija
skandinavski; Skandinavski poluotok
skapčati
skautski
skeč
skeledžija > skelar
skeptar, -tra > žezlo
skeptičan, -čna > sumnjičav
skerco (*glaz.*)
SKH *krat. za* Savez komunista Hrvatske (*pov.*)
skica
skicirati
skičati
skija N mn. skije
*skiptar, -tra > žezlo
skitač
skitačica
skitačina
skitalac, -aoca, V jd. -aoče, N mn. -aoci, G mn. -alaca
skitalački
skitalaštvo G mn. -tava
skitati se, skitam se *i* skićem se
skititi, -im, skićen
skitnički
skitništvo G mn. -tava
SKJ *krat. za* Savez komunista Jugoslavije (*pov.*)
skladba G mn. -daba *i* -dbi
skladišni *prema* skladište
skladnoća
skladnost, -ošću *i* -osti
sklerotičan, -čna
sklerotičar
sklerotičarka DL jd. -ki, G mn. -ki
sklerotik V jd. -iče, N mn. -ici
skliskost, -ošću *i* -osti
sklizač *i* klizač
sklizak, -iska; *komp.* skliskiji
sklonost, -ošću *i* -osti
sklupčati
skočac, skočca
skočanjiti se > ukočiti se
skočimiš
skočiti
Skoj *i* SKOJ *krat. za* Savez komunističke omladine Jugoslavije, *sklanja se:* Skoja, Skoju, SKOJ-a, SKOJ-u (*pov.*)
skojevac, -vca, V jd. -vče

skojevka DL jd. -ki, G mn. -ki
skojevski
skokomičan, -čna
skolastički
skončati
skončavati
skopčati
skopčavati
skorjeti se, -ri se, -rio se, -rjela se, -rjev(ši)
skorojević
skoroteča
skotski *prema* skot
skovrčavati
skovrčiti
skračati se (*postati kratak*)
skraćati se (*postati kraći*)
skraćenica (skraćena riječ, npr. auto < automobil, *drugo je* kratica)
skraćenje
skraćivanje
skraćivati, -ćujem, -ćujući
skradinski *prema* Skradin; Skradinski buk (*slap*)
skradski *prema* Skrad
skratiti, -im, skraćen
skrb l jd. skrbi *i* skrblju
skrbničin *prema* skrbnica
skrbnički
skrbnik V jd. -iče, N mn. -ici
skrbništvo G mn. -tava
skretati, skrećem, skrećući
skretničar
skretničarev *i* skretničarov
skretnički
skrhati
skrivač
skrivačica
skrivački
skrivećke *i* skrivećki
skrojiti, skrojim
skrstiti, -im, skršten
skrućivati, -ćujem, -ćujući
skrutiti, -im, skrućen
skrutnuće
skučavati
skučenost, -ošću *i* -osti
skučiti, -im, skučen (*stisnuti, drugo je* skućiti)
skućiti (se), skućen (*steći kuću, drugo je* skučiti)
skuhati
skupljač
skupljačica
skupljački
skupocjen

skupocjenost, -ošću *i* -osti
skupoća
skupsti, skubem, skubao, skubla, skuben, skubući
skvičati, -čim
skvrčati, -čim
skvrčiti
slabačak, -čka
slabičak > slabićak
slabić
slabićak, -ćka, V jd. -ćku, N mn. -ći, G mn. -ćaka
slabiković
slabiti, -bim, -bio, -bila, -beći (*činiti slabim*)
slabjeti, -bim, -bio, -bjela, -beći (*postajati slab*)
slabljenje *prema* slabiti *i* slabjeti
slabobočina
slaboća
slabokrvnost, -ošću *i* -osti
slabost, -ošću *i* -osti
slaboumnik V jd. -iče, N mn. -ici
slaboumnost, -ošću *i* -osti
slabovidnost, -ošću *i* -osti
slačica > gorušica
sladak, slatka; *komp.* slađi
sladić
sladokusac, -usca, V jd. -ušče, N mn. -usci, G mn. -usaca
sladostrastan, -sna > (raz)bludan, požudan
sladostrašće > (raz)bludnost, požuda
slađahan, -hna
slađan
slagač (*tisk.*) > slagar
slagaći (*prid.*, slagaći stroj)
slamčica
slamnjača
slanoća
slanost, -ošću *i* -osti
slanutak, -utka, N mn. -uci *i* -utci, G mn. -utaka
*slaptati > shlaptati
slast l jd. slasti *i* slašću
slastan, slasna
slastičar
slastičarka DL jd. -ki, G mn. -ki
slastičarna > slastičarnica
slastičarnica
slatkoća
slatkohran
slatkojeđa > sladokusac
slatkorek *i* slatkorjek
slatkorječiv
slatkorječivost, -ošću *i* -osti
slatkorjek *i* slatkorek

slatkovodni
Slaven; južni Slaveni, sjeverni Slaveni (zem.);
 Južni Slaveni (kao skupina naroda); Stari
 Slaveni
slavenofopski
slavenstvo (svojstvo); Slavenstvo (svi Slaveni)
Slavetić (zem.)
slavetićki
slavičan, -čna
Slavičin prema Slavica
slavičnost, -ošću i -osti
slavić
slavićak, -ćka, V jd. -ćku, mn. -ći
slavistica
slavistički
slavljeničin
slavljenički
slavodobiće
slavohlepan, -pna
slavohleplje
slavohlepnost, -ošću i -osti
slavoljubivost, -ošću i -osti
Slavonac, -nca, V jd. -nče, G mn. Slavonaca
Slavonče, -četa, zb. -čad
Slavonija
slavonski; Slavonski Brod, Slavonski Kobaš,
 Slavonski Šamac (zem.)
slavonskobrodski (u opreci s bosanskobrod-
 ski, inače brodski)
slavospjev N mn. -pjevi, G mn. -pjeva
slavuj
slavujak, -jka, V jd. -jče, N mn. -jci, G mn.
 -jaka
slavuj-grlo (pjes.)
sleč (bot.)
sleći se, -egnem se, -egni se, -egoh se, -eže se,
 -egao se, -egla se, -egnut, -egav(ši) se
slediti, -edim, sleđen
sleđ N mn. sleđevi
sleđivati, -đujem, -đujući
slegnuće
sletjeti, -tim, -tio, -tjela, -tjev(ši)
sletski prema slet
slezena
sličan, -čna
sličica
sličiti
sličnost, -ošću i -osti
slijed N mn. sljedovi
slijedeći (glag. pril. i prid., drugo je sljedeći,
 slijedeći vuka, istjerao lisicu, sljedeći put,
 usp. sljedeći)
slijediti
slijeđenje

slijegati, slijcžem, slijcži, slijcžući
slijep
slijepac, -pca, V jd. -pče
sljepaš (zool.)
slijepčev
slijepiti, -pim, slijepljen, -pio, -pila (1. zalije-
 piti, 2. činiti slijepim)
slijepjeti, -pim, -pio, -pjela (postati slijep)
slijepljenost, -ošću i -osti
slijepo
slijepost, -ošću i -osti > sljepoća
slijetanje
slijetati, slijećem, slijeći, slijećući
slijev N mn. sljevovi
slijeva (pril.)
slijevati
slikarčić
slikaričin
slistiti, -im, slišćen
sliv > slijev
slivati > slijevati
slobodičica
slobodnjački
slobodnjaštvo
slobodoljubivost, -ošću i -osti
slobodoumnost, -ošću i -osti
slobođenje prema sloboditi
sloboština
slojevitost, -ošću i -osti
slomljenost, -ošću i -osti
slonić i slončić
slonovača (slonova kost) > bjelokost
Slovačka
slovački
Slovak V jd. -ače, N mn. -aci
Slovenac, -nca, V jd. -nče
*slovenački > slovenski
Slovenčev
Slovenija; Republika Slovenija
Slovenka (žena iz Slovenije, drugo je Sla-
 venka)
slovenski prema Slovenija, Slovenac i Sloven-
 ka (drugo je slavenski)
slovenstvo (svojstvo); Slovenstvo (svi Sloven-
 ci, drugo je Slavenstvo)
slovničar
slovnički
slučaj
slučajan, -jna
slučajnost, -ošću i -osti
slučiti se
slućenje prema slutiti
sluh
slušač

slušačica
slušalac, -aoca, V jd. -aočc, N mn. -aoci, G mn.
 -alaca
slušalica
slušaočev
slušaonica
slušče, -čcta, zb. -čad (služinče)
sluškinja
sluškinjica
slutiti, -im, slućen
sluznični prema sluznica
službeničin
službenički
službenik V jd. -ičc, N mn. -ici
služinče, -čcta, zb. -čad
služnost, -ošću i -osti (prav.)
služnjača
sljedba G mn. sljedba i sljedbi
sljedbenica
sljedbenički
sljedbenik V jd. -ičc, N mn. -ici
sljedbeništvo
sljedbenost, -ošću i -osti
sljedeći (prid., usp. slijedeći)
sljeditelj
sljednik V jd. -ičc, N mn. -ici
sljedovati > slijediti, pripadati, primiti
sljedstveno > prema tome, dosljedno
sljeme, sljcmena
sljemeni
sljemenski
sljemenjača
sljepački
sljepar
sljeparev i sljeparov
sljeparija
sljepariti
sljeparov i sljeparev
sljeparstvo
sljepaštvo
sljepica
sljepičin
sljepić
sljepilo
sljepljivati, -ljujcm, -ljujući
sljepočica > sljepoočica
sljepoća
sljepoočica
sljepoočni
sljepoočnica
sljepoočnjača (sljepoočna kost)
sljeporođeni
sljesti, sljczcm (pokr.) > sići
sljez N mn. sljezovi

sljezovac, -vca
sljezovina
sljubiti se, -im sc, sljubljen
sljubljivati, -ljujcm, -ljujući
sljuštiti, -im, sljušten
smaći, smaknem, smakni, smakoh, smače,
 smakao, smakla, smaknut, smakav(ši)
Smail; Smail-aga; Smrt Smail-age Čengića
Smailagić
Smail-agin
Smail-aginica
smaknuće
smalaksalost, -osti i -ošću
smeč (šport.)
smečiti
smećar
smećara
smeće
smećkast i smeđkast > smeđast
smeđ
smeđast
smeđkast i smećkast > smeđast
smeđokos
smětati, smećem, smećući
smétati, smetam, smetajući
smetenjački
smetenjaković
smicač
smijač
smijačica
smijati se, smijem sc, smij sc, smijući sc
smijeh N mn. smijchovi
smijeniti, -im, smijenjen
smijesiti, -im, smiješcn
smiješak, -ška, N mn. -šci, G mn. -šaka
smiješan, -šna; komp. smjcšniji
smiješati, -am, smiješan
smiješiti se, smiješeći sc
smiješno
smiješnost, -ošću i -osti
smijuckati se
smiljeti, smilim, smilio, smiljela, smiljevši
 (polako sići)
smion
smionost, -ošću i -osti
smisao, smisla, N mn. smislovi
smišljenost, -ošću i -osti
smjedbudem (zast., budem smio)
smjehurija
smjehurina
smjel, smjcla
smjelost, -ošću i -osti
smjěna G mn. smjěnā
smjenljiv

smjenjiv
smjenjivati, -njujem, -njujući
smjer
smjeran, smjerna
smjeranje
smjerati
smjeriti
smjernica
smjernost, -ošću i -osti
smjerokaz
smjèsa G mn. smjêsā
smjesta (pril., odmah; ali: s mjesta na kojem
  stojiš...)
smjestište
smjestiti, -im, smješten
smješica
smješkati se
smješljiv
smješljivac, -vca, V jd. -vče, G mn. -vaca
smješljivica
smješljivost, -ošću i -osti
smještaj
smještati
smjeti, smìjēm (drugo je smìjēm se), za buduć-
  nost i smjednem, smio, smjela, smìjūći (dru-
  go je smìjūći se), smjev(ši)
smlačen prema smlačiti; drugo je smlaćen
smlačiti, -im, smlačen
smlaćen prema smlatiti; drugo je smlačen
smlatiti, -im, smlaćen
smlječan, -čna
smljeti, smeljem, smelji, smljeh, smlio, smlje-
  la, smljeven, smljev(ši)
smočan, -čna
smočić um. od smotak
smočiti
smočnica
smoći, smognem, smogni, smogoh, smože,
  smogao, smogla, smogav(ši)
smokovača
smokvača
smokvičica
smotak; smotka, N mn. smoci i smotci, G mn.
  smotaka
smotka, DL jd. smotki, smoci i smotci, G mn.
  smotaka i smotki
smračiti, smračim
smračivati, -čujem, -čujući
smrca i smrtca um. od smrt
smrč N mn. smrčevi > smreka
smrča > smreka
smrčak, -čka, N mn. -čkovi i -čci (gljiva)
smrčev
smrčevina

smrći se, smrknem se, smrkoh se, smrče se
smrdac, smrca i smrdca, N mn. smrci i smrdci,
  G mn. smrdaca
smrdeć
smrdjeti, -dim, -dio, -djela, smrdeći
smrdljivac, -vca, V jd. -vče
smrdljivčev
smrdljivičin prema smrdljivica
smrečak, -čka, N mn. -čci, G mn. -čaka (smre-
  kin plod)
smreka DL jd. -ki
smrekotočac, -čca
smrekovača
smrič > smreka
smrndžati i smrnđati (smrmljati)
smrt I jd. smrti i smrću
smrtnik V jd. -iče, N mn. -ici
smrtnost, -ošću i -osti
smrtonosnost, -ošću i -osti
smr̀zao, -zli, I jd. smrzli i smržlju
smr̀zao, smr̀zla (prid.)
smrzlutak, -utka, N mn. -uci i -utci, G mn.
  -utaka
smučiti se
smućenost, -ošću i -osti
smućivati, -ćujem, -ćujući
smućkati
smuđ N mn. smuđevi
smuđevina
smuđina
smuhati se > smuvati se
smunđati
smušenost, -ošću i -osti
smušenjački
smutiti, -im, smućen
smutljivac, -vca, V jd. -vče
smutljivčev
smutljivičin
smuvati se
*snabdijevanje > opskrba, opskrbljivanje
*snabdijevati > opskrbljivati
*snabdjeti > opskrbiti
*snabdjevač > opskrbljivač
*snabdjevenost > opskrbljenost
snaći, snađem, snađi, snađoh, snašao, snašla,
  snašav(ši)
snaha DL jd. snahi i snasi
snahin
snahovati, -hujem, -hujući
snalažljivost, -ošću i -osti
snast, snašću i snasti
snatrilac, -ioca, V jd. -ioče, N mn. -ioci, G mn.
  -ilaca
snići > sići

snijeg V jd. sniježe, N mn. snjegovi i (pjes.)
snijczi
snijet I jd. snijeti i snijeću
snijeti, snesem, snesi, snijeh i snesoh, snije i
snese, snio, snijela, snesen i snijet, snijev(ši)
snijevati > snivati, sanjati
sniježak, sniješka, N mn. snježci, G mn. sni-
ježaka
sniježan, -žna > snježan
sniježiti, snijcži
sniježnica > snjcžnica
snimač
snimačica
snimački
*snishodljiv > obziran, uslužan, udvoran
snoćati se
snohvatica
snopić
snošljivost, -ošću i -osti
snova (pril.)
snovač
snovača (sprava)
snovačica
snoviđenje
snutak, snutka, N mn. snuci i snutci, G mn.
snutaka
snuždenost, -ošću i -osti
snjegobran
snjegolom
snjegoloman, -mna
snjegopadan, -dna > snjegovit
snjegović
snjegovit
Snjeguljica
Snjeguljičin
Snješka DL jd. -ki
Snješko (ime); snješko (snjegović); Snješko
Bijclić
snjetljiv
snjetljivost, -ošću i -osti
snježan, -žna
Snježan
Snježana
snježànica (voda od snijega); Snjèžanica um.
od Snježana
Snježanin
snježnica (voda od snijega)
Snježnik (zem.)
soareja
sobaričin
sobičak, -čka, N mn. -čci, G mn. -čaka
sobičica um. od sobica
socijalan, -lna
socijaldemokrat

socijaldemokratski
socijalistica
socijalistički
socijalizacija
socijalnost, -ošću i -osti
sociologija
sociološki
Soča
sočan, sočna
sočiti
sočivo > leća
sočnost, -ošću i -osti
soda; soda-voda, soda-vode; soda bikarbona,
sode bikarbone
Sofija (ime, zem.); A ja Sofija (u Carigradu)
Sofijin prema Sofija (ime); Sofijin put (u Za-
grebu)
sofijski prema Sofija (zem.)
sofistica
sofisterija
sofistički
Sofoklo
software, softver > napudbina
soha DL jd. sohi
sojeničar
sojeničarski
sokač > kuhar
sokačić > uličica
sokolić
sol I jd. soli i solju
soldačija
soldačina
soldatski
solfeđirati
solfeđo i solfeggio
solidarnost, -ošću i -osti
solistica
solistički
solmizacija
solnjača
solo (glaz.); solo instrument, solo pjevanje
Solomonski otoci (otočje); Solomonski Otoci
(država)
solsticij
solucija
Solun (zem.)
solunac, -nca, V jd. -nče (pov., borac na solun-
skoj fronti)
Solunjanin N mn. -ani (čovjek iz Soluna)
Solunjanka DL jd. -ki, G mn. -ki
solventnost, -ošću i -osti
Somalija (zem.)
somalski prema Somalija
somčina

somić
somlji *prema* som
sonantni
sonetni
sonornost, -ošću *i* -osti
Sopoćanin N mn. -ani (*čovjek iz Sopota*)
sopranistica
soptati, sopćem, sopćući
SOS *međunarodna krat. za pomoć* (*engl.*
Save our souls – Spasite naše duše)
sovjet (*rus.*, vijeće); Sovjeti (*publ. za SSSR,
pov.*)
sovjetski; Sovjetski Savez (*publ. za SSSR, pov.*)
spacij > razmak
spacionirati > razmaknuti
spačka DL jd. -ki, G mn. -čaka *i* -čki
Spačva (*zem.*)
spahija > vlastelin, (vele)posjednik
spahijski
spahiluk > vlastelinstvo
spajač
spanđati se
spasilac, -ioca, V jd. -ioče, N mn. -ioci, G mn.
-ilaca
spasiočev
spasitelj; Spasitelj (*Isus*)
spasiteljičin
spasiti, -im, spašen
Spasovdan > Spasovo
spåsti, spadnem (påsti, spasti s nogu)
spåsti > spasiti
spati, spim (*običnije* spavati)
spavač
spavačica (*žena koja spava, drugo je* spava-
ćica)
spavački
spavaći (*prid.*)
spavaćica (*košulja za spavanje, drugo je* spa-
vačica)
spavaćiv
spavaćivost, -ošću *i* -osti
specifičan, -čna
specifičnost, -ošću *i* -osti
specijalan, -lna
specijalizacija
specijalizirati
specijalnost, -ošću *i* -osti
specijalistički
speći, spečem, speci, spekoh, speče, spekao,
spekla, spečen, spekav(ši)
spektakl
spekulacija (*fil.*, usp. špekulacija)
spekulativan, -vna
spiker

spikerica
spilja > špilja
spiritistički
spjev N mn. spjevovi
spjevati
spjevavati
splačine
spletati, splećem, spleći, splećući
spletka DL jd. -tki, G mn. -taka *i* -tki
Splićanin N mn. -ani
Splićanka DL jd. -ki, G mn. -ki
Split
splitski; Splitsko-dalmatinska županija
spočitavati
spočitnuti
spojiv
spojivost, -ošću *i* -osti
spojka DL jd. -ici, G mn. -jaka *i* -jki
spojni
spojnica
spojnik N mn. -ici
spokojnost, -ošću *i* -osti
spol
spolni
spolnost, -ošću *i* -osti
spomen; spomendan; spomen-dom, spomen-
-knjiga, spomen-ploča
spončica
spopasti, spopadnem
sporadičan, -čna > rijedak, mjestimičan
sporazumijevanje
sporazumijevati se
sporazumjeti se, -mijem se, -mjeh se, -mij se,
-mio, -mjela, -mjev(ši)
sporiječiti se > porječkati se
sporječkati se > porječkati se
sport > šport
sportaš > športaš
sportašica > športašica
sport-klub > športaški klub
sportski > športski
spotaći se, -aknem, -akni, -akoh, -ače, -akao,
-akla, -akav(ši)
spoticaj
spoticati se, -ičem se, -ičući se
spraćati
spratiti, -im, spraćen
spravljač
spravljačica
sprčkati
sprdac, sprdca, N mn. sprdci, G. mn. sprdaca
sprdačina
Spreča (*rijeka*)
sprečavati *i* sprječavati

sprečki *prema* Spreča
spreći, -egnem, -egni, -egoh, -čžc, -egao, -egla, -egnut, -egav(ši)
sprega DL jd. -czi
spremač
spremačica
spremišni
Spreva (*rijeka, njem.* Spree)
spriječenost, -ošću *i* -osti
spriječiti, -im, spriječen
sprijeda
sprijeka (*pril., s druge strane*)
sprint
sprinter
sprječavati *i* sprečavati
sprovađati
sprovesti, -edem, -edi, -edoh, -eo, -ela, -eden, -edav(ši) *i* -ev(ši)
sprovodnički
spučiti
sprtiti, -im, sprćen
sprva (*pril.*)
sračunanost, -ošću *i* -osti
sračunati, -am, sračunan
sračunavati
srađati se *prema* sroditi se
srameć
sramežljivac, -vca, V jd. -vče
sramežljivost, -ošću *i* -osti
sramoćenje *prema* sramotiti
sramotiti, -im, sramoćen
sramotnički
srasti, srastem, srasti, srastoh, srastao, srasla, srašten, srastav(ši)
sraśćivati, -ćujem, -ćujući
srazmjer > razmjer, omjer
Srbija; Republika Srbija
Srbijanac, -nca, V jd. -nče, G mn. -naca (*čovjek iz Srbije*)
Srbijanče, -eta; *zb.* Srbijančad
Srbijančev
Srbin, -a, N mn. Srbi
*srč, srča > hrast
srč, srči (*srčika u drveta*)
srčak, srčka, N mn. srčci, G mn. srčaka (*mali srk*)
srčan, srčana
srčanica
srčanik N mn. -ici
srčanost, -ošću *i* -osti
srčenjak
srčetina
srčika DL jd. -ici *i* -iki, G mn. -ika
srdačan, -čna

srdačnost, -ošću *i* -osti
srdašce, -ca *i* -ceta
srdela (*riba*)
srdjela > srdela
srdžba
Srd (*zem.*)
srđenje *prema* srditi
srebroljubac, -upca, V jd. -upče, D mn. -ubaca
sreća; Sreća (*poosobljeno*)
*srećan > sretan
srećka DL jd. -ćki, G mn. -ćaka *i* -ćki
srećko; Srećko (*ime*)
srećković (*razg., sretnik*)
*srećnica > sretnica
*srećnik > sretnik
srećolovac, -vca, V jd. -vče, G mn. -vaca
srećom (*pril.*)
srećonosan, -sna
sred (*prij.*)
sredica
sredina
središnji
središnjica
središte
srednjak V jd. -ače
srednji; Srednji istok, *drugo je* srijedni
srednjoafrički; Srednjoafrička Republika
srednjoamerički
srednjoeuropski
srednjoistočni
srednjonjemački
srednjoročni
srednjoškolac, -lca, V jd. -lče
srednjoškolka DL jd. -ki, G mn. -ki
srednjoškolski
srednjovjekovni
sredo- *u složenicama:* sredozemni, sredonosni
*sredokraća > središte, sredina
sredovječan, -čna (*koji je srednjih godina*)
sredovječje
sredovječnost, -ošću *i* -osti
sredovjekovni > srednjovjekovni
Sredozemac, -mca, V jd. -mče
Sredozemka DL jd. -ki, G mn. -ki
sredozemni; Sredozemno more
sredozemski > sredozemni
sredstvo
sređen *prema* srediti
sređenost, -ošću *i* -osti
sređivač
sređivačica
sređivački
sređivanje
sređivati, -đujem, -đujući

Sremac *i* Srijcmac (*prezimena*), *v.* Srijemac
sremački *i* srjemački *prema* Srijcmac
Sremica *i* Srjemica
Sremičin *i* Srjemičin
Sremkinja > Sr(j)emica
sremski, srjemski *i* srijemski
sresti, srctnem, sretni, sretoh, sreo *i* srio, srela, srev(ši) *i* sretav(ši)
sretalac, -aoca, V jd. -aoče, N mn. -aoci, G mn. -alaca
sretan
sretati, srećem, sreći, srećući
sretnica
sretnik V jd. -iče, N mn. -ici
srh N mn. srsi
SRH (*pov.*) *krat. za* Socijalistička Republika Hrvatska
sricati, sričem, srići, sričući
srijeda; Čista srijeda (*blagdan*)
srijedni (*koji se odnosi na srijedu*), *drugo je* srednji
srijeđ, -a (*srednja duga u bačve*)
Srijem (*zem.*)
Srijemac, -mca, V jd. -mče (*etn. i prezime*)
Srijemčev
Srijemčica
srijemski, sremski *i* srjemski
srijemuš *i* srijemuž > divlji luk, medvjeđi luk
srijemuša *i* srijemuža > divlji luk, medvjeđi luk
srijеš, -a
sriješni
Srjemica *i* Sremica
Srjemičin *i* Sremičin
srjemski, sremski *i* srijemski
srkati, srčem, srči, srčući
srnče, -četa, *zb.* -čad
srndać
srneći; srneći but
SRNJ *kratica za* Savezna Republika Njemačka
sročan, sročna
sročit
sročiti
sročnost, -ošću *i* -osti
sroditi, srođen, srodeći
srodnički
srodstvenički > srodnički
srođenost, -ošću *i* -osti
srođivati se, -đujem se, srođujući se
srpača
Srpče, -eta, *zb.* Srpčad, Srpčadi
Srpčić
srpić
Srpkinja

Srpkinjin
srpski
Srpstvo (*svi Srbi*)
srpstvo (*osobina*)
SRS (*pov.*) *krat. za* Socijalistička Republika Srbija
SRS (*pov.*) *kratica za* Socijalistička Republika Slovenija (*slovenski* LJRS, *tj.* Ljudska Republika Slovenija)
sršljen > stršljen
sručiti (se)
sručivanje
sručivati (se), -čujem (se), sručujući (se)
sruke (*pril.*)
srvati *i* shrvati
SSH (*pov.*) *kratica za* Savez sindikata Hrvatske
SSRNH (*pov.*) *kratica za* Socijalistički savez radnog naroda Hrvatske
SSSR (*pov.*) *krat. za* Savez Sovjetskih Socijalističkih Republika
stabljičica
stabljika DL jd. -ci
staći > staknuti
stadij
stadion > igralište
stajačica (*npr. voda, zvijezda*)
stajaći (*npr.* stajaća haljina)
stajaćica (*npr. stajaća, tj. svečana haljina*); *drugo je* stajačica
stajalište
stajati, stojim, stojeći
stakalce, -lca *i* -lceta
staklaričin *prema* staklarica
staklarna > staklarnica
staklarnica
staklenički
staklenka DL jd. -nci, G mn. -nki
stakliti se, staklеći se
staklo G mn. stakala
staklopuhač
staklopuhački
stakloreščev
staklorezac, -esca, V jd. -ešče, G mn. -ezaca
staklorezački
staknuti, -nem
stalac, stalca
Stalać, Stalaća (*zem.*)
stalan, stalna
staleš > stalež
stalež, staleža
***stališ** > stalež
stambeni; stambeni prostor
stanaričin *prema* stanarica

stančati (se)
staničica *um. od* stanica
staničje
*staučki > stanični
stanični
Stanislav
stanka DL jd. -ci, G mn. -ki
Stanka DL jd. -ki (*ime*)
stankovački (*koji se odnosi na Stankovce*)
Stankovci G mn. -vaca (*zem.*)
stanodavac, -vca, V jd. -vče, G mn. -vaca
stanodavčev
stanodavka DL jd. -ki, G mn. -ki
stanovište > stajalište, gledište
stanovničin *prema* stanovnica
stanovnički
stanovnik V jd. -iče, mn. -ici
stapčica
stapka DL jd. -ci, G mn. -ki *i* -paka
star *komp.* stariji; Stari zavjet (*knjiga*)
staračac, staračca, G mn. staračaca
starački; staračka mirovina
staralac, staraoca, G mn. staralaca > staratelj,
   skrbnik
staralački
staraočev
Stara Pazova (*zem.*)
Stara planina (*zem.*)
starateljičin *prema* strateljica
starčev
Starčević (*prezime*)
starčevićanac, -nca, V jd. -nče, G mn. -naca
   > starčevićevac
starčevićanka DL jd. -ki, G mn. -ki
starčevićanski
starčevićevac, -vca, V jd. -vče, G mn. -vaca
starčić *um. od* starac
starčina *uv. od* starac
starenje *prema* starjeti
starež, stareži
staričin *prema* starica
starić *um. od* star (*žitna mjera*)
Starigrad (*zem., mjesto pod Velebitom*)
Stari Grad (*zem., mjesto na Hvaru*)
starigradski *prema* Starigrad
Starigrađanin mn. -ani (*čovjek iz Starigrada*)
Starigrađanka DL jd. -ki, G mn. -ki (*žena iz
   Starigrada*)
Stari Slaveni
Stari svijet (*zem., Europa, Azija, Afrika*)
stari zavjet (*razdoblje*)
Stari zavjet (*knjiga*)
starješica > starješinica
starješičin > starješiničin

starješina
starješinica
starješiničin
starješinski
starješinstvo G mn. -stava
*starještvo > starješinstvo
starjeti, starim, stario, starjela, stareći (*posta-
   jati star*)
staro *u složenicama:* starocrkvenoslavenski,
   starokatolik, Staroturci
starodrevan, -vna
starodrevnost, -ošću *i* -osti
starogradski *prema* Stari Grad
Starograđanin mn. -ani (*čovjek iz Staroga
   Grada*)
Starograđanka DL jd. -ki, G mn. -ki (*žena iz
   Staroga Grada*)
starograđanski *prema* Stari Grad
starogrčki
starohrvatski
starokatolički; Starokatolička crkva
starokatolik V jd. -iče, mn. -ici
staroklasični
starokršćanski
staroličan, -čna
staronjemački
starosjedilac, -ioca, V jd. -ioče, G mn. staro-
   sjedilaca
starosjedilački
starosjediočev
starosjelac, -sioca, V jd. -sioče, G mn. starosje-
   laca
starosjelački
staroslavenski *prema* Stari Slaveni
*staroslovenski > staroslavenski; *drugo je* sta-
   roslovenski *prema* stari Slovenci
starosvjetski *prema* Stari svijet
starovisokonjemački
starovječan, -vna *i* starovjek
starovjekovni
starovjerac, -rca, V jd. -rče, G mn. starovjeraca
starovjeran, -rna
starovjerje
starovjerka DL jd. -ki, G mn. -ki
starovjerski
starovjerstvo G mn. -stava
starovremen
starovremenski
starovremešan, -šna
starozavjetni *prema* Stari zavjet; starozavjetne
   knjige
start
startni; startni broj
statičan, -čna

statički
statičnost, -ošću i -osti
statist
statistica
statističar
statističarka DL jd. -ki, G mn. -ki
statistički
statistkinja > statistica i statističarka
statua, statue
statum
status; status quo, G jd. statusa quo
statut
stečaj
stečajni; stečajni postupak
stečajnina
stečevina > tečevina
stečnik
stećak, stećka, mn. stećci, G mn. stećaka
steći, stečem, stečen
stega DL jd. -zi
steon; steona krava
sterilizacijski
stezač
stezljiv i stežljiv
*sticaj > stjecaj; stjecaj okolnosti
sticati, stičem prema staći (staknuti)
*sticati (prema steći) > stjecati
stići, stignem i stignuti
stidjeti se, stidim se, stiđah se, stidio se, stidjela
 se, stideći se
stidljiv
stidničin prema stidnica
stidnički prema stidnica
stiđenje prema stidjeti se
stignuti, -nem i stići
stih mn. stihovi
stihija
stihijski
stihotvorac, -rca, V jd. -rče, G mn. -raca
stihotvorčev
stihotvorstvo G mn. -stava
stijeg mn. stjegovi i (pjes.) stijezi
stijena
stijenka DL jd. -nci, G mn. stijenaka i stijenki
stijenj
stijenjak, stijenjka, mn. stijenjci prema stijenj;
 drugo je stjenjak
stijenje zb. od stijena
stijenje zb. od stijenj
Stijepo i Stjepo hip. od Stjepan
stijesniti, stiješnjen
stiješnjenost, -ošću i -osti
stilist
stilistički

stilistika DL jd. -ici
stipendija
stipendist
stipendistica
stipendističin
stiskačica
stiskati, stiskam i stišćem, stiskaj i stišći, stis-
 kajući i stišćući
stizavati > stizati
stjecaj
stjecanje prema stjecati
stjecati, stjecem, stječući prema steći; drugo je
 sticati, stičem prema staći (staknuti)
stjecišni
stjecište
*stječaj > stečaj
stječnik mn. -ici (koji stječe)
stjegonosan, -sna
stjegonoša
stjenica
stjeničarka DL jd. -ki, G mn. -ki
stjeničast
stjeničav
Stjeničnjak (zem.)
stjenovit
stjenovitost, -ošću i -osti
stjenjak mn. stjenjaci (stijenje); drugo je sti-
 jenjak
Stjepan (ime)
Stjépin prema Stjépo
Stjepko
Stjépo i Stijepo hip. od Stjepan
Stjepoje (ime)
stjerati
stjerivati, -rujem, stjerujući
stješnjavati, stješnjavajući i stješnjivati
stješnjenje
stješnjivati, -njujem, stješnjujući i stješnja-
 vati
stjuard
stjuardesa
stlačiti
stlačivati, -čujem, -čujući
*sto > stol (dio pokućstva)
sto (broj 100); sto jedan i sto i jedan (101), sto
 dvadeset jedan i sto dvadeset i jedan (121)
Stoborac, -rca, V jd. -rče, G mn. Stoboraca pre-
 ma Stoborje
Stoborje (zem.)
stoborski
Stoborje DL jd. -ki, G mn. -ki prema Stoborje
Stobreč (zem.)
stočan, stočna
Stočanin mn. -ani prema Stolac

Stočanka DL jd. -ki, G mn. -ki
stočar
stočarina
stočariti, stočareći
stočarski
stočarstvo G mn. -stava
stočić > stolčić
stočlan
stoga (*pril. i vez.*)
stogodišnji (100-godišnji)
stogodišnjica (100-godišnjica)
stoicizam, -zma
stoički
*stojati > stajati
stojećke *i* stojećki
stokućanin mn. -ani
stokućanka DL jd. -ki, G mn. -ki
stol; Stol sedmorice (*pov.*)
stolac, stolca, G mn. stolaca
Stolac G Stoca (*zem.*)
stolački *prema* Stolac
stolčić *um. od* stolac; *drugo je* stolić
stolica; Sveta Stolica (*vatikanska država*)
stoličica *um. od* stolica
stolički
stolični
stolić *um. od* stol; *drugo je* stolčić
stolni; stolni tenis; Stolni Biograd (*pov.*)
stolnotenisač
stolnotenisačev
stolnotenisačica
stolnotenisačičin
stolnoteniski
stolnjak mn. -aci
stoloravnatelj
stoljeće
stoljetni
*stomačić *um. od* stomak > želučić *i* želudčić
*stomačina *uv. od* stomak > želučina *i* želud-
    čina
*stomačni > želučani
Stonski rat (*Pelješac*)
sto posto (100 %)
stopostotni (100 %-tni)
stoput (*pril.*) *i* sto puta
stostruk (*umnožni broj*)
stoti (100.); stota obljetnica
stotinarka *i* stotinjarka DL jd. -rci, G mn. -rki
stotinjača
stotinjarka *i* stotinarka
stovarište
strać
straćara
straćiti

stradalac, stradalca *i* stradaoca, V jd. stradalče
    i stradaoče, G mn. stradalaca
stradalački
stradalnički
stradalnik V jd. -iče, mn. -ici
straga (*pril.*)
strah
Strah (*poosobljeni pojam*)
strahić (*strašivica*)
Strahimir (*ime*)
Strahinčica (*zem.*)
Strahinja (*ime*)
strahoća (*strahota*)
strahopočitanje *i* strahopoštovanje
strahor
strahota
strahotan, -tna
strahotnost, -ošću *i* -osti
strahovati, -hujem, -hujući
strahovit
strahovitost, -ošću *i* -osti
strahovlada
stranputica
stran (*zast.*) > strana
stranački
strančar
strančarenje
strančarev *i* strančarov
strančariti, strančareći
strančarka DL jd. -ki, G mn. -ki
strančarov *i* strančarev
strančarski
strančarstvo G mn. -stava
strančev
strànčica *um. od* strana
strânčica *um. od* stranka
strančiti se, strančeći se
stranputica
stranputice (*pril.*)
stranputičiti, stranputičeći
stranjski > stranski
strast l jd. strašću *i* strasti
strastan, strasna > strastven
strastven
strašiti, strašen, strašeći
strašljiv
strašljivac, -vca, V jd. -vče, G mn. -vaca
strašljivčev *prema* strašljivac
strašljivica
strašljivičin *prema* strašljivica
strašljivost, -ošću *i* -osti
strategičar
strategičarev *i* strategičarov
stratišni

stratište
stravičan, -čna
stražarče, -cta, *zb.* stražarčad
stražarčiti, stražarčeći
stražarnica
stražnjonepčani; stražnjoncpčani suglasnik
strčati (se), -im (se)
strčiti, strčeći > stršiti
strći > strgnuti
streha DL jd. -hi
strelast *i* strjelast
strelica *um. od* strijela *i* strjelica
streličast *i* strjeličast
strelimice *i* strjelimice
strelimičan, -čna *i* strjelimičan
strelišni *i* strjelišni
strelište *i* strjelište
strelomet *i* strjelomet
strelovit *i* strjelovit
streljač *i* strjeljač
streljačica *i* strjeljačica
streljačičin *i* strjeljačičin
streljački *i* strjeljački
streljačnica *i* strjeljačnica
streljana *i* strjeljana
streljara *i* strjeljara
streljivo *i* strjeljivo
stremenjača
stremljenje > težnja
strepjeti, strepim, strepljah, strepio, strepjela, strepeći
strepnja
strešica *um. od* streha
stric V jd. striče, mn. stričevi
stričak, strička, mn. stričci
stričan, stričana (*očev rođak*)
stričev
stričević
stričić
stričićna (*bratučeda*)
stričkovac, -vca (*leptir*)
strići, strižem... strigu, strizijah (strižah), strizi, strigući, strižen
strigač
strihnin
strijeka DL jd. -cci
strijela
strijelac, -lca, V jd. -lče, G mn. -laca
strijelčev
strijelnica
strijeljanje
strijeljati, strijeljajući
strijež, striježa, mn. striježevi
strizibuba

Strizivojna (*zem.*)
striženo-košeno
strjelast *i* strelast
strjelica *i* strelica
strjeličast *i* streličast
strjelimice *i* strelimice
strjelimičan, -čna *i* strelimičan
strjelišni *i* strelišni
strjelište *i* strelište
strjelomet *i* strelomet
strjelovit *i* strelovit
strjeljač *i* streljač
strjeljačica *i* streljačica
strjeljačičin *i* streljačičin
strjeljački *i* streljački
strjeljačnica *i* streljačnica
strjeljana *i* streljana
strjeljara *i* streljara
strjeljivo *i* streljivo
strmogleđa
strog *komp.* stroži
strogoća > strogost
***strojač** > štrojač
strojarnički
***strojiti** > štrojiti
strojničar
strojnički
strojopisač
strojopisačev
strojopisačica
strojopisačičin
strojovođa
stroncij
strpjeti (se), -pim (se), -pio (se), -pjela (se)
strpljenje
strpljiv
stršen > stršljen
stršljen
stručak, stručka, mn. stručci, G mn. stručaka
stručan, stručna; stručni ispit
stručati
stručica
stručić
stručnost, -ošću *i* -osti
stručnjački
stručnjak V jd. -ače, mn. -aci
stručnjaštvo G mn. -štava
strugač
strugačica
strujati, strujim, strujeći *i* strujiti
strujomjer
strukovnjački
strunjača
strunjičar

Stubičanac, -nca, V jd. -nče, G mn. -anaca *i*
  Stubičanin mn. -ani
Stubičanka DL jd. -ki, G mn. -ki
stubički; Stubičke Toplice (*mjesto*), Stubičke
  toplice (*toplice*)
stući, stučem
studenčev
studeni, studenoga, studenomu (*mjesec u go-*
  dini) (1. studenoga *čit.* prvoga studenoga)
student
studentica
studentičin
studentski
studij mn. studiji (*proučavanje*)
studija (*znanstvena rasprava*)
studije mn. ž. r. (*studiranje na sveučilištu*)
studio, -ija (*radna prostorija*)
*studijum > studij
studjeti (studi *vrijeme, studeno je*), stuđaše,
  studio, studjela, studeći
stuđenje *prema* studjeti
stuhać
stupčić *um. od* stupac
stupčina *uv. od* stup
Stupničanin mn. -ani (*čovjek iz Stupnika*)
Stupničanka DL jd. -ki, G mn. -ki
stupnički *prema* Stupnik
stvar 1 jd. stvarju *i* stvari
stvarač
stvaračev
stvaračica
stvaračičin
stvarački
stvaralac, -aoca, V jd. -aoče, G mn. stvaralaca
stvaralački
stvaralaštvo G mn. -štava
stvaraličin *prema* stvaralica
stvaraočev *prema* stvaralac
stvarateljičin *prema* stvarateljica
stvarčica
stvorenje
Stvoritelj (*Bog*)
subesjednica
subesjedničin
subesjednički
subesjednik V jd. -iče, mn. -ici
subjekt
subjektivist
subjektivistički
subjektivnost, -ošću *i* -osti
subjektni
subjel
subjelast
subjelkast

subliže
suborac, -rca, V jd. -rče, G mn. -raca
suborački
Subotičanin mn. -ani
Subotičanka DL jd. -ki, G mn. -ki (*žena iz*
  Subotice)
subotički *prema* Subotica
subpapilaran, -rna
subpolaran, -rna
subraća
sučelice (*pril.*)
sučeliti se, sučeljen
sučeljavanje *i* sučeljivanje
sučeljavati (se), sučeljavajući (se) *i* sučeljivati
  (se)
sučeljivanje *i* sučeljavanje
sučeljivati (se), sučeljujući (se) *i* sučeljavati
  (se)
sučev *prema* sudac
sučovjek (*bližnji*), mn. suljudi
*sućanstvo > bivstvo, bit
Sućurac, -rca (*zem.*); Kaštel Sućurac
Sućuraj (*zem.*)
sućurajski *prema* Sućuraj
Sućurčanin mn. -ani (*čovjek iz Sućurca*)
Sućurka DL jd. -ki, G mn. -ki
sućurski *prema* Sućurac
sućut
sućutan, -tna
sud mn. sudovi; Vrhovni sud RH
sudac, suca, V jd. suče, mn. suci, G mn. sudaca
sudački; sudački ispit
sudić
*sudija > sudac
sudionički
sudište
suditi, suđah, suđen, sudeći
sudjelovanje
sudjelovati, -djelujem, -djelujući
sudnički
sudski
sudstvo G mn. -stava
suđe *i* posuđe
suđenica
suđeničin
suđenički
suđenje *prema* suditi
sueski; Sueski kanal
Suez
suglasan, -sna
suglasiti se
suglasnički
suglašavati se, suglašavajući se *i* suglašivati se,
  suglašujući se

sugluh
sugrađanin mn. -ani
sugrađanka DL jd. -ki, G mn. -ki
sugrađanski
suh *komp.* suši
suhača
suhačak, -čka
suhad, suhadi, I sg. -ađu *i* -adi
suhaja
suharak, -rka, mn. -rci, G mn. -raka
suhatka DL jd. -ki, G mn. -ki
suhoća > suhost
suhojedica
suhomeđina
suhomesnat
suhonjav
suhonjavost, -ošću *i* -osti
suhoparan, -rna
Suhopolje (*zem.*)
suhost, -ošću *i* -osti
suhotan, -tna
suhotinja
Suhovare (*zem.*) mn. ž. r.
suhozeman, -mna
suhozid
suhržica > suržica > suražica
suigrač
suigračev
suigračica
suigračičin
*sujetan, sujetna > tašt
sujevjeran, -rna > praznovjeran
sujevjerje > praznovjerje
sujevjernost, -ošću *i* -osti > praznovjernost
sujevjerstvo G mn. -stava > praznovjerstvo
sukač
sukati, sučem, suči, sučući
suključar
suključarev *i* suključarov
suknenjača
sukrvičast
sukrvičav
Sulejman; Sulejman-aga, Sulejman-beg, Sulejman-efendija, Sulejman-paša, Hadži-Sulejman, Hadžisulejmanpašić
suličar
suličast
suložničin *prema* suložnica
suložnički
sulud (*prid.*)
sumagličast
sumahnit
sumeđa
sumišljenik V jd. -iče, mn. -ici

sumjesa
sumještanin mn. -ani
sumještanka DL jd. -ki, G mn. -ki
sumnjičav
sumnjičavac, -vca, V jd. -vče, G mn. -vaca
sumnjičavčev
sumnjičavica
sumnjičavičin
sumnjičavost, -ošću *i* -osti
sumnjičenje
sumnjičiti, sumnjičeći
sumnjiv
sumnjivac, -vca, V jd. -vče, G mn. -vaca
sumnjivčev
sumnjivica *i* sumnjivka
sumnjivičin
sumnjivka DL jd. -ki, G mn. -ki *i* sumnjivica
sumnjivost, -ošću *i* -osti
sumporača
sumračak, -čka, mn. -čci, G mn. -čaka
sumračan, -čna
sumračić
sumračina
sumračiti se, sumračeći se
sumračje
sumračnik V jd. -iče, mn. -ici
sumračnost, -ošću *i* -osti
sunarodničin *prema* sunarodnica
sunarodnički
sunarodnjački
sunarodnjak V jd. -ače, mn. -aci
sunasljednica
sunasljedničin
sunasljednički
sunasljednik V jd. -iče, mn. -ici
sunašce, sunašca
sunce G mn. sunaca
Sunce (*astr.*); Kralj Sunce (*pov.*, Luj XIV.)
suncobran
sunčac (*bot.*)
sunčan, sunčana (*pun sunca, obasjan suncem*)
sunčani; sunčane zrake
sunčanica
sunčanik mn. -ici
sunčanje
sunčarica
sunčati se, sunčajući se
sunčev > sunčan
Sunčev *prema* Sunce
sunčević
Sundajsko otočje
*sunđer > spužva
sunećenje *prema* sunetiti
suočavanje

suočavati, suočavajući
suočenje
suočiti (se)
suočivanje > suočavanje
suočivati, suočujući > suočavati
suodgovoran, -rna
suodgovornost, -ošću i -osti
suosjećaj
suosjećajan, -jna
suosjećajnost, -ošću i -osti
suosjećanje
suosjećati, suosjećajući
suosnivač
suosnivačev
suosnivačica
suosnivačičin
suparničin prema suparnica
suparnički
supatničin prema supatnica
supatnički
supermoderan, -rna
superradikalan, -lna
superrevizija
supersoničan, -čna; supersonična brzina
supertvrđava
supkultura
suplemeničin prema suplemenica
suplemenički
suposjednički
suposjednik V jd. -iče, mn. -ici
supotpis
suproć(u)
suproćenje prema suprotiti se
suprotstaviti (se)
supskribirati > potpisati
supskripcija
supstandardan, -dna
supstantiv > imenica
supstantivirati > poimeničiti
supstitucija
supstituirati
supstrat
suptrahirati, suptrahirajući
suptropski
suputničin prema suputnica
suputnički
suradničin prema suradnica
suradnički
surađivački
surađivanje
surađivati, -đujem, -đujući
Surčin (zem.)
Surčinac, -nca, jd. -nče, G mn. -naca
Surčinka DL jd. -ki, G mn. -ki

surčinski prema Surčin
suriješiti
surutka DL jd. -ki, G mn. -ki
suržica
suseljanka DL jd. -ki, G mn. -ki
susjed G mn. susjeda
susjeda G mn. susjeda
susjedica
susjedičin
susjedni
susjednički
susjedništvo G mn. -štava
susjednost, -ošću i -osti
susjedstvo G mn. -stava
suslijed
susljedan, -dna
susljednost, -ošću i -osti
susnježica
susreća
susresti, susretnem
susretati, -am i -ćem, -etajući i -ećući
sustav; jezični sustav
sustavni
sustavnost, -ošću i -osti
sustežljiv
sustići i sustignuti
Sustjepan (zem.)
Sušačanin mn. -ani prema Sušak
Sušačanka DL jd. -ki, G mn. -ki
sušački prema Sušak
suši komp. od suh
sušičav prema sušica (tuberkuloza)
sušičavac, -vca, V jd. -vče, G mn. -vaca
sušičavčev
sušičavica i sušičavka
sušičavičin
sušičavka DL jd. -ki, G mn. -ki i sušičavica
sušičavkin
sušičavost, -ošću i -osti
sušti
suština > bivstvo, bit
sutjeska DL jd. -sci, G mn. -saka i -ski
Sutjeska (zem.)
sutjeski (prid.)
Sutješćanin mn. -ani
Sutješćanka DL jd. -ki, G mn. -ki
sutra
sutradan (pril.)
sutraveče i sutravečer
suučenik V jd. -iče, mn. -ici
*suučesnik > sudionik
*suučešće > sudjelovanje
suurednik V jd. -iče, mn. -ici
*suv > suh

suviše (*pril.*)
suvjerica
suvlasničin *prema* suvlasnica
suvlasnički
suvraćanje
suvraćati, suvraćajući
suvremen
suvremenica
suvremeničin
suvremenički
suvremenik V jd. -iče, mn. -ici
suvremenost, -ošću *i* -osti
suvrsnički
suznjača
suzvučan, -čna
suzvučje
sužanj, sužnja
suždreban; suždrebna kobila *i* suždrjeban; su-
ždrjebna kobila
suživjeti se, -vim se
sužnjičar
*svačesov > svačiji
svačigovac, -vca, V jd. -včc, G mn. -vaca
(*pokr.*)
svačiji
svaća
svaćin
svadba G mn. svadba, svadbi *i* svadaba
svadljiv
svadljivčev *prema* svadljivac
svadljivičin *prema* svadljivica
svađa
svađalica
svađaličin
svađati se, svađajući se
svagdanji *i* svagdašnji
svagdje
*svagđe > svagdje
svakakav, -kva
svakiput *i* svaki put
svakočasni
svakoji > svaki
svanuće
svanjivati, -njuje, -njujući
svarivač
svarivačev
svarivačica
svarivačičin
svastičić
svastičin *prema* svastika
svastić
svašta, svačega
svatko, svakoga
svatovski

svatski > svatovski
sveafrički
sveamerički
svečan, svečana
svečanik mn. -ici
svečanost, -ošću *i* -osti
svečar
svečarev *i* svečarov
svečarica
svečaričin
svečarov *i* svečarev
svečarski
svečarstvo G mn. -stava
svečera *i* svečeri (*pril.*)
svečev *prema* svetac
svećenica (*pokr.*, *blagoslovljen kruh o Uskrsu*)
svećenica (*žena svećenik u nekim religijama*)
svećeničin
svećenički
svećenik V jd. -iče, mn. -ici
svećenikov
svećeništvo G mn. -štava
svećenstvo G mn. -stava
svećenje *prema* svetiti
svedni (*pril.*) > svagda
sveđ(er) (*zast.*)
svehrvatski; 1. svehrvatsko natjecanje invalida
svejednako (*pril.*)
svejedno (*pril.*)
svekolik
svekrvičin *prema* svekrvica
svemoć (*svemoćnost*)
svemoćan, -ćna
svemoćnost, -ošću *i* -osti
svemoguć
Svemogući (*Bog*)
svemogućnost, -ošću *i* -osti
svemogućstvo > svemogućnost
sveobuhvatan, -tna
sveopći > opći, općen
sveslavenski
svestran
sveščić *um. od* svezak
sveštenik (*srp., pravoslavni svećenik*)
Sveta Braća (*sv. Ćiril i Metod*)
Sveta Klara (*mjesto*)
svetac, sveca, mn. sveci, G mn. svetaca
Svetac, Sveca (*otok*)
svetačac, -čca, G mn. svetačaca
svetački *prema* svetac
svetačni *prema* svetak
Sveta Jana (*mjesto*)
Sveta Lucija (*ime crkve u čast sv. Lucije*)
Sveta Stolica (*vatikanska država*)

Sveta tri kralja (*vjer., blagdan*)
Sveta zemlja (*Palestina*)
svetičin *prema* svetica
Sveti Ivan Zelina (*mjesto*)
Sveti Juraj (*mjesto*)
Sveti Martin pod Okićem (*mjesto*)
svetinja *prema* svet; *drugo je* svjetina *prema* svijet
Sveti Rok (*selo; ime crkve; ime blagdana, ali:* sveti Rok = *svetac toga imena*)
svetogrdničin *prema* svetogrdnica
svetogrdnički
svetogrđe
svetohranište
svetojanski *prema* Sveta Jana (*mjesto*)
Svetojurac, -rca, V jd. -rče, G mn. -raca *prema* Sveti Juraj
svetojurski *prema* Sveti Juraj
Sveto pismo (*Biblija*)
Svetoročanin *prema* Sveti Rok
svetost, -ošću *i* -osti; *u tituliranju:* Vaša Svetosti, Njegova Svetost
Svetotajstvo
Svetovit (*mit.*)
svetroje, svetroga, svetromu (svetrome)
sveučilišni
sveučilištarac, -rca, V jd. -rče, G mn. -raca
sveučilište; Sveučilište u Zagrebu
sveudilj(no) (*pril.*)
sveukupan, -pna > ukupan, cjelokupan
Svevišnji (*Bog*)
svezak, sveska, mn. svesci, G mn. svezaka
svezički *prema* svezica
sveznajući
svežnjić
svići se *i* sviknuti se
svidjeti se, svidim se, svidjeh se, svidjev(ši) se, svidio se, svidjela se
sviđanje
sviđati se, sviđajući se
svijeća
Svijećnica (*blagdan*)
svijećnjak mn. -aci
svijesno (*pril.*) *i* svjesno
svijesnost, -ošću *i* -osti *i* svjesnost
svijest I jd. svijšću *i* svijesti
svijestan, -sna; *komp.* svjesniji *i* svjestan
svijestiti (se), svijšćah (se), sviješten, svijesteći se
sviješćenje *prema* svijestiti (se)
svijet mn. svjetovi; *drugo je* svjet (*savjet*)
svijetao, svijetla; *komp.* svjetliji
svijetiti > svijetliti
svijetleći *i* svjetleći

svijetliti, svijetleći
svijetlo *u složenicama:* svijetlocrven, svijetlomodar, svijetlosiv
svijetljenje *prema* svijetliti *i* svijetljeti
svijetljeti (*davati svjetlost od sebe, biti izvor svjetlosti*)
svijetljeti se (*biti svijetao*)
svijetnjak (*praživ*)
svikati, svičem, svičući
sviknuti se *i* svići se
svilac, svilca
svilača
svilajica
svilan, svilna
svilčev *prema* svilac
svilengaća
svilnjača
svinjarče, -cta, *zb.* svinjarčad
svinjaričin *prema* svinjarica
svinjče, -cta, *zb.* svinjčad
svinjeći; svinjeći but
svioni > svilan, svilen
svirac, svirca, V jd. svirče, G mn. sviraca
svirač, svirača
sviračev
sviračica
sviračičin
svirački
sviraljka DL jd. -ci, G mn. -ki
svirati, sviram, svirajući
svirčev *prema* svirac
svisoka (*pril.*)
Svi sveti (*blagdan*)
***svitac,** svica *i* svitca, V jd. sviče *i* svitče, G mn. svitaca > krijesnica
svitati, sviće, svićući
svjećalo
svjećar
svjećarica
svjećaričin
svjećarnica
svjećica *um. od* svijeća
svjećnjak
svjećonoša
svjećonošin
svjedočanstvo G mn. -stava
svjedočenje
svjedočiti, svjedočeći
svjedočki
svjedodžba G mn. svjedodžaba/svjedočaba, svjedodžba *i* svjedodžbi
svjedok V jd. -oče, mn. -oci
svjedokinja
svjedokinjin

svjedokov
svjerovati
svjesiti, svješćn
svjesno (*pril.*) *i* svijesno
svjesnost, -ošću *i* -osti *i* svijesnost
svjestan, -sna; *komp.* svjesniji *i* svijestan
svješati
svještilo > stijenj
svjet > savjet (*drugo je* svijet)
svjetilo
svjetilja
svjetiljčica
svjetiljka DL jd. -ci, G mn. -ki, *rjeđe* svjetiljka *i* svjetiljaka
svjetina *uv. od* svijet; *drugo je* svetinja *od* svet
svjetionica
svjetioničar
svjetioničarev *i* svjetioničarov
svjetioničarstvo G mn. -stava
svjetionički
svjetionik mn. -ici
svjetlac, svjetlaca
svjetlača
svjetlarica
svjetlaričin
svjetlati se, svjetlajući se
svjetleći *i* svijetleći
svjetlica
svjetličar
svjetliji *komp. od* svijetao
svjetlilo
svjetlilja > svjetilja
svjetlina
svjetlo (*svjetlost*)
svjetlo *u nekim složenicama prema* svijetao:
svjetlomrcati, svjetlostalan
svjetloća > svjetlost
svjetloljubac, -upca, V jd. -upče, G mn. -baca
svjetlomjer
svjetlonosac, -sca, V jd. -ošče, G mn. -saca
svjetlonoša
svjetlosni; svjetlosna godina
svjetlost, -ošću *i* -osti
svjetlotisak, -ska
svjetlucati se, -am se, -ajući se
svjetlucav
svjetnik V jd. -iče, mn. -ici > savjetnik
svjetovati, -tujem, -tujući
svjetovni
svjetovnost, -ošću *i* -osti
svjetovnjački
svjetovnjak V jd. -ače, mn. -aci

svjetski *prema* svijet; svjetski rat
svjetuša
svjež *i sve izvedenice*
svlačenje
svlačiona > svlačionica
svlačionica
svlačiti (se), svlačeći (se)
svodničin *prema* svodnica
svodnički
svođenje *prema* svoditi
svojačiti, svojačeći
svojbina
svojeglav (*prid.*)
svojeglavčev *prema* svojeglavac
svojeglavičin *prema* svojeglavica
svojeručan, -čna
svojevlastan, -sna
svojevremen
svojevremenost, -ošću *i* -osti
svojtljiv
svrabljiv
svrabljivčev *prema* svrabljivac
svrabljivičin *prema* svrabljivica
svračak, svračka, mn. svrački, G mn. -čaka
svračić
svračine
svračji
svraćati, svraćajući
svrbjeti, svrbim, svrbljah, svrbio, svrbjela, svrbeći
svrčak, svrčka, G mn. -čaka
svrći *i* svrgnuti
svrdao, svrdla *i* svrdlo
svrdlić
svrdlo *i* svrdao
svrgnuće
svrgnuti, -nem *i* svrći
svrh (*prij. i pril.*)
svrha DL sg. svrsi
svrhovit
svrhovitost, -ošću *i* -osti
svrhunaravan, -vna
svrhunaravnost, -ošću *i* -osti
svrsishodan, -dna > svrhovit
svrućiti (se)
svučen
svući, svučem, svučen
svud(a)
svugdje > svuda
SW *međunarodna kratica za jugozapad* (JZ)
SZ *krat. za sjeverozapad*

Š

Šabac, Šapca (*zem.*)
šabački *prema* Šabac
šačica *um. od* šaka
šačina *uv. od* šaka
šačni *prema* šaka
šačurina *uv. od* šaka
šafran
šah mn. šahovi; šah-mat
šah (*poglavar u nekim državama*); Šah (*vrhovni poglavar*)
šahirati
šahist
šahistica
šahističin
šahovnica
šahovski
šajkača
šaka DL jd. šaci
šakač
šakački
šakanje
šakatati, -am, šakatajući
šakić
šalabazati, -am, šalabazajući
šalac, šalca
*šalata > salata
Šalata (*dio Zagreba*)
šaličica *um. od* šala *i* šalica
šaljivac, -vca, V jd. -včc, G mn. -vaca
šaljivčev
šaljivčina
šaljivičin *prema* šaljivica
Šamac, -mca (*zem.*); Slavonski Šamac, Bosanski Šamac (*zem.*)
šamački *prema* Šamac
Šamčanin mn. -ani (*čovjek iz Šamca*)
Šamčanka DL jd. -ki, G mn. -ki (*žena iz Šamca*)
šamija
šamijica *um. od* šamija
šampanjac, -njca
šampinjon
šampion > prvak
šančić *um. od* šanac
šansona
šansonijer
šanuti, -ncm > šapnuti

Šapčanin mn. -ani (*čovjek iz Šapca*)
Šapčanka DL jd. -ki, G mn. -ki (*žena iz Šapca*)
šapnuti, -ncm
šaptač
šaptačev
šaptačica
šaptačičin
šaptački
šaptaći
šaptalac, -aoca, V jd. -aočc, G mn. šaptalaca
šaptaličin *prema* šaptalica
šaptaočev *prema* šaptalac
šaptaonica
šaptati, šapćcm, šapći, šapćući
šaputati, šapućcm, šapući, šapućući
šarac, -rca, mn. -rci, G mn. -raca (*šaren konj*)
Šarac, -rca (*ime konja*)
šarafić *um. od* šaraf
šarančić *um. od* šaran
šarčev *prema* šarac (*šaren konj*)
Šarčev *prema* Šarac
šarčić *um. od* šarac
šarčina *uv. od* šarac
šarengaća
Šarengrad (*zem.*)
šarenjeti, šarcnim, šarcnećι (*postajati šaren*)
Šarko (*ime psa*)
šarlah
šarlatan
šarlatanka DL jd. -ki, G mn. -ki
Šarplanina (*zem.*)
šarplaninac, -nca, V jd. -nče, G mn. -naca (*pas*)
šarplaninski
šatorić *um. od* šator
šatrovački
ščekati
ščekivati, -kujcm, -kujući
ščeliti se, ščcljcn
ščeljavati se, ščcljavajući sc
ščepariti
ščepati
ščešljati
ščetkati
šči, ščija (*rus.*)
ščinjati se, -am sc, ščinjajući sc
ščistiti, ščišćcn

ščišćavati > čistiti
ščučunjiti se
ščunjiti se, ščunjeći se
ščvrsnuće
ščvrsnuti se, -nem se
ščvrstiti se, ščvršćen
ščvršćenje
ščvršćivati, -ćujem, ščvršćujući
šćapiti
šćavet (filol.-pov.)
Šćedro (otočić)
šćerdati > izgubiti
*šći > kći
šćir > štir (bot.)
šćirenica prema šćir
šćućuriti se
šćulati se, -am se, šćulajući se
šeća > šetnja, šetanje
šećer
šećeran, -rna
šećerana
šećeraš
šećerašica
šećerašičin
šećeriti, šećereći
šećerlema
šećerli (prid. neprom.); šećerli kava > zašećerena kava
šećerni
šećernica
šećernjača
šećkati se, šećkajući se
šefičin prema šefica
šefovičin prema šefovica
šegačenje
šegačiti se, šegačeći se
šegrčić um. od šegrt
šegrčina uv. od šegrt
šegrtičin prema šegrtica
šegrtić um. od šegrt
šeh (poglavica)
šeh mn. šehovi (u šahu); šah-šeh
šeher (grad); šeher Sarajevo, Novi Šeher (mjesto)
Šeherezada
šeherli (prid. neprom.)
šejh mn. šejhovi
šejtan > vrag
*šenica > pšenica
šenlučiti, šenlučeći
šepavčev prema šepavac
šepavičin prema šepavica
šepiriti se, šepireći se
šeprtlja

šerbedžija
šerečina uv. od šeret
šeretluk mn. -uci
šeribrendi, -ija (vrst likera)
šesnaest (16)
šesnaesterac, -rca, G mn. -raca
šesnaesteraчki prema šesnaesterac
šesnaestero
šesnaestgodišnji > šesnaestogodišnji
šesnaesti (16.)
šesnaestogodišnji (16-godišnji)
šesnaestorica
*šesnajest i *šesnajst > šesnaest
šesteraчki prema šesterac
šestgodišnji > šestogodišnji
Šestinčanka DL jd. -nki, G mn. -nki (prema Šestine)
šestočlan
šestogodišnji (od šest godina)
šestogodišnjica (šesta godišnjica)
šestorica (muškaraca)
šeststo (600) (šest stotina)
šeststogodišnji (600-godišnji)
šeststogodišnjica (600-godišnjica)
šestotočje (sustav od šest točaka u brajici, v. brajica)
šeširdžija (klobučar)
šeširić
šetač
šetačev
šetačica
šetačičin
šetalac, -aoca, V jd. -aoče, G mn. šetalaca
šetaonica
šetati, šećem i šetam, šećući i šetajući
ševarić
ševrljuga DL jd. -uzi
šezdeset (60)
šezdesetero
šezdesetgodišnji > šezdesetogodišnji
šezdeseti (60.)
šezdesetina (1/60)
šezdesetogodišnjak
šezdesetogodišnji (60-godišnji)
šezdesetorica
*šežanj > sežanj
Šibenčanin mn. -ani (čovjek iz Šibenika)
Šibenčanka DL jd. -ki, G mn. -ki
Šibenik V jd. -iče (zem.)
šibenski prema Šibenik
šibični prema šibica i šibice
šibičnjak mn. -aci
šićar > dobit
šićardžija

šićarenje
šićariti, šićarcći
šidski *prema* Šid; Šidski Banovci (*zem.*)
Šiđanin mn. -ani (*čovjek iz Šida*)
Šiđanka DL jd. -ki, G mn. -ki
šijački *prema* Šijak
Šijak V jd. -ačc, mn. -aci (*seljak iz okolice Požege*)
šikati, šikam, šikajući > ljuljati
šikati, šičcm, šičući (*o guski*)
šiktati, šikćcm, šikći, šikćući
šiljati, šiljcm, šiljući
šiljčić
šiljeg V jd. -cžc, mn. -czi
šiljež, šiljcži (*zb.*)
*šimera > himcra
Šimić (*prezime*); Antun Branko Šimić (*hrv. književnik*)
šimpanzo mn. -zi > čimpanza
šiparičin *prema* šiparica
šipčani
šipčanica
šipčica *um. od* šipka
širok *komp.* širi; Široki Brijcg (*mjesto*)
Širokobriježanin *prema* Široki Brijcg
širokotračan, -čna; širokotračna pruga
širokotračnost, -ošću *i* -osti
šiškati, -am, šiškajući
šiti, šijcm, šijući
šivač
šivačev
šivačica *prema* šivač (*drugo je* šivaćica)
šivačičin
šivački; šivački pribor
šivaći (*npr.* šivaća igla)
šivaćica (*šivaća igla, šivaći stroj*), *drugo je* šivačica
šizma *i* shizma > raskol
šizmatičar *i* shizmatičar > raskolnik
šizmatičarev/šizmatičarov *i* shizmatičarev/shizmatičarov
šizofreničar *i* shizofreničar
šizofreničarev/šizofrcničarov *i* shizofrcničarcv/shizofrcničarov
šizofrenički *i* shizofrcnički
šizofrenija *i* shizofrenija
šizofrenik *i* shizofrenik
škakljati, škakljajući
škakljiti, -kljcm > škakljati
škakljiv
škakljivost, -ošću *i* -osti
škarići
škiljavčev *prema* škiljavac
škiljavičin *prema* škiljavica

škljocati, -am, -ajući
Škoćanin mn. -ani
Škoćanka DL jd. -ki, G mn. -ki
škoda (*automobil*)
Škoda (*ime*)
škođenje *prema* škoditi
školnički *prema* školnik
školjčica
školjić > otočić
školjka DL jd. -ljci, G mn. -ljaka *i* -ki
škopčev *prema* škopac
škopčevina
*Škotlanđanin mn. -ani > Škoćanin, Škot
*Škotlanđanka DL jd. -ki, G mn. -ki > Škoćanka, Škotkinja
Škotska DL jd. -koj
škrčev *i* škrtčcv *prema* škrtac
škrga DL jd. -gi
škrgutati, škrgućcm, škrgući, škrgućući
škriljevac, -vca, G mn. -vaca
škripati, -am *i* -pljcm, škripajući *i* škripljući
škripiti, škripcći
škropač
škrtčev *i* škrčcv *prema* škrtac
Šleska DL jd. Šlcskoj (*zem.*)
Šlezija (*zem.*) > Šlcska
Šležanin mn. -ani (*čovjek iz Šleske*)
*šluka > šljuka
šljem mn. šljcmovi > kaciga
šljiva
šljivić
šljivovača > šljivovica
šljučar
šljučji
šljuka DL jd. -ki
šljunčan
šljunčara
šmrkati, šmrčcm, šmrči, šmrčući
šmrkavčev *prema* šmrkavac
šmrkavičin *prema* šmrkavica
šobotati, šoboćcm, šoboći, šoboćući
šokački
šokadija
Šokče, -cta, *zbir.* Šokčad
šokčenje
šokčiti, šokčći
Šokičica *um. od* Šokica
Šokičin *prema* Šokica
Šolćanin mn. -ani > Šoltanin
Šolćanka DL jd. -ki, G mn. -ki > Šoltanka
šovinist
šovinistica
šovinističin
šovinistički

*Španija > Španjolska
Špansko, -oga (*predio u Zagrebu*)
Španjolac, -lca, V jd. -lče, G mn. -laca (*čovjek iz Španjolske*)
Španjolka DL jd. -ki, G mn. -ki (*žena iz Španjolske*)
Španjolska DL jd. -koj (*zem., država, zemlja*)
španjolski
Šparta
Špartanac, -nca, V jd. -nče, G mn. -naca
špartanski
špekulacija *u trgovini* (*i druge riječi*)
špekulant, -nta, G mn. špekulanata
špekulantica
špekulantičin *prema* špekulantica
špekulantski
šperploča
špijun (*uhoda*)
špilja *i* spilja
šport *i* sport
športaš *i* sportaš
športašica *i* sportašica
športašičin *prema* športašica
športski *i* sportski
Šri Lanka (*zem.*)
Štafilić (*zem.*); Kaštel Štafilić
štagod *i* šta god > štogod *i* što god
štakornjača (*stupica za štakore*)
štap
štapić
štapićast
štaviše (*pril.*) > štoviše
štavljač
štavljačev
štećenje *prema* štetiti
štediona > štedionica
štedionica
štedioničica
štedionički
štedjeti, štedim, šteđah, štedćéi, štedio, štedjela, šteđen
štedljiv
štedljivčev *prema* štedljivac
štedljivičin *prema* štedljivica
šteđenje *prema* štedjeti
šteđevina
štektati, štekćem, štekćéi, štekćući
štetočina > štetočinja
štetočinac, -nca, V jd. -nče, G mn. -naca
štetočinstvo G mn. -stava
štetočinja
štičenje *prema* štičiti
štičiti, štičeći
štićenica

štićeničin
štićenički
štićenik V jd. -iče, mn. -ici
štićenje *prema* štititi
štihača
štijenje *prema* štiti > čitanje
štilac, štilca *i* štioca, V jd. štilče *i* štioče, G mn. štilaca > čitalac, čitatelj
štipati, -am *i* štipljem, -ajući, štipljući
štitak, štitka, mn. štitci *i* štici, G mn. štitaka
štitić
štitnički
štitnjača
što, čega (*čcsa, *ncčcsa)
što; gdješto, kadšto ..., *ali* kao što, nego što
štočiji
štogdje
štȍgod (*nešto*)
što gȍd (*bilo što*)
štokad (*katkad*)
štokati, štokčem, štoči, štočući
štokavac, -vca, V jd. -vče, G mn. -vaca
štokavački *prema* štokavac
štokavica *i* štokavština
štokavka DL jd. -ki, G mn. -ki
štokavski
štokavština *i* štokavica
štokoji
što li
što mu drago
štono
što prije
štošta, štočega...
štotko, štokoga...
štovalac, -aoca, V jd. -aoče, G mn. štovalaca > štovatelj
štoviše (*pril.*)
*štrajkač > štrajkaš
*štrajkački > štrajkaški
*štrajkbreher > štrajkolomac
štrojač
štrojiti, štrojeći (*škopiti*)
štropotati, -oćem, štropoći, štropoćući
štučevina (*meso štuke*)
štučica *um. od* štuka
štučji *prema* štuka
Šubić; Nikola Šubić Zrinski
Šubićev
Šubićevac, -vca (*zem.*)
šućenje *prema* šutjeti šutnja
šuć-muć
šućurica
šugavčev *prema* šugavac
šugavičin *prema* šugavica

šukunbaka
šukundjed
šumaričica *um. od* šumarica
šumaričin *prema* šumarica
Šumećani (*zem.*)
šumnik mn. -ici (*šumni suglasnik*)
šumnjača (*koliba pokrivena lišćem*)
šunčetina *i* šunčina *uv. od* šunka
šunčica *um. od* šunka
šunčina *i* šunčetina *uv. od* šunka
šund; šundliteratura
šunjati se, -am se, -ajući se
šupljača
šupljički *prema* šupljika
šuričić
šurična
šurjačić
šušketati, -am *i* šuškećem, šušketaj *i* šuškeći,
  šušketajući *i* šuškećući
šušljajica
šuteći
šutećke (*pril.*)
šutjeti, šutim, šućah, šuteći, šutio, šutjela
šutljiv

šutljivac, -vca, V jd. -vče, G mn. -vaca
šutljivčev
šutljivičin *prema* šutljivica
švagati se, -am se, -ajući se
švarački *prema* Švarča
Švarča (*zem.*)
Švarčanin
Švarčanka DL jd. -ki, G mn. -ki
Švedska DL jd. -koj (*zem., država, zemlja*)
švedski
Šveđanin mn. -ani (*pored* Šved)
Šveđanka DL jd. -ki, G mn. -ki (*pored* Švet-
  kinja)
Švicarac, -rca, V jd. -rče, G mn. -raca
Švicarčev
Švicarka DL jd. -ki, G mn. -ki
Švicarkin
Švicarska DL jd. -koj (*zem., država, zemlja*)
švicarski; švicarski sat
švićkati, -am, -ajući
švrćin
švrćkati se, -am se, -ajući se
švrćo

T

-t *završetak tuđih imenica za muške osobe kao* ateist, birokrat, humanist

t *s točkom* (t.) *) kratica za točka; bez točke* (t) *kratica za tona*

T *oznaka za top, toranj, kulu u šahu*
tabeličan, -čna > tabličan
tabeličar > tabličar
tabličan, -čna
tabličar
tablični
tabu, -ua, mn. -ui; tabu tema
*tačan, -čna > točan
tačka DL jd. -čki, G mn. -čaka (*pritka*)
*tačka > točka
tačke G tačaka, mn. ž. r. (*kolica s jednim kotačem*)
taći *i* taknuti
tad *i* tada
tadanji *i* tadašnji
tadašnjica
tadbina
tadijanovićevski; tadijanovićevski stil (*stil kakav je u djelima hrv. književnika Dragutina Tadijanovića*)
Tadijica *um. od* Tadija
Tadijičin
tadli (*pril.*)
tadžički; Tadžička Republika
Tadžik V jd. -iče, mn. -ici
Tadžikinja
Tadžikistan
Tahićanin *prema* Tahiti
Tahićanka DL jd. -ki, G mn. -ki
Tahiti (*zem., otok i država*)
tahitski
tain
tajanstven
tajanstvenost, -ošću i -osti
tajiti, -im, tajeći
Tajland (*zem.*)
tajničin *prema* tajnica
tajnički
Tajvan (*zem.*)
takati, tačem, tači, tačući (*razvlačiti tijesto*)
takav, -kva
takmačev *prema* takmac
takmičar > natjecatelj

takmičarev *i* takmičarov > natjecateljev
takmičarka DL jd. -ki, G mn. -ki > natjecateljica
takmičarkin > natjecateljičin
takmičarov *i* takmičarev > natjecateljev
takmičarski > natjecateljski
takmičenje > natjecanje, utakmica
takmičiti se, takmičeći se > natjecati se
taknuće *prema* taknuti
taknuti, -nem *i* taći
također
takov (*zast.*) > takav
takozvani *krat.* tzv.
taksi, taksija, mn. taksiji
taksimetar, -tra, G mn. -tara *i* taksometar
taksivozač
taksivozačev
taksometar, -tra, G mn. -tara *i* taksimetar
takt
taktičan, -čna
taktičar
taktičarev *i* taktičarov
taktički
taktičnost, -ošću *i* -osti
taktika DL jd. -ici
talac, taoca, V jd. taoče, G mn. talaca
talački *prema* talac
*talasić > valić
talen(a)t
talij
Talija
Talijan mn. Talijani
*Talijanac, -nca, V jd. -nče > Talijan
Talijanče, -eta, *zb.* Talijančad
talijančenje
Talijančić (*prezime; hip. i um. od* Talijan)
talijančiti, talijančeći > potalijančivati
Talijanka DL jd. -ki, G mn. -ki
Talijankin
Talijanov
talijanski
*talijer > talir
talioničar
talioničarev *i* talioničarov
talioničarstvo G mn. -stava
talionički
talište

talmudski
taljenje *prema* taliti
taljivost, -ošću *i* -osti
tambura
tamburašičin *prema* tamburašica
tamjan
tamničar
tamničarev *i* tamničarov
tamničarka DL jd. -ki, G mn. -ki
tamničarkin
tamničarov *i* tamničarev
tamničarski
tamnički
tamnični
tamniti, tamneći (*činiti što tamnim*)
tamno *u složenicama:* tamnomodar, -dra...
tamnjenje *prema* tamniti *i* tamnjeti
tamnjeti, tamnim, tamnjah, tamneći, tamnio,
tamnjela... (*postajati taman*)
tamo-amo (*pril.*)
tanač
tanahan, -hna
tanahnost, -ošću *i* -osti
*tanbura > tambura
tančac, tančaca *um. od* tanac
tančati, tančeći (*tanjiti*)
tančina
tančiti (*navraćati*)
tandrčak, -čka, mn. -čci, G mn. tandrčaka
Tanganjičanin
Tanganjičanka DL jd. -ki, G mn. -ki
tanganjički
Tanganjika DL jd. -ki (*zem., zemlja, država u
Africi*)
tanker (*brodcisterna, vagoncisterna*)
tankist
tankoća
tankoćutan, -tna
tankoćutnost, -ošću *i* -osti
tankovrh
tantijema
Tanzanija (*zem., zemlja, država u Africi*)
tanjur
tanjurača
tanjurić *um. od* tanjur
taočev *prema* talac
taokinja (*ž. prema m.* talac)
taostvo G mn. -stava
tapiserija
taran; hidraulični taran
tarnični *prema* tarnice
tatić *um. od* tat
Tatre mn. ž. r. (*zem.*); Niske Tatre, Visoke Tatre
tavanić

tavanjača
tazbina
teatar, -tra > kazalište
teatralnost, -ošću *i* -osti
tecikuća
teča (*pokr.*) *hip. od* tetak
tečaj mn. tečajevi
tečajac, -jca, V jd. -jče, G mn. -jaca
tečajka DL jd. -ki, G mn. -ki
tečajni
tečajnica
tečan, tečna *prema* tek (*ukusan*)
tečenje *prema* teći
tečevan, -vna
tečevina *i* tekovina
tečić (*tetkin sin*)
tečićna (*tetkina kći*)
*tečnost > tekućina
tečnost (*hrane, pića*)
teća (*pokr.*)
teći, tečem, teku, tecijah, tečah, tekući
*teda-negda > napokon, najzad
*tedžbina > tečevina
teferič
teferičiti, teferičeći
tefter > biljeţnica
teglеći; tegleća marva
teglenički *prema* teglenica *i* teglenik
tegljač
tegljačev
tegljenje *prema* tegliti
tehničar
tehničarev *i* tehničarov
tehničarka DL jd. -ki, G mn. -ki
tehničarkin
tehničarov *i* tehničarev
tehničarski
tehnički
tehnika DL jd. -ici
tehnokracija
tehnokracijski
tehnokrat
tein (*sastojina čaja*)
teistički (*prema* tcist)
tek (*pri jelu*); dobar tek
*tek *prema* teći > tijek, tok
teka DL jd. teci > biljeţnica
teklič
tek što
tekući (*prid.*)
tekućica (*voda koja teče*)
tekućina
telac, telca, V jd. telče, mn. telci *i* teoci, G mn.
telaca

telad *zb. od* tele
telčić
telećak, telećaka
telećar
teleći; teleći odrezak
*telećina > teletina
telefon
telefonist
telefonistica
telefonističin
telegrafist
telegrafistica
telegrafistićin
Telemah V jd. -aše
telepatija
teličica *um. od* telica
telići > telad
telurij
Temistoklo
Temnić (*zem.*)
temnićki
temp(a)l, templa > hram
tempirač
Temza (*rijeka*)
tenisač
tenisačev
tenisačica
tenisačičin
tenisački; tenisačka ranglista
teno (*vez.*)
tenoristički
teoforičan, -čna; teoforično ime
teokracija
teologija
teoretičar
teoretičarev *i* teoretičarov
teoretski
teorija
teorijski
tepavac, -vca, V jd. -vče, G mn. -vaca
tepavčev
tepavičin *prema* tepavica
tepče, -cta, *zb.* tepčad
tepih > sag
tepsijica *um. od* tepsija
terazijice *um. od* terazije
terbij
tercijar (*geol.*)
terećenje *prema* teretiti
terenac, -nca, V jd. -nče, G mn. -naca
terevenčiti, terevenčeći
teritorij
termički
termodinamički

termodinamika DL jd. -ici
termoelektrana
Termopile (*mn. ž. r., pov.*)
terorist
teroristica
teroristićin
teroristićki
tesač
tesačev
tesački
Tesalac, -lca, V jd. -lče, G mn. -laca
Tesalija (*pov.*)
tesalski
Tesla; Nikola Tesla
Teslić (*zem.*)
teslićki
testijica *um. od* testija > vrčić
teščati, teščajući
teškoća
tetična
tetić
tetkić
tetrarh V jd. -ršc, mn. -rsi, G mn. -rha
tetrarhija
tetrebica *i* tetrjebica
tetrebičin *i* tetrjebičin
tetrebić *um. od* tetrijeb *i* tetrjebić
tetrijeb mn. tetrijebi *i* tetrebovi/tetrjebovi
tetrjebica *i* tetrebica
tetrjebičin *i* tetrebičin
tetrjebić *i* tetrebić
težače, -cta
težačiti, težačeći
težački
težak, teška; *komp.* teži
težak V jd. -ačc, mn. -aci
ti (*zast.*) *u složenicama;* iliti, kaonoti, niti, nuti
Ti *iz počasti u izravnom obraćanju* (*pored* ti)
*tica > ptica...
ticati, tičem, tičući
tićiti se, tićeći se
tigričin *prema* tigrica
tigrić *um. od* tigar
tih *komp.* tiši
tihan, tihana
Tihana (*ime*)
tiho (*u složenicama*); tihooceanski (*prema* Tihi ocean)
tihoća
tihohođa (*onaj koji tiho hoda*)
Tihomila (*ime*)
Tihomir (*ime*)
Tihomira (*ime*)
tihooceanski *prema* Tihi ocean

Tihoslav (*ime*)
tihost, -ošću *i* -osti
tihotan, -tna
tijan *poet.* tihan
tijek
tijekom (*pril.*)
tijelce, tijelca *i* tijelceta
tijelo mn. tijela *i* tjelesa
Tijelovo (*blagdan*)
tijelovski; tijelovska procesija
tijenje *prema* titi, tijem (*debljati*)
tijesak, -ska, mn. -sci *i* tijeskovi
tijesan, -sna; *komp.* tješnji *i* tjesniji
tijesniti, tiješnjah, tijesneći
tijesno
Tijesno > Tisno (*zem.; mjesto na otoku Mur-teru*)
tijesto
tiještiti, tiještah, tiješten, tiješteći (*drugo je tištati*)
tik *samo s prijedlozima:* tik do kuće
tikati, tičem, tiči, tičući (*govoriti komu „ti"*)
tikvičarka DL jd. -rci *i* -rki, G mn. -rki
tikvičarstvo G mn. -stava
tikvičica
tikvić
tili *i* tinji; u tili čas
Timočanin mn. -ani
Timočanka DL -ki, G mn. -ki *i* Timočkinja
timočki
Timočkinja *i* Timočanka
Timok (*rijeka*)
tim prije > to prije
tinejdžer
tinejdžerica
tinejdžerski
tintilinić; Malik Tintilinić (*osoba iz bajke*)
tinji *i* tili
tipičan, -čna
tipičnost, -ošću *i* -osti
tipkač
tipkačev
tipkačica
tipkačičin
tipkački
Tiranac, -nca, V jd. -nče, mn. -nci, G mn. -naca (*čovjek iz Tirane*)
Tirančev
Tiranka DL jd. -ki, G mn. -ki
tiraža > naklada
tisić *um. od* tis
Tisno, -a (*zem., mjesto na otoku Murteru*)
tisuća (1000)
tisućarka DL jd. -ki, G mn. -ki

tisućgodišnji *i* tisućugodišnji
tisućgodišnjica *i* tisućugodišnjica
tisući (1000.)
tisućica
tisućina (1/1000)
tisućinka DL jd. -ki, G mn. -ki
tisućiti, tisućeći
tisućiti (*prid.*) > tisući
tisućjeće
tisućjetni
tisućni
tisućnica
tisućnik V jd. -iče, mn. -ici
tisućostruk (1000-struk)
tisuću; tisuću osam stotina i peti (1805.); tisuću devetsto sedamdeset prva (1971.)
tisućugodišnji (1000-godišnji) *i* tisućgodišnji
tisućugodišnjica (1000-godišnjica) *i* tisućgodišnjica
tišma > gužva, stiska
tištati *i* tištiti, tištim, tišteći
titi, tijem, tijući (*toviti se*)
tj. *krat. za* to jest
tjedan, -dna
tjedni
tjednik mn. tjednici
tjelesa mn. *od* tijelo
tjelesina
tjelesni; tjelesna bol
tjelesnost, -ošću *i* -osti
tjelešce, tjelešca *i* tjelešceta
tjelohranitelj > tjelesni, osobni čuvar
tjelovježba
tjeme
tjemenac, -nca, V jd. -nče, G mn. -naca
tjemence, -nca *i* -nceta
tjemeni
tjemenica
tjemenjača
tjemešce, -šca *i* -šceta
tjena G mn. tjena (*nar., opna u jajeta*)
Tjentište (*zem.*)
tjeralac, tjeraoca, V jd. tjeraoče, G mn. tjera-laca
tjeralica
tjeranje
tjerati, tjerajući
tjerba > tjeranje
tjeskoba
tjeskoban, -bna
tjeskobnost, -ošću *i* -osti
tjeskoća
tjeskotan, -tna
tjesnac

tjesnački
tjesnačni; tjcsnačni suglasnik
tjesnačnik mn. -ici (*tjesnačni suglasnik*)
tjesnoća
tjesnogrud
tjesnogrudan, -dna > uskogrudan
tjesnogrudnost, -ošću *i* -osti *i* tjcsnogrudost,
   -ošću *i* -osti > uskogrudnost
tjesten
tjestenica
tjestenina
tješilac, tjcšioca,V jd. tjcšiočc, G mn. tjcšilaca
   > tjcšitclj
tješitelj
tješiteljev
tješiteljica
tješiteljičin
tješiti, tjcšcći
tješnjak mn. -aci *prema* tijcsan
tješnji *komp. prema* tijcsan
tještan, tjcštana *prema* tijcsto
tkač > tkalac
tkačev > tkalčcv
tkačnica > tkaonica
tkalac, tkalca, V jd. tkalčc, G mn. tkalaca
tkalački; tkalački stan
tkalčev
tkanica
tkaničica
tkaona > tkaonica
tkaonica
tkaonički
tkati, tkam... tkaju, tkajući
tko, koga
tko *u složenicama:* gdjctko, štotko
tko bilo, koga bilo
tkògod (*netko*)
tko gôd (*bilo tko*)
tko mu drago
tlačenica
tlačilac, -ioca, V jd. -iočc, G mn. -laca >tlačitclj
tlačitelj
tlačiteljev
tlačiteljica
tlačiteljičin
tlačiteljski
tlačiti, tlačcći
tlačni
tlakomjer
tmičan, -čna
toaleta
tobdžija > topnik
tobolac, tobolca, G mn. tobolaca
tobolčar

tobolčast
tobolčić
to bolje
tobože (*pril.*)
tociljač > klizač
tociljačev > klizačcv
tociljačica > klizačica
tociljačičin > klizačičin
točak, točka, mn. točkovi > kotač
točan, točna
točenje *prema* točiti
točilac, točioca, V jd. točiočc, G mn. točilaca *i*
   točitclj
točilo
točiona > točionica
točionica
točitelj *i* točilac
točiteljev
točiteljica
točiteljičin
točiti, točcći
točka DL jd. -ki, G mn. -čaka; točka sa zarczom
   (;) (*rečenični znak*)
točkalo
točkara
točkast
točkati, točkajući
točkica
točno
točnost, -ošću *i* -osti
toga L jd. -gi (*plašt*)
to gore
togović
tokajac, -jca (*vino*)
Tokijac, -jca, V jd. -jčc, G mn. -jaca (*čovjek iz
   Tokija*)
Tokijka DL jd. -ki, G mn. -ki
tokijski
Tokio, Tokija, l jd. Tokijcm (*zem.*)
tokmačić
toksički
*toli > toliko
tolič > čas prijc
tolihni
tolikački
Tolisa (*zem.*)
toliski *prema* Tolisa
Tolišanin mn. -ani
toljaga
Tomašević; Stjcpan Tomašcvić (*pov. osoba*)
Tomislav (*ime*)
Tomislav Grad (*pov.-zem.*)
tomislavgradski
Tončica *hip. od* Tonka (Antica)

tonfilm (*film.*)
Toni *hip. od* Antun
toničan, -čna
tonički
tonika DL jd. -ici (*glaz.*)
Tonka DL jd. -ki (*ime*)
tonkino
tonmajstor
tonzile mn. ž. r. > krajnici
topal *i* topao, topla
Topčider (*zem.*)
topčiderski
topić *um. od* top
topionica > talionica
topioničar
topioničarev *i* topioničarov
topioničarski
topioničarstvo G mn. -stava
topionički
toplice mn. ž. r.; Krapinske Toplice (*mjesto*),
  Krapinske toplice (*ime toplicama*), Tuhelj-
  ske toplice, Stubičke toplice
Toplice (*zem.*)
Topličanin mn. -ani (*čovjek iz Toplica*)
Topličanka DL jd. -ki, G mn. -ki
toplički
toplomjer
topljenica
topljenje *prema* topiti *i* topliti
topljiv
topnički
topnjača
toponomastički
topovnjača
to prije
topuski
Topusko, Topuskoga (*zem.*)
Topuščanin mn. -ani (*čovjek iz Topuskoga*)
Topuščanka DL jd. -ki, G mn. -ki
*tor(ac) > tvor(ac)
torbičar
torbičarev *i* torbičarov
torbičariti, torbičareći
torbičarov *i* torbičarev
torbičica
torbičina
torić *um. od* tor
torij
torlački *prema* Torlak; torlački dijalekt
tornjić *um. od* toranj
torpednjača
torpiljarka DL -rci, G mn. -ki
Tosca G Toske
torzo, torza, mn. torzi

totalitarist
totalitaristički
Tounjčica (*rječica, prema* Tounj)
tovarač
tovaračev
tovaračica
tovaračičin
tovarački
tovarčić
tovarčina
tovarnički *prema* Tovarnik
to više
tovjelica
tovljač
tovljačev
tovljačica
tovljačičin
tovljenje *prema* toviti
trabakul (*vrst broda*)
Tracija *i* Trakija (*zem.*)
trač (*razg.*)
tračak, tračka, mn. tračci, G mn. tračaka
Tračanin mn. -ani (*čovjek iz Tracije / Trakije*)
Tračanka DL jd. -ki, G mn. -ki
tračanje
tračati, tračajući
tračica
tračić
tračnice
traćenje *prema* traćiti
traćiti, traćeći; traćiti vrijeme
tradicija
tradicijski
trafika DL jd. -ici
trafikant, -nta, G mn. -nata
trafikantica
trafikantičin
tragetkinja
tragičan, -čna
tragičar
tragičarev *i* tragičarov
tragičarka DL jd. -ki, G mn. -ki
tragičarov *i* tragičarev
tragički
tragični
tragičnost, -ošću *i* -osti
tragikomičan, -čna
tragikomičnost, -ošću *i* -osti
trajekt G mn. trajekata (*vrst broda*)
Trakija *i* Tracija (*zem.*)
Trakošćan (*zem.*)
Trakošćanin
Trakošćanka DL jd. -ki, G mn. -ki
trakošćanski

traktorist
traktoristica
traktoristačin
traljavčev *prema* traljavac
traljavičin *prema* traljavica
tramvaj
tramvajski; tramvajski promet
transmisijski
transmisioni > transmisijski
transsibirski; transsibirska željeznica
tranšeja
tranzistor
trapist
trapistički
tratinčica (*bot.*)
travčica
travestija
Travničanin mn. -ani (*čovjek iz Travnika*)
Travničanka DL jd. -ki, G mn. -ki
travničast
travnički; Travnička kronika (*roman*)
Travnik
travnjački *prema* travnjak *i* Travnjak (*zem.*)
trbuh mn. -usi
trbuhozborac, -rca, V jd. -rčc, G mn. -raca
trbuhozborstvo G mn. -stava
trbuščić *prema* trbušac
trbušić *um. od* trbuh
trčak, trčka mn. trčci
trčalac, -aoca, V jd. -aočc, G mn. -laca
trčalica
trčalo
trčanje
trčati, -čim, trčeći
trčka (*zool.*)
trčkalo
trčkaralo
trčkarati, trčkarajući
trčkariti, -rim, trčkarcći
trčkati, trčkajući
trčke (*pril.*)
trčuljak, -ljka, V jd. -ljčc, mn. -ljci, G mn. -ljaka
trćenje
trćiti se, trćeći se
trćka DL jd. -ki, G mn. -ki *i* trćaka (*ptica*)
treba
trebački > trepački *prema* Trepča
Trebarjevo (*zem.*); Trebarjevo Desno; Trebarjevo Lijevo
trebati
Trebević (*zem.*)
trebevićki
trebežina (*krčevina*)

trebežnik V jd. -ičc, mn. -ici (*krčitelj*)
Trebinjac, -njca, V jd. -njčc (*čovjek iz Trebinja*)
trebinjac, -njca (*duhan*)
Trebinje (jd. s. r., *zem.*)
trebinjski
Trebišnjica (*zem.*)
trebitelj *i* trjebitelj
trebiteljev *i* trjebiteljev
trebiteljica *i* trjebiteljica
trebiteljičin *i* trjebiteljičin
trěbnīk mn. -ici (*crkv. pravosl.*)
trebovati > potraživati
trečentist
trečentistički
trečento (*tal.*, 14. *stoljeće*)
trećača (*groznica*)
trećačiti, trećačći
trećak, trećaka, V jd. trećačc, mn. trećaci (*astr.*)
trećakinja
trećaš (*razg.*, *učenik trećeg razreda*)
trećašev
trećašica *prema* trećaš
trećašičin
trećebratučed
trećebratučeda
trećekategornik
trećeplasiran (*šport.*)
trećerazredni
treći (3.)
trećina (1/3)
trećinka DL jd. -ki, G mn. -ki
trećorečev *prema* trećoredac *i* trećoredčev
trećoredac, -edca *i* -cca, V jd. -edčc *i* -cčc, G mn. -daca (*član franjevačkoga trećega reda*)
trećoredaš
trećoredašica
trećoredašičin
trećoredčev *i* trećorečev *prema* trećoredac
trećoredica *i* trećoretkinja (*članica franjevačkoga trećega reda*)
trećoredičin
trećoretkinja *i* trećoredica
trećoretkinjin
trećoškolac, -lca, V jd. -lčc, G mn. -laca
trećoškolčev
trećoškolka DL jd. -ki, G mn. -ki
trećoškolkin
trećoškolski
tremolo mn. tremoli (*glaz.*)
trening mn. -nzi
trenirka DL jd. -rci, G mn. -ki (*šport. odjeća; drugo je* trenerka)
trenuće
trenutačan, -čna

trenutačnost, -ošću i -osti
trenutak, -tka, mn. trenuci, G mn. -taka
trepača > stupa
trepački *prema* Trepča
trepavičan, -čna
trepavičast
Trepča (*zem.*)
trepčan, trepčana
trepčanica
Trepčanin mn. -ani *prema* Trepča
trepčanski
trepćenje *prema* treptjeti
treperiti, -rim, treperući
trepetati, trepećem, trepeći, trepećući
treptjeti, treptim, trepćah, trepteći, treptio, treptjela
tresač
tresačev
tresačica
tresačičin
treset
tresilac, tresioca, V jd. tresioče, G mn. tresilaca
treska DL jd. -sci i -ski, G mn. -saka i trijeska
treskavički *prema* Treskavica (*planina*)
treskotine ž. r. mn.
treskovit
treslovina i trjeslovina *prema* trijeslo (*pored* trijeslovina)
treščica *um. od* treska
trešnja
trešnjevac, -vca, G mn. -vaca (*grah*)
trešnjevača (*rakija*)
trešnjevački *prema* Trešnjevka; Trešnjevački trg (*u Zagrebu*)
Trešnjevčanin mn. -ani (*čovjek s Trešnjevke*)
Trešnjevčanka DL jd. -ki, G mn. -ki (*žena s Trešnjevke*)
trešnjevina (*drvo*)
Trešnjevka DL -ci (*dio Zagreba*)
treznoća i trjeznoća
trezven > trijezan
trezvenost, -ošću i -osti > trijeznost
trezvenjački
trezvenjak mn. -aci
trezvenjakinja
trezvenjaštvo G mn. -štava
trg mn. trgovi; Trg bana Josipa Jelačića, Mažuranićev trg, Trg hrvatskih velikana (*u Zagrebu*)
trgač
trgačev
trgačica
trgačičin
trgački

trgalac, trgaoca, V jd. trgaoče, G mn. trgalaca
trgovački
trgovčev
trgovčić
Trgovišćanin mn. -ani *prema* Trgovište
trgoviški *prema* Trgovište
trgovište
Trgovište (*zem.*)
trh > breme
trhonoša
tri, triju, trima (3)
triangulacijski
triangulacioni > triangulacijski
tricikl, -kla > trokolica
tričan, trična *prema* trice
tričarija
tričav *prema* trice
tričavost, -ošću i -osti
tridesetero
tridesetina (1/30)
tridesetorica
trifolij > trolist
triftong mn. -nzi > troglas
trijalist
trijalistički
trijalizam, -zma
trijas (*geol.*)
trijebilac, -ioca, V jd. -ioče, G mn. trijebilaca > trebitelj
trijebilica > trebiteljica
trijebilo
trijebiti, trijebljah, trijebljen, trijebeći
trijebljenje *prema* trijebiti
trijem mn. trijemovi
trijemak, -mka, mn. -mci, G mn. trijemaka
trijemni
trijenale
trijenij
trijes mn. tresovi i trjesovi *uz* trijesovi
trijesak, -ska, mn. trijesci i treskovi/trjeskovi
trijeska DL jd. -sci, G mn. trijesaka i treska
Trijeska DL jd. -ki (*zem.*)
trijeskati, trijeskajući
trijeslo
trijeslovina i treslovina/trjeslovina
triješće
triješčica *um. od* trijeska
trijezan, -zna; *komp.* trezniji i trjezniji
trijezniti (se), triježnjah (se), triježnjen, trijezneći se
trijeznost, -ošću i -osti
trijumf
trijumfalan, -lna
trijumfirati, trijumfirajući

trijumvirat
trik
trikrat (*zast.*) > triput
trinaest (13)
trinaesterac, -rca
trinaesterački
trinaestero
trinaestgodišnji > trinaestogodišnji
trinaestogodišnji
trinaestorica
*****trinaj(e)st** > trinaest
trio, trija, mn. triji (*glaz.*)
trioda (*tehn.*)
triola (*glaz.*)
triptih mn. -isi, G mn. -iha
triput, *ali* tri puta
trired (*zast.*) > triput
trista *i* tristo (300), *ali* tri stotine
tristoti (300.)
*****triumf** > trijumf
trivijalan, -lna
trivijalka DL jd. -lci, G mn. -ki
trivijalnost, -ošću *i* -osti
trjebitelj *i* trebitelj
trjebiteljev *i* trebiteljev
trjebiteljica *i* trebiteljica
trjebiteljičin *i* trebiteljičin
trjeslovina *prema* trijeslo *i* treslovina (*pored* trijeslovina)
trjeznoća *i* treznoća
trkač
trkačev
trkačica
trkačičin
trkački
trkaći; trkaći konj
trkati, trčem, trči, trčući
trličati, trličeći
trljač
trljačev
trljačica
trljačičin
trnak, -nka, mn. -nci *prema* trn
trnić
trnovača
trnjača
trobojka DL jd. -jci, G mn. -ki > trobojnica (*zastava*)
trocijevac, -vca
trocijevan, -vna
trocijevka DL jd. -ki, G mn. -ki *i* -vaka
tročetvrtinski; tročetvrtinski takt (*glaz.*)
tročlan
trodijelan, -lna

trofej
trogoče, -cta, *zb.* trogočad
troha DL jd. -hi (*mrva, trina*)
trohej (*pjes.*)
Troja (*pov., zem.*)
trojačiti, trojačeći
Trojanac, -nca, V jd. -nče, G mn. -naca (*čovjek iz Troje*)
Trojanka DL jd. -ki, G mn. -ki
trojanski; trojanski konj
trojče, -cta, *zb.* trojčad
trojčica
trojednički *prema* Trojednica (*pov.*)
trojezični
trojezičnost, -ošću *i* -osti
trojica
Trojica (*nar.*) > Trojstvo (*vjer.*)
trojka DL jd. -jci, G mn. -ki
Trojstvo (*vjer.*), Veliko Trojstvo (*zem.*), Sveto/Presveto Trojstvo (*vjer., blagdan*)
trokuće
trolejbus
trolejbusni; trolejbusna postaja
troljeće G mn. troljeća
troljetan, -tna
troljetnica
tromeč (*šport.*)
tromeđa
tromeđni
tromjesečje
tromjesečni
tromjesečnik mn. -ici
tromjesečnjak mn. -aci
tronedjeljni *prema* tri nedjelje (*kao dana u tjednu*)
tronoške (*pril.*)
tronuće > ganuće
tropalac, -lca
tropalačni
tropjev
tropol, tropola (*prid.*)
tropostotni (3%-tni)
tropotati, tropoćem, tropoći, tropoćući
troskok mn. troskoci
trostih mn. -isi, G mn. -iha
trostručiti, trostručeći
trostruk (*umnožni broj*)
trošač
trošačev
trošačica
trošačičin
trošački
trošilac, trošioca, G mn. trošilaca > trošitelj
trošitelj

trotjedni *prema* tri tjedna, *drugo je* tronedjeljni
trotoar > pločnik
trotočje
trouglast
trovjerac, -rca, V jd. -rče, G mn. -raca
trovjeran, -rna
trozvučan, -čna
trozvuk mn. -uci
trožičan, -čna
Trpanj, Trpnja (*zem.*)
trpanjski *prema* Trpanj
trpeljiv > (u)strpljiv, snošljiv
trpeljivost, -ošću *i* -osti > (u)strpljivost, snošljivost
trpež, trpeža
trpjeti, trpim, trpljah, trpeći, trpio, trpjela
trpkoća
Trpnjanin mn. -ani *prema* Trpanj (*čovjek iz Trpnja*)
Trsaćanin mn. -ani (*čovjek iz Trsata*)
Trsaćanka DL jd. -ki, G mn. -ki
Trsat, Trsata (*zem.*)
trsatski
trskovača
Trst (*zem.*)
trščak mn. -aci *prema* trska
trščan *prema* trska
trščica
Tršćanin mn. -ani (*čovjek iz Trsta*)
Tršćanka DL jd. -ki, G mn. -ki
tršćanski *prema* Trst; Tršćanski zaljev
tršće *prema* trst
Tršće (*zem.*)
Tršić (*zem.*)
Tršićanin mn. -ani
Tršićanka DL jd. -ki, G mn. -ki
tršićki
trti, trem (tarem), trući *i* tarući, tro, trla, trt *i* trven
trtičin *prema* trtica
trtični *prema* trtica; trtična kost
trtičnjača (*trtična kost*)
trubač *i* trubljač
trubačev *prema* trubač
trubljač *i* trubač
trubljača
trubljačev *prema* trubljač
trućalo
trućati, trućajući (*bacati*)
trućiti (*baciti*)
trudahan, -hna
trudbenički (*pov.*) > radnički, djelatnički
trudnoća
truđenje *prema* truditi

truhao, -hla > truo, -ula
truhloća > truloća
truhlost, -ošću *i* -osti > trulost
truhnuti, -nem > trunuti
trulež, truleža *i* truleži
trulina
truloća
trulost, -ošću *i* -osti
trulja
truljar
truljenje *prema* truljeti
truljeti, trulim, truljah, trulio, truljela, truleći
trunčica *um. od* trunka
trunuti, -nem
trunjenje *prema* trunuti
truo, trula
trupačke *i* trupački (*pril.*)
trupčanik mn. -ici
trusnjače
Tržić, *slov.* Tržič (*zem.*)
tucač
tucački
tuč, tuča > bronca
tuča (*grad*)
tučak, tučka, mn. tučci *i* tučkovi
tučan, tučna
tučar (*čuvar tuka*)
tučarica
tučarka DL jd. -ki, G mn. -ki (*prema* tučar)
tuče, -eta, *zb.* tučad, mn. tučići > pure
tučenac, -nca, G mn. -naca
tučenik *prema* tući, tučem
tučevina *prema* tuka > puretina
tučić > purić
tučiti se, tučeći se
tučji > pureći
tučnica
tučnik mn. -ici
tučnjak mn. -aci
tučnjava
tučvati se, tučvajući se
tući, tučem... tuku; tuci, tukući, tucijah *i* tučah, tučen
tudijer (*pril., zast.*) > tu
tuđ
tuđica
tuđin
tuđina
tuđinac, -nca, V jd. -nče, G mn. -naca
tuđinčev
tuđinčiti, tuđinčeći
tuđinka DL jd. -ki, G mn. -ki
tuđinkin
tuđinski; tuđinski nasrtaj

tuđinština
tuđiti se, tuđeći se
tuđozemac, -mca, V jd. -mče, G mn. -maca
> inozemac
tuđozemka DL jd. -ki, G mn. -ki > inozemka
tuđozemski > inozemski, inozemni
tugaljiv > tužan
Tuhelj, -hlja (zem.)
tuheljski prema Tuhelj; Tuheljske toplice (toplice)
Tuhljanin (čovjek iz Tuhlja)
Tuhljanka DL jd. -nki, G mn. -nki (žena iz Tuhlja)
tuhnuti, -nem
*tuj > tu
tukac, -kca, V jd. -kče, G mn. -kaca
tukčev
tul, tula
tulac, tulca
tulajica (cjevčica)
tulčić
tulij
tuljčić
tuljenje prema tuliti
tumač
tumačenje
tumačev
tumačica
tumačičin
tumačiti, tumačeći
tumarača
Tundža (rijeka)
tunika DL jd. -ici
Tunis (zem.)
tuniski prema Tunis
Tunišanin mn. -ani (čovjek iz Tunisa)
Tunišanka DL jd. -ki, G mn. -ki
tunovina i tunjevina (meso od tune)
tup komp. tuplji
tupiti, tupeći (što)
tupjeti, tupim, tupljah, tupeći, tupio, tupjela (postajati tup)
tupljenje prema tupjeti i tupiti
tupoća
Turče, -eta, zb. Turčad
Turčin mn. Turci
turčinak, -nka, mn. -nci, G mn. -naka
Turčinov
turčiti, turčeći
turćija (turska pjesma)
turist
turistički
turneja
turoban, -bna

Turopoljac, -ljca, V jd. -ljče, G mn. -ljaca (čovjek iz Turopolja)
turopoljac, -ljca (naziv za pasminu svinja iz Turopolja)
Turopolje jd. s. r. (zem., predjel)
Turopoljka DL jd. -ki, G mn. -ki
turopoljski; Turopoljski top (novela A. Šenoe)
turovet, turoveću i turoveti (bot.)
turpijica um. od turpija
Turska DL jd. Turskoj (zem.)
tust; Tusta glavica (brdašce)
tuše, -ea
Tuškanac, -nca (predjel u Zagrebu)
tuškanački prema Tuškanac
tutkač > ljepitelj
tutkačev > ljepiteljev
tutkačica > ljepiteljica
tutkačičin > ljepiteljičin
tutlić
tutnjiti, tutnjeći
tutoričin prema tutorica
Tuzla (zem.)
Tuzlak V jd. -ače, mn. -aci i Tuzlanin (čovjek iz Tuzle)
tuzlanski
tužilac, tužioca, V jd. tužioče, G mn. tužilaca
tužilački
tužilaštvo G mn. -štava
tužiočev
tužitelj
tužiteljičin prema tužiteljica
tužljiv
tvist (vrst plesa)
tvistni prema tvist
tvor mn. tvorovi
tvorac, -rca
tvorački
tvoraštvo G mn. -štava prema tvorac
tvorba
tvorčev
tvorić um. od tvor
tvorničar
tvorničarev i tvorničarov
tvorničarka DL jd. -ki, G mn. -ki
tvorničarkin
tvorničarov i tvorničarev
tvornički
tvorničarski
tvrd komp. tvrđi
tvrdičenje
tvrdičin prema tvrdica
tvrdičiti, tvrdičeći
tvrdičluk mn. -uci > škrtost
tvrdoća

tvrdolistan, -sna
tvrdoperka DL jd. -ki, G mn. -ki *i* -raka
tvrdostjen
tvrđa

tvrđava
tvrđenje *prema* tvrditi
tvrtka DL jd. -ki, G mn. -ki *i* -ka
tzv. *krat. za* takozvani

U

*uapsiti > uhapsiti, uhititi
uarčiti (složiti u arke)
uazbučavati, -avajući i uazbučivati
uazbučiti
uazbučivati, -čujem, -čujući i uazbučavati
ubačaj
ubadač
ubav (običnije nego hubav)
ubavost, -ošću i -osti
u beskraj
ubica > ubojica
ubiće > ubojstvo
*ubijediti > uvjeriti
*ubijeđenost, -ošću i -osti > uvjerenost
ubijeliti, ubijelim, ubijelio, ubijeljela, ubije-
   ljen
ubilački
ubilježavanje i ubilježivanje
ubilježavati, -žavajući i ubilježivati
ubilježiti
ubilježivanje i ubilježavanje
ubilježivati, -žujem, -žujući i ubilježavati
ubirač
*ubistvo > ubojstvo, umorstvo
ubitačan, -čna (štetan, škodljiv)
ubitačnost, -ošću i -osti
ubjeći, ubjegnem i ubjegnuti
*ubjedljiv > uvjerljiv
*ubjeđivati > uvjeravati
ubjegnuti, -nem i ubjeći
ubjel, ubjela (alabastar)
ubježište
ublaživač
ublaživačev
ublijediti, -dim
ublizu (pril.)
ubojičin prema ubojica
ubojnički
ubojnik V jd. -iče, mn. -ici
ubojstvo G jd. ubojstva, G mn. -stava
ubolijevati se, -ajući se
uboljeti se, -lim se
ubožnički prema ubožnica i ubožnik
ubradač
ubrađivati, -đujem, -đujući
ubrazditi, ubražđen
u brk (reći komu što)

ubrojiti, ubroj, ubrojen
ubrojiv
ubruščić um. od ubrus
ubrzač
ubrzivač
ubrzo (pril.)
ubuduće (pril.)
ucijediti, ucijeđen
ucijelo (pril.)
ucijeniti, ucijenjen
ucijepiti, ucijepljen
u cik (od) zore
ucjeđenje prema ucijediti
ucjeđivati, -đujem, -đujući
ucjena G mn. ucjena
ucjenjivač
ucjenjivačev
ucjenjivačica
ucjenjivačičin
ucjenjivački
ucjenjivanje
ucjenjivati, -njujem, -njujući
ucjepkati
ucjepljenje prema ucijepiti
ucjepljivati, -ljujem, -ljujući
*uckati > huckati
ucrvati se
ucrvljati se, -am se
ucvatjeti
ucviliti
ucvjetati
ucvjetavati, -avajući
učađaviti, učađavljen
učađavjeti (postati čađav)
učahuren
učahurenost, -ošću i -osti
učahuriti se
učahurivati se, -rujem se, -rujući se
učan, učna
učas (pril.)
učašiti
učeliti se
učen
učenica
učeničin
učenički
učenik V jd. -iče, mn. -ici

učenikov
učenost, -ošću i -osti
učenjački
učenjak V jd. -ačc, mn. -aci > znanstvenik
učenje
učesnica > sudionica
učesnički > sudionički
učesnik V jd. -ičc, mn. -ici > sudionik
učesništvo > sudioništvo
učestalost, -ošću i -osti
učestao, učestala (prid.)
učestati
učestvovati > sudjelovati
učešće > sudjelovanje, sudioništvo
učetvero (pril.)
učetveronožiti se i učetvoronožiti se
učetverostručiti i učetvorostručiti
učetvoriti
učetvoronožiti se i učetveronožiti se
učetvorostručiti i učetverostručiti
učevan, -vna > učen
učevnost, -ošću i -osti > učenost
učilišni
učilište
učilo
učin (čin, učinak)
učinak, -nka, mn. -nci, G mn. -naka
učinilac, -ioca, V jd. -iočc, G mn. -laca > učinitelj
učinitelj
učiniteljev
učiniteljica
učiniteljičin
učiniti, učinjen
učiona > učionica
učionica
učitelj
učiteljev
učiteljevati, -ljujem, -ljujući
učiteljica
učiteljičin
učiteljički
učiteljište
učiteljski; učiteljski zbor
učiti, učeći
Učka DL Učki (gora u Istri); tunel kroz Učku
učlaniti, učlanjen
učlanjivati, -njujem, -njujući
učmalost, -ošću i -osti
učmati
učo hip. od učitelj
učovječiti se
učtiv > uljudan
učtivost, -ošću i -osti > uljudnost

učuvati
učvrstiti, učvršćen
učvršćenost, -ošću i -osti
učvršćenje
učvršćivati, -ćujem, -ćujući
ući, uđem
ućuditi se
ućutati, ućutim > ušutjeti
ućutjeti, -tim > ušutjeti
ućutkati >ušutjeti
ućutkivati, -kujem, -kujući > ušućivati
*ud > udo
udadba G mn. -dbi i -daba > udaja
udadbeni
udadbenica
udadbeničin
udadbenički
udah mn. -asi
udahnuti, -nem
udahnjivati, -njujem, -njujući
udaljenost, -ošću i -osti
udaljiti
udaljivati, -ljujem, -ljujući
udarač
udaraljka DL jd. -ljci, G mn. -ki
udarničin prema udarnica (pov.)
udarnički
udarnik V jd. -iče, mn. -ici (pov.)
udavača
udavati, udajem, udavajući
udavljenički > utopljenički
udesetostručavati, -ajući
udesetostručiti
udesno (pril.)
udešavač
udešavati, udešavajući
udevetostručavati, -ajući
udevetostručiti
udezba
udičar
udičarski; udičarski pribor
udičast
udičica um. od udica
udić um. od udo
udijeliti, udijeljen
udijevati, udijevajući
udilj > uvijek
udio, udjela i udjel
udionica
udioničar
udioničarev i udioničarov
udioničarka DL jd. -ki, G mn. -ki
udioničarov i udioničarev
udionički

udioništvo G mn. -štava
uditi, udeći
udjel, udjcla i udio
udjelak, udjelka, mn. udjelci, G mn. udjelaka
udjelati
udjelba
udjelitelj
udjeliteljev
udjeliteljica
udjeliteljičin
udjelni
udjelnica
udjelničin
udjelnik V jd. -ičc, mn. -ici
udjelnikov
udjelotvoriti
udjeljivati, -ljujem, -ljujući
udjenuti, -nem
udjesti > udjenuti
udjeti > udjenuti
udjevak, -vka, mn. -vci, G mn. -vaka
udjeven
udno (prij.)
udomaćiti (se)
udomaćivati (se), -ćujem (se), -ćujući (se)
udomljivati, -ljujem, -ljujući
udostojati (se) i udostojiti (se)
udova > udovica
udovac, -vca, V jd. -vče, G mn. -vaca
udovački prema udovac
udovčev
udovičica (udovičina kći)
udovičić (udovičin sin)
udovičin prema udovica
udovički prema udovica
udovištvo G mn. -štava
udovoljavati, -avajući i -ljujući
udovoljiti (koga ili što)
udrijeti, udrem, udro, udrla > udariti
udubak, -upka, mn. -upci, G mn. -baka
udubiti se, udubljen prema dubok
udubljivati se, -ljujem se, -ljujući se
udugo (pril.)
uduhati, udušem, uduši
uduhnuti, -nem
*udunuti, -nem > uduhnuti
udurečiti se > ukočiti se
udvadesetostručiti
udvajač
udvarač
udvaračev
udvaračica
udvaračičin
udvarački

udvoje (pril.)
udvoričin prema udvorica
udvorički
udvostručenost, -ošću i -osti
udvostručenje
udvostručiti
udvostručivati, -čujem, -čujući
udžbenički
udžbenik mn. -ici
uđenje prema uditi
uđuture (pril.)
ufanje prema ufati se
ufati se
*ufatiti > uhvatiti
ugaćiti se
ugađač
ugađačev
ugađačica
ugađačičin
ugađački
ugađati, ugađajući
ugalj, uglja > ugljen
uganuće
ugao, ugla, mn. uglovi
ugaoni; ugaoni kamen
ugaonik
ugarak, -rka, mn. -rci, G mn. -raka
ugarčić um. od ugarak
ugarčina uv. od ugarak
Ugarska DL -skoj (pov.)
ugasitocrven
ugasiv i ugašljiv
ugič > ovan predvodnik
uginuće
uginjati, uginjem, uginjući
uglačanost, -ošću i -osti
uglačati
uglađenost, -ošću i -osti
uglađivati, -đujem, -đujući
uglavičiti se
uglavljivati, -ljujem, -ljujući
uglavnom (pril.)
u glavu
ugledač
uglednik V jd. -ičc, mn. -ici
uglednost, -ošću i -osti
uglibljivati se, -ljujem se, ljujući se
uglobljivati, -ljujem, -ljujući
Ugljan (zem., otok i selo)
ugljen G mn. ugljena
ugljenčić um. od ugljen
ugljevlje
ugljičak, -čka, mn. -čci, G mn. -čaka
ugljični prema ugljik; ugljični dioksid

ugljikovodični *prema* ugljikovodik; ugljikovodična kiselina
ugnijezditi (se), ugnijezđen
ugnuće
ugnusiti
ugnječiti
ugnjesti, -etem
ugnjetač
ugnjetačev
ugnjetačica
ugnjetačičin
ugnjetački
ugnjetavač
ugnjetavačev
ugnjetavačica
ugnjetavačičin
ugnjetavački
ugnjetenost, -ošću *i* -osti
ugnježđivati (se), -đujem (se), -đujući (se)
ugnjiljeti, -lim
ugodljiv
ugodljivost, -ošću *i* -osti
ugodničin *prema* ugodnica
ugodnički
ugodnik V jd. -iče, mn. -ici; Božji ugodnik
ugodnost, -ošću *i* -osti
ugođaj
ugorak, -rka, mn. -rci, G mn. -raka
ugorčić
ugorijevanje
ugorijevati, ugorijevajući
ugorjeti se, -rim se
ugostiteljičin *prema* ugostiteljica
ugostiti, ugošćen
ugošćenje
ugošćivanje
ugošćivati, -ćujem, -ćujući
ugovarač
ugovaračev
ugovaračica
ugovaračičin
ugovarački
ugovjeti, -vim
Ugričić
ugrijanost, -ošću *i* -osti
ugrijati, ugrij
ugrijavati, ugrijavajući
Ugrin mn. Ugri, G mn. Ugara
ugruhati se, -am se *i* ugruvati se
ugrušak, -ška, mn. -šci, G mn. -šaka
ugruvati se, -am se *i* ugruhati se
uh *(uzvik)*
uhabati
uhađati *i* uhoditi

uhalj *(ušna školjka)*
uhapsiti, uhapšen > uhititi, zatvoriti
uhapšenica > uhićenica, zatvorenica
uhapšeničin *prema* uhapšenica
uhapšenički *prema* uhapšenik
uhapšenik V jd. -iče, mn. -ici > uhićenik, zatvorenik
uhar *(pril.)*
uharačiti
uharno
uhat
uhićen
uhićenica
uhićenički *prema* uhićenik
uhićenik V jd. -iče, mn. -ici
uhićenje
uhidbeni; uhidbeni nalog
uhititi *(uhvatiti)*
uhitnica *(akt o uhićenju)*
uhitriti
uhladiti
uhlađivati, -đujem, -đujući
uhljebiti, uhljebljen
uhljeblje
uhljebljenje
uhljebljivati, -ljujem, -ljujući
uho, uha, mn. ž. r. uši
uhobolja
uhoda
uhodati se
uhodavati se, -avajući se
uhoditi *i* uhađati
uhodnica
uhodnik V jd. -iče, mn. -ici
uhođenje *od* uhoditi
uholaža
uholjez
uhraniti, uhranjen
uhranjenost, -ošću *i* -osti
uhrpati *(skupiti u hrpe)*
uhvaćen
*uhvanje > ufanje
uhvatak, -tka, mn. uhvaci *i* uhvatci
*uhvati se > ufati se
uhvatiti, uhvaćen
uići, uiđem
uimati, uimam, uimajući *od svr.* ujmiti
uime *(prij.)*
uistinu *(pril.)*
uistovjetiti, uistovjećen
ujahati, ujašem
ujac, ujca, V jd. ujče, G mn. ujaca > ujak
ujak V jd. ujače, mn. ujaci
ujamčiti

ujarmiti, ujarmljen
*ujati > hujati
ujčev
ujčević
ujčevina
ujčićna
ujedanput (*pril.*)
ujedati, -am, -ajući
ujedinjavati, ujedinjavajući i ujedinjivati
Ujedinjeni narodi *kratica* UN (*mjesto* Organizacija ujedinjenih naroda, *kratica* OUN)
Ujedinjeno Kraljevstvo (*Velika Britanija i Sjeverna Irska*)
ujedinjenje
ujedinjivati, -njujem, -njujući i ujedinjavati
ujedljiv
ujedljivost, -ošću i -osti
ujednačavanje
ujednačavati, -ajući > izjednačavati
ujednačenost, -ošću i -osti > izjednačenost
ujednačenje > izjednačenje
ujednačiti > izjednačiti
ujedno (*pril.*)
ujednoličenost, -ošću i -osti
ujednoličiti
ujednoličivati, -čujem, -čujući
ujednostručen (*prid.*)
ujednostručiti
u jesen
ujmiti, ujmljen
ujničin *prema* ujnica
ujutro i ujutru (*pril.*)
ukamaćen
ukamaćenje *prema* ukamatiti
ukamaćivati, -ćujem, -ćujući
ukićati, -am *ns. od* ukititi
ukinuće
ukivač
ukivati, ukivajući
uklještenost, -ošću i -osti
uklještiti, uklješten
uklinčiti
uklupčati se
uklješćivati, -ćujem, -ćujući
uklještenje *prema* uklještiti
ukljeva G mn. ukljeva (*zool.*)
uključiti
uključiv
uključivanje
uključivati, -čujem, -čujući
uključivo (*pril.*)
uključivost, -ošću i -osti
uključnik V jd. -iče, mn. -ici
uključno

ukočenost, -ošću i -osti
ukočenje
ukočiti (se)
ukolačiti
ukoliko (*pril.*)
ukoljenčiti
ukonačenje
ukonačiti
ukonačivati, -čujem, -čujući
ukončati
ukopčati
ukopčavanje
ukopčavati, ukopčavajući
ukopnički
ukopnjeti, -nim
ukorak (*pril.*)
ukoravati, ukoravajući
ukoričavanje i ukoričivanje
ukoričavati, -ajući i ukoričivati
ukoričiti
ukoričivanje i ukoričavanje
ukoričivati, -čujem, -čujući i ukoričavati
ukorijeniti, ukorijenjen
ukorijenjenost, -ošću i -osti
ukorijepiti se
ukoriti
ukorjenjivanje
ukorjenjivati, -njujem, -njujući
ukoso (*pril.*)
u koštac (*pril.*)
ukovrčiti
ukraćivati, -ćujem, -ćujući
ukraj (*prij.*)
Ukrajina (*zem.*)
Ukrajinac, -nca, V jd. -nče, G mn. -naca
Ukrajinka DL jd. -ki, G mn. -ki
ukrašavati, -ajući i ukrašivati, -šujem, -šujući
ukratko (*pril.*)
ukrčkati se
ukrepljavati /ukrjepljavati, -ajući i ukrepljivati/ukrjepljivati, -ljujem, ljujući
ukrepljene i ukrjepljenje
ukrhati, -am
ukrijepiti, ukrijepljen
ukrivo (*pril.*)
ukrjepljavati /ukrepljavati i ukrjepljivati/ukrepljivati
ukrjepljenje i ukrepljenje
ukrjepljivati /ukrepljivati i ukrjepljavati/ukrepljivati
ukroćavati, -ajući i ukroćivati
ukroćenje *prema* ukrotiti
ukroćivanje
ukroćivati, -ćujem, -ćujući i ukroćavati

ukrotilački
ukrotiteljičin *prema* ukrotiteljica
ukrotiti, ukroćen
ukrstiti
ukršćivanje
ukršćivati, -ćujem, -ćujući *i* ukrštavati
> ukrštati
ukrštati, -am, ukrštajući
ukrštavati, -ajući *i* ukršćivati > ukrštati
ukršten *prema* ukrstiti
ukrštenost, -ošću *i* -osti
ukrućen
ukrućenost, -ošću *i* -osti
ukrućenje *prema* ukrutiti
ukrućivanje
ukrućivati, -ćujem, -ćujući
ukrupno (*pril.*)
ukućanin mn. -ani
ukućanka DL jd. -ki, G mn. -ki
ukućanstvo G mn. -ćanstava
ukućiti (se)
ukućnica
ukuhati
ukuhavanje
ukuhavati, ukuhavajući
ulagač
ulagačev
ulagačica
ulagačičin
ulagački
ulagivač
ulagivačev
ulagivačica
ulagivačičin
ulagivački
ulančiti
Ulcinj (*zem.*)
uleći se, ulegnem se *prema* leći *i* ulegnuti se
uleći se, uleknem se *i* uleknuti se
uleći se, uležem se (*ugnijezditi se*)
ulegnuće
uleknuće
uletjeti, -tim, -tio, -tjela
ulica; Ulica kralja Zvonimira, Ulica kneza Mislava, Ulica Nikole Tesle, Teslina ulica, Batušićeva ulica
uličar
uličarev *i* uličarov
uličarka DL jd. -ki, G mn. -ki
uličarkin
uličarov *i* uličarev
uličetina
uličica
uličiti (se), uličeći (se)

ulični; ulični svirači
uličnjača
uličnjak V jd. -ače, mn. -aci
ulijegati, uliježem, uliježući
ulijeniti se, ulijenjen
ulijenjenost, -ošću *i* -osti
ulijepiti, ulijepljen
ulijetanje
ulijetati, ulijećem, ulijećući
ulijevanje
ulijevati, ulijevajući
ulijevo (*pril.*)
ulisičiti se (*postati kao lisica*)
ulište
uliti, ulijem
ulivati > ulijevati
ulizičin *prema* ulizica
ulizički
uloćkati se
ultraljubičast; ultraljubičaste zrake
ultramarin
ultrasoničan, -čna
ultravioletan, -tna
ultrazvučan, -čna
ultrazvuk mn. -uci
ulučenje
ulučiti
ulučivati, -čujem, -čujući
uludo (*pril.*)
uljani; uljano sjeme
ulje
uljeći, uljegnem (*ući*) *i* uljesti; *drugo je* uleći se
uljeni; uljena boja
uljenica
uljenjivati se, -njujem se, -njujući se
uljepak, uljepka, G mn. uljepaka
uljepljivati, -ljujem, -ljujući se
uljepšanost, -ošću *i* -osti
uljepšati (se)
uljepšavanje
uljepšavati (se), uljepšavajući (se)
uljesti, uljezem *i* uljeći
ulješura
uljetiti
uljetnica
uljev
uljevača (*kajgana*)
uljevuša (*bazlamača*)
uljez G mn. uljeza
uljiti, uljeći (*začinjivati uljem*)
uljudba G mn. uljudaba *i* -dbi
uljuđen
uljuđenost, -ošću *i* -osti

uljuđivanje
uljuđivati, -đujem, -đujući
umaći, umaknem i umaknuti
umah (*pril.*)
umahati, umašem
umaknuti, -nem i umaći
umalo (*pril.*)
umašćivati, -ćujem, -ćujući
umetač
umetati, umećem
umetnuće *prema* umetnuti
umijeće
umijesiti, umiješen
umiješati, umiješan; *drugo je* umješan
*umiještati > umještati
umiljeti, -lim
uminuće
umirovljeničin *prema* umirovljenica
umirovljenički
umirući (*prid.*)
*umitati > umetati
umiti, umim, umeći (*od* um); *drugo je* umjeti
umiti, umijem, umiven
umivaona > umivaonica
umivaonica
umivati, -am, -ajući
umjera
umjeravati, -ajući > ublaživati
umjeren
umjerenost, -ošću i -osti
umjerenjak V jd. -ače, mn. -aci
umjeriti, umjeren
umjesa
umjesnost, -ošću i -osti
umjestan, -sna
umjestiti, umješten
umjesto (*prij.*); umjesto čega
umješan, -šna > vješt, okretan
umješivati, -šujem, -šujući
umješnost, -ošću i -osti > vještina, umijeće
umještati, -am, -ajući
umještina > umijeće
umještvo G mn. -štava > umijeće
umjetan, -tna
umjeti, umijem, umijući, umio, umjela; *drugo je* umiti, umim
umjetnica
umjetničin
umjetnički
umjetnik V jd. -iče, mn. -ici
umjetnikov
umjetnina
umjetništvo G mn. -štava
umjetnost, -ošću i -osti

umlačiti , umlačen; *drugo je* umlaćen *prema* umlatiti
umlaćen
umlatiti, umlaćen; *drugo je* umlačen *prema* umlačiti
umliječiti
umlječivati, -čujem, -čujući
umljeti, umeljem
umnažač i umnožač/umnožavač/umnoživač
umnik V jd. -iče, mn. -ici
umnogo (*pril.*)
umnogostručavati, -ajući i umnogostručivati
umnogostručiti
umnogostručivati, -čujem, -čujući i umnogostručavati
umnožač i umnažač/umnožavač/umnoživač
umnožak, -oška, mn. -ošci, G mn. -ožaka
umnožavač i umnoživač
umnožavati, -ajući i umnoživati, -žujem, -žujući
umobolnik V jd. -iče, mn. -ici
umočiti
umoljčati se, umoljčan
umoljčavati se, umoljčavajući se
umračiti se
umračivati se, -čujem se, -čujući se
umrće (*smrt*)
umrijeti, umrem, umrv(ši) i umrijev(ši), umro, umrla
umrtvljavati, -ajući i umrtvljivati, -ljujem, -ljujući *prema* umrtviti
umučati, umučim
umučkati
umučkavati, umučkavajući
umući, umuknem > umuknuti
umućkati *prema* mućkati; *drugo je* umučkati
umuknuće
umuknuti, -nem
UN *krat. za* Ujedinjeni narodi
Unač, Unča (*selo*)
unaimati, unaimajući > unajmljivati
unajmiti, unajmljen
unajmljivati, -ljujem, -ljujući
unakaraditi, unakarađen
unakarađivati, -đujem, -đujući
unakriž (*pril.*)
unakrst (*pril.*)
unaokolo (*pril.*)
unapredak (*pril.*)
unapređenje *prema* unaprijediti
unapređivač
unapređivačev
unapređivačica
unapređivačičin

unapređivački
unapređivalac, -aoca i unapređivatelj
unapređivanje
unapređivatelj i unapređivalac
unapređivati, -đujem, -đujući
unaprijed (pril.)
unaprijediti, unaprijeđen > promaknuti
unašati i unositi
unatoč (prij. s dativom); unatoč tomu
unatrag (pril.)
unatrč (pokr., dosta)
unaviljčiti
unazad (pril.)
unazaditi, unazađen
unazađivanje
unazađivati, -đujem, -đujući
uncijala (pismo)
uncijalan, -lna prema uncijala
unča (mjera)
unećkati
unedogled (pril.)
unekoliko (pril.)
unepovrat (pril.)
Unesko, Uneska, DL Unesku i UNESCO,
    UNESCO-a, UNESCO-u (engl. kratica)
Uneskov
unesrećavanje > unesrećivanje
unesrećavati > unesrećivati
unesrećen
unesrećenica
unesrećenik V jd. -iče, mn. -ici
unesrećiti, unesrećen
unesrećivanje
unesrećivati, -ćujem, -ćujući
unesti > unijeti
Unešić (selo)
Unicef, Unicefa i UNICEF, UNICEF-a (engl.
    kratica)
unići, uniđem > ući
unificirati, unificirajući
unifikacija
uniformirati, uniformirajući
unijaćenje prema unijatiti
unijat (grkokatolik)
unijatiti, unijaćah, unijaćen, unijateći
unijeti, unesem, unijeh, unese, unesav(ši),
    unio, unijela, unesen (unijet)
unionist
unionistica
unionističin
unionistički
unionizam, -zma
uništiv
unitarist

unitaristčin prema unitaristica
unitaristički
univerzitet > sveučilište
unizi (pril.)
unoćati se, unoća se
unositi i unašati
unovačiti
unovačivanje
unovačivati, -čujem, -čujući
unovčavati, -ajući i unovčivati
unovčiti
unovčivati, -čujem, -čujući i unovčavati
Unra, Unre DL Unri i UNRA (engl. kratica)
unučad, unučadi, l jd. unučađu i unučadi
unuče, -eta, zb. unučad
unučetov
unučica
unučičin
unučić
unuk V jd. unuče, mn. unuci
unuka DL jd. -uci
unutar i unutra
unutarnji i unutrašnji
unutarnjopolitički i unutrašnjopolitički
unutarstranački
unutra i unutar
unutrašnji i unutarnji
unutrašnjopolitički i unutarnjopolitički
unutrašnjost, -ošću, -osti
*unutri > unutra
u nj
unjihati, unjišem, unjihaj i unjiši
unjihavati, unjihavajući
uobičajen
uobičajenost, -ošću i -osti
uobičajiti (se)
uobličavati, -ajući i uobličivati
uobličen
uobličenost, -ošću i -osti
uobličenje
uobličiti (se)
uobličivati, -čujem, -čujući i uobličavati
uočavanje
uočavati, uočavajući
uočenje
uoči (prij. s gen.); uoči Velike Gospe
uočiti
uočljiv
uočljivost, -ošću i -osti
uokolo (prij. i pril.)
uokrug (pril. i prij.)
uopćavanje i uopćivanje
uopćavati, -ajući i uopćivati
uopće (pril.)

uopćeno (*pril.*)
uopćenost, -ošću *i* -osti
uopćenje
uopćiti
uopćivanje *i* uopćavanje
uopćivati, -ćujem, -ćujući *i* uopćavati
uortačiti (se) (*udružiti* (*se*))
uosmostručiti
uostalom (*pril.*)
upadač
upadačev
upadan > napadan, primjetljiv, uočljiv
upadljiv > napadan, primjetljiv, uočljiv
upaljač
upaljiv
upaljivač
upao, upala
upaočiti *prema* palac, paoci
upeći, upečem, upekao, upekla, upekav(ši)
*upijač > bugačica
upijača
upijačica
upijaći
upjevati se
upjevavati se, -vajući se
uplaćen
uplaćivanje
uplaćivati, -ćujem, -ćujući
uplašćivati, -ćujem, -ćujući
upletati, upletćem
upletnjak mn. -aci
uplijeniti
uplitati > upletati
upločati
upljačkati
upljesniviti se
u početku
upoćak, upoćka, mn. -ćci (*u predi*)
u podne
upola (*pril.*)
upolovačiti
upoprečivati, -čujući *i* upoprječivati
upoprječiti
upoprijeko (*pril.*)
upoprječivati, -čujući *i* upoprečivati
uporaba *i* upotreba
uporabiti *i* upotrijebiti
uporabljiv *i* upotrebljiv
uporabljivost, -ošću *i* -osti *i* upotrebljivost
uporedo (*pril.*)
upoređivati, -đujem, -đujući > uspoređivati
uposlenje
uposlenost, -ošću *i* -osti
uposliti, uposlen

upošljavati, upošljavajući *prema* uposliti
upotreba *i* uporaba
upotrebiti > upotrijebiti
upotrebljavanje
upotrebljavati, -ajući *i* upotrebljivati
upotrebljiv *i* uporabljiv
upotrebljivanje
upotrebljivati, -ljujem, -ljujući *i* upotrebljavati
upotrebljivost, -ošću *i* -osti *i* uporabljivost
upotrebni
upotrijebiti, upotrijebljen *i* uporabiti
upoznavati, upoznajem *i* upoznavam, upoznajući *i* upoznavajući
upozoravati, upozoravajući
uprav (*pril.*) *i* upravo
upraviteljičin *prema* upraviteljica
upravljač
upravljačev
upravljačica
upravljačičin
upravljački
upravnica > upraviteljica > ravnateljica
upravničin *prema* upravnica
upravnički
upravnik V jd. -iče, mn. -ici > upravitelj
upravo (*pril.*) *i* uprav
*upražnjavati > baviti se
uprčivati, -ćujem, -ćujući
uprečivati, -čujući *i* uprječivati
upreći *i* upregnuti
uprepastiti se
uprepašćivati se, uprepašćujući se *i* uprepaštavati se, uprepaštavajući se
upriječiti
uprijeko (*pril.*)
uprijekrst (*pril.*) > ukriž
uprijeti, uprem, upro, uprla, uprijev(ši) *i* uprv(ši)
upriličiti > prirediti
uprječivati, -čujući *i* uprečivati
*uprkos > usprkos, unatoč (*prij. s dativom*)
upropanj (*pril.*)
upropastiti, upropašćen *i* upropašten
upropašćivati, -šćujem, -šćujući *i* upropaštavati, -ajući
upropašten
uprostiti, uprošten > pojednostav(n)iti
uprošćivati, -ćujem, -ćujući > pojednostavnjivati
uprtač
uprtača
uprtiti, uprćen
uprtnjača

upuće (*pokr., put*)
upućen
upućenost, -ošću *i* -osti
upućenje
upućivač
upućivačev
upućivačica
upućivačičin
upućivački
upućivanje
upućivati, -ćujem, -ćujući
upuhati se
upuštati
uput (*pril.*)
uputa
uputnički
uputstvo > uputa, naputak
uračunati
uračunavanje
uračunavati, -ajući
uračuniti, uračunjen
uračunljiv
uračunljivost, -ošću *i* -osti
uranij
uranijev *prema* uranij
*uranijum > uranij
uraričin *prema* urarica
uraskorak (*pril.*)
urašćivanje
urašćivati, -ćujem, -ćujući
urazdaleko (*pril.*)
urazumiti (*koga*)
urazumjeti (se), -zumio (se), -zumjela (se),
  -zumjev(ši) (se)
urazumljivati, -ljujem, -ljujući
urbanist
urbanistica
urbanistićin
urbanistički; urbanistički plan
urbanizacija
ureći, urečem *i* ureknem, urekav(ši)
urediti, ureden
urednićin *prema* urednica
urednički
urednik V jd. -iče, mn. -ici
uredništvo G mn. -štava
uredski; uredski pribor
uređaj
uređenost, -ošću *i* -osti
uređenje
uređivač
uređivačev
uređivačica
uređivačičin

uređivački
uređivanje
uređivati, -đujem, -đujući
urijediti, urijeđen
urijetko (*pril.*)
urjeđati (*postati rjeđi*)
urlik mn. -ici
urlikati, urličem, urliči, urličući
uročiti
uročki
uročljiv
uročnica
uročničin
uročnički
uročnik V jd. -iče, mn. -ici
urođenica
urođeničin
urođenički
urođenik V jd. -iče, mn. -ici
urokljiv
urokljivost, -ošću *i* -osti
urolog mn. -ozi
urologija
urološki
urotničin *prema* urotnica
urotnički
urotnik V jd. -iče, mn. -ici
urtikarija
uručenje
uručiti
uručivanje
uručivati, -čujem, -čujući
uručljiv
urudžba
urudžbeni; urudžbeni zapisnik
Urugvaj (*zem.*)
USA *krat. za* United States of America, *usp.*
  SAD (*krat. za* Sjedinjene Američke Države)
usačmiti se
usačmljivanje
usačmljivati, -ljujem, -ljujući
usađivanje
usađivati, -đujem, -đujući
usahnuće *prema* usahnuti
usahnuti, -nem, usahao, -hla *i* usahnuo, -ula
USAOH, USAOH-a (*pov.*) *krat. za* Ujedi-
  njeni savez antifašističke omladine Hrvat-
  ske
usavjetovati se, -tujem se
u se; ući u se
usebičiti
usedmostručiti
usekač
usekati se, usečem se, usekući se

useknuti (se), -nem (se) (*ubrisati*); *drugo je* usjeknuti
ushićavati (se), -ajući (se) *i* ushićivati (se) (*oduševljavati se*)
ushićen (*oduševljen*)
ushićenost, -ošću *i* -osti
ushićenje (*oduševljenje*)
ushićivati (se), -ćujem (se), -ćujući (se) *i* ushićavati (se)
ushitati (se)
ushititi (se), ushićen
ushtjeti, ushtjednem *i* ushtijem
usićiti se
usidjelica
usidjeličin
usidjelički
usidjelištvo G mn. -štava
usijanost, -ošću *i* -osti
usijati
usijecanje
usijecati, usijecajući
***usijedati** > usjedati
usirćetiti se > ukiseliti se, uoctiti se
usisač
usisavač *i* usisivač
usitno (*pril.*)
usitnjavati, -ajući *i* usitnjivati, -njujem, -njujući
USIZ (*pov.*) *krat. za* Udružena samoupravna interesna zajednica
usjecati, usjecam, usjecajući *prema* usjeći; *drugo je* usijecati
usjeći, usiječem
usjed, usjeda
usjedati
usjedba G mn. usjedaba (*usjev*)
usjediti
usjedjeti se, -dim se
usjednuti, -nem *i* usjesti
usjek mn. -eci, G mn. usjeka
usjeka DL jd. -eci
usjekač
usjeklina
usjeknuti, -nem (*npr. oganj*) > ukresati; *drugo je* useknuti
usjelina
usjemeniti se
usjemenjivanje
usjemenjivati, -njujem, -njujući
usjesti, usjedem (usjednem) *i* usjednuti
usjetiti se
usjev G mn. usjeva
usjevan, -vna
uskipjeti, -pim
uskiptjeti, -ptim

usklađenost, -ošću *i* -osti
uskličnik mn. -ici
***usklići** > uskliknuti
uskočiti
Uskočka gora (*zem.*)
uskočki
uskočkinja
uskočnica
uskoća
uskora *i* uskoro (*pril.*)
uskos (*pril., pokr., usprkos*)
uskotračan, -čna; uskotračna pruga
uskovrčiti
uskraćivanje
uskraćivati, -ćujem, -ćujući
uskrs (*povratak u život*)
Uskrs (*vjer., blagdan*)
uskrsni; Uskrsni ponedjeljak (*blagdan*)
uskrsnuće
uskršavati, uskršavajući
uskršnjača
uskršnji > uskrsni
uslađivati, -đujem, -đujući
uslijed > poradi, s, zbog
uslijediti
***uslov** > uvjet
***usloviti** > uvjetovati
usljeđivati, -đujem, -đujući
usmeni
usmjeliti se
usmjeljivati se, -ljujem se, -ljujući se
usmjerač
usmjeravač *i* usmjerivač
usmjeravanje
usmjeravati, usmjeravajući *i* usmjerivati
usmjerenost, -ošću *i* -osti
usmjerenje
usmjeriti
usmjerivač *i* usmjeravač
usmjerivanje
usmjerivati, -rujem, -rujući *i* usmjeravati
usmrađivati, -đujem, -đujući
usmrćenje *prema* usmrtiti
usmrćivanje
usmrćivati, -ćujem, -ćujući
usmrdjeti (se), -dim (se)
usmrđivanje
usmrđivati, -đujem, -đujući
usmrtiti, usmrćen
usna
usnača
usni *prema* usta
usničica
usničina *prema* usnica

usnijetiti *prema* snijet
usnjača
uspavljiv
uspavljivač
uspavljivačev
uspavljivačica
uspavljivačičin
uspavljivački
uspavljivanje
uspavljivati, -ljujem, -ljujući
uspavljivost, -ošću *i* -osti
uspavljujući (*prid.*)
uspijevanje
uspijevati, uspijevajući
uspinjača
uspjeh mn. -esi, G mn. uspjeha
uspješan, -šna
uspješno
uspješnost, -ošću *i* -osti
uspjeti, uspijem, uspjeh, uspio, uspjela,
  uspjev(ši)
uspjevati se
usplahirenost, -ošću *i* -osti
usplahiriti (se)
usplahnuti se, -nem se (*postati plah*)
usplamćivati, -ćujem, -ćujući
usplamtjelost, -ošću *i* -osti
usplamtjeti, -tim, -tio, -tjela
usporač
usporedan, -dna
usporedo (*pril.*) > usporedno
usporedenje
uspoređivanje
uspoređivati, -đujem, -đujući
uspravno (*pril.*)
usprkos (*prij. s dat.*); usprkos svemu
usput (*pril.*)
usrđe
usrećavati, -ajući *i* usrećivati
usrećenost, -ošću *i* -osti
usrećitelj
usrećiteljev
usrećiteljica
usrećiteljičin
usrećiti
usrećivanje
usrećivati, -ćujem, -ćujući *i* usrećavati
usred (*prij.*)
usrednjak mn. -aci
usredotočenost, -ošću *i* -osti
usredotočenje
usredotočiti (*skupiti*)
usredotočivanje
usredotočivati, -čujem, -čujući

usredsređenje *prema* usredsrijediti
usredsrijediti > usredotočiti
usredsrijeđenost, -ošću *i* -osti > usredotočenost
usta (mn. s. r.) G usta
ustaći *i* ustaknuti, -nem
ustalac, ustaoca, V jd. -aoče, G mn. ustalaca
ustalački
ustanak, -nka, V jd. -nče, mn. -nci, G mn.
  -naka; Dan ustanka (*pov.*)
ustanički
ustašca (mn. s. r.) *um. od* usta
ustavljač
ustavnost, -ošću *i* -osti *prema* ustavni
ustegnuće *prema* ustegnuti
ustiti
ustjeničiti se
usto (*pril.*); *drugo je* uz to
ustobočenje
ustobočiti se
ustoličenje
ustoličiti
ustoličivanje
ustoličivati, -čujem, -čujući
ustopce *i* ustopice (*pril.*)
u stopu; pratiti koga u stopu
ustostručavati, -ajući *i* ustostručivati
ustostručiti
ustostručivati, -čujem, -čujući *i* ustostručavati
ustrajati, -jem, -jući
u stranu; potisnuti koga u stranu
ustrčati (se)
ustrčavati (se), -avajući (se)
ustrći > ustrgnuti
ustrebati
ustrebljivati, -ljujem, -ljujući
ustreljenica *i* ustrjeljenica
ustreljeničin *i* ustrjeljeničin
ustreljenik V jd. -iče, mn. -ici *i* ustrjeljenik
ustreljenka *i* ustrjeljenka
ustreljenko *i* ustrjeljenko
ustreljivati, -ljujem, -ljujući *i* ustrjeljivati *pre-*
  ma ustrijeliti
ustreptalost, -ošću *i* -osti
ustreptati, ustrepćem, ustrepći
ustrijebiti, ustrijebljen
ustrijeliti, ustrijeljen
ustrjeljenica *i* ustreljenica
ustrjeljeničin *i* ustreljeničin
ustrjeljenik V jd. -iče, mn. -ici *i* ustreljenik
ustrjeljenka *i* ustreljenka
ustrjeljenko *i* ustreljenko
ustrjeljivati, -ljujem, -ljujući *i* ustreljivati *pre-*
  ma ustrijeliti
ustrpjeti se

ustrpljiv > strpljiv
ustručavanje
ustručavati se; ustručavajući se
usuđivati se, -đujem se, -đujući se
usuprot (prij. s dat.)
u susret
ususret (pril.)
usvajač
usvajačev
usvajačica
usvajačičin
usvajački
usvijestan, usvijesna (subjektivan u filozof. značenju)
usvijestiti se, usviješten i usvješćen
usvijetliti, usvijetljen
usvijetljeti se (postati svijetao)
usvjestan, -sna
usvješćivati se, -ćujem se, -ćujući se
usvjetovati se, -tujem se, -tujući se
ušančiti (se)
ušančivati (se), -čujem (se), -čujući (se)
uščavrljati se
uščitati (se)
uščupati
uščuvan
uščuvati (se)
ušće
ušćuliti se
ušćeriti (se)
ušestero
ušesterostručiti, -čiv(ši)
ušestoro
ušestostručiti, -čiv(ši)
ušetati
ušićariti
u širinu
uširoko (pril.)
ušljiv
uštap (pun mjesec)
uštedjeti, -dim, -dio, -djela, -djev(ši), ušteđen
ušteđevina
ušteđivanje
ušteđivati, -đujem, -đujući
uštipčić um. od uštipak
ušutjeti, -tim, -tio, -tjela, -tjev(ši), ušućen
*utabačiti (poslagati u tabake, arke) > uarčiti
utaći i utaknuti
utajivač; utajivač poreza
utajivačev
utajivačica
utajivačičin
utajivački
utajivati, -jujem, -jujući

utaknuti i utaći
*utal, utla > šupalj
utaman (pril.)
utamanjivač
utamanjivačev
utamanjivačica
utamanjivačičin
utamanjivački
utamanjivati, -njujem, -njujući
utamničenica
utamničeničin
utamnički
utamničenik V jd. -iče, mn. -ici
utamničenje
utamničiti
utanačenje
utanačiti > uglaviti, ugovoriti
utanačivanje prema utanačivati
utanačivati, -čujem, -čujući > uglavljivati, ugovarati
utančanost, -ošću i -osti
utančati, -am
utančavati, -ajući
utaživ
uteći, utečem i uteknem
uteg mn. utezi
utemeljivač
utemeljivačev
utemeljivačica
utemeljivački
utenzilije (mn. ž. r.)
*uticaj > utjecaj
*uticajan, -jna > utjecajan
uticati, utičem prema utaći, utaknuti; drugo je utjecati prema uteći
utičnica
utihnuti, -nem, utihao, utihla i utihnuo, utihnu-la, utihnuv(ši)
utijeliti >utjeloviti
utikač
utilitarist
utilitarističin prema utilitaristica
utilitaristički
utirač
utiskivač
utisućiti se
utisućostručiti, -čujem, -čujući
utjecaj
utjecajan, -jna
utjecanje
utjecati, utječem prema uteći; drugo je uticati prema utaći, utaknuti
utjecište
utjeha DL jd. utjesi, G mn. utjeha

utjelovitelj
utjeloviteljev
utjeloviti, utjelovljen
utjelovljenje
utjelovljivanje
utjelovljivati, -ljujem, -ljujući
utjerati
utjerivač; utjerivač poreza
utjerivačev
utjerivačica
utjerivačičin
utjerivački
utjerivanje
utjerivati, -rujem, -rujući
utjerivost *i* utjerljivost, -ošću *i* -osti
utješan, -šna
utješavati > tješiti
utješitelj
Utješitelj (*Duh Sveti, u kršćanstvu 3. božanska osoba*)
utješiteljev
utješiteljica
utješiteljičin
utješiteljski
utješiti
utješivati > tješiti
utješljiv
utješno
utkati, utkam
uto (*pril., tada; ali:* u to doba *i sl.*)
utočište
utočiti
utočni *prema* utok
utoliko (*pril.*); *ali* toliko *i* u toliko komada
utoliti > utažiti, stišati
utoljavati, -ajući *i* utoljivati, -ljujem, -ljujući
> utaživati, stišavati
utopist
utopistički
utopljeničin *prema* utopljenica
utopljenički
utopljenik V jd. -iče, mn. -ici
utorak, -rka, mn. -rci, G mn. -raka
utovarivač
utovarivačev
utovarivačica
utovarivačičin
utovarivački
utrčati
utrčavanje
utrčavati, utrčavajući
utrći > utrgnuti
utrenički
utrenik mn. -ici

*utrijeti, utrem > utrti
utrka DL jd. -rci, G mn. -rki
utrnuće
utroje (*pril.*)
utrostručavanje > utrostručivanje
utrostručavati, -ajući > utrostručivati
utrostručiti
utrostručivanje
utrostručivati, -čujem, -čujući
utruđivati, -đujem, -đujući
utučenost, -ošću *i* -osti
utući, utučem
ututanj (*pril.*)
utuživ
utuživost, -ošću *i* -osti
utvrditi, utvrđen
utvrđenje *prema* utvrditi
utvrđivanje
utvrđivati, -đujem, -đujući
uvađati *i* uvoditi
uvažati *i* uvoziti
uvažavanje
uvažavati, uvažavajući
uvečer (*pril.*)
uvećanje *prema* uvećati
uvećati
uvećavanje
uvećavati, uvećavajući
*uvehnuti > uvenuti
uvelak, uvcoka, G mn. uvelaka
uveličati
uveličavanje
uveličavati, uveličavajući
uvelike (*pril.*)
uvenuće *prema* uvenuti
uvenuti, -nem
uvertira (*uvod, predigra*)
uvidjeti, uvidim, uvidio, uvidjela, uvidjev(ši)
uviđaj (*uvid*)
uviđanje
uviđati
uviđavan, -vna
uviđavnost, -ošću *i* -osti
uvijač
uvijača
uvijek (*pril.*)
uvijenost, -ošću *i* -osti
uvis (*pril.*)
u visinu
uvjenčati
uvjenčavati, uvjenčavajući
uvjeravanje
uvjeravati, uvjeravajući
uvjeren

uvjerenost, -ošću i -osti
uvjerenje
uvjerica
uvjeriti
uvjerljiv
uvjerljivost, -ošću i -osti
uvjernik V jd. -iče, mn. -ici
uvjerovati se, -rujem se, -rujući se
uvještiti (se)
uvjet G mn. uvjeta
uvjetan, -tna
uvjetno
uvjetovanost, -ošću i -osti
uvjetovati, -tujem, -tujući
uvježbanost, -ošću i -osti
uvježbati
uvježbavanje
uvježbavati, uvježbavajući
uvlačaj
uvlačaljka DL jd. -ljci, G mn. -ki
uvlačenje
uvlačiti, uvlačeći
uvlačljiv
uvlakač
*uvo > uho
uvoditi i uvađati
uvodničar
uvodničarev i uvodničarov
uvodnik mn. -ici
uvođenje prema uvoditi
uvoziti i uvažati
uvoznički
uvoznik V jd. -iče, mn. -ici
uvračati (vračajući, čarajući pogoditi)
uvraćati ns. od svr. uvratiti
uvrći se i uvrgnuti se
uvreda G mn. uvreda i uvrjeda
uvreditelj i uvrjeditelj
uvrediteljica i uvrjediteljica
uvredljiv i uvrjedljiv
uvredljivost, -ošću i -osti i uvrjedljivost
uvređenik V jd. -iče, mn. -ici i uvrjeđenik
uvremeniti se
uvreti, uvrim i uvrijem (prema vreti, kipjeti)
uvreživati se, -žujem se, -žujući se
uvrgnuti se, -nem se i uvrći se
uvrh (prij.); uvrh glave
uvrijediti, uvrijeđen
uvrijeti se, uvrem se, uvro se, uvrla se (stisnuti se, uvući se)
uvriježen
uvriježenost, -ošću i -osti
uvriježiti se, uvriježen
uvrjeda i uvreda

uvrjeditelj i uvreditelj
uvrjediteljica i uvrediteljica
uvrjedljiv i uvredljiv
uvrjedljivost, -ošću i -osti i uvredljivost
uvrjeđenik V jd. -iče, mn. -ici i uvređenik
uvrstiti, uvršten
uvršćivanje
uvršćivati, -ćujem, -ćujući i uvrštavati, -ajući
uvrtač
uvrtati, uvrćem, uvrći, uvrćući
uvrtjeti, -tim, -tio, -tjela, uvrtjev(ši), uvrćen
uvučenost, -ošću i -osti
uvući, uvučem
uzačak, -čka
uzaći, uzađem
uzaimač
uzaimačev
uzaimačica
uzaimačičin
uzaimanje
uzaimati ns. od svr. uzajmiti > uzajmljivati
uzajaman, -mna; uzajamna korist
uzajamnost, -ošću i -osti
uzajedno (pril.)
uzajmice (pril.)
uzajmičan, -čna
uzajmiti, uzajmljen
uzajmljivač
uzajmljivačev
uzajmljivačica
uzajmljivačičin
uzajmljivački
uzajmljivati, -ljujem, -ljujući
uzak, uska; komp. uži
uzalud (pril.)
uzaman (pril.)
uzamance (pril.)
uza me
uzanca
uza nj
uzao, uzla
u zao čas
*uzapćivati, -ćujem, -ćujući > zapljenjivati, zabranjivati, zatvarati
uza se
uzasebice (pril.)
uzastopce (pril.)
uzašašće > uzlazak
Uzašašće (vjer., Spasovo)
uzato (pril.)
uzavreti, uzavrim i uzavrijem, uzavreo, uzavrela, uzavrev(ši)
uzbečki prema Uzbek
u zao čas

Uzbek V jd. -eče, mn. -eci
Uzbekistan (zem.)
uzbezočiti se
uzbijač
uzbijesiti se
uzbjeći i uzbjegnuti
uzbjegavati, uzbjegavajući
uzbjegnuti, -nem i uzbjeći
uzbjesnjeti se, -snim se, -snio se, -snjela se, uz-
bjesnjev(ši) se
uzbrce (pril.) i uzbrdce
uzbrdo (pril.)
uzbučati, -čim
uzbudljiv
uzbudljivost, -ošću i -osti
uzbuđenost, -ošću i -osti
uzbuđenje prema uzbuditi
uzbuđivanje
uzbuđivati, -đujem, -đujući
uzdah mn. -asi, G mn. uzdaha
uzdahnuće
uzdahnuti, -nem
uzdanik V jd. -iče, mn. -ici
uzdaščić prema uzdah
uzdavati se, uzdajem se, uzdajući se
uzdići i uzdignuti
uzdignuće prema uzdignuti
uzdignuti i uzdići
uzdizač
u zdravlje
uzdrhtati, uzdrhćem i uzdršćem, uzdrhći i
uzdršći
uzdrhtavati, uzdrhtavajući
uzdržljiv
uzdržljivčev prema uzdržljivac
uzdržljivičin prema uzdržljivica
uzdržljivost, -ošću i -osti
uzduh > zrak
uzdušni
uzduž (pril. i prij.)
uzeće prema uzeti
*uzengija > stremen
uzgor(a) (pril.)
uzgred (pril.)
uzičica um. od uzica
uzići, uziđem
uziđivati, -đujem, -đujući
uzimati, -am, -ajući
u zimu
uz inat
uziti, uzah, užen, uzeći (činiti uskim)
uzjahati, -ašem, -av(ši)
uzjahivati, -hujem, -hujući
uzjahnuti, -nem

uzječati
uzlet
uzletjeti, -tim, -tio, -tjela, -tjev(ši)
uzlić um. od uzao
uzlijetanje
uzlijetati, uzlijećem, uzlijećući
uzljevnjača
uzljuljati
uzmaći i uzmaknuti
uzmah mn. -asi
uzmahivati, -hujem, -hujući
uzmahnuti, -nem
uzmaknuti, -nem i uzmaći
uzmetati, uzmećem, uzmećući
uzmiješati, uzmiješan
*uzmitati > uzmetati
uzmlačiti
uzmlačivati, -čujem, -čujući
uzmoći, uzmognem
uzmučiti (se)
uzmućenje prema uzmutiti
uzmućivanje
uzmućivati, -ćujem, -ćujući
uzmućkati
uzmuhati se, -am se i uzmuvati se
uznesenje (vjer.); Uznesenje Marijino = Velika
Gospa
uzničar
uzničarev i uzničarov
uznički
uznići i uzniknuti
uznijeti, uznesem, uznijeh, uznese, uzne-
sav(ši), uznio, uznijela, uznesen (uznijet)
uznik V jd. -iče, mn. -ici
uzniknuti i uznići
uz nos
uznošljiv
uzobijestiti se, uzobiješćen, uzobijestiv(ši) se
uzobješćivati se, -ćujem se, -ćujući se
uzoholiti se
uzoholjivati se, -ljujem se, -ljujući se
uzor; uzor-majka
u zoru
uzrastan, -sna
uzrašćivati, -ćujem, -ćujući
uzrečan, -čna
uzrečica
uzreti, uzrem
uzrijevanje
uzrijevati, uzrijevajući
uzročan, -čna
uzročiti
uzročnica
uzročničin

uzročnik V jd. -iče, mn. -ici
uzročnost, -ošću i -osti
uzšetati se
uz to; *drugo je* usto (*pril.*)
uzualan, -lna
uzvaničin *prema* uzvanica
uzvanički
uzveličati, -am
uzveličavanje
uzveličavati, uzveličavajući
uzvičan, -čna
uzvičnik mn. -ici > uskličnik
uzvišavati, -ajući i uzvišivati, -šujem, -šujući
uzvišenje; Uzvišenje svetoga križa (*blagdan*)
uzvišivati, -šujem, -šujući i uzvišavati
uzvjerati se
uzvjeriti se
uzvjerovati, -rujem
uz vjetar
uzvlačiti, uzvlačeći
uz vodu
uzvraćanje
uzvraćati, uzvraćajući
uzvrtjeti se, -tim se, -tjev(ši) se
uzvući, -učem
užaričin *prema* užarica
užasnuće

užba G mn. užba *i* užbi > uštap
užeći, užežem
uželjeti se, -lim se, -eljev(ši) se
užgati, užgem, užgi
Užičanin mn. -ani *prema* Užice
Užičanka DL jd -ki, G mn. -ki
užički
užigač
užitnički
užitnik V jd. -iče, mn. -ici
uživalac, uživaoca, V jd. uživaoče, G mn. uživalaca
uživjeti se, -vim se, -vjev(ši) se
užizati, -ižem, užiži, užižući
užlijebiti, užlijebljen
užlijebljenost, -ošću *i* -osti
užljeb
užljebina
užljebljenje
užljebljivanje
užljebljivati, -ljujem, -ljujući
užurbanost, -ošću *i* -osti
užurbati se
užutiti (*obojiti žuto*)
užutjeti, -tim, -tio, -tjela (*postati žut*)
uživakati, -ačem, uživači

V

v. (v s točkom) *krat. za* vidi(te)
vabac, vapca, G mn. -baca
vabak, vapka, G mn. -baka
vadičep
vaditi, vadijah *i* vađah, vađen, vadeći
vađenje *prema* vaditi
Vaga (*zviježđe*)
vagač
vagati, važem, važi, važući
vagon; vagonrestoran, vagoncisterna
vakuf; Donji Vakuf, Kulen Vakuf (*zem.*)
vakufski; donjovakufski, kulenvakufski
vakuum
val, vala
vala *i* valah > bogme
valni *prema* val
valovčić
valović
valovitost, -ošću *i* -osti
Valpovac, -vca, V jd. -vče, G mn. -vaca (*čovjek iz Valpova*)
valpovački *prema* Valpovo
Valpovka DL jd. -ki, G mn. -ki
Valpovo (*zem.*)
valuće *prema* valutak
valutak, -tka, mn. -uci *i* -utci, G mn. -taka
valjaona > valjaonica
valjaonica
valjčan *prema* valjak
valjčić *um. od* valjak
valjda (*pril.*)
van; van Dyckova slika, simfonija Ludwiga van Beethovena
van- > izvan-
vanadij
vanbračan, -čna > izvanbračan
vanbračnost, -ošću *i* -osti > izvanbračnost
vankućni > izvankućni
vanmaternični > izvanmaternični; izvanmaternično začeće
vannastavni > izvannastavni
vanparnični > izvanparnični
vanredni > izvanredni
vanstečajni > izvanstečajni
vanstranački > izvanstranački
vanškolski >izvanškolski
vanjski *i* izvanjski

vapiti, vapijem, vapijući
vapnenačan, -čna *prema* vapnenac
vapnenački
vapnenčev > vapnenački
varaličin *prema* varalica
varalički
Varaždin (*zem.*)
Varaždinac, -nca, V jd. -nče, G mn. -naca
Varaždinčev
Varaždinka DL jd. -ki, G mn. -ki
Varaždinkin
varaždinski; Varaždinske toplice (*toplice*)
vareničar
vareničarev *i* vareničarov
vareničarica
vareničaričin
vareničarov *i* vareničarev
varićak, varićaka, mn. varićaci
varijabilan, -lna
varijacija
varijacijski
varijanta G mn. varijanata /-nti/-nta
varijete, -etea, mn. -etei
varijetet
varjača
varmećki *i* varmeđski *prema* varmeđa
varmeđa > varmeđija
varmeđijski *prema* varmeđija
varmeđski *i* varmećki *prema* varmeđa
varničav > iskričav
varnjača
varoš, varoši *i* varoša > trgovište, gradić; Brodski Varoš, Levanjska Varoš, Kotor-Varoš (*zem.*)
varošanče, -eta, *zb.* varošančad
varošanka DL jd. -ki, G mn. -ki
varoške, -eta, *zb.* varoščad
varošica
Varšava (*polj.* Warszawa)
Varšavljanin mn. -ani (*čovjek iz Varšave*)
Varšavljanka DL jd. -ki, G mn. -ki
varšavski
vas, sva > sav
vascijeli, vascijeloga (*sav, cijeli*)
*vaseljena/*vasiljena > svemir
vasiona > svemir
vasionski > svemirski

vaskolik > savkolik
*vaspitati > odgajati
vašardžija > sajmar
vaterpolist
vaterpolistički
vaterpolo
vaterpolski
vatrenjača
vatrogasac, -sca, V jd. -gašćc, G mn. -saca
vatrogaščev
vatrostalan, -lna
*vavijek > uvijek
vazdan (pril.)
*vazduh > zrak
važeći
važnost, -ošću i -osti
v.d. krat. za vršitelj dužnosti
ve-ce, -ca (nužnik/zahod)
večati, včim, večći
veče (s. r.) i večer (m. r. i ž. r.); Dobàrvečer i
Dobra večer! (pozdrav)
večera
večeras
večerašnji
večerati
večeravati, -vajući
večerica um. od večera
večerina uv. od večera
večerinka DL jd. -nci, G mn. -ki > veselica, si-
jelo
večernica > večernjica
Večernica i Večernjača (zvijezda, astr.)
večernja
večernjača
Večernjača i Večernica (astr.)
večernje
večernji; Večernji list (novine)
večernjica
već (pril. i vez.)
Većeslav (ime)
veći komp. od velik
većina
većinom (pril.)
većma
vedrica > vjedrica
vedro > vjedro
vehemencija
vehementan, -tna
vehementnost, -ošću i -osti
*vehnuti > venuti
vektor (mat.)
Vela glava (brdo)
Vela Luka (mjesto)
Velebit (planina)

velecijenjeni (obično u tituliranju: Velecije-
njeni gospodine!)
velečasni (kratica vlč.)
velegrad mn. -gradovi
velegradski
veleizdaja
veleizdajnički
veleizdajnik V jd. -ičc, mn. -ici
veleposjed
veleposjednica
veleposjedničin
veleposjednički
veleposjednik V jd. -ičc, mn. -ici
veleposjedništvo G mn. -štava
veleposlanik V jd. -ičc, mn. -ici
veleposlanstvo G mn. -stava
velesajam, -jma; Zagrebački velesajam
veletrgovac, -vca, V jd. -včc, G mn. -vaca
veletrgovački
veleučeni
veleučenost, -ošću i -osti
velevlast, -ašću i -asti
Velež, -i, jd. ž. r. (zem.)
Velež, -a jd. m. r. (nogometni klub)
veli (zast., pokr.); Vela glava (brdo), Veli ždre-
lac (morski prolaz), Veli lž (mjesto)
veličajan, -jna > veličanstven
veličajnost, -ošću i -osti > veličanstvenost
veličak, velička
veličanstven
veličanstvenost, -ošću i -osti
veličanstvo G mn. -stava
Veličanstvo (titula); Vaše Veličanstvo!
veličanje
veličati, -am, -ajući
veličav
veličina
velik komp. veći; Velika kapela (planina), Ve-
liki dol (ime dola), Veliko Trgovište (mje-
sto), Aleksandar Veliki (pov., ime), Velika
Gospa (blagdan)
velikačak, -čka
velikodušan, -šna
velikodušnost, -ošću i -osti
velikohrvat
velikoposjed
velikoposjednica
velikoposjedničin
velikoposjednički
velikoposjednik V jd. -ičc, mn. -ici
velikoposjedništvo G mn. -štava
velikosrbin
velim prema *veljeti
Veli ždrelac (morski prolaz)

*velo > vco
Velolučanin (čovjek iz Vele Luke)
Velolučanka DL jd. -nki, G mn. -nki (žena iz
 Vele Luke)
velolučki (koji se odnosi na mjesto Vela Luka
 i na njegove žitelje)
veljača
veljački
*veljeti, vclim, veljah, veleći > govoriti, izri-
cati, kazivati (i sl.)
*venenje > venjenje
venerički
venerični
Venezuela (zem.)
venuće prema venuti
venuti, venem, venući
venjenje
veo, vela
veoma (pril.) i vrlo
veprić um. od vepar
veprinac, -nca (bot.)
Veprinac, -nca (zem.)
veprinački
verač
veračev
veračica
veračičin
verački
verati (se), verem (se), verući (se)
verbalist
verbalistički
Verdi, Verdija (tal. glazbenik)
Verdijev
Vergilije (zast., Vergil)
Vergilijev (zast., Vergilov)
vergl, vergla, mn. verglovi (nar.)
verifikacija
verifikacijski prema verifikacija
verifikacioni > verifikacijski
verist
veristički
verižnjača
verzal
verzalan, -lna
verzifikacija
verzija
vesalce, -lca i -lceta, G mn. vesalaca
veselnica
veselnički
veselnik V jd. -iče, mn. -ici
veselost, -ošću i -osti
veseljački
veseljak V jd. -ačc, mn. -aci
veseo, vesela

veslač
veslačev
veslačica
veslačičin
veslački; veslački klub
veslonožac, -ošca, G mn. -onožaca
Vesna (ime); božica Vesna (mit.)
vesti, vezem, vezijah, vezen, vezući
vetah, vetha > star
vetšati > starjeti, dotrajavati
vezač
vezačev
vezačica
vezačičin
vezenje prema vesti, vezem
vezidba G mn. vezidaba i vezidbi
vezilac, vezioca, V jd. vezioče, G mn. vezilaca
veznički; vezničke rečenice
veznik mn. veznici (filol.)
Vezuv (brdo i vulkan)
veži-drieši
vi (osobna zamjenica za drugo lice mn.)
Vi (velikim slovom iz počasti u izravnom dopi-
sivanju, ne i u dijalozima pripovjednih tek-
stova)
Vice (ime)
vicekancelar
Vicin prema Vice
vickast prema vic
vičan, vična
vičnost, -ošću i -osti
vidac, vica i vidca, mn. vici i vidci, G mn. vi-
daca (bot.)
vidaričin prema vidarica
vidiočev prema vidjelac
vidjelac, vidioca, V jd. vidioče, G mn. vidje-
laca
vidjelica
vidjeličin
vidjelo G mn. vidjela
vidjeti, vidim, viđah, vidjeh, videći, vidjev(ši),
 vidio, vidjela, viđen
vidljiv
vidljivost, -ošću i -osti
vidomjer
vidovitost, -ošću i -osti
vidovnjak V jd. -ačc, mn. -aci
viđanje
viđati, viđam, viđajući
viđen
viđenost, -ošću i -osti
viđenje prema vidjeti
*viđevati > viđati
vihar, vihara > vihor

vihor
vihoriti se, vihoreći se *i* vijoriti se
vijač
vijača
vijadukt G mn. vijadukata
vijak, vijka, V jd. vijče, mn. vijci, G mn. vijaka
vijati, vijem, vijući (*npr. pšenicu*); vijam, vija-jući (vija se *barjak, ptica i sl.*)
vijavica
vijavičin *prema* vijavica
vijčan *prema* vijak
vijčanik mn. -ici
***vijeća** > vijeće
vijećanje *prema* vijećati
vijećati, vijećajući
vijeće; Vijeće sigurnosti OUN; Narodno vijeće; Malo vijeće; Veliko vijeće; Županijsko vijeće; znanstveno vijeće; Vijeće umoljenih (*u starom Dubrovniku*)
vijećnica
vijećnički
vijećnik V jd. -iče, mn. -ici
vijek mn. vjekovi; srednji vijek, dvadeseti vijek > dvadeseto stoljeće, životni vijek
vijenac, -nca, G mn. vijenaca
***vijeno** > miraz
vijenje *prema* viti se
vijest l jd. viješću *i* vijesti
vijetati, -am > obećati
Vijetnam (*zem.*)
vijoglav
vijoglavka DL jd. -ki, G mn. -ki
vijoriti se, vijoreći se *i* vihoriti se
vijuga DL jd. -uzi
vijušac, -šca, G mn. -šaca
vika DL jd. vici
vikač
vikačev
vikačica
vikačičin
vikački
vikao, vikla (*navikao*)
vikarijat
vikati, vičem, viči, vičući
vikend (*engl.* week + end)
Viktor (*m. ime*); Viktor Car Emin (*hrv. knjiž. iz Istre*)
vilajet > zemlja
vilenički
vilenik V jd. -iče, mn. -ici
vilenjački
vilenjak V jd -ače, mn. -aci
vilenjaštvo G mn -štava
viličar

viličast
viličenje
viličiti, viličeći
vilični
Vilić (*zem.*); Vilić Selo
Vilićanin mn. -ani
Vilićanka DL jd. -ki, G mn. -ki
vilićki
vilovnjak V jd. -ače, mn. -aci
viljuščica
viljuška DL jd. -šci, G mn. viljušaka > vilica
vime, -ena
vinaričin *prema* vinarica
vinčina *uv. i pej. od* vino
vinkovački *prema* Vinkovci
Vinkovci G mn. Vinkovaca (*zem.*)
Vinkovčanin mn. -ani
Vinkovčanka DL jd. -ki, G mn. -ki
vinodjelac -lca, V jd. -lče, G mn. -laca > vinar
vinodjelski > vinarski
vinodjelstvo G mn. -stava > vinarstvo
***vinodjelje** > vinarstvo
Vinodol (*zem.*)
vinodolski; Vinodolski zakon (*pov.-prav.*), Novi Vinodolski (*zem.*)
vinogradac, -aca *i* -dca, V jd. -ače *i* -adče, mn. -aci *i* -adci, G mn. -daca
vinogradski
vinotoč(a)
vinotočje
viola (*glaz.*)
violina (*glaz.*)
violinist
violinistica
violinistčin
violinistički
violinski; violinski ključ
violist (*svirač na violi*)
violistica
violistčin
violončelist
violončelistica
violončelistčin
violončelistov
violončelo (*glaz.*)
violski *prema* viola
virdžinija (*marka cigareta*)
virić *um. od* vir
virilist
viriti, vireći
Virje jd. s. r. (*zem.*)
virman
Virovac, -vca, V jd. -vče, G mn. -vaca (*čovjek iz Virja*)

Virovčev
Virovitica (zem.)
Virovitičanin mn. -ani
Virovitičanka DL jd. -ki, G mn. -ki
virovitički
Virovka DL jd. -ki, G mn. -ki (žena iz Virja)
virovski prema Virje
Vis (zem.)
viseći; viscći vrtovi (pov.)
visiti se, viscći sc (dizati se u vis)
visjeti, visim, višah, visio, visjela, viscći
viski, viskija
viskoza (kem.)
Visočica (zem.)
visočina
visočje
visočki prema Visoko
visok komp. viši
Visoko, -oga (zem.)
visokocijenjeni i visoko cijenjeni
visokogradnja
visokorođe
visokotlačni
visokoučeni
visokoučenost, -ošću i -osti
Višanin mn. -ani prema Vis
višebrojan, -jna
višecijevni
višečlan
višedijelan, -lna
više-manje
višenamjenski
višeput, ali više puta
višemjesečni
višeslojan, -jna
višeslovčan
višeznačan, -čna
višeznačnost, -ošću i -osti
viški prema Vis; Viški kanal
Viškinja (žena iz Visa)
višnja (bot.)
Višnja (ime)
višnjevača
vištati, vištim, vištcći
vitak, vitka; komp. vitkiji
vitamin; A-vitamin, vitamin A
vitao, vitla, mn. vitlovi
Vitezović (prez.); Pavao R. Vitczović
vitičar
vitičast
vitičav
vitkoća
vitlac i vitlač
vitlati, vitlajući

vitlić um. od vitao
vitraj
vitraža
vitriol
vivčarica
vizavi, -ija (fr. vis-à-vis)
vizija
vizionar
vizitkarta > posjetnica
vizualan, -lna
vječan, -čna (vjekovit)
vječit
vječitost, -ošću i -osti
vječnost, -ošću i -osti
Vjećeslav (ime), usp. Vcćcslav
vjedogonja
vjedovit
vjedrica
vjedričica
vjedro
*vjedžba > vježba
vjeđa G mn. vjeđa
vjeđni
Vjeka (ime)
Vjekica (ime)
Vjekičin prema Vjckica
Vjekin prema Vjcka i Vjćko
Vjćko hip. od Vjckoslav
vjekopis
Vjekoslav (ime)
vjekovan, -vna
vjekovati, -kujcm, vjckujući
vjekovit
vjekovitost, -ošću i -osti
vjekovječan, -čna (vjcčan)
vjekovječnost, -ošću i -osti
*vjeme > vimc
vjenačni
Vjenceslav (ime); Vjcnccslav Novak (hrv. knjiž. iz Senja)
vjenconoša
vjenčac, vjcnčaca
vjenčački prema vjcnčac
vjenčan, vjcnčana prema vjcnčati
vjenčani; vjcnčani prstcn, vjcnčani kum, vjcn-čani list, vjcnčana haljina
vjenčanica (vjenčana haljina)
vjenčanik V jd. -ičc, mn. -ici
vjenčanje
vjenčati (se), vjcnčan, vjcnčav(ši) sc
vjenčavanje
vjenčavati, vjcnčavajući
vjenčić
vjera G mn. vjcra

vjeran, vjerna; *komp.* vjerniji
vjerenica > zaručnica
vjereničin > zaručničin
vjerenički > zaručnički
vjerenik V jd. -ičc, mn. -ici > zaručnik
vjereništvo G mn. -štava > zaručništvo
vjeresija
vjeridba G mn. vjeridaba *i* vjeridbi > zaruke
(mn. ž. r.)
vjeriti se > zaručivati se, zaručiti se
vjerivati se > zaručivati se
vjernica
vjerničin
vjernički
vjernik V jd. -ičc, mn. -ici
vjernikov
vjerništvo G mn. -štava
vjerno
vjernost, -ošću *i* -osti
vjerodajnica *i* vjerodavnica
vjerodostojan > dostojan (vrijedan) vjere, pouzdan
vjerodostojnost, -ošću *i* -osti
vjeroispovijed, -eđu *i* -di > vjera
vjeroispovijedanje > ispovijed, ispovijest vjere, vjera
vjeroispovijest, -ešću *i* -esti > vjera
vjerojatan, -tna
vjerojatnoća
vjerojatnost, -ošću *i* -osti
vjeroloman, -mna
vjerolomnica
vjerolomnički
vjerolomnik V jd. -ičc, mn. -ici
vjerolomnikov
vjerolomnost, -ošću *i* -osti
vjeronaučni
vjeronauk (*nauk vjere*)
vjeroučenica
vjeroučeničin
vjeroučenik V jd. -ičc, mn. -ici
vjeroučenikov
vjeroučitelj (*učitelj vjere*)
vjeroučiteljev
vjeroučiteljica
vjeroučiteljičin
*vjerovatan > vjerojatan
vjerovanje
Vjerovanje (*molitva*)
vjerovati, -rujem, -rujući
vjerovjesnica
vjerovjesničin
vjerovjesnički
vjerovjesnik V jd. -ičc, mn. -ici

vjerovjesnikov
vjerovnica
vjerovničin
vjerovnički
vjerovnik V jd. -ičc, mn. -ici
vjerovnikov
vjerovništvo G mn. -štava
vjerozakon > vjera
vjerski
vjeruju = vjerujem (*iz crkvenoslavenskog jezika; upotrebljava se kao eks. im. s. r., nepromj.*)
vjesnica; vjesnica proljeća
vjesničin
vjesnički
vjesnik V jd. -ičc, mn. -ici; Vjesnik (*novine u Zagrebu*)
vjesnikov
vješač
vješala mn. s. r.
vješalica
vješanje
vješati, vješajući
vješćev *prema* vještac
vješt
vještac, vješca
vještačenje
vještačev *prema* vještak
vještačica *prema* vještak
vještačičin
vještačiti
vještački *prema* vještak
*vještački > umjetan; *vještačko đubrivo > umjetno gnojivo
vještak V jd. -ačc, mn. -aci
vještakinja
vještakinjin
vještakov
vještaštvo G mn. -štava
vještica
vještičin
vještičji
vještina
vjetar, -tra
vjetreni *i* vjetrni
vjetrenost, -ošću *i* -osti
vjetrenjača
vjetrenjak V jd. -ačc, mn. -aci
vjetrenjast
vjetrenje
vjetric *i* vjetrić
vjetrina *uv. od* vjetar
vjetriti, vjetreći
vjetrni *i* vjetreni
vjetrobran

vjetrogonja
vjetrogonjast
vjetrokaz
vjetrolom
vjetroloman, -mna
vjetrolovka DL -vci, G mn. -ki
vjetromet
vjetrometina
vjetromjer
vjetropir
vjetrovit
vjetrovitost, -ošću i -osti
vjetrovka DL jd. -vci, G mn. -ki
vjetrulja
vjetruša
vjeverica
vjeveričica um. od vjeverica
vjeveričić
vjeveričin
vjeveričji
vježba
vježbač
vježbačev
vježbačica
vježbačičin
vježbački
vježbalac, -aoca, V jd. -aočc, G mn. -laca
vježbališni
vježbalište
*vježbanka DL jd. -nci, G mn. -ki > vježbenica, biljcžnica
vježbanje
vježbaočev
vježbaona > vježbaonica
vježbaonica
vježbati, vježbajući
vježbenica
vježbeničin
vježbenički
vježbenik V jd. -ičc, mn. -ici
vježbenikov
vlačale mn. ž. r.
vlačenje (običnije s prefiksima: iz-, na-, po-, prc-, s-, u-)
vlačiti, vlačcći (običnije s prefiksima: iz-, na-, po-, prc-, s-, u-)
vlačuga DL jd. -ugi
vlaće prema vlat
vladajući
vladalac, vladaoca, V jd. -aočc, G mn. vlada-laca > vladar
vladalački > vladarski
vladalaštvo G mn. -štava
vladaočev > vladarev

vladaričin prema vladarica
vladičin prema vladika
vladičiti, vladičcći (posvećivati za vladiku)
Vlado hip. od Vladimir
vlaga DL jd. vlazi
vlagomjer
Vlah V jd. Vlašc, mn. Vlasi
Vlahinja
Vlahinjica
Vlahinjičin
Vlahinjin
Vlaho; svcti Vlaho (ime sveca); Svcti Vlaho (blagdan u čast sv. Vlaha – u Dubrovniku)
vlak mn. vlakovi
vlakač
vlaknjača
vlakovođa
vlakovođin
vlas, vlasa (m.) i vlasi (ž.)
vlasičav
vlasičavost, -ošću i osti
vlasničin prema vlasnica
vlasnički
vlasništvo G mn. -štava
vlasnost, -ošću i -osti
vlast, vlašću i vlasti, G mn. vlasti
vlastan, vlasna
vlastelin mn. -ini, zb. vlastcla
vlastelinka
vlastelinski
vlastelinstvo G mn. -stava
vlasteoski
vlastodavčev prema vlastodavac
vlastodrščev prema vlastodržac
vlastodržac, -ršca, V jd. -ršcc, G mn. -ržaca
vlastohlepan, -pna
vlastohlepnost, -ošću i -osti
vlastoljubac, -ljupca, V jd. -ljupčc, G mn. -ljubaca
vlastoljubivost, -ošću i -osti
vlastoljublje
vlastoljupčev
vlastoručan, -čna; vlastoručni potpis
Vlašče, -cta, zb. Vlaščad
Vlaše, -cta, zb. Vlašad prema Vlah
Vlašić (planina)
Vlašići mn. m. r. (astr., zvijježđe)
Vlaška DL jd. Vlaškoj (zem.); Mala Vlaška, Velika Vlaška
vlaški; Vlaška ulica (u Zagrebu), Vlaško Poljc (selo)
vlaškoulički prema Vlaška ulica
vlat, vlata (m.) i vlati (ž.), mn. vlati (ž.) i vlatovi (m.)

Vlatko (ime)
vo > vol
voćar
voćarev i voćarov
voćarica
voćaričin
voćarnica
voćarov i voćarev
voćarski
voćarstvo G mn. -stava
voće
Voćin (zem.)
Voćinac, -nca, V jd. -nče, G mn. -naca
Voćinka DL jd. -ki, G mn. -ki
voćinski
voćka
voćkati (tj. *voćkati, voditi kojekuda)
voćkica um. od voćka
voćni; voćni sok
voćnjak mn. -aci prema voće
*voćstvo > vodstvo
vodaričin prema vodarica
vodenbuha
vodencvijet
vodeničar
vodeničarev i vodeničarov
vodeničarka DL jd. -ki, G mn. -ki
vodeničarkin
vodeničarov i vodeničarev
vodenični
vodenjača (bot.)
vodenjak V jd. -ače, mn. -aci (zool.)
Vodenjak (astr.)
vodič (onaj koji vodi); plus-vodič, minus-vodič (fiz.)
vodičar
vodični prema vodik
vodić um. od vod; drugo je vodič
*vodijer > vodir
vodilac, vodioca, V jd. -ioče, G mn. vodilaca > voditelj
voditi, vođah, vođen, vodeći
vodnički prema vodnik
vodniti, vodnjah, vodneći (navodnjavati i razvodnjavati)
vodnjača (bot.)
vodnjenje
vodnjeti, vodnjah (postajati voden)
vododijelni > razvodni
vododijelnica > razvođe
vodograđevni
vodokotlić
vodomeđa
vodomjer

vodosijek
vodotočje
vodstvo G mn. -stava
*vođ > vođa
voђa
vođenje prema voditi
vођin
*vođkati > voćkati
*vođstvo > vodstvo
vojački prema vojak
vojarnica
vojarnički prema vojarnica
vojevati, vojujem, vojujući
vojničić
vojničina
vojnički prema vojnik; drugo je vojnićki
Vojnić (zem.)
vojnićki prema Vojnić (drugo je vojnički)
vojništvo G mn. -štava
vojska DL jd. vojsci, G mn. vojski/vojska/vojsaka
vojskovođa
vojštiti, vojšteći
vojvodski
vojvodstvo G mn. -stava
Vojvođanin mn. -ani prema Vojvodina (zem.)
Vojvođanka DL jd -ki, G mn. -ki
vojvođanski
vol mn. volovi
volak, volka, mn. volci, G mn. volaka
volaričin prema volarica
volčić prema volak
volić um. od vol
volt (mjera) (simbol V)
Volta (ime)
volterijanac, -nca, V jd. -nče, mn. -nci
volterijanizam, -zma
voluntaristički prema voluntarist
voljenje prema voljeti
voljeti, volim, voljah, voleći, volio, voljela, voljen
voščev prema vozac
voštan, voštana; voštana figura
voštanica
voštarnica
Voštarnica (dio Zadra)
voštenje prema voštiti
voštiti, vošten, vošteći
votka DL jd. votki, G mn. -tki
vozac, vosca, V jd. vošče, G mn. vozaca
vozač
vozačev
vozačica
vozačičin

vozački; vozački ispit
vozaričin *prema* vozarica
vozidba G mn. vozidaba *i* vozidbi
vozilac, vozioca, V jd. -iočc, G mn. vozilaca
vozilački
voziti, vožah, vožcn, vozeći
*vozovođa > vlakovođa
vožnja
v. r. *krat. za* vlastitom rukom
vrabac, vrapca, V jd. vrapčc, G mn. vrabaca
vrablji *prema* vrabac > vrapčji
vraca *i* vratca mn. s. r., G mn. vratca/vraca *i* vrataca
Vraca mn. s. r. (*zem.*)
vrač mn. vračcvi
vračanje *prema* vračati; *drugo je* vraćanje
vračar
vračara
vračarev *i* vračarov
vračarica
vračaričin
vračarov *i* vračarcv
vračarski
vračati, -am, -ajući *prema* vrač; *drugo je* vraćati
vraća *prema* vraćati; bcz plaćc i bcz vraćc
vraćalac, vraćaoca, V jd. -aočc, G mn. vraćalaca
vraćanje *prema* vraćati; *drugo je* vraćanjc
vraćati, vraćajući *prema* vratiti; *drugo je* vračati
vradžbina
vrag
vragolanstvo G mn. -stava *i* vragolstvo G mn. -stava
Vrana (*mjesto*)
vrančе, -cta, *zb.* vrančad
vrančev
vrančić
Vrančić (*prezime*); Faust Vrančić (*hrvatski leksikograf*)
vrančina
Vranić (*zem.*)
vranić (*vranin ptić*)
Vranograč (*zem.*)
vranski; vranski priori (*pov.*), Vransko jczcro (*prema* Vrana)
Vranjača (*brdo u Velebitu*)
vranji *prema* vrana
Vrapčanac, -nca, V jd. -nčc, G mn. -naca
Vrapčanka DL jd. -ki, G mn. -ki
vrapčanski
vrapčar
vrapčarev *i* vrapčarov

vrapčarski
vrapče, -cta; *zb.* vrapčad *prema* vrabac
Vrapče jd. s. r. (*zem.*)
vrapčev
vrapčić *um. od* vrabac
vrapčina *uv. od* vrabac
vrapčji
vraščić *prema* vrag
vrata mn. s. r., G mn. vrata; dvoja vrata, Kamcnita vrata (*u Zagrebu*), Otrantska vrata (*zem.*)
vrataričin *prema* vratarica
vratarnički
vratca *i* vraca mn. sr. r., G mn. vratca/vraca *i* vrataca
vratič (*biljka*)
vratić *um. od* vrat
vratiti, vraćcn, vrativ(ši)
Vratnik (*zem.*)
vražić
vražićak, -ćka, V jd. -ćku, mn. -ćci, G mn. -ćaka
vražji
Vrbas (*zem.*)
vrbaski *prema* Vrbas
Vrbašanin mn. -ani (*čovjek iz Vrbasa*)
vrbnički *prema* Vrbnik
vrbotoč
vrč mn. vrčcvi
vrčanica
vrčast
vrčati, vrčim, vrčcći (*vrnčati*)
vrčati, vrčam, vrčajući (*perjati*)
vrčica
vrčić *um. od* vrč
vrčina *uv. od* vrč
vrčmati
vrćenje *prema* vrtjeti
vrći *i* vrgnuti
vrći, vršem... vrhu, vrsi, vrsijah *i* vršah, vrhući, vrhao, vrhla, vršcn > vršiti (*o žitu*)
vrćkati *prema* vrtjeti
vrebač
vrebačev
vrebačica
vrebačičin
vrečanje
vrečati, vrcčcći
vreća
vrećast
vrećetina *i* vrećina *uv. od* vreća
vrećica *um. od* vreća
vrećina *i* vrećetina *uv. od* vreća
vrećurina *uv. i pej. od* vreća
vrednica *i* vrjednica

vredniji i vrjedniji; *komp.* od vrijedan
vrednik V jd. -iče, mn. -ici i vrjednik (*vrijedan čovjek*)
vrednoća i vrjednoća
vrednota i vrjednota
vrednovati, vrednujući i vrjednovati
vređač i vrjeđač
vređačev i vrjeđačev
vređačica i vrjeđačica
vređačičin i vrjeđačičin
vrelce, vrelca, G mn. vrelaca
vrelo
vremeni
vremenit
vremenski
vremenjača
vremešan, -šna
vrenje *prema* vreti
vreo, vrela (*prid.*)
vresina *uv.* od vrijes
vreti, vrim i vrijem, vrući i vrijući, vrah i vrijah, vreo i vrio, vrela
vreva
vrežast i vrježast
Vrginmost (*zem.*)
vrgnuti, -nem i vrći
Vrgomošćanin mn. -ani *prema* Vrginmost
Vrgomošćanka DL jd. -ki, G mn. -ki
vrgomoski *prema* Vrginmost
Vrgorac, -rca (*zem.*)
vrgorački
Vrgorčanin mn. -ani
Vrgorčanka DL jd. -ki, G mn. -ki
vrh mn. vrhovi i vrsi (*stil.*); Crni vrh (*zem.*)
vrh (*prij.*)
Vrhbosna
vrhbosanski; vrhbosanska (nad)biskupija
vrhnje
Vrhovine mn. ž. r. (*zem.*)
vrhovit
vrhovni; Vrhovni sud RH
vrhovnički
vrhovnik V jd. -iče, mn. -ici
vrhovništvo G mn. -štava
vrhunac, -nca, G mn. -naca
vrhunaravan, -vna
vrhunski; vrhunski uspjeh
vrijeći, vršem, vršući > vršiti (*o žitu*)
vrijed, vrijeda, mn. vredovi i vrjedovi (*uz vrijedovi*)
vrijedan, -dna; *komp.* vredniji i vrjedniji
vrijediti, vrijeđah, vrijedeći, vrijedio, -ila
vrijedno *komp.* vrednije i vrjednije
vrijednosni; vrijednosni papir

vrijednosnica
vrijednost, -ošću i -osti
vrijednja
vrijeđanje
vrijeđati, vrijeđajući
vrijeme, vremena, mn. vremena
vrijes, vrijesa, mn. vresovi i vrjesovi
vrijesac, -sca, mn. -sci, G mn. -saca (*vrijes*)
vrijesak, vrijeska, mn. vrijesci i vreskovi/vrjeskovi (*vrijes*)
vrijeslo
vriježa
vriježiti se, vriježeći se
vrištač
vrištati, vrištim, vrišteći
vrištav
vrjednica i vrednica
vrjednije i vrednije; *komp.* od vrijedno
vrjedniji i vredniji; *komp.* od vrijedan
vrjednik V jd. -iče, mn. -ici i vrednik
vrjednoća i vrednoća
vrjednota i vrednota
vrjednovati, vrjednujući i vrednovati
vrjeđač i vređač
vrjeđačev i vređačev
vrjeđačica i vređačica
vrjeđačičin i vređačičin
vrježast i vrežast
vrkoč
vrkočiti se, vrkočeći se
vrličina
vrlo (*pril.*) i veoma
vrloća
vrlozaslužan, -žna
vrljičica
vrljika DL jd. -ici, G mn. vrljika (*motka*)
vrnčanica
vrnčati, -am, -ajući
vrnjački *prema* Vrnjci; Vrnjačka banja (*kupalište*), Vrnjačka Banja (*mjesto*)
vrpca G mn. vrpca i vrpaca
vrpčast
vrpčica
Vrpolje (*zem.*)
Vrpoljac, -ljca, V jd. -ljče, G mn. Vrpoljaca
vrpoljski
vrpoljiti se, vrpoljeći se
vrsnica
vrsničin
vrsnik V jd. -iče, mn. -ici
vrsnoća
vrst i vrsta
vrstač
vrša i vrška

Vršac, Vršca (*zem.*)
vršački
vršaći
vršak, -ška, mn. **vršci** *i* **vrškovi**
Vrščanin mn. -ani *prema* Vršac
Vrščanka DL jd. -ki, G mn. -ki
vrščić
vršidba G mn. vršidba, vršidaba *i* vršidbi
vršilac, vršioca, V jd. -ioče, G mn. vršilaca
> vršitelj
vršitelj; vršitelj dužnosti direktora (*krat.* v.d. direktora)
vrška DL jd. -šci, G mn. vrški *i* vrša
vrtač
vrtača
vrtati, vrćem, vrći, vrćući
vrtić *um.* od vrt; dječji vrtić
vrtjeti, vrtim, vrćah, vrteći, vrtio, vrtjela, vrćen
vrtlar *i izvedenice*
vrtlaričin *prema* vrtlarica
vrtlog mn. -ozi
***vrtljar** > vrtlar
vrûć *komp.* vrûćī
vrućac, vrućca, G mn. -ćaca
vruće (*pril.* prema vruć)
vrućica
vrućina
***vrvca** > vrpca
vrvjeti, vrvim, vrvljah, vrvćći, vrvio, vrvjela

vrvljenje *prema* vrvjeti
vuča *i* vučenje
vučac, vučca, G mn. vučaca
vučad, vučadi
vuče, -cta, *um. i hip.* od vuk
Vučedol (*zem.*)
vučedolski
vučenje *i* vuča *prema* vući
vučetina
vučica
vučić
vučija (*sud, drvena posuda*)
vučina *uv.* od vuk
Vučitrn (*zem.*)
vučjak V jd. -ače, mn. -aci (*pas*); Vučjak (*zem.*)
vučji
vučke *i* vučki (*pril.*)
vući, vučem, vuci, vukući, vucijah, vučen
vuga DL jd. vugi
Vukčić (*prezime*); Hrvoje Vukčić Hrvatinić (*pov.*)
Vukovar (*zem.*)
Vukovarac, -rca, V jd. -rče, G mn. -raca *i* Vukovarčanin
Vukovarčanka DL jd. -ki, G mn. -ki *i* Vukovarka
Vukovarka DL jd. -ki, G mn. -ki *i* Vukovarčanka
vukovarski; Vukovarsko-srijemska županija

Z

Z *krat. za* zapad
zabačen
zabačenost, -ošću *i* -osti
zabačenje *prema* zabaciti
zabadač
zabadača
zabahtati, zabašćem, zabašći
zabavljač
zabavljačev
zabavljačica
zabavljačičin
zabavljački
zabazdjeti, -dim
zabijač
zabijeliti, -im, zabijeljen (*učiniti što bijelim*)
zabijeljeti, -im, -lio, -ljela, zabijeljen (*početi bijeljeti*)
zabilješka DL jd. -šci, G mn. zabiljčžaka *i* zabiljčški > biljčška
zabilježavati > biljčžiti
zabilježiti
zabjeći *i* zabjegnuti
zabjel (*granični kamen*)
zabjelasati se
zabjeloglaviti se
zablaćen
zablaćenost, -ošću *i* -osti
zablejati, zableji
zablenutost, -ošću *i* -osti
zablenuti se, -nem se
zablještati, -štim, zabliještah (*početi bliještiti*)
zabliještiti, zablijčšten
zabludjeti, -dim, -dio, -djela, -djev(ši)
zaboga (*pril.*)
zaboljeti, -li
zaborav, zaborava (*m.*) *i* zaboravi (*ž.*)
zaboravljiv
zabrađivati se, -đujem se, -đujući se
zabranjivati, -njujem, -njujući
zabraždivati, -đujem, -đujući *prema* zabrazditi
zabrbljati (se)
Zabrdac, -rca *i* -dca, V jd. -rče *i* -dče, G mn. -daca (*prema* Zabrđe)
Zabrdci, -daca (*zem., selo*)
zabrdnjača (*dio tkalačkog stana*)
zabrdski *prema* zabrđe *i* Zabrđe

Zabrđanin mn. -ani (*čovjek iz Zabrđa*)
Zabrđanka DL jd. -ki, G mn. -ki
zabrđe
Zabrđe jd. s. r. (*zem.*)
zabreći > zabreknuti
zabređati (*postati bređa*)
zabrektati, zabrekćem, zabrekći
zabrenčati, -čim
zabrežje *i* zabrježje
zabridjeti, zabridi
zabrježje *i* zabrežje
zacenuti se, -nem se (*od plača*)
zaceptjeti, -ptim > zadrhtati
zacičati
zacijediti, zacijeđen
zacijeliti, zacijeljen (*učiniti zdravim*)
zacijelo (*pril.*)
zacijeljeti, -lim, -lio, -ljela, zacijeljen (*postati zdrav*)
zacijeniti, zacijenjen (*udariti cijenu*)
zacijepiti, zacijepljen
zacjedivati, -đujem, -đujući
zacjeljenje *prema* zacijeliti *i* zacijeljeti
zacjeljivati, -ljujem, -ljujući
zacjenjivati, -njujem, -njujući
zacjepljivati, -ljujem, -ljujući
zacrljeniti (*učiniti što crljenim*) > zacrveniti
zacrljenjeti (*postati crljen*) > zacrvenjeti
zacrniti (*učiniti što crnim*)
zacrnjeti (*postati crn*)
zacrveniti (*učiniti što crvenim*)
zacrvenjeti, -nim, -nio, -njela (*postati crven*)
zacuriti
zacvičati
zacviljeti, -lim
zacvjetati
zacvrčati, -čim
zacvrkutati, -kućem, zacvrkući
začađenost, -ošću *i* -osti
začaditi, začađen
začahurenost, -ošću *i* -osti
začahuriti (se)
začahurivanje
začahurivati (se), -rujem (se), -rujući (se)
začamiti
začaran
začaranost, -ošću *i* -osti

začarati
začaravati, začaravajući
začas (pril.)
začasni > počasni
začavlati
začavliti
začeće prema začeti; izvanmaternično začeće;
  Bezgrešno/Bezgrješno začeće BDM (blag-
  dan)
začedak, -etka, mn. začcci i začcdci, G mn. za-
  čcdaka
začelenčiti (staviti čelenku)
začeliti
začelje
začeljivati, -ljujem, začcljujući
začeljustiti, začcljušćen
začep (med., opstipacija)
začepak, -pka, mn. -pci, G mn. -paka
začepiti, začepljen
začepljavati, začcpljavajući i začcpljivati
začepljenost, -ošću i -osti
začepljenje prema začepiti
začepljivati, -ljujem, -ljujući i začcpljavati
začeprkati
začestati
začešljati
začešljavanje
začešljavati, -vajući
začetak, začetka, mn. začcci i začctci, G mn.
  -taka
začeti, začnem
začetni
začetnica
začetničin
začetnički
začetnik V jd. -iče, mn. -ici
začetništvo G mn. -štava
začiliti (postati čio, jak)
*začimati > začinjati
začimba
začin
*začina > začin
začinak, -nka, G mn. -naka
začiniti, začinjen
začinjanje
začinjati, začinjem, začinji, začinjujući (po-
  činjati)
začinjati, začinjam, -njajući (stavljati začin)
začinjavac, -vca, V jd. -vče, G mn. -vaca
začitati se
začlaniti, začlanjen
začlanjenje
začlanjivanje
začlanjivati, -njujem, -njujući

Začretje (zem., mjesto u Hrvatskom zagorju)
*začudan > čudan, čudnovat
začuditi se
začudo (pril.)
začuđenost, -ošću i -osti
začuđivanje
začuđivati se, -đujem se, -đujući se
začuti, začujem
zaći, zađem
zaćopati
zaćopiti
zaćoriti (eks.)
zaćurlikati, -ličem
*zaćutati > zašutjeti
*zaćutkivati, -kujem > zašutkivati
zadaća
zadaćnica
zadah
*zadaha > zadah
zadahnuće
zadahnuti, zadahnem
zadahnjivati, -njujem, -njujući
zadahtati, zadašćem i zadahćem, zadašći i za-
  dahći
zadak, zatka, mn. zadci i zaci, G mn. zadaka
Zadar, -dra (zem.)
zadarski; zadarski otoci; Zadarsko-kninska
  županija
zadavati, zadajem, zadajući
zadaždjeti, -ždi, -ždio, -ždjela
zadebljalost, -ošću i -osti
zadebljanost, -ošću i -osti > zadebljalost
zadičiti
zadihanost, -ošću i -osti
zadihati se, -išem se
zadihavanje
zadihavati se, zadihavajući se
zadijeliti se
zadijevalica
zadijevalo
zadijevanje
zadijevati, zadijevajući
zadječačiti
zadjeljati
zadjeljivati se, -ljujući se prema zadijeliti se
zadjenuti, -nem, zadjeven i zadjenut
zadjesti, zadjenem > zadjenuti
zadjeti, zadijem i zadjenem
zadjetinjiti
zadjeva G mn. zadjeva > zadjevica
zadjevač
zadjeveriti se
zadjevica
zadjevojčiti se

zadniti, -im *i* -ijem (*postaviti dno*)
zadnivati, zadnivam, zadnivajući
zadnji; Zadnji Adam (*naslov*)
zadnjojezični
zadnjonepčani
*zadobijati, zadobijam > (za)dobivati
zadosta (*pril.*)
zadovijek (*pril.*)
zadovoljenje *prema* zadovoljiti
zadovoljiti
zadovoljstvo G mn. -stava
zadovoljština
Zadranin mn. -ani
Zadranka DL jd. -ki, G mn. -ki, -nka
zadrečati
zadrhtati, zadršćem *i* zadrhćem, zadršći *i* zadrhći
zadrigao, zadrigala
zadrijemati, -am *i* -mljem
zadrijeti, zadrem, zadro, zadrla
zadubiti se, zadubljen *prema* dubok
zadubljivati se, -ljujem se, -ljujući se
zadugo (*pril.*)
zaduh (*pril.*)
zaduha DL jd. -usi
zaduhaniti
zaduhanost, -ošću *i* -osti
zaduhati se, -ušem se
zaduhnuti, zaduhnem
Zadunavac, -vca, V jd. -vče, G mn. -vaca
Zadunavka DL jd. -ki, G mn. -ki
Zadunavlje jd. s. r. (*prema* Dunav, *zem.*)
zadupsti se, zadubem se, zaduben
zadušljiv
zadužbina
zaduže (*pril.*)
zađakoniti
zafijukati, -jučem
zafrkač
zafrkačica
zagaćenje *prema* zagatiti
zagaćivanje
zagaćivati, -ćujem, -ćujući *prema* zagatiti
zagađenost, -ošću *i* -osti
zagalaćiti > zagaliti
Zagarač, Zagarača (*zem.*)
zagasito *u složenicama:* zagasitocrven
zagašivač
zagladnjeti, -dnim, -dnio, -dnjela
zaglađivati, -đujem, -đujući *prema* zagladiti
zaglavlje
zaglavljivati, -ljujem, -ljujući
zagledač
zaglibiti se, zaglibljen (*zapasti u glib*)

zaglibjeti, -bim, -bio, -bjela (*napuniti se gliba*)
zaglibljivati, -ljujem, -ljujući
zagluh
zagluhnuće
zagluhnuti, -nem
zaglupiti (*učiniti glupim*)
zaglupjeti, -pim, -pio, -pjela (*postati glup*)
zaglupljavati *i* zaglupljivati
zaglupljenost, -ošću *i* -osti
zaglupljenje *prema* zaglupiti *i* zaglupjeti
zaglupljivač
zaglupljivačev
zaglupljivačica
zaglupljivačičin
zaglupljivački
zaglupljivati, -ljujem, -ljujući *i* zaglupljavati
zaglušivati, -šujem, -šujući
zagnojenost, -ošću *i* -osti
zagnojiti (se)
zagnjiljeti, -lim, -lio, -ljela (*početi gnjiljenje*)
zagojaćivati, -ćujem, -ćujući
zagonačke *i* zagonački (*pril.*)
Zagora (*zem.*)
Zagorac, -rca, V jd. -rče, G mn. -raca (*čovjek iz Zagore i Zagorja*)
zagorčati, -am
zagorčavanje *i* zagorčivanje
zagorčavati *i* zagorčivati
zagorčenje
Zagorčev
zagorčiti
zagorčivanje *i* zagorčavanje
zagorčivati, -čujem, -čujući *i* zagorčavati
zagorijel, zagorijeli
zagorijevanje
zagorijevati, -vajući
zagorio, zagorjela
zagorje; Hrvatsko zagorje (*zem.*)
Zagorje (*zem.*)
zagorjelica
zagorjeti
Zagorka DL jd. -ki, G mn. -ki (*žena iz Zagore i Zagorja*); Marija Jurić-Zagorka, G Marije Jurić-Zagorke (*hrv. književnica*)
Zagorkin
zagorski
zagovarač
zagovaračev
zagovaračica
zagovaračičin
zagovarački
zagovorničin *prema* zagovornica
zagovornički
zagovornik V jd. -iče, mn. -ici

zagrađe jd. s. r.; Zagrađe (selo)
zagrađivati, -đujem, -đujući
zagrajati, zagrajim
zagraktati, -kćem
zagrčiti
zagrčivanje
zagrčivati, -čujem, -čujući
zagrdjeti, -dim, -dio, -djela, zagrđen (postati grdan)
Zagreb (glavni grad RH); Grad Zagreb (ime županije koja obuhvaća grad Zagreb)
*Zagrebac > Zagrepčanin
zagrebački; Zagrebačka gora (Medvednica), Zagrebački velesajam (krat. ZV), Zagrebački električni tramvaj (krat. ZET)
*Zagrebec > Zagrepčanin
Zagrepčanin mn. -ani
Zagrepčaninov
Zagrepčanka DL jd. -ki, G mn. -ki
Zagrepčankin
Zagrepkinja > Zagrepčanka
Zagrepkinjin prema Zagrepkinja > Zagrepčankin
zagrepsti, zagrebem
zagrijač
zagrijanost, -ošću i -osti
zagrijati se, zagrij se
zagrijavač
zagrijavački
zagrijavati, -ajući
zagrijevati > zagrijavati, grijati
zagrijevni > grijni
zagrizati
zagrižljiv
zagrižljivost, -ošću i -osti
zagrmjeti, -mim, -mio, -mjela
zagrohotati, -ohoćem
zagrtač
zagruhati, -am > zagruvati
zagudjeti, -dim, -dio, -djela
zagustiti (učiniti gustim)
zagustjeti, -tim, -tio, -tjela (postati gust)
zagušćenje
zagušćivanje
zagušćivati, -šćujem, -šćujući
zagušivač
zagušljiv
zahihotati, -oćem
*zahira > zaira
zahiriti
zahitač
zahitačica
zahitati, zahitam i zahićem, zahitajući i zahićući

zahititi
zahladiti (učiniti hlad)
zahladnjenje prema zahladniti i zahladnjeti
zahladnjeti, -dnim, -dnio, -dnjela (postati hladno)
zahlađenje prema zahladiti
zahlađivanje
zahlađivati, -đujem, -đujući
*zahman > zaman
zahod
zahoditi i zalaziti
zahodski
zahođenje prema zahoditi
zahohotati, -oćem
zahramati, -mljem
zahraniti
zahranjivati, -njujem, -njujući
zahrđalost, -ošću i -osti
zahrđati
zahrkati, -hrčem
zahrzati i zarzati
zahtijevanje
zahtijevati, zahtijevajući
zahtjeti, zahtijem i zahtjednem
zahtjev G mn. zahtjeva
zahučati, zahučim
zahujati, -jim
zahukati, zahučem
zahuktalost, -ošću i -osti
zahuktati, zahukćem
Zahumac, -mca, V jd. -mče, G mn. -maca
Zahumlje jd. s. r. (zem.)
zahumski
zahvaćati i zahvatati
zahvala
zahvalan, -lna
zahvaliti
zahvalnica
zahvalnost, -ošću i -osti
zahvaljivati, -ljujem, -ljujući
zahvat
zahvatač
zahvatati i zahvaćati
zahvatiti, zahvaćen
zaići, zaiđem
zaimac
zaimača
zaimačica
zaimački
zaimati, zaimam i zaimljem, zaimajući i zaimljući
zainaćivanje
zainaćivati, -ćujem, -ćujući
zainatiti

zaintačiti se > zainatiti se
zainteresiranost, -ošću i -osti
zainteresirati (se)
Zair (zem.)
zaira (pokr.)
Zairac, -rca, V jd. -rče, G mn. -raca
zaiskati, zaištem i zaišćem
zaista (pril.)
zaisto (pril., zast.)
zajahati, zajašem
zajamčenje
zajamčiti
zajamčivanje
zajamčivati, -čujem, -čujući
zajaukati, -učem
zajauknuti, -uknem
Zaječar (zem.)
Zaječarac, -rca, V jd. -rče, G mn. -raca
Zaječarka DL jd. -ki, G mn. -ki
zaječarski
zaječati, zaječim
zajedati
zajedljiv
zajedljivac, -vca, V jd. -vče, G mn. -vaca
zajedljivčev
zajedljivičin prema zajedljivica
zajednica; Hrvatska bratska zajednica (u Americi, krat. HBZ), Hrvatska demokratska zajednica (stranka, krat. HDZ)
zajedničan, -čna
zajedničar
zajedničarski
zajednički
zajedništvo G mn. -štava
zajedno (pril.)
zajesti (se), zajedem (se)
zajmiti, zajmljen
zajmodavac, -vca, V jd. -vče, G mn. -vaca
zajmoprimac, -mca, V jd. -mče, G mn. -maca
*zakačiti > zakvačiti, zapeti, objesiti
zakađivanje
zakađivati, -đujem, -đujući
zakaluđeriti
zakaluđerivanje
zakaluđerivati, -rujući
zakapčanje
zakapčati > zakopčavati
Zakarpaće jd. s. r. (zem.)
zakarpatski
zakasniti
zakasnjeli
zakasnjelost, -ošću i -osti
zakašljati, -šljem
zakašnjavanje i zakašnjivanje

zakašnjavati, zakašnjavajući i zakašnjivati
zakašnjenje
zakašnjivač
zakašnjivanje i zakašnjavanje
zakašnjivati, -njujem, -njujući i zakašnjavati
zakićenost, -ošću i -osti
zakipjeti -pim, -pio, -pjela
zakivati, zakivam, zakivajući
zaklačiti
zaklanjač
zaklinčiti
zaklinjač
zaklinjačica
zaklopčić um. od zaklopac > poklopčić
zaklopčina uv. od zaklopac > poklopčina
zaklopnični prema zaklopnica
zaključak, -čka, mn. -čci, G mn. -čaka
zaključan, -čna; zaključna riječ
zaključati
zaključavanje
zaključavati prema zaključati
zaključenje
zaključiti
zaključivanje
zaključivati, -čujući prema zaključiti
zaključnica
zakmečati
zakočiti
zakonačiti
zakonodavac, -vca, V jd. -vče, G mn. -vaca
zakonodavčev
zakonomjeran, -rna
zakonomjernost, -ošću i -osti
zakopčanost, -ošću i -osti
zakopčati
zakopčavanje
zakopčavati, zakopčavajući
zakoračenje
zakoračiti
zakoračivati, -čujem, -čujući
zakorijeniti se, zakorijenjen
zakorjenjivanje
zakorjenjivati se, -njujem se, -njujući se
zakorjeti se, -ri se, -rio se, -rjela se (prevući se korom)
zakovičar
zakovičarev i zakovičarov
zakovrčiti
zakovrtati, zakovrćem, zakovrćući
zakračunati
zakračunavanje
zakračunavati, -vajući
zakraćenje prema zakratiti
zakraćivati, -ćujem, -ćujući

zakrčenost, -ošću i -osti
zakrčenje
zakrčiti
zakrčivati, -čujem, -čujući
zakrečenost, -ošću i -osti i ovapnjenost
zakrečenje i ovapnjenje
zakrečiti i ovapniti
zakrečivati, -čujem, -čujući i ovapnjivati
zakrič, zakriči (pokr., zabrana)
zakričati, -čim
zakrijesiti
zakriještiti
zakrknuće
zakrlještiti
zakročiti
zakročivati, -čujem, -čujući
zakrstiti, zakršten
*zakršljati > zakržljati
zakrštati
zakrštavanje
zakrštavati, -avajući
zakržljalost, -ošću i -osti
zakržljao, zakržljala
zakržljati
*zakržljan > zakržljao
zakržljavjeti, -vim
zakučast
zakučat
zakučati
zakučiti (zapeti, zakinuti); drugo je zakućiti
zakučivati, -čujem, -čujući prema zakučiti
zakućiti (komu kuću, priskrbiti mu je); drugo je zakučiti
zakuhati
zakuhavati, -avajući
zakukurijekati, -iječem
zakupničin prema zakupnica
zakupnički
zakupnik V jd. -ičc, mn. -ici
zakvačiti
zakvačiti se > zavaditi se, spopasti se
zalac, zalca, V jd. zalčc, G mn. zalaca
zalagač
zalagačev
zalagačica
zalagačičin
zalagaonica
zalagaonički
zalahoriti
zalazak, -aska, mn. -asci, G mn. -zaka
zaleći, zaležem i zalegnem (dostati)
zaleđati prema leđa
zaleđe
zaleđenje

zaleđivanje
zaleđivati, -đujem, -đujući
zaletjeti (se), -tim (se), -tio (se), -tjela (se)
zali (zast. i pokr.); Zala draga (zem.)
*zaligivati > umiljavati se
zaliha DL jd. -hi
zalihost, -ošću i -osti
zalihostan -sna
zaliječiti, zaliječen
zalijeganje
zalijegati, zaliježem, zaliježući
zalijeniti se
zalijenjenost, -ošću i -osti
zalijepiti, zalijepljen
zalijetanje
zalijetati se, zalijećem se, zalijeći se, zalijećući se
zalijevanje
zalijevati, -vajući
zalistak, zaliska, mn. zalisci, G mn. zalistaka
zalizak, zaliska, mn. zalisci, G mn. zalizaka
zalúčiti (odbiti, odlučiti)
zàlučiti (pomiješati u jelo luk)
zalud (pril.)
zaluditi, zaluđen (učiniti koga ludim)
zaludjeti, zaludim, zaludjeh, zaludjev(ši), zaludio, zaludjela (postati kao lud)
zaludu (pril.)
zaluđenost, -ošću i -osti
zaluđivanje
zaluđivati, -đujem, -đujući
zalječivanje prema zaliječiti
zalječivati, -čujem, -čujući
zaljepljivanje
zaljepljivati, -pljujem, -pljujući
zaljesti, zaljezem
zaljetiti, zaljeti (postati ljeto)
zaljev G mn. zaljeva
zaljeva G mn. zaljeva
zamaći i zamaknuti
zamagliti, zamagljen
zamah mn. -asi
zamahati, -ašem
zamahivati, -hujem, -hujući
zamahnitati
zamaknuti, -nem i zamaći
zamalo (pril.)
zamamljiv
zamamljivati, -ljujem, -ljujući
zaman > uzalud
zamastiti, zamašćen
zamašćivanje
zamašćivati, -šćujem, zamašćujući

zamazanost, -ošću *i* -osti
zamazivati, -zujem, -zujući
Zambija (*zem., država*)
zamčica *um. od* zamka
za me
zameračiti
zametak, -tka, mn. zameci *i* zametci, G mn. zametaka
zametati, zamećem
zamijeniti, zamijenjen
zamijesiti, zamiješen
zamiješati, zamiješan
zamijetiti, zamijećen
zamisao, zamisli, 1 jd. zamišlju *i* zamisli
zamjećaj
zamjećivanje
zamjećivati, -ćujem, -ćujući
zamjedba G mn. zamjedaba *i* zamjedbi
zamjena G mn. zamjena
zamjenba
zamjenica (1. *žena zamjenik*, 2. *vrst riječi*)
zamjeničin *prema* zamjenica (*žena*)
zamjenički
zamjenik V jd. -iče, mn. -ici
zamjeništvo G mn. -štava
zamjenit
zamjenitost, -ošću *i* -osti
zamjenljiv *i* zamjenjiv
zamjenjivanje
zamjenjivati, -njujem, -njujući
zamjenjivost, -ošću *i* -osti
zamjera G mn. zamjera
zamjerak, zamjerka, mn. zamjerci, G mn. zamjeraka
zamjeralo
zamjeran, -rna
zamjeranje
zamjerati, -ajući
zamjeravanje
zamjeravati (se), -vajući (se)
zamjeriti (se)
zamjerka DL jd. -rci, G mn. zamjeraka *i* zamjerki
zamjerljiv
zamjestiti, zamješten
zamješivati, -šujem, -šujući
zamještati
zamjetljiv
zamjetljivost, -ošću *i* -osti
zamjevalo
zamjevanje
zamjevati
zamlaćenje *prema* zamlaćiti
zamlaćiti

zamlačivati, -čujem, -čujući
zamlaćenje *prema* zamlatiti
zamlaćivanje
zamlaćivati, -ćujem, -ćujući
zamlađivanje
zamlađivati se, -đujem se, -đujući se
zamliječiti
zamljećivati, -čujem, -čujući
zamnogo (*pril.*)
za mnom
zamočiti
zamomčiti
zamorče, -eta, zb. zamorčad (*zool.*)
zamorje (*zemlja za morem*)
zamračenje
zamračiti, zamračen
zamračivanje
zamračivati, -čujem, -čujući
zamrčiti
zamréi *i* zamrknuti
zamrežiti
zamrijeti, zamrem, zamro, zamrla
zamrknuti, -nem *i* zamréi
zamrmljati
zamrziti *i* zamrzjeti
zamrzivač
zamrzjeti, -zim, -zio, -zjela *i* zamrziti
zamrznuće
zamučati, zamučim (*zašutjeti*)
zamučiti *prema* mučiti
zamućenost, -ošću *i* -osti
zamućenje *prema* zamutiti
zamući *i* zamuknuti
zamućivanje
zamućivati, -ćujem, -ćujući
zamuka DL jd. -uci
zamuknuti, -nem *i* zamući
zanašati *i* zanositi
zanavijek (*pril.*)
zanavljati, -ljajući
zanećati
zanećivati, -ćujem, -ćujući
zanećkati
zanećkivati, -kujem, -kujući
zanemoći, zanemognem
zanesen
zanesenjački
zanesenjak V jd. -ače, mn. -aci
zanijekati, zaniječem, zanijekan
zanijemiti (*učiniti koga nijemim*)
zanijemjelost, -ošću *i* -osti
zanijemjeti, -mim, -mio, -mjela (*postati nijem*)
zanijeti, zanesem, zanijeh, zanese, zanesav(ši), zanio, zanijela, zanesen *i* zanijet

zanijetost, -ošću i -osti
zanimljiv
zanoćati, zanoća, zanoćalo je (kad se spusti noć)
zanoćiti
zanositi i zanašati
zanovijet I jd. zanovijeću i zanovijeti
zanovijetalac, -aoca, V jd. -aoče, G mn. zanovijetalaca
zanovijetalica
zanovijetaličin
zanovijetalo
zanovijetanje
zanovijetati, -tajući
zanovjetač
zanovjetačica
zanovjetački
zanovjetaš
zanovjetašica
zanovjetašičin
zanovjetaški
za nj
zanjihati, -ham i -išem
zao, zla; komp. gori
zaobići, zaobiđem
zaobljavati i zaobljivati, -ljujem, -ljujući
zaodijevanje
zaodijevati
zaodjenuti, -nem i zaodjeti
zaodjesti, zaodjenem > zaodjenuti
zaodjeti i zaodjenuti
zaonda (pril.)
zaosob (pril., kao jedan za drugim)
zaošijati (zaokrenuti na stranu)
zaovičić
zaovičin prema zaovica
zaovična
zaović
zapaćati ns. od svr. zapatiti
zapad (strana svijeta); zapad-jugozapad (krat. ZJZ), zapad-sjeverozapad (krat. ZSZ)
Zapad (zapadne zemlje i narodi); Divlji Zapad (u Americi)
zapadni komp. zapadniji: zapadna Europa/Evropa (za razliku od istočne, sjeverne, južne); Zapadna Europa/Evropa (zemlje i narodi); zapadna Hrvatska (zapadni dio Hrvatske)
zapadnoeuropski i zapadnoevropski
zapadnonjemački
zapadnorimski
zapadnjački
zapadnjak V jd. -ače, mn. -ici
zapah mn. zapasi
zapaha DL jd. -asi

zapahati
zapahivati, -hujem, -hujući
zapahnuti, -nem
zapalčiti
zapaljiv
zapamćenje
zapamćivanje
zapamćivati, -ćujem, -ćujući
zapamtiti, zapamćen
zapašnjača
zapaštati ns. od svr. zapostiti
zapćenje prema zaptiti
zapečaćivanje
zapečaćivati, -ćujem, -ćujući
zapečatiti, zapečaćen
zapečenost, -ošću i -osti
zapećak, -ćka, mn. -ćci
zapeći (se), zapečem (se)
zapešćaj
zapešće
zapijevalja
zapijevanje
zapijevati, zapijevajući ns. od svr. zapjevati
zapijevka DL jd. -vci, G mn. zapijevaka i zapijevki, DL I mn. zapijevkama
zapinjača
zapinjača
zapirač
zapiska DL jd. -sci, G mn. -saka
zapisničar
zapisničarev i zapisničarov
zapisničarka DL jd. -ki, G mn. -ki
zapisničarov i zapisničarev
zapisnički
zapitivati, -tujem, -tujući
zapitkivati, -kujem, -kujući
zapjeniti (se), zapjenjen
zapjenušenost, -ošću i -osti
zapjenušiti se
zapjenjenost, -ošću i -osti
zapjenjivanje
zapjenjivati, -njujem, -njujući
zapjev G mn. zapjeva
zapjevak, -vka, mn. -vci, G mn. -vaka
zapjevati, zapjevav(ši)
zaplamtjeti, -tim, -tio, -tjela, -tjev(ši)
zàplaviti, zàplavljen (poplaviti)
zaplàviti, zàplavljen (učiniti plavim)
zaplavjelost, -ošću i -osti
zaplàvjeti, zaplàvim, -vio, -vjela (postati plav)
zapleće
zaplesti, -etem, -etav(ši)
zapletati, zaplećem, zaplećući

zaplijeniti, zaplijenim, zaplijenjen
*zaplitati > zapletati
zaplotnjački
zapljačkati
zapljena G mn. zapljena
zapljenjivanje
zapljenjivati, -njujem, -njujući
zapljeskati, -am i zapljcšćcm, zapljeskav(ši)
zapljesniviti (učiniti pljesnivim)
zapljesnivjelost, -ošću i -osti
zapljesnivjeti (postati pljesniv)
započetak, -tka, mn. započcci i -ctci, G mn. -taka
započeti, započnem, započcv(ši)
*započimati > započinjati
započinjanje
započinjati, započinjem, započinjući
zapodijevanje
zapodijevati, zapodijevajući ns. od svr. zapodjenuti
zapodjenuti, -ncm, -nuv(ši) i zapodjeti
zapodjesti, zapodjcncm > zapodjenuti
zapodjeti, zapodjenem i zapodjenuti
zaponjač
zapornik mn. -ici
Zaporožac, -ošca, V jd. -ošče, G mn. -ožaca prema Zaporožjc
zaposjedati, -dajući (osvajati, zapremati)
zaposjednuće
zaposjednuti, -ncm, -nuv(ši)
zaposjesti (osvojiti, zauzeti, zapremiti)
zaposlijed (pril.)
zaposliti, zaposlcn, zaposliv(ši)
zapošljavati i zapošljivati, -ljujem, -ljujući prema zaposliti
zapovijed l jd. zapovijeđu i zapovijedi
zapovijedanje
zapovijedati, -dajući
zapovijest l jd. zapovijcšću i -sti > zapovijed
zapovijetka
zapovjediti, zapovjcđcn, zapovjediv(ši)
zapovjedni; zapovjcdni blagdan
zapovjednica
zapovjedničin
zapovjednički
zapovjednik V jd. -ičc, mn. -ici
zapovjedništvo G mn. -štava
zapraćati
zapravo (pril.) upravo
zaprčiti (nos)
zaprečenje prema zaprijcčiti i zaprjcčcnjc
zaprečivanje i zaprjcčivanjc
zaprečivati, -čujem, -čujući prema zaprijcčiti i zaprjcčivati; drugo je zaprcćivati
zapreći i zapregnuti

zaprećivati, -ćujcm, -ćujući prema zaprijctiti i zaprjcćivati drugo je zaprcčivati/zaprjcčivati
zapregnuće
zapreka DL jd. -cci
zaprepastiti, zaprcpaštcn
zaprepašćivanje
zaprepašćivati se, -šćujcm sc, -šćujući sc i zaprepaštavati sc
zaprepaštavanje
zaprepaštavati se i zaprcpašćivati sc
Zaprešić (zem., mjesto kraj Zagreba)
zaprezača
zapričati se
zapriječenost, -ošću i -osti
zaprij|čiti (staviti zapreku), zaprijcčiv(ši)
zaprijeti, zaprcm, zapro, zaprla, zaprv(ši)
zaprijetiti, zaprijcćcn, zaprijctiv(ši)
zapriličiti se
zapriseći, -cžcm i zaprisegnuti
zaprisegnuće
zaprječivati, -ćujcm, -ćujući i zaprcćivati
zapršće
zapruđe
Zapruđe jd. s. r. (dio Zagreba)
zapučak, -čka, mn. -čci
zapučati
zapučiti
zapuh mn. zapusi
zapuhati, zapušcm, zapuhav(ši)
zapuhnuti, -ncm, -nuv(ši)
zapuno (pril.).
zapustiti, zapuštcn, zapustiv(ši)
zapustjelost, -ošću i -osti
zapustjeti, -tim, -tio, -tjcla, -tjcv(ši) (postati pusto)
zapušač
zapuštenost, -ošću i -osti
zaračunati, zaračunav(ši)
zaračunavanje
zaračunavati, -vajući
zaraćen
zaraćenost, -ošću i -osti
zarad(i) (prij.); zaradi rcda
zaradša (pril.)
zarađivač
zarađivačica
zarađivački
zarađivati, -đujcm, -đujući
zarana (pril.)
zarastao, zarasla
zarastati > zarašćivati
zarašćivanje
zarašćivati, -ćujcm, -ćujući

zarđalost, -ošću i -osti > zahrđalost
zarđati > zahrđati
zareći se, zarečem se i zareknem se, zarekav(ši)
se
zaređenje
zaređivanje
zaređivati, -đujem, -đujući
zarobljenički
zarobljenik V jd. -iče, mn. -ici
zarođivati, -đujem, -đujući
zaručen
zaručenje
zaručiti (se), zaručiv(ši) se
zaručivanje
zaručivati, -čujem, -čujući
zaručnica
zaručničin
zaručnički
zaručnik V jd. -iče, mn. -ici
zaručništvo G mn. -štava
zarudjeti, -di, -dio, -djela
zaruđivati, -đuje, -đujući
zaruke mn. ž. r.
zarumeniti (učiniti rumenim)
zarumenjeti, -nim, -nio, -njela (postati rumen)
zarzati i zahrzati
zasad(a) (pril.)
zasađivanje
zasađivati, -đujem, -đujući
za se (tj. za sebe)
zase (pril.)
zasebe (pril.)
zasebice (pril.)
zaselak, zaselka i zascoka, mn. -lci i -scoci, G
mn. zaselaka
zasićen
zasićenost, -ošću i -osti
zasićenje
zasićivač
zasićivački
zasićivati, -ćujem, -ćujući
zasijati, zasijam (zasjati)
zasijati, zasijem prema sijati (sjeme)
zasijecati, zasijecajući
*zasijedanje > zasjedanje
*zasijedati > zasjedati
zasijevanje
zasijevati, -vajući
zasijevnuti, -nem, -nuv(ši)
zasipač
zasititi, zasićen, zasitiv(ši)
zasitljiv
zasjecati, zasjecajući
zasjeći, zasiječem, zasjekav(ši)

zasjeda G mn. zasjeda
zasjedač
zasjedanje
zasjedati
zasjedavanje
zasjedavati, zasjedavajući
zasjednik V jd. -iče, mn. -ici
zasjednuti, -nem, -nuv(ši)
zasjek mn. zasjeci
zasjeka DL jd. zasjeci, G mn. zasjeka
zasjena G mn. zasjena
zasjenac, zasjenca, V jd. zasjenče, G mn. za-
sjenaca
zasjenak, -nka, mn. -nci, G mn. -naka
zasjeniti, -niv(ši)
zasjenjen
zasjenjenost, -ošću i -osti
zasjenjenje
zasjenjivač > sjenilo
zasjenjivački
zasjenjivanje
zasjenjivati, -njujem, -njujući
zasjesti, zasjedem i zasjednem
zasjevak, -vka, G mn. -vaka
zaskočica
zaskočiti, zaskočiv(ši)
zaslađenost, -ošću i -osti
zaslađivanje
zaslađivati, -đujem, -đujući
zaslijepiti, zaslijepljen, zaslijepiv(ši) (komu
oči, učiniti ga slijepim)
zaslijepjeti, -pim, -pio, -pjela (postati slijep)
zaslijepljenost, -ošću i -osti
zasljepljenje
zasljepljivač
zasljepljivačica
zasljepljivački
zasljepljivanje
zasljepljivati, -ljujem, -ljujući
zasmijati se, zasmijav(ši) se
zasmočak, -čka, mn. -čci, G mn. -čaka
zasmočiti, zasmočiv(ši)
zasmraditi, zasmrađen, zasmradiv(ši)
zasmrađenost, -ošću i -osti
zasmrađivati, -đujem, -đujući
zasmrdjeti, -dim, -dio, -djela, -djev(ši)
zasniježiti, -im, -iv(ši)
zasnivač
zasnivačica
zasnivački
zastalno (pril.)
zastarijevanje
zastarijevati, -vajući
zastarjelost, -ošću i -osti > zastara

zastarjeti, -rim, -rio, -rjela, -rjev(ši)
zastavničin prema zastavnica
zastavnički
zastavnik V jd. -ičc, mn. -ici
zastidjeti (se), -dim (sc), -dio (sc), -djela (sc),
-djev(ši) (sc)
zastidivati, -đujem, -đujući
zastirač
zastreljivati, -ljujem, -ljujući i zastrjeljivati
zastreptjeti, -ptim, -ptio, -ptjcla, -ptjev(ši)
zastrijeliti, zastrijeljen, zastrijeliv(ši)
zastrijeti, zastrem, zastro, zastrla i zastrti
zastrjeljivati, -ljujem, -ljujući i zastreljivati
zastudjeti, -dim, -dio, -djela, -djev(ši)
zastupnički; Zastupnički dom Sabora
zastupnik V jd. -ičc, mn. -ici
zasučak, -čka, mn. -čci, G mn. -čaka
zasunčić
za sutra
zasvagda (pril.)
zasvijetliti, zasvijetljen, zasvijetliv(ši)
zasvjedočavanje i zasvjedočivanje
zasvjedočavati i zasvjedočivati
zasvjedočenje
zasvjedočiti
zasvjedočivanje i zasvjedočavanje
zasvjedočivati, -čujem, -čujući i zasvjedočavati
zasvjetlucati
zasvoditi, zasvođen
zasvođavanje i zasvođivanje
zasvođavati i zasvođivati
zasvođenost, -ošću i -osti
zasvođivanje i zasvođavanje
zasvođivati, -đujem, -đujući i zasvođavati
zasvrbjeti, -bim, -bio, -bjela, -bjev(ši)
zašačiti
zašećerenost, -ošću i -osti
zašećeriti
zašećerivanje
zašećerivati, -rujem, -rujući
zaštedjeti, -dim, -dio, -djela, zašteđen, zašted-
jev(ši)
zašteđevina
zaštićen
zaštićenost, -ošću i -osti
zaštićivanje
zaštićivati, -ćujem, -ćujući
zaštitničin prema zaštitnica
zaštitnički
zaštitnik V jd. -ičc, mn. -ici
zašto (vez. i pril.)
zašućivanje
zašućivati, -ćujem, -ćujući
zašutjeti, -tim, -tio, -tjela, -tjev(ši)

zataći i zataknuti
zatajiti, zatajim
zatak, -tka, mn. zatci i zaci, G mn. zataka
zataknuti, -ncm i zataći
zatamnjenje
zatamnjeti, -nim, -mnio, -mnjela, -mnjev(ši)
za te
zateći, zatečem i zateknem
zateščati
zatezljiv
zaticati, zatičcm prema zataći/zataknuti
zatikač
zatiljača
zatim (pril.)
zatirač
zatirački
zatjecati, zatječem prema zatcći
zatjerati
zatjerivati, -rujem, -rujući
zato (pril.)
zatočenica
zatočeničin
zatočenički
zatočenik V jd. -ičc, mn. -ici
zatočeništvo G mn. -štava
zatočiti, zatočen
zatočje
zatočnica
zatočničin
zatočnički
zatočnik V jd. -ičc, mn. -ici
zatonić
zatrčati se, zatrčav(ši) sc
zatrčavanje
zatrčavati se, zatrčavajući sc
zatrebati
zatreptjeti, -tim, -tio, -tjela, -tjev(ši)
zatrijeti i zatrti, zatrem, zatro, zatrla, zatrt i za-
trven
zatrudnjeti, zatrudnjeh, zatrudnjev(ši), zatrud-
njela
zatrudivati, -đujem, -đujući
zatući, zatučem, zatukav(ši)
zatupiti, zatupiv(ši) (učiniti tupim)
zatupjelost, -ošću i -osti
zatupjeti, -pim, -pio, -pjela (postati tup)
zatupljivati, -ljujem, -ljujući
zatvarač
zatvarački
zatvoreničin prema zatvorenica
zatvorenički
zatvorenik V jd. -ičc, mn. -ici
zatvoreno u složenicama: zatvorenoplav (tam-
noplav)

zatvornik (suglasnik)
zaufano (pril.)
zauhar (pril.)
zaunapredak (pril.)
zaustavljač
zaustiti, zaušćen, zaustiv(ši)
zaušćivati, -šćujem, -šćujući
zauvijek (pril.)
zauzeće
zavađač i zavoditelj
zavađati i zavoditi
zavađati se prema zavaditi se
zavađenost, -ošću i -osti
zavarivač
zavarivačev
zavarivačica
zavarivačičin
zavarivački
zavažati i zavoziti
zavičaj
zavičajan, -jna
zavičajnica
zavičajnik V jd. -iče, mn. -ici
zavičajnost, -ošću i -osti
zavidjeti, zavidim, zavidjeh, zavidio, zavidjela, zavidjev(ši) i zavidjati
Zavidovićanin mn. -ani
Zavidovićanka DL jd. -ki, G mn. -ki
Zavidovići mn. m. r. (zem.)
zavidovićki
zaviđanje
zaviđati, zaviđajući i zavidjeti
zaviđenje prema zavidjeti
zavijač
zavijača
zavijčati
zavijek (pril.)
zaviličiti
zavirač
zavisan, zavisna
zavjera G mn. zavjera
zavjerak, zavjerka, G mn. zavjeraka
zavjeravanje
zavjeravati se, zavjeravajući se
zavjerenica
zavjerenički
zavjerenik V jd. -iče, mn. -ici
zavjereništvo G mn. -štava
zavjeriti (se)
zavjernica
zavjes G mn. zavjesa
zavjesa G mn. zavjesa
zavjesiti, zavješen, zavjesiv(ši)
zavješati (se)

zavještaj
zavještati
zavjet G mn. zavjeta; stari zavjet, novi zavjet (razdoblje), Stari (Novi) zavjet (knjiga), Sveto pismo staroga (novoga) zavjeta
zavjetan, -tna; zavjetni kovčeg
zavjetina
zavjetnica
zavjetnik V jd. -iče, mn. -ici
zavjetovalac, -aoca, V jd. -aoče, G mn. zavjetovalaca
zavjetovanik V jd. -iče, mn. -ici
zavjetovanje
zavjetovati, -tujem, -tovav(ši)
zavjetrina
zavlačenje
zavlačiti, zavlačeći
zavladičenje
zavladičiti
zavlađivanje
zavlađivati, -đujem, -đujući
ZAVNOH (pov.) krat. za Zemaljsko antifašističko vijeće narodnog oslobođenja Hrvatske
zavodilac, -ioca, V jd. -ioče, G mn. zavodilaca > zavoditelj
zavoditelj i zavađač
zavoditi i zavađati
zavodničin prema zavodnica
zavodnički
zavođač
zavođačica
zavođački
zavođenje prema zavoditi
zavojačiti
zavojevač > osvajač
zavojevačica prema zavojevač
zavojevački > osvajački
zavoljeti, -lim, -lio, -ljela, -ljev(ši)
zavoziti i zavažati
zavraćati
zavrći i zavrgnuti
zavrćivati, -ćujem, -ćujući ns. od svr. zavrtjeti
zavrćkola
zavređivanje i zavrjeđivanje
zavređivati, -đujem, -đujući i zavrjeđivati
zavreti, zavrem i zavrijem, zavreo, zavrela, zavrev(ši)
zavrijediti, zavrijeđen, zavrijediv(ši) (zaslužiti)
zavrijeti, zavrem, zavro, zavrla (kao zatvoriti)
zavrjeđivanje i zavređivanje
zavrjeđivati, -đujem, -đujući i zavređivati
zavrtanj, -tnja
zavrtjeti, -tim, -tio, -tjela, zavrćen, zavrtjev(ši)

zavrzača
zavući, zavučem, zavučen, zavukav(ši)
zazbilj (pril.)
zazeleniti (učiniti zelenim)
zazelenjeti, -nim, -nio, -njela (početi zelenjeti)
zaziđivati, -đujem, -đujući
zazirati, zazirem, zazirući
zazoran, -rna
zazorljiv
zazreti, zazrem, zazrev(ši) (pogledati plašljivo)
zazrijevati, -vajući
zazupčati
zazvečati, zazvečim
zazvučati, zazvučim
zažeći, zažežem
zaželjeti, -lim, -ljev(ši)
zažučiti
zažuđeti, -dim, -dio, -djela, -djev(ši)
zažutiti (učiniti što žutim)
zažutjeti, -tim, -tio, -tjela, -tjev(ši) (postati žut)
zbačen
zbijač
zbijačica
zbirčica um. od zbirka
zbjeći se i zbjegnuti se
zbjeg mn. zbjegovi
zbjegnuti se, -nem se i zbjeći se
zbježati se
zbježište
zbog (prij.)
zbogom (pril.)
zbornički
zborovođa
zbrčka
zbrčkati se
zbrda-zdola
zbrinjavati, zbrinjavajući
zdenac, -nca; Zdenac života (Meštrovićev spomenik u Zagrebu), Kraljičin zdenac (u Zagrebačkoj gori)
Zdenci, Zdenaca mn. m. r. (zem.); Veliki Zdenci (zem.)
zdenčac um. od zdenac
Zdenčac (zem.)
zdenčan
zdenčar
zdenčarev i zdenčarov
zdenčarski
zdenčarstvo G mn. -stava
zdenčina uv. od zdenac
Zdenčina (zem.)
zdesna (pril.)

zdjela G mn. zdjela
zdjelar
zdjelast
zdjeletina uv. od zdjela
zdjelica um. od zdjela
zdjeličast
zdjelični
zdjenuti, -nem
zdjesti, zdjenem > zdjenuti
zdjeti, zdijem
zdjetni; zdjetna žena
zdjetnost, -ošću i -osti
zdravičica
Zdravomarija (molitva)
združiti
zduhač
zdušan, -šna
zdvora (pril.)
zebu, zebua (zool.)
zec mn. zečevi, pjes. zeci
zečad
zečak, zečka, V jd. zečku, mn. zečci, G mn. -čaka, um. od zec (vrst graška)
zečar
zečarnik mn. -ici > zečinjak
zečarski
zeče, -čta; zb. zečad prema zec (zool.)
zečevac, -vca, G mn. -vaca
zečevina
Zečevo (zem.)
zečica
zečić
zečina
zečinjak mn. -aci
zečji
Zećanin mn. -ani (čovjek iz Zete)
Zećanka DL jd. -ki, G mn. -ki (žena iz Zete)
*zejtin > ulje
Zelandija; Nova Zelandija (zem.)
Zelanđanin mn. -ani; Novozelanđanin
Zelanđanka DL jd. -ki, G mn. -ki; Novozelanđanka
zelembać i zelembak
zelen (prid.)
zelen, zeleni, I jd. -enju i -eni
zelenac, -nca, G mn. -naca
zelenašičin prema zelenašica > lihvarkin
zelenčica
zelenčić
zelengaća
Zelengaj (ime šumi)
Zelengora (planina)
zeleničica um. od zelenica i zelenika
zelenić (zeleno drvo)

zelenićak, -ćka, V jd. -ćku, mn. -ćci, G mn.
-ćaka, *um. od* zelenić
zeleniti, zelenćći (*činiti što zelenim*)
zelenjak mn. -aci (*zelen kukuruz*)
Zelenjak (*zem.*)
zelenjeti, zelenim, zelenćći, zelenjah, zelenio,
zelenjela (*postajati zelen*)
zemička DL jd. -čki, G mn. -čaka > žemička
zemlja G mn. zemalja; Nova zemlja (*zem.*)
Zemlja (*astr.*)
zemljački
zemljak V jd. -ačc, mn. zemljaci
zemljodjelac, -lca, V jd. -lčc, G mn. zemljo-
djelaca
zemljodjelčev
zemljodjelka DL jd. -ki, G mn. -ki
zemljomjer
zemljomjerstvo G mn. -stava
zemljopis
zemljopisac, -sca, V jd. -iščc, G mn. -saca
zemljoposjednica
zemljoposjedničin
zemljoposjednički
zemljoposjednik V jd. -ičc, mn. -ici
zemljoradnički
zamljoradnik V jd. -ičc, mn. -ici
zemljovid
zemljovlasnica
zemljovlasničin
zemljovlasnički
zamljovlasnik V jd. -ičc, mn. -ici
zemljoznanac, -nca, V jd. -nčc, G mn. -naca
zemničar
Zemun (*zem.*)
Zemunac, -nca, V jd. -nčc, G mn. -naca
zemuničar
Zemunka DL jd. -ki, G mn. -ki
Zenica (*zem.*)
Zeničak V jd. -ačc, mn. -aci *i* Zeničanin, mn.
-ani
Zeničanka DL jd. -ki, G mn. -ki *i* Zeničkinja
zenički
Zeničkinja *i* Zeničanka
zepsti, zebem, zebijah *i* zebah, zebući
zeričica *prema* zerica
Zeta (*zem.*)
Zeus (*mit.*)
zeusovski
zgađati, zgađajući
zgnječenost, -ošću *i* -osti
zgnječiti
zgodimice (*pril.*)
zgodimičan, -čna
zgončić

zgorega (*pril.*)
zgorjeti, -rim, -rio, -rjela, -rjev(ši)
zgotavljati > gotoviti
zgranjavati se *i* zgranjivati se, -njujem se,
-njujući se
zgrčenost, -ošću *i* -osti
zgrčiti, zgrčiv(ši)
zgrešenje *i* zgrješenje
zgrijati, zgrijem, zgrij
zgriješiti, zgriješiv(ši)
zgrijevati > zgrijavati
zgrješenje *i* zgrešenje
zgrtati, zgrćem, zgrćući
zgruhati, -am > zgruvati
zgučiti
zgušćivanje
zgušćivati, -ćujem, -ćujući
zidati, zidam *i* ziđem, zidajući *i* ziđući
zidić
zijev mn. zjevovi
zijevalica
zijevalo
zijevanje
zijevati, zijevajući
zijevavica
zijevka
zijevnuti, -nem, -nuv(ši)
Zimbabve (*zem., država*)
zimčić
zimnjača (*jabuka, kruška*)
zimogrižljiv
zimogrozan, -zna
zimogrožljiv
zimogrožljivost, -ošću *i* -osti
zimzelen, zimzeleni
zipčica
zjapiti, zjapeći
zjati, zjam, zjajući
zjenica
zjenični
zjevač
zjevačev
zjevačica
zjevačičin
zjevkati
zlaćan, zlaćana
zlaćenje *prema* zlatiti
*zlamenje > znamenje
zlaradice (*pril.*)
zlaradičke (*pril.*)
Zlatar Bistrica (*mjesto*)
zlataričin *prema* zlatarica
Zlatičin *prema* Zlatica (*ime ž. osobe*)
zlatiti, zlaćen, zlateći

zličina *uv. i pej. od* zlica (*zao čovjek*)
zlić mn. zlićevi
*zliće > zlo
zlijed, zlijedi, l jd. zlijeđu *i* zlijedi
zlijediti, zlijedeći
zlijeđenje *prema* zlijediti
zlikovac, -vca, V jd. -včc, mn. -vci, G mn. -vaca
zlikovački
zlikovčev *prema* zlikovac
zlo (*pril.*); *komp.* gore
zlo (*imenica*)
Zlo (*poosobljeni pojam*)
zloba
Zloba (*poosobljeni pojam*)
zločest
zločestoća
zločestvo G mn. -stava
zločin
zločinac, -nca, V jd. -nčc, mn. -nci, G mn. -naca
zločinački
zločinčev
zločinka DL jd. -ki, G mn. -ki *i* -naka
zločinstvo G mn. -stava
zloća
zloćud (*prid.*)
zloćudan, -dna
zloćudnica
zloćudničin
zloćudnik V jd. -ičc, mn. -ici
zloćudnost, -ošću *i* -osti
zlodjelo (*zlo djelo*)
zloduh (*prid.*)
zloduh V jd. -ušc, mn. -usi
zlohran (*prid.*)
zlohranica
zlokobnica
zlokobničin
zlokobnički
zlokobnik V jd. -ičc, mn. -ici
zlomisleći (*prid.*)
zlomislen (*zlih misli*)
zlomišljen *prema* zlo misliti
zlonamjeran, -rna (*zloban*)
zlonamjernica
zlonamjerničin
zlonamjernik V jd. -ičc, mn. -ici
zlonamjernost, -ošću *i* -osti
zlopaćenje *prema* zlopatiti se
zlopamćenje
zlopamtiti, zlopamćah, zlopamtćći
zlopatničin *prema* zlopatnica
zlopatnički
zlopatnik V jd. -ičc, G mn. -ici
zlopogleđa

zloporaba *i* zloupotreba
zlorabiti, zlorabćći
zlorabljiv *i* zloupotrebljiv
zlorabljivost, -ošću/-osti *i* zloupotrebljivost
zlosreća (*čovjek zle sreće*)
*zlosrećnik > zlosretnik
zlosretnički
zlosretnik V jd. -ičc, G mn. -ici
zlostavljač
zlostavljačica
zloupotreba *i* zloporaba
zloupotrebljavati, -avajući *i* zloupotrebljivati
zloupotrebljiv *i* zlorabljiv
zloupotrebljivati, -ljujući *i* zloupotrebljavati
zloupotrebljivost, -ošću *i* -osti *i* zlorabljivost
zloupotrijebiti
zlovremenica
zlurad
zmaj; Hrvatski zmaj (*ime društva*)
zmajić *um. od* zmaj
zmijača
zmijče, -cta; *zb.* zmijčad
zmijić
zmijinski
zmijinji
zmijuljica
zmijurina
značaj
značajan, -jna
značajka DL jd. -jci, G mn. značajki
značajnost, -ošću *i* -osti
značenje *prema* značiti
značić
značiti
značka DL jd. -čci *i* -čki, G mn. znački *i* značaka
znadbudem (*zast.*, budem znao)
znalac, znalca, V jd. znalčc, G mn. znalaca
znalački
značan > radoznao
znaličnica > radoznalka, radoznalica, znatiželjnica
značnik V jd. -ičc, mn. -ici > radoznalac, znatiželjnik
znamenka DL jd. -nci, G mn. -ki
znamenje
znanost, -ošću *i* -osti
znanstvenica
znanstveničin
znanstvenički
znanstvenik V jd. -ičc, mn. -ici
znatiželjan *i* radoznao
znatiželjnica
znatiželjničin

znatiželjnik V jd. -ičc, mn. -ici
znojnični
zobati, zobljem, zobljući
zobnjača
zodijački
zoolog mn. -ozi
zoologija
zoološki
Zoričin prema Zorica
zoriti > zrcti
zoriti (rudjeti, o zori)
Zorkičin prema Zorkica
zornjača
zova
zračak, -čka, mn. -čci, G mn. -čaka
zračan, zračna
zračenje
zračica
zračiti
zračnica
zračno (pril.)
zračnost, -ošću i -osti
zračnjak mn. -aci
zrak
zraka DL jd. zraci, G mn. zraka (trak)
zrakoplov
zrakoplovac, -vca, V jd. -včc, G mn. -vaca
zrakoplovka DL jd. -ki, G mn. -ki
zrcalce, -alca i -alccta, G mn. zrcalaca
zrelina
zreloća > zrclost
zrelost, -ošću i -osti
zrenik mn. -ici
zreo, zrcla (prid.)
zreti, zrcm, zrco (gledati)
zreti, zrim i zrijcm, zrući i zrijući, zrco, zrcla
(dozrijevati)
zrijevati običnije složen, npr. dozrijevati
Zrin (zem.-pov.)
Zrinka (ž. ime)
Zrinović; ban Zrinović
zrinski prema Zrin; Nikola Šubić Zrinski,
Zrinski trg
Zrinj > Zrin
Zrinjanin mn. -ani
Zrinjski > Zrinski
Zrinjevac, -vca (Zrinski trg u Zagrebu)
zrinjevački prema Zrinjevac
zrnčan
zrnčanik mn. -ici
zrnčanje
zrnčati, zrnčajući
zubac, zupca, G mn. zubaca
zubača

zubačić um. od zubatac
zubaričin prema zubarica
zubatac, zubaca, V jd. zubačc, G mn. zubataca
(riba)
Zubčević (prezime; drugo je prezime Zupčc-
vić)
zubić
zubobolja
zubotehničar
zubotehničarev i zubotchničarov
zubotehničarka
zubotehničarov i zubotchničarcv
zubotehnički
zučati, zučim, zučći
zujača
zujati, zujim, zujcći
zulumćar
zulumćarev i zulumćarov
zulumćarski
zulumćarstvo G mn. -stava
zumbulčić um. od zumbul
zupčan, zupčana
zupčanica
zupčanik mn. -ici prema zubac
zupčast
Zupčević (prezime; drugo je prezime Zubčc-
vić)
zupčati, zupčajući
zupčić
ZUR (pov.) krat. za Zakon o udruženom radu
zurenje prema zuriti
zuriti, zurćći
ZV krat. za Zagrebački velcsajam
*zvaničan, -čna > službcn, urcdovan
zvečac, zvcčca
Zvečaj (zem.)
Zvečajac, -jca, V jd. -jčc, G mn. -jaca
Zvečajka DL jd. -ki, G mn. -ki
zvečak, zvečka, mn. zvcčci, G mn. -čaka
zvečan, zvcčna prema zvck
Zvečan, -ana (zem.)
zvečati, zvcčim, zvcčći
Zvečevac, -vca, V jd. -včc, G mn. -vaca (čovjek
iz Zvečeva)
Zvečevo (zem.)
zvečiti, zvcčim
zvečka DL jd. -čci i čki, G mn. -ki i -čaka
zveketati, zvckccćm i zvcketam, zvckcćući i
zvckctajući
zvektati, zvckćcm, zvckći, zvckćući
Zverinac, -nca (zem., otočić i selo na njemu)
zvijer, zvijeri, I jd. zvijeri i zvijerju
zvijere, zvijercta; zb. zvjerad
zvijerin prema zvijer > zvjerinji

zvijerje zb. *od* zvijer
zvijerka DL jd. -rci, G mn. -raka *i* -rki
zvijezda V jd. -zdo (*astr.*); Gupčeva zvijezda (*u* Zagrebu), Polarna zvijezda (*astr.*)
zviježđe zb. *od* zvijezda
zvijuk mn. -uci
zvijukati, zvijučem, zvijuči, zvijučući
zviždač
zviždačica
zviždaljka DL jd. -ljci, G mn. -ki
zviždati, zviždim, zviždeći
*zvjedljiv (*i izvedenice*) > radoznao
zvjerad, zvjeradi *prema* zvijere
zvjeranje
zvjerati, zvjerajući
zvjerav
zvjere > zvijere
zvjerinac, -nca, G mn. -naca
zvjerinjak, -aka, mn. -aci
zvjerinje
zvjerinji
zvjerka DL jd. -ki, G mn. zvjerki
zvjerokradica V jd. -ice
zvjerokrađa
zvjerski
zvjerstvo G mn. zvjerstava
zvjezdan, zvjezdana (*biljka*)
zvjezdan, -ana; zvjezdano nebo
Zvjezdan (*ime*)
Zvjezdana (*ime*)
zvjezdar (*astr., zast.*) > astronom
zvjezdara
zvjezdarnica
zvjezdarstvo G mn. -stava > astronomija
zvjezdast
zvjezdaš
zvjezdica
zvjezdište > zvijezde
zvjezdo *prvi dio složenice, npr.* zvjezdolik, zvjezdoznanac
zvjezdolik

zvjezdovit
zvjezdoznanac, -nca, V jd. -nče, G mn. -naca
zvjezdoznanski
zvjezdoznanstvo G mn. -stava
zvjezdurina
zvon > zvono
zvonačac, zvonačca, G mn. -čaca
zvonačnik mn. -ici (*sonorni suglasnik, npr.* n)
zvonaričin *prema* zvonarica
zvonarički
zvonce, zvonca *i* zvonceta
zvončac, zvončaca
zvončast
zvončić
zvonič (*biljka*)
*zvonić > zvonce
zvono
zvonolijevac, -vca, V jd. -vče, G mn. -lijevca
zvonjava
zvonjenje *prema* zvoniti
Zvorničanin mn. -ani *prema* Zvornik
Zvorničanka DL jd. -ki, G mn. -ki
zvornički
zvrcati, zvrcam, zvrcajući
zvrčak, zvrčka, V jd. zvrčku, mn. zvrčci, G mn. zvrčaka
zvrčaljka DL jd. -ljci, G mn. -ljaka *i* -ki
zvrčanje
zvrčati, zvrčim, zvrčeći
zvrčić
zvrčina
zvrčka DL jd. -čki, G mn. -ki *i* zvrčaka
zvrjati, zvrjim, zvrjeći
zvučalo
zvučan, zvučna; zvučni suglasnik/šumnik
zvučati, zvučim, zvučeći
zvučiti
zvučnik mn. -ici
zvučnost, -ošću *i* -osti
zvuk mn. zvukovi *i* (*pjes.*) zvuci
zvukomjer

Ž

ž. *gram. oznaka za ženski* (rod) (*u rječnicima i bez točke ž*)
žabac, žapca, V jd. žapče, G mn. žabaca
žabić
Žabljak (*zem.*)
žablji
žabnjače (*bot.*)
žabnjak mn. -aci
žabokrečina
žabokrijek mn. -ijeci
žagač
žal, žala, mn. žali *i* žalovi
žalac, žalca, mn. žalci, G mn. žalaca
žalba G mn. žalbi *i* žalba
žalce, žalca, G mn. žalaca
žalibože (*pril.*)
žaliočev *prema* žalilac
žalitelj
žalostan, žalosna; Majka Božja Žalosna (*ime blagdana/spomendana*)
žalošćenje *prema* žalostiti
žaljenje *prema* žaliti
žao *komp.* žalije
***žaobina** (*zast.*) > kaucija
žaočar
žaoka DL jd. -žaoci, G mn. žalaka
žapče, -cta; *zb.* žapčad
žapčev *prema* žabac
žarač
žarči *komp. od* žarki
žargon
žaričar (*zool.*)
žarišni
žarki *komp.* žarči
žarnjača
žbični *prema* žbica
žbun > grm
žbunje > grmlje
ždral, ždrala, mn. ždralovi
ždrebad, ždrebadi *prema* ždrijebe *i* ždrjebad
ždrebanje *i* ždrjebanje
ždrebati (*ždrijebom odlučivati*) *i* ždrjebati
ždrebećak mn. -aci *i* ždrjebećak
ždrebeći *i* ždrjebeći
ždrebence, -ca *i* -cta *um. od* ždrijebe *i* ždrjebence
ždrebešce, -ca *i* -cta *um. od* ždrijebe *i* ždrjebešce

ždrebetina (*ždrebeće meso*) *i* ždrjebetina
ždrebica *i* ždrjebica
ždrebičica *um. od* ždrebica *i* ždrjebičica
ždrebičin *prema* ždrebica *i* ždrjebičin
ždrebina *i* ždrjebina
ždrebni; ždrebna kobila *i* ždrjebni
ždrebnost, -ošću *i* -osti *i* ždrjebnost
ždrepčanik mn. -ici *i* ždrjepčanik
ždrepčić *um. od* ždrijebac *i* ždrjepčić
ždrepčina *uv. od* ždrijebac *i* ždrjepčina
ždrijeb mn. ždrebovi *i* ždrjebovi
ždrijebac, ždrijepca, V jd. ždrijepče, G mn. ždrijebaca
***ždrijebati** > ždrebati/ždrjebati
ždrijebe, ždrebeta *i* ždrjebeta; *zb.* ždrebad *i* ždrjebad
ždrijebeći (se)
ždrijebiti (se)
ždrijebni *prema* ždrijeb; *drugo je* ždrebni/ždrjebni
ždrijelce
ždrijelni
ždrijelo
ždrijeti, ždrem, ždrah, ždrući, ždro, ždrla, ždrt > ždrcati
ždrjebad *i* ždrebad
ždrjebanje *i* ždrebanje
ždrjebati *i* ždrebati
ždrjebećak mn. -aci *i* ždrebećak
ždrjebeći *i* ždrebeći
ždrjebence, -ca *i* -cta *um. od* ždrijebe *i* ždrebence
ždrjebešce, -ca *i* -cta *um. od* ždrijebe *i* ždrebešce
ždrjebetina *i* ždrebetina
ždrjebica *i* ždrebica
ždrjebičica *i* ždrebičica
ždrjebičin *i* ždrebičin
ždrjebina *i* ždrebina
ždrjebni *i* ždrebni
ždrjebnost, -ošću *i* -osti *i* ždrebnost
ždrjepčanik mn. -ici *i* ždrepčanik
ždrjepčić *um. od* ždrijebac *i* ždrepčić
ždrjepčina *uv. od* ždrijebac *i* ždrepčina
žećca *i* žeđca *um. od* žeđ > žeđica
žećí, žečem... žegu, žezi, žezijah, žegući, žegao, žegla, žežen

žednjeti, žednim, žednceti, žednjah, žednio, žednjela (*postajati žedan*)
žeđ, žeđi > žeđa
žeđa
žeđač
žeđačica
žeđahan, -hna
žeđanje
žeđati
žeđca i žcćca *um. od* žcđ > žcđica
žeđica *um. od* žeđa
želučani *prema* želudac
želučev > žclučani
želučić
želudačni > žclučani
želudnjača (*gušterača*)
željenje *prema* žcljcti
željesce, -ca i -cta
željeti, žclim, žcljah, žclcći, žclio, žcljcla, žcljcn
željezan, -zna
željezar
željezara
željezast
željeznarija
željeznica
željezničar
željezničarev i žcljczničarov
željezničarka DL jd -ki, G mn. -ki
željezničarkin
željezničarov i žcljczničarcv
željezničarski
željeznički *prema* žcljcznica i žcljcznik
željeznik, -ici (*rudnik željeza*)
željezo
Željka DL -ki (*ime*)
Željkin
Željko (*ime*)
Željkov
*žemba G mn. žcmbi (*zast.*) > žcnidba
žemička DL jd. -ki, G mn. -čaka i -ki
ženčica *um. od* žcnka
ženevski; Žcncvsko jczcro
ženičica *um. od* žcnica
ženidba G mn. žcnidba, žcnidaba i žcnidbi
ženik V jd. -ičc, mn. -ici
ženskić V jd. žcnskiću
ženturača *pogr. od* žcna
*žep > džcp
žepački *prema* Žcpčc
Žepčak V jd. -ačc, mn. -aci i Žcpčanin
Žepčanin mn. -ani i Žcpčak
Žepče (*zem.*)
*žestočiji > žcšći (*komp. od* žcstok)

žestok *komp.* žcšći
žešće *komp. od* žcstoko
žešćenje *prema* žcstiti (sc)
žetelac, žctcoca, V jd. žctcočc, G mn. žctclaca
žetelački
žeti, žanjcm i žnjcm, žco, žcla, žanjući i žnjući
žeti, žmcm, žmući (*ožimati*)
žeton
Žiča (*zem.*)
žičan, žičana *prema* žica
žičica *um. od* žica
žički *prema* Žiča
žičnjak
žiće
židak, žitka; *komp.* žitkiji
Židov (*pripadnik naroda*)
židov (*vjerski pripadnik*)
Židovka DL jd. -ki, G mn. -ki
Židovkin
Židovljev
židovski
žilavac, -vca, V jd. -včc, G mn. -vaca
žilet (*britvica*); *usp.* Gillcttc
žiličast
žiličica *um. od* žilica
žiri, -ija, mn. -iji
žirić *um. od* žir
žirnjak mn. -njaci
žiro, -oa, mn. -oi
žirondist
žirondistički
žiroračun (*bank.*)
žiščica *um. od* žiška
žitarični
žitije jd. s. r., DLl mn. žitijima > životopis, život
žitkoća
žitkost, -ošću i -osti
žitničar (*zool.*)
žitnjača
Žitomislić (*zem.*)
živače, -cta
živahan, -hna
živahnost, -ošću i -osti
živahnuti, -ncm
živčan, živčana
živčenjak V jd. -njačc, mn. -njaci
živčevlje
živičiti
živični
živičnjak, mn. -aci
živić
živinče, -cta, *zb.* živinčad

živiti (*činiti koga živim*)
živjeti, živim, življah, živeći, živio, živjela
Živko (*ime*)
življenje *prema* živiti *i* živjeti
Živogošćanin mn. -ani
Živogošće (*zem.*)
živogoški
živomučenica
živomučenik V jd. -niče, mn. -nici
životopisac, -sca, V jd. -išče, G mn. -saca
živući (*koji živi*)
žižak, žiška, mn. žišci, G mn. žižaka
žličar
žličara
žličarka DL jd. -rci, G mn. -ki
žličast
žličica
žličina
žličnjak mn. -aci
žlijeb mn. žljebovi
žlijebac, žlijepca, G mn. žlijebaca
žlijebiti, žlijebeći, žlijebljen
žlijebljenje
žlijebnjak mn. -njaci
žlijezda G mn. žlijezdi *i* žlijezda
žljebast
žljebić
žljebina
žljebovit
žljezdani
žljezdast
žljezdav
žljezdica
žljezdobolja
žljezdokrvica
žljezdokrvnost, -ošću *i* -osti
žljezdotočina
žljezdovina
žljezdovit
žmigavac, -vca, V jd. -včе, G mn. -vaca
žmikati, žmikam *i* žmičem, žmikaj *i* žmiči, žmikajući *i* žmičući
žmirećke *i* žmirećki
***žmul** *i* *žmulj > čaša
žmurećke *i* žmurećki
žnjeti > žeti
žohar
ž. r. (*krat. za* ženski rod., *gram.*)
žrec
žrečki
žrijeb > ždrijeb
žrvanj, žrvnja
žuboriti
žuč, žuči, I jd. žučju *i* žuči

žučan, -čna
žuči *komp. od* žuk
žučica *prema* žuk
žučljiv
žučljivost, -ošću *i* -osti
žučni; žučni kamenac
žučnost, -ošću *i* -osti
žučovod
žućak, žućaka, mn. -aci
žućanica
žućenje *prema* žutiti *i* žutjeti
žući *komp. od* žut
žućin *prema* žućo
žućkarast
žućkast
žućo
žudjeti, žudim, žuđah, žudeći, žudio, žudjela
žuđenje *prema* žudjeti
žuhak > žuk > gorak
žujka DL jd. -ki, G mn. -ki
žuk *komp.* žuči > gorak
žuljevit
žuljevitost, -ošću *i* -osti
žuljiti, žuljeći
žumance, -nca, G mn. žumanaca
žumberački *prema* Žumberak
Žumberak, -rka (*zem.*)
Žumberčanin mn. -ani
Žumberčanka DL jd -ki, G mn. -ki
žunjić
županija; *županije na području Republike Hrvatske* (*poredane abecednim redom*):
Bjelovarsko-bilogorska županija (Bjelovar),
Brodsko-posavska županija (Slavonski Brod),
Dubrovačko-neretvanska županija (Dubrovnik),
Grad Zagreb (Zagreb),
Istarska županija (Pazin),
Karlovačka županija (Karlovac),
Koprivničko-križevačka županija (Koprivnica),
Krapinsko-zagorska županija (Krapina),
Ličko-senjska županija (Gospić),
Međimurska županija (Čakovec),
Osječko-baranjska županija (Osijek),
Požeško-slavonska županija (Požega),
Primorsko-goranska županija (Rijeka),
Splitsko-dalmatinska županija (Split),
Šibenska županija (Šibenik),
Varaždinska županija (Varaždin),
Virovitičko-podravska županija (Virovitica),
Vukovarsko-srijemska županija (Vukovar),
Zadarsko-kninska županija (Zadar),
Zagrebačka županija (Zagreb)
županijski; Županijski dom Sabora
Županja (*zem.*)

Županjac, -njca, V jd. -njče, G mn. -njaca
Županjka DL jd. -ki, G mn. -ki
županjski *prema* Županja
župljanin mn. -ani *prema* župa
župljanka DL jd -ki, G mn. -ki
župni; župni ured
župnički *prema* župnik
župnik V jd. -niče, mn. -nici
župski (*koji se odnosi na Župu; drugo je* župni, *v.*)
župski > župni *prema* župa
žurnalist > novinar
žurnalistica > novinarka
žurnalistički > novinarski, novinski
žut *komp.* žući; Žuta Lokva (*zem., mjesto*)
žutanjak > žumance

žutac, žuca *i* žutca, mn. žuci *i* žutci, G mn. žutaca
žutelj
žutičav
žutičavost, -ošću *i* -osti
žutiti (*činiti što* žutim)
žutjenica (*zool.*)
žutjeti, žutim, žućah, žutjeći, žutio, žutjela (*postajati* žut)
žutjeti se, -tim se, -tio se, -tjela se (*biti* žut)
žutost, -ošću *i* -osti
žvakati, žvačem, žvači, žvačući
žvalavac, -vca, V jd. -vče, G mn. -vaca
žvalavost, -ošću *i* -osti
žvalce, žvalca, G mn. žvalaca *i* žvaoce
žvaoce, žvaoca, G mn. žvalaca *i* žvalce

KAZALO

»ŠKOLSKA KNJIGA«, d. d.
Zagreb, Masarykova 28

Za izdavača
dr. DRAGOMIR MAĐERIĆ

Tisak završen u siječnju 1995.